자기주도학습

체크리스트

- 선생님의 친절한 강의로 여러분의 예습·복습을 도와 드릴게요.
- 공부를 마친 후에 확인란에 체크하면서 스스로를 칭찬해 주세요.
- 강의를 듣는 데에는 30분이면 충분합니다.

날짜	강의명		확인
	강		
	강		
	강		
	강		
	강		
	강		
	강		
	강		
	강		
	강		
	강		
	강		
	강		
	강		
	강		
	강		
	강		
	강		
	강		
	강		
	강		
	강		
	강		
	강		
	강		

날짜	강의명		확인
	강		
	강		
	강		
	강		
	강		
	강		
	강		
	강		
	강		
	강		
	강		
	강		
	강		
	강		
	강		
	강		
	강		
	강		
	강		
	강		
	강		
	강		
	강		
	강		
	강		

자기주도학습 체크리스트로 공부의 기쁨이 차곡차곡 쌓일 것입니다.

EBS

인터넷·모바일·TV
무료 강의 제공

초 | 등 | 부 | 터 EBS

예습, 복습, 숙제까지 해결되는

교과서 완전 학습서

만점왕

BOOK 1
개념책

수학 4-1

BOOK 1

개념책

BOOK 1 개념책으로
교과서에 담긴 **학습 개념**을
꼼꼼하게 공부하세요!

⬇ 해설책은 EBS 초등사이트(primary.ebs.co.kr)에서 다운로드 받으실 수 있습니다.

교재 내용 문의 교재 내용 문의는 EBS 초등사이트 (primary.ebs.co.kr)의 교재 Q&A 서비스를 활용하시기 바랍니다.

교재 정오표 공지 발행 이후 발견된 정오 사항을 EBS 초등사이트 정오표 코너에서 알려 드립니다.
교재 검색 ▶ 교재 선택 ▶ 정오표

교재 정정 신청 공지된 정오 내용 외에 발견된 정오 사항이 있다면 EBS 초등사이트를 통해 알려 주세요.
교재 검색 ▶ 교재 선택 ▶ 교재 Q&A

BOOK 1
개념책
만점왕
수학
4-1

이 책의 구성과 특징

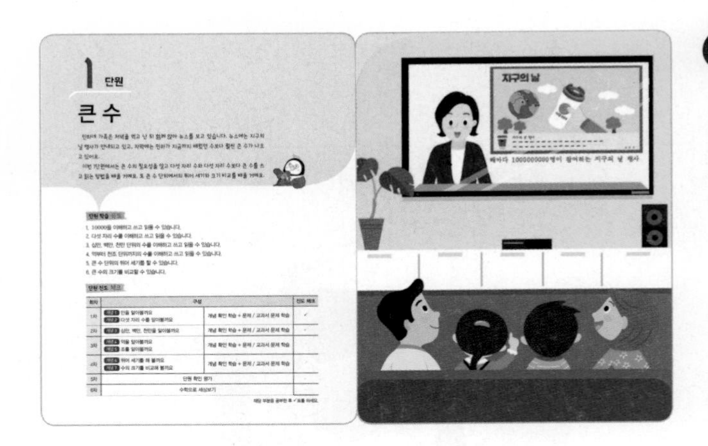

1 | 단원 도입

단원을 시작할 때마다 도입 그림을 눈으로 확인하며 안내 글을 읽으면, 공부할 내용에 대해 흥미를 갖게 됩니다.

2 | 개념 확인 학습

본격적인 학습에 돌입하는 단계입니다. 자세한 개념 설명과 그림으로 제시한 예시를 통해 핵심 개념을 분명하게 파악할 수 있습니다.

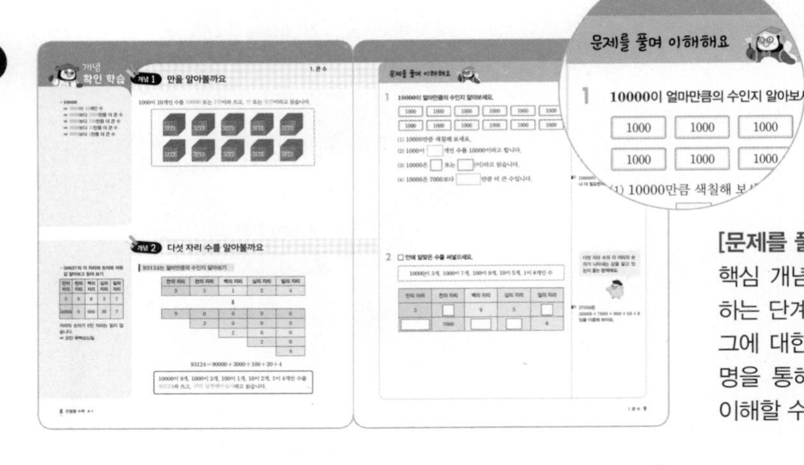

[문제를 풀며 이해해요]

핵심 개념을 심층적으로 학습하는 단계입니다. 개념 문제와 그에 대한 출제 의도, 보조 설명을 통해 개념을 보다 깊이 이해할 수 있습니다.

3 | 교과서 내용 학습

교과서 핵심 집중 탐구로 공부한 내용을 문제를 통해 하나하나 꼼꼼하게 살펴보며 교과서에 담긴 내용을 빈틈없이 학습할 수 있습니다.

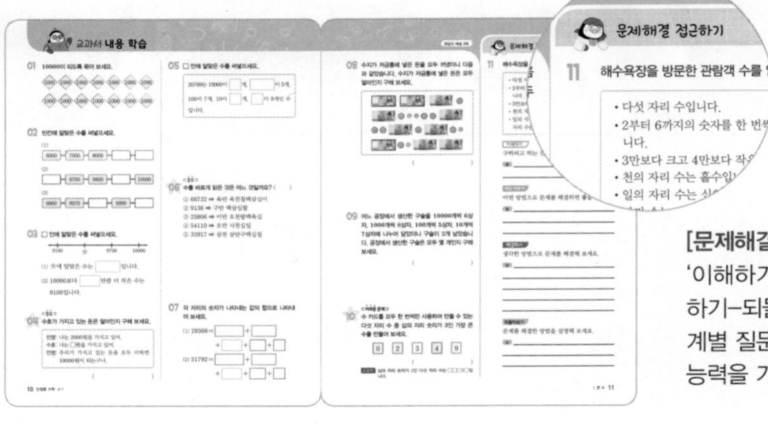

[문제해결 접근하기]

'이해하기–계획 세우기–해결하기–되돌아보기' 4단계의 단계별 질문에 답하며 문제 해결 능력을 기를 수 있습니다.

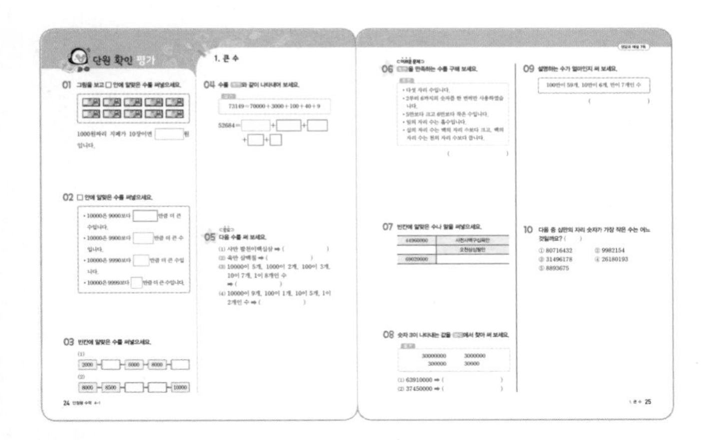

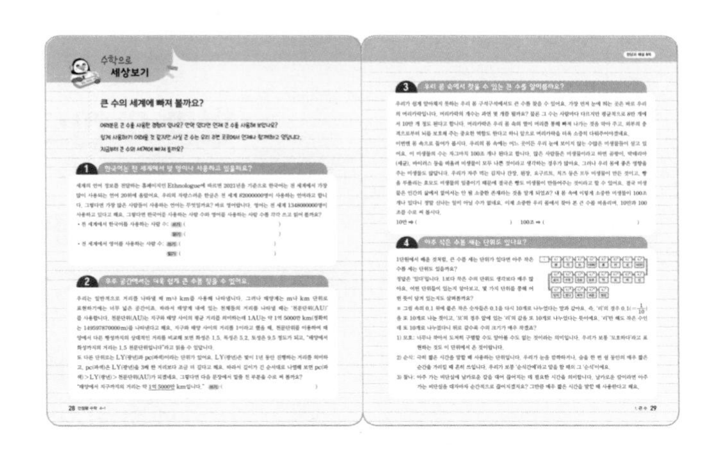

4 | 단원 확인 평가

평가를 통해 단원 학습을 마무리하고, 자신이 보완해야 할 점을 파악할 수 있습니다.

5 | 수학으로 세상보기

실생활 속 수학 이야기와 활동을 통해 단원에서 학습한 개념을 다양한 상황에 적용하고 수학에 대한 흥미를 키울 수 있습니다.

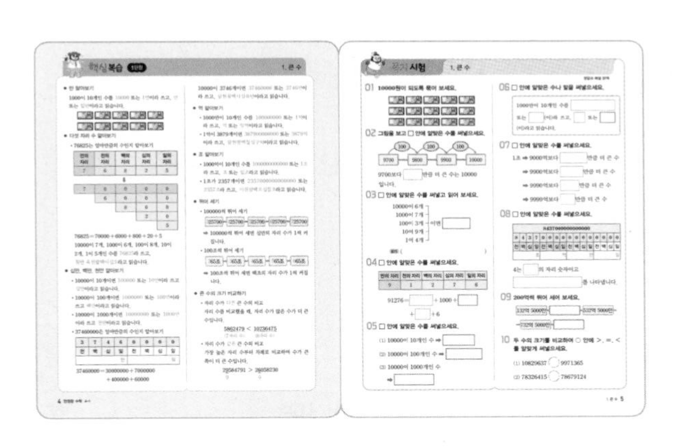

1 | 핵심 복습 + 쪽지 시험

핵심 정리를 통해 학습한 내용을 복습하고, 간단한 쪽지 시험을 통해 자신의 학습 상태를 확인할 수 있습니다.

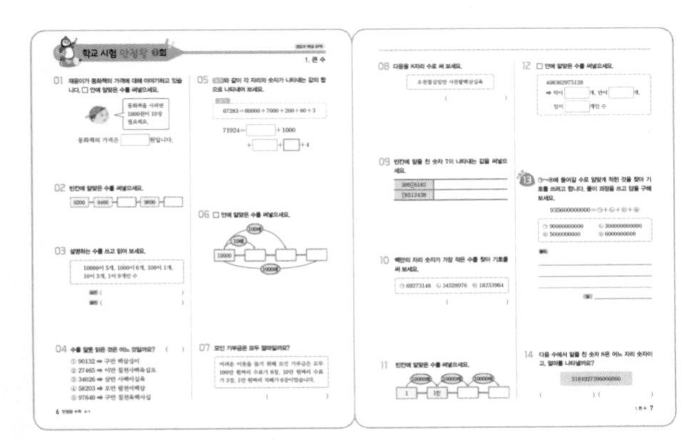

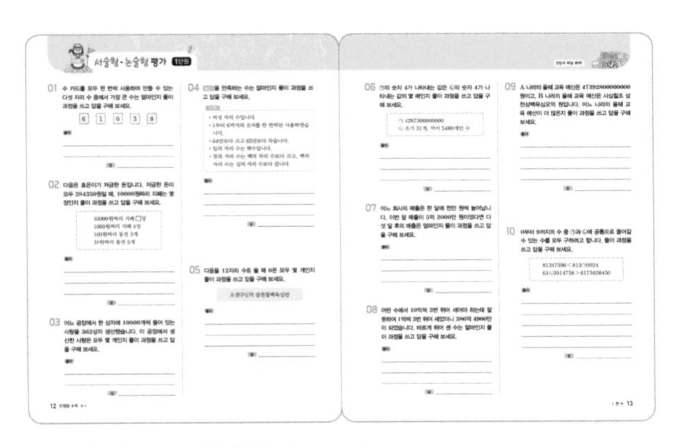

2 | 학교 시험 만점왕

앞서 학습한 내용을 바탕으로 보다 다양한 문제를 경험하여 단원별 평가를 대비할 수 있습니다.

3 | 서술형·논술형 평가

학생들이 고민하는 수행 평가를 대단원 별로 구성하였습니다. 선생님께서 직접 출제하신 문제를 통해 수행 평가를 꼼꼼히 준비할 수 있습니다.

넌 할 수 있어!

자기주도 활용 방법

BOOK 1 개념책

평상 시 진도 공부는

교재(북1 개념책)로 공부하기

만점왕 북1 개념책으로 진도에 따라 공부해 보세요.
개념책에는 학습 개념이 자세히 설명되어 있어요.
따라서 학교 진도에 맞춰 만점왕을 풀어보면
혼자서도 쉽게 공부할 수 있습니다.

TV(인터넷) 강의로 공부하기

개념책으로 혼자 공부했는데, 잘 모르는 부분이 있나요?
더 알고 싶은 부분도 있다고요?
만점왕 강의가 있으니 걱정 마세요.
만점왕 강의는 TV를 통해 방송됩니다.
방송 강의를 보지 못했거나 다시 듣고 싶은 부분이 있다면
인터넷(EBS 초등 사이트)을 이용하면 됩니다.

이 부분은
잘 모르겠으니
인터넷으로 다시
봐야겠어.

만점왕 방송 시간: EBS홈페이지 편성표 참조
EBS 초등 사이트: http://primary.ebs.co.kr

시험 대비 공부는 북2 실전책으로! (북2 2쪽 자기주도 활용 방법을 읽어 보세요.)

이 책의 **차례**

BOOK 1 개념책

1 큰 수 6

2 각도 30

3 곱셈과 나눗셈 54

4 평면도형의 이동 90

5 막대그래프 110

6 규칙 찾기 130

1 단원

큰 수

민하네 가족은 저녁을 먹고 난 뒤 함께 앉아 뉴스를 보고 있습니다. 뉴스에는 지구의 날 행사가 안내되고 있고, 자막에는 민하가 지금까지 배웠던 수보다 훨씬 큰 수가 나오고 있어요.

이번 1단원에서는 큰 수의 필요성을 알고 다섯 자리 수와 다섯 자리 수보다 큰 수를 쓰고 읽는 방법을 배울 거예요. 또 큰 수 단위에서의 뛰어 세기와 크기 비교를 배울 거예요.

단원 학습 목표

1. 10000을 이해하고 쓰고 읽을 수 있습니다.
2. 다섯 자리 수를 이해하고 쓰고 읽을 수 있습니다.
3. 십만, 백만, 천만 단위의 수를 이해하고 쓰고 읽을 수 있습니다.
4. 억부터 천조 단위까지의 수를 이해하고 쓰고 읽을 수 있습니다.
5. 큰 수 단위의 뛰어 세기를 할 수 있습니다.
6. 큰 수의 크기를 비교할 수 있습니다.

단원 진도 체크

회차	구성		진도 체크
1차	개념 1 만을 알아볼까요 개념 2 다섯 자리 수를 알아볼까요	개념 확인 학습 + 문제 / 교과서 문제 학습	✓
2차	개념 3 십만, 백만, 천만을 알아볼까요	개념 확인 학습 + 문제 / 교과서 문제 학습	✓
3차	개념 4 억을 알아볼까요 개념 5 조를 알아볼까요	개념 확인 학습 + 문제 / 교과서 문제 학습	✓
4차	개념 6 뛰어 세기를 해 볼까요 개념 7 수의 크기를 비교해 볼까요	개념 확인 학습 + 문제 / 교과서 문제 학습	✓
5차	단원 확인 평가		✓
6차	수학으로 세상보기		✓

해당 부분을 공부한 후 ✓표를 하세요.

지구의 날
지구를 지키자
지구의 날 행사
해마다 1000000000명이 참여하는 지구의 날 행사

개념 1 만을 알아볼까요

• **10000**
➡ 1000이 10개인 수
➡ 9000보다 1000만큼 더 큰 수
➡ 9900보다 100만큼 더 큰 수
➡ 9990보다 10만큼 더 큰 수
➡ 9999보다 1만큼 더 큰 수

1000이 10개인 수를 10000 또는 1만이라 쓰고, 만 또는 일만이라고 읽습니다.

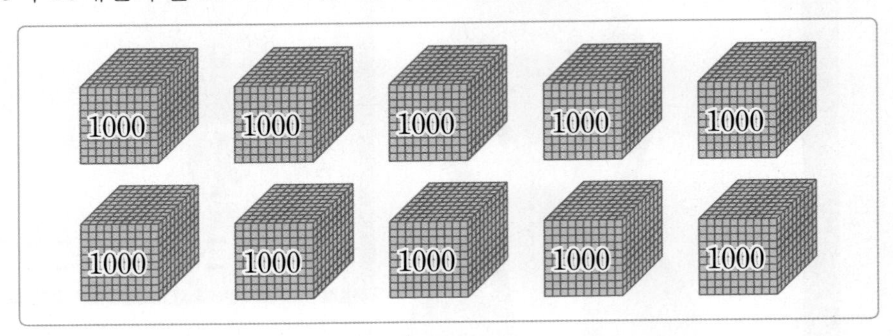

개념 2 다섯 자리 수를 알아볼까요

• **50637**의 각 자리의 숫자와 자릿값 알아보고 읽어 보기

만의 자리	천의 자리	백의 자리	십의 자리	일의 자리
5	0	6	3	7
50000	0	600	30	7

자리의 숫자가 0인 자리는 읽지 않습니다.
➡ 오만 육백삼십칠

93124는 얼마만큼의 수인지 알아보기

만의 자리	천의 자리	백의 자리	십의 자리	일의 자리
9	3	1	2	4

⬇

9	0	0	0	0
	3	0	0	0
		1	0	0
			2	0
				4

$$93124=90000+3000+100+20+4$$

10000이 9개, 1000이 3개, 100이 1개, 10이 2개, 1이 4개인 수를 93124라 쓰고, 구만 삼천백이십사라고 읽습니다.

문제를 풀며 이해해요

정답과 해설 2쪽

1 **10000이 얼마만큼의 수인지 알아보세요.**

1000	1000	1000	1000	1000	1000
1000	1000	1000	1000	1000	1000

(1) 10000만큼 색칠해 보세요.

(2) 1000이 □ 개인 수를 10000이라고 합니다.

(3) 10000은 □ 또는 □ (이)라고 읽습니다.

(4) 10000은 7000보다 □ 만큼 더 큰 수입니다.

10000에 대해 바르게 이해하고 있는지 묻는 문제예요.

10000은 1000이 몇 개인 수인지 생각해 본 뒤 색칠해 보아요.

10000이 되려면 7000에서 얼마나 더 필요한지 생각해 보아요.

2 **□ 안에 알맞은 수를 써넣으세요.**

10000이 3개, 1000이 7개, 100이 9개, 10이 5개, 1이 8개인 수

만의 자리	천의 자리	백의 자리	십의 자리	일의 자리
3	□	9	5	□
□	7000	□	□	8

다섯 자리 수의 각 자리의 숫자가 나타내는 값을 알고 있는지 묻는 문제예요.

37958은
$30000+7000+900+50+8$
임을 이용해 보아요.

교과서 내용 학습

01 10000이 되도록 묶어 보세요.

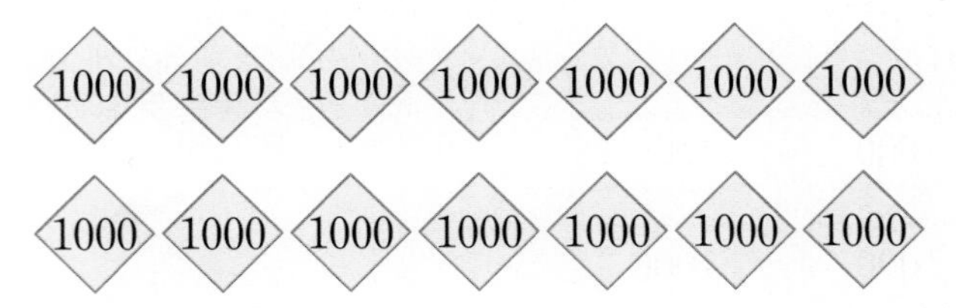

02 빈칸에 알맞은 수를 써넣으세요.

(1) 6000 — 7000 — 8000 — □ — □

(2) □ — 9700 — 9800 — □ — 10000

(3) 9960 — 9970 — □ — 9990 — □

03 □ 안에 알맞은 수를 써넣으세요.

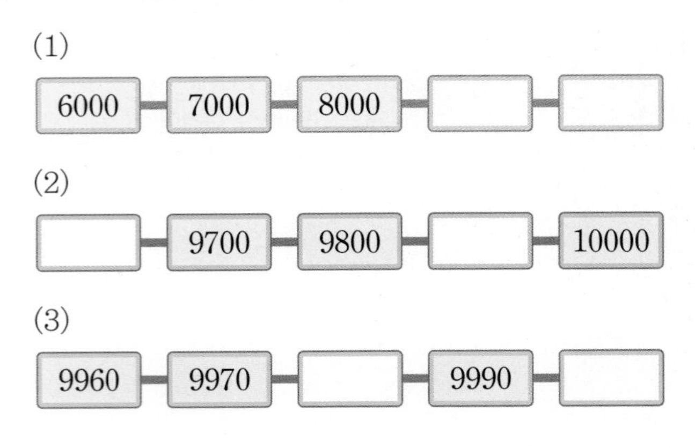

(1) ★에 알맞은 수는 □입니다.

(2) 10000보다 □만큼 더 작은 수는 9100입니다.

중요
04 수호가 가지고 있는 돈은 얼마인지 구해 보세요.

민영: 나는 2000원을 가지고 있어.
수호: 나는 □원을 가지고 있어.
민영: 우리가 가지고 있는 돈을 모두 더하면 10000원이 되는구나.

( )

05 □ 안에 알맞은 수를 써넣으세요.

35769는 10000이 □개, □이 5개, 100이 7개, 10이 □개, □이 9개인 수입니다.

중요
06 수를 바르게 읽은 것은 어느 것일까요? ( )

① 66732 ➡ 육만 육천칠백삼십이
② 9138 ➡ 구만 백삼십팔
③ 25806 ➡ 이만 오천팔백육십
④ 54110 ➡ 오만 사천십일
⑤ 33917 ➡ 삼천 삼만구백십칠

07 각 자리의 숫자가 나타내는 값의 합으로 나타내어 보세요.

(1) 29368＝□＋□＋□＋□＋□

(2) 51792＝□＋□＋□＋□＋□

08 수지가 저금통에 넣은 돈을 모두 꺼냈더니 다음과 같았습니다. 수지가 저금통에 넣은 돈은 모두 얼마인지 구해 보세요.

(　　　　　　　　　　)

09 어느 공장에서 생산한 구슬을 10000개씩 6상자, 1000개씩 8상자, 100개씩 5상자, 10개씩 7상자에 나누어 담았더니 구슬이 2개 남았습니다. 공장에서 생산한 구슬은 모두 몇 개인지 구해 보세요.

(　　　　　　　　　　)

⊂어려운 문제⊃

10 수 카드를 모두 한 번씩만 사용하여 만들 수 있는 다섯 자리 수 중 십의 자리 숫자가 3인 가장 큰 수를 만들어 보세요.

0　2　3　4　9

(　　　　　　　　　　)

도움말 십의 자리 숫자가 3인 다섯 자리 수는 □□□3□입니다.

문제해결 접근하기

11 해수욕장을 방문한 관람객 수를 알아보세요.

- 다섯 자리 수입니다.
- 2부터 6까지의 숫자를 한 번씩만 사용하였습니다.
- 3만보다 크고 4만보다 작은 수입니다.
- 천의 자리 수는 홀수입니다.
- 일의 자리 수는 십의 자리 수보다 크고, 십의 자리 수는 백의 자리 수보다 큽니다.

이해하기

구하려고 하는 것은 무엇인가요?

답 ______________________________

계획 세우기

어떤 방법으로 문제를 해결하면 좋을까요?

답 ______________________________

해결하기

생각한 방법으로 문제를 해결해 보세요.

답 ______________________________

되돌아보기

문제를 해결한 방법을 설명해 보세요.

답 ______________________________

개념 확인 학습

개념 3 십만, 백만, 천만을 알아볼까요

•
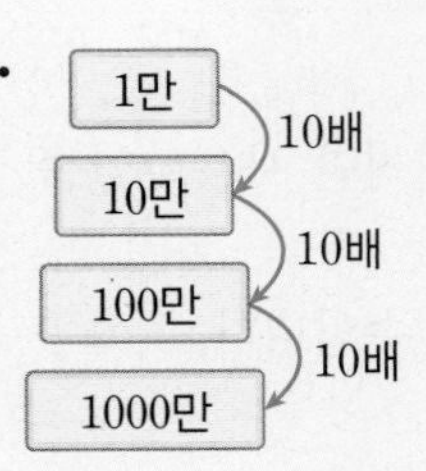

십만, 백만, 천만 알아보기

• 10000이 10개이면 100000 또는 10만이라 쓰고 십만이라고 읽습니다.
• 10000이 100개이면 1000000 또는 100만이라 쓰고 백만이라고 읽습니다.
• 10000이 1000개이면 10000000 또는 1000만이라 쓰고 천만이라고 읽습니다.

• **61080000의 각 자리의 숫자와 자릿값 알아보고 읽어 보기**

천만	백만	십만	만	천	백	십	일
6	1	0	8	0	0	0	0
6	0	0	0	0	0	0	0
	1	0	0	0	0	0	0
		0	0	0	0	0	0
			8	0	0	0	0

십만의 자리 숫자는 0이므로 읽지 않고 나머지만 읽습니다.
➡ 육천백팔만

42960000이 얼마만큼의 수인지 알아보기

(1) 42960000 알아보기

10000이 4296개이면 42960000 또는 4296만이라 쓰고, 사천이백구십육만이라고 읽습니다.

(2) 42960000의 각 자리의 숫자와 자릿값 알아보기

4	2	9	6	0	0	0	0
천	백	십	일	천	백	십	일
			만				일

천만	백만	십만	만	천	백	십	일
4	2	9	6	0	0	0	0
4	0	0	0	0	0	0	0
	2	0	0	0	0	0	0
		9	0	0	0	0	0
			6	0	0	0	0

• 숫자 4는 천만의 자리 숫자이고, 40000000을 나타냅니다.
• 숫자 2는 백만의 자리 숫자이고, 2000000을 나타냅니다.
• 숫자 9는 십만의 자리 숫자이고, 900000을 나타냅니다.
• 숫자 6은 만의 자리 숫자이고, 60000을 나타냅니다.

➡ 42960000＝40000000＋2000000＋900000＋60000

문제를 풀며 이해해요

정답과 해설 3쪽

1 □ 안에 알맞은 수나 말을 써넣으세요.

(1) 10000이 10개인 수를 □ 또는 □(이)라 쓰고, □(이)라고 읽습니다.

(2) 10000이 100개인 수를 □ 또는 □(이)라 쓰고, □(이)라고 읽습니다.

(3) 10000이 1000개인 수를 □ 또는 □(이)라 쓰고, □(이)라고 읽습니다.

10만, 100만, 1000만을 이해하고 있는지 묻는 문제예요.

2 □ 안에 알맞은 수나 말을 써넣으세요.

5	7	3	1	0	0	0	0
천	백	십	일	천	백	십	일
			만				일

(1) 57310000에서 숫자 5는 □의 자리 숫자이고, □을/를 나타냅니다.

(2) 57310000에서 숫자 7은 □의 자리 숫자이고, □을/를 나타냅니다.

(3) 57310000=□+□+300000+10000이고, □(이)라고 읽습니다.

천만 단위까지 수의 각 자리의 숫자와 자릿값을 알고 있는지 묻는 문제예요.

숫자 5가 나타내는 값은 오천만, 숫자 7이 나타내는 값은 칠백만으로 읽어요.

교과서 내용 학습

01 빈칸에 알맞는 수를 보기 에서 찾아 써넣으세요.

보기

십만　1000만　1000000

10000이 100개인 수	
10000이 1000개인 수	
10000이 10개인 수	

02 알맞게 설명한 학생을 찾아 ○표 하세요.

1	3	6	5	0	0	0	0
천	백	십	일	천	백	십	일
			만				일

13650000에서 5는 일의 자리 숫자야.
13650000에서 3은 백만의 자리 숫자야.

(　　　　　)　(　　　　　)

03 수를 보기 와 같이 나타내고, 읽어 보세요.

보기

61529340

➡ 6152만 9340

읽기 육천백오십이만 구천삼백사십

50794218

➡ □만 □

읽기 (　　　　　　　　　　　　)

04 수를 잘못 읽은 것을 모두 고르세요. (　　　　　)

① 5870000 ➡ 오백팔십칠만

② 1090000 ➡ 백구만

③ 70603000 ➡ 칠천육십삼만

④ 99800000 ➡ 구천구백팔만

⑤ 31125000 ➡ 삼천백십이만 오천

05 □ 안에 알맞은 수를 써넣으세요.

34275896은

만이 □개, 일이 □개인 수

입니다.

06 숫자 5가 나타내는 값이 더 큰 수를 찾아 기호를 써 보세요.

㉠ 50910000　㉡ 73580000

(　　　　　　　)

07 중요

빈칸에 밑줄친 숫자 2가 나타내는 값을 써넣으세요.

21349768	
42076193	
90325841	
65297148	

정답과 해설 3쪽

중요

08 어느 지역의 은행에서 하루 동안 예금된 금액은 100만 원짜리 26장, 10만 원짜리 5장, 만 원짜리 9장입니다. 예금된 금액은 모두 얼마일까요?

(　　　　　　　　)

어려운 문제

09 다음을 수로 쓸 때 0의 개수가 가장 많은 수의 기호를 써 보세요.

㉠ 구백팔십삼만
㉡ 이천오백만 사천칠십
㉢ 이십일만 구천칠백삼십
㉣ 천삼만 육천

(　　　　　　　　)

도움말 수를 읽을 때 숫자가 0인 자리는 읽지 않으므로 수를 쓸 때 읽지 않은 자리에는 숫자 0을 씁니다.

10 수 카드를 한 번씩만 사용하여 만들 수 있는 여덟 자리 수를 두 가지 만들어 보세요.

0 1 3 4 6 7 8 9

(　　　　　　　　)
(　　　　　　　　)

문제해결 접근하기

11 다음은 2021년 5월 기준 서울시 인구를 나타낸 표입니다. ㉠이 나타내는 값은 ㉡이 나타내는 값의 몇 배인지 구해 보세요.

총 인구(명)	남자 인구(명)	여자 인구(명)
9575355 (㉠: 9)	4654720	4920635 (㉡: 9)

(출처: 국가통계포털)

이해하기

구하려고 하는 것은 무엇인가요?

답 ______________________

계획 세우기

어떤 방법으로 문제를 해결하면 좋을까요?

답 ______________________

해결하기

□ 안에 알맞은 수나 말을 써넣으세요.

(1) ㉠은 □의 자리 숫자이고, □을/를 나타냅니다.

(2) ㉡은 □의 자리 숫자이고, □을/를 나타냅니다.

(3) ㉠이 나타내는 값은 ㉡이 나타내는 값의 □배입니다.

되돌아보기

㉡이 나타내는 값의 100배인 수는 얼마인지 알아보세요.

답 ______________________

개념 확인 학습

개념 4 억을 알아볼까요

• 1억
➡ 1000만이 10개인 수
➡ 9999만보다 1만만큼 더 큰 수
➡ 9990만보다 10만만큼 더 큰 수
➡ 9900만보다 100만만큼 더 큰 수
➡ 9000만보다 1000만만큼 더 큰 수

억 알아보기

1000만이 10개인 수를 100000000 또는 1억이라 쓰고, 억 또는 일억이라고 읽습니다.

- 1억이 10개인 수 쓰기 1000000000 또는 10억 읽기 십억
- 1억이 100개인 수 쓰기 10000000000 또는 100억 읽기 백억
- 1억이 1000개인 수 쓰기 100000000000 또는 1000억 읽기 천억

1억이 3879개인 수(3879|0000|0000)

3	8	7	9	0	0	0	0	0	0	0	0
천	백	십	일	천	백	십	일	천	백	십	일
			억				만				일

1억이 3879개이면 387900000000 또는 3879억이라 쓰고, 삼천팔백칠십구억이라고 읽습니다.

개념 5 조를 알아볼까요

• 1조
➡ 1000억이 10개인 수
➡ 9999억보다 1억만큼 더 큰 수
➡ 9990억보다 10억만큼 더 큰 수
➡ 9900억보다 100억만큼 더 큰 수
➡ 9000억보다 1000억만큼 더 큰 수

• 큰 수 읽기
① 일의 자리에서부터 네 자리씩 나누어서 끊습니다.
② 앞에서부터 '조', '억', '만'의 단위를 붙여 읽습니다.

조 알아보기

1000억이 10개인 수를 1000000000000 또는 1조라 쓰고, 조 또는 일조라고 읽습니다.

- 1조가 10개인 수 쓰기 10000000000000 또는 10조 읽기 십조
- 1조가 100개인 수 쓰기 100000000000000 또는 100조 읽기 백조
- 1조가 1000개인 수 쓰기 1000000000000000 또는 1000조 읽기 천조

1조가 2357개인 수(2357|0000|0000|0000)

2	3	5	7	0	0	0	0	0	0	0	0	0	0	0	0
천	백	십	일	천	백	십	일	천	백	십	일	천	백	십	일
			조				억				만				일

1조가 2357개이면 2357000000000000 또는 2357조라 쓰고, 이천삼백오십칠조라고 읽습니다.

문제를 풀여 이해해요

정답과 해설 4쪽

1 □ 안에 알맞은 수를 써넣으세요.

(1) 1억은 9900만보다 □ 만큼 더 큰 수입니다.

(2) 1억은 8000만보다 □ 만큼 더 큰 수입니다.

(3) 1조는 1000억이 □ 개인 수입니다.

(4) 1조는 9999억보다 □ 만큼 더 큰 수입니다.

1억과 1조를 이해하고 있는지 묻는 문제예요.

2 516300000000을 표로 나타낸 것입니다. 물음에 답하세요.

□	□	□	□	0	0	0	0	0	0	0	0
천	백	십	일	천	백	십	일	천	백	십	일
			억				만				일

(1) 위 표의 □ 안에 알맞은 수를 써넣으세요.

(2) 516300000000에서 숫자 3은 얼마를 나타낼까요?

( )

천억 자리까지의 수의 자릿값을 이해하고 있는지 묻는 문제예요.

각 자리 숫자를 먼저 알아본 다음 각 자리의 숫자가 나타내는 값이 얼마인지 구해 보아요.

3 9274000000000000를 표로 나타낸 것입니다. 물음에 답하세요.

□	□	□	□	0	0	0	0	0	0	0	0	0	0	0	0
천	백	십	일	천	백	십	일	천	백	십	일	천	백	십	일
			조				억				만				일

(1) 위 표의 □ 안에 알맞은 수를 써넣으세요.

(2) 수를 읽어 보세요. ( )

(3) □ 안에 알맞은 수를 써넣으세요.

9274000000000000

$=9000000000000000+$ □

$+$ □ $+4000000000000$

교과서 내용 학습

01 □ 안에 알맞은 수를 써넣으세요.

(1) 1억은
- 1000만이 □개인 수입니다.
- 9990만보다 □만큼 더 큰 수입니다.

(2) 1조는
- 1000억이 □개인 수입니다.
- 9000억보다 □만큼 더 큰 수입니다.

중요

02 □ 안에 알맞은 수를 써넣으세요.

(1) 1000만의 □배는 1억입니다.

(2) 1억의 10000배는 □입니다.

[03~04] 493200000000을 표로 나타낸 것입니다. 물음에 답하세요.

□	□	□	□	0	0	0	0	0	0	0	0
천	백	십	일	천	백	십	일	천	백	십	일
			억				만				일

03 위 표의 □ 안에 알맞은 수를 써넣고 읽어 보세요.

읽기 (   )

04 □ 안에 알맞은 수를 써넣으세요.

493200000000

=400000000000+□

+□+200000000

[05~06] 1564000000000000를 표로 나타낸 것입니다. 물음에 답하세요.

								0	0	0	0	0	0	0	0
천	백	십	일	천	백	십	일	천	백	십	일	천	백	십	일
			조				억				만				일

05 위 표의 빈칸에 알맞은 수를 써넣고 읽어 보세요.

읽기 (   )

06 □ 안에 알맞은 수를 써넣으세요.

1564000000000000

=□

+500000000000000

+60000000000000

+□

07 보기 와 같이 □ 안에 알맞은 수를 써넣으세요.

보기

696451827063
➡ 억이 6964개, 만이 5182개, 일이 7063개인 수

50733296104

➡ 억이 □개, 만이 □개,

일이 □개인 수

⊂중요⊃

08 수를 쓰거나 읽어 보세요.

(1) 백오억 팔천구백육십일만 사천이백칠십

쓰기 ( )

(2) 92338500000000

읽기 ( )

(3) 조가 3927개, 억이 6878개인 수

쓰기 ( )

읽기 ( )

09 수 카드를 모두 한 번씩만 사용하여 50억보다 크고, 천만의 자리 숫자가 8인 수를 만들어 보세요.

0 1 2 3 4 5 6 7 8 9

( )

⊂어려운 문제⊃

10 어느 나라의 연도별 사회복지 예산을 나타낸 표입니다. 물음에 답하세요.

(1) 빈칸에 알맞은 수를 써넣으세요.

연도	예산(원)	
2019	72조 5148억	72514800000000
2020	82조 5269억	
2021	89조 5766억	

(2) 2021년의 예산에서 숫자 9는 얼마를 나타낼까요?

( )

도움말 1조=1000000000000, 1억=100000000입니다.

문제해결 접근하기

11 다음을 12자리 수로 쓸 때 0의 개수가 더 많은 수의 기호를 써 보세요.

㉠ 구천삼백오십억 칠천팔백이만
㉡ 사천구백구십억 삼천오만

이해하기

구하려고 하는 것은 무엇인가요?

답 ______

계획 세우기

어떤 방법으로 문제를 해결하면 좋을까요?

답 ______

______

해결하기

(1) ㉠을 12자리 수로 써 보세요.

( )

(2) ㉡을 12자리 수로 써 보세요.

( )

(3) □ 안에 알맞은 수를 써넣으세요.

㉠을 12자리 수로 쓸 때 0의 개수는 □개이고, ㉡을 12자리 수로 쓸 때 0의 개수는 □개이므로 0의 개수가 더 많은 수의 기호는 □입니다.

되돌아보기

□ 안에 알맞은 수를 써넣으세요.

육천칠십억 사천오백만을 12자리 수로 쓰면 □이고, 이때 0의 개수는 □개입니다.

개념 6 뛰어 세기를 해 볼까요

• 어느 자리 수가 어떻게 변하고 있는지 살펴보면 뛰어 센 규칙을 찾을 수 있습니다.
예 25억 - 35억 - 45억
➡ 십억의 자리 수가 1씩 커졌으므로 10억씩 뛰어 세었습니다.

10000씩 뛰어 세기

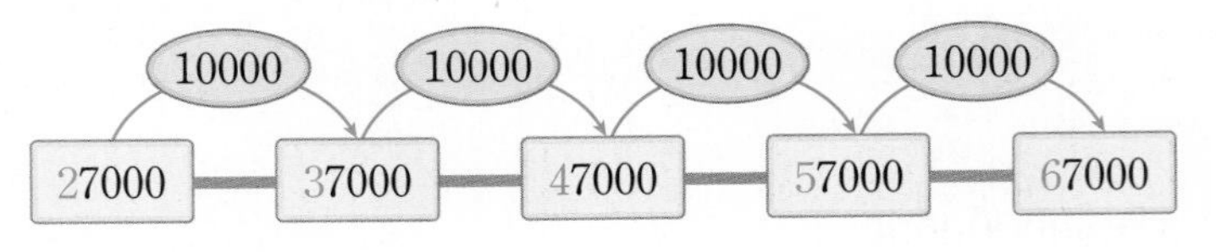

➡ 10000씩 뛰어 세면 만의 자리 수가 1씩 커집니다.

10억씩 뛰어 세기

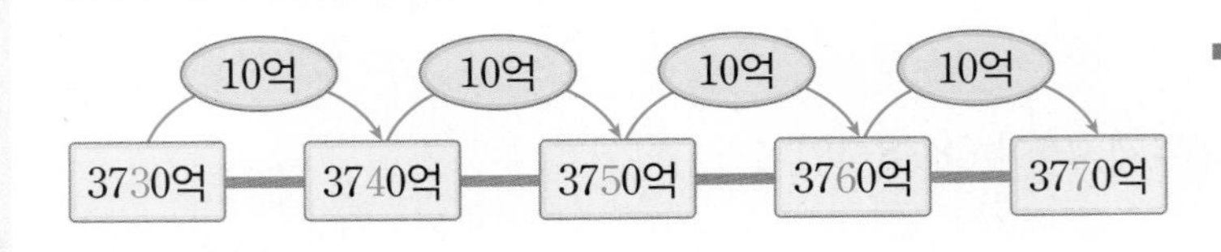

➡ 10억씩 뛰어 세면 십억의 자리 수가 1씩 커집니다.

1조씩 뛰어 세기

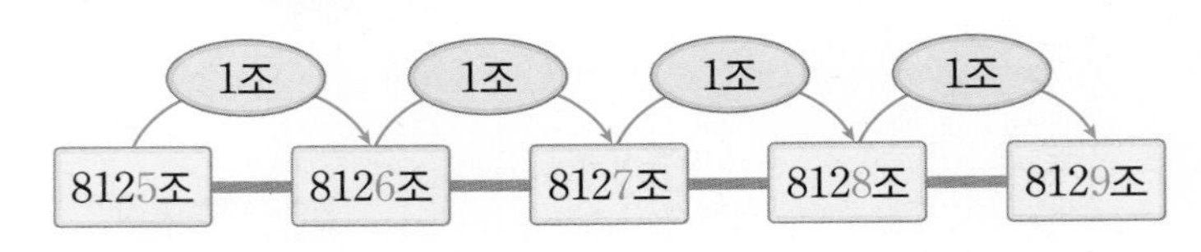

➡ 1조씩 뛰어 세면 조의 자리 수가 1씩 커집니다.

개념 7 수의 크기를 비교해 볼까요

• 수직선에서 수를 비교하는 경우에는 오른쪽에 있는 수가 더 큰 수입니다.
예
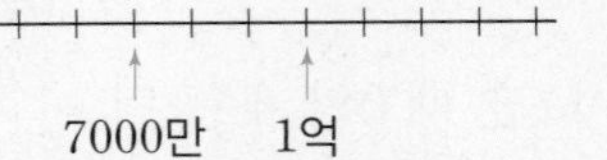

➡ 오른쪽에 있는 1억이 더 큰 수입니다.

자리 수가 다른 큰 수 비교하기

자리 수를 비교했을 때, 자리 수가 많은 수가 더 큰 수입니다.

억	천만	백만	십만	만	천	백	십	일
1	3	2	7	6	9	5	8	4
	9	7	8	5	3	2	4	1

132769584 > 97853241 ➡ 각각 9자리 수, 8자리 수이므로 132769584가 더 큽니다.

자리 수가 같은 큰 수 비교하기

가장 높은 자리 수부터 차례로 비교하여 수가 큰 쪽이 더 큰 수입니다.

억	천만	백만	십만	만	천	백	십	일
6	4	8	3	1	7	9	2	5
6	4	7	8	9	2	5	1	3

648317925 > 647892513
➡ 가장 높은 자리부터 비교했을 때 억의 자리 수와 천만의 자리 수는 같고, 백만의 자리 수가 8과 7로 다릅니다. 8이 7보다 크므로 648317925가 더 큽니다.

문제를 풀며 이해해요 

정답과 해설 5쪽

1 □ 안에 알맞은 수를 써넣으세요.

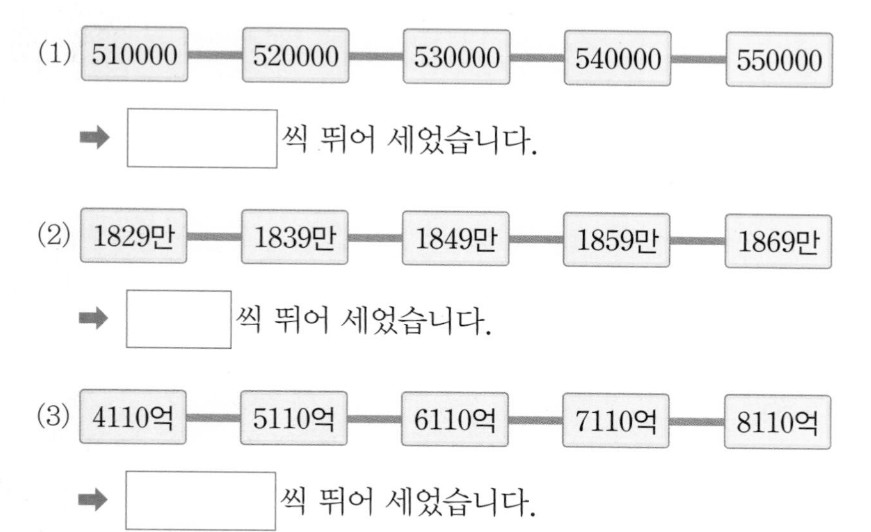

(1) 510000 — 520000 — 530000 — 540000 — 550000
➡ □씩 뛰어 세었습니다.
(2) 1829만 — 1839만 — 1849만 — 1859만 — 1869만
➡ □씩 뛰어 세었습니다.
(3) 4110억 — 5110억 — 6110억 — 7110억 — 8110억
➡ □씩 뛰어 세었습니다.

얼마씩 뛰어 세었는지를 알고 있는지 묻는 문제예요.

■ 어느 자리의 수가 어떻게 변하고 있는지 살펴보아요.

2 두 수의 크기를 비교하여 ○ 안에 >, =, <를 알맞게 써넣으세요.

(1) 143567 ○ 96872

(2) 3924681 ○ 3957462

(3) 996억 ○ 1032억

(4) 1조 70억 ○ 8590억 2477만

큰 수의 크기를 비교할 수 있는지 묻는 문제예요.

■ 먼저 두 수의 자리 수가 같은지 다른지 비교해 보아요.

교과서 내용 학습

01 1000000씩 뛰어 세려고 합니다. 빈칸에 알맞은 수를 써넣으세요.

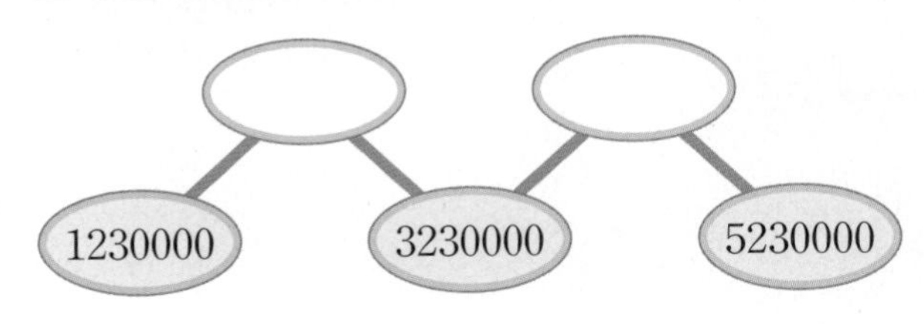

02 50억씩 뛰어 세려고 합니다. 빈칸에 알맞은 수를 써넣으세요.

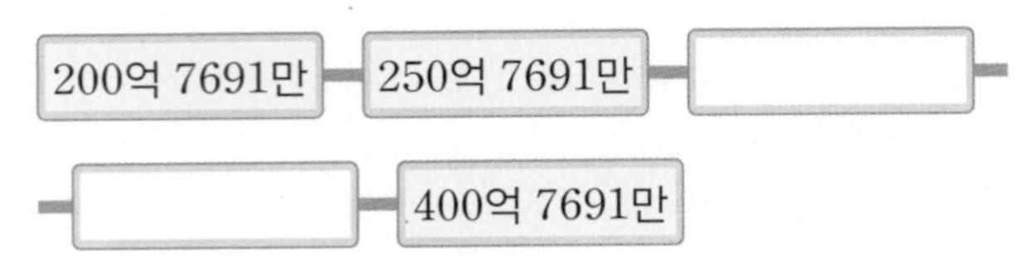

03 규칙에 따라 ㉠, ㉡, ㉢에 알맞은 수를 바르게 말한 학생은 누구일까요?

			37억 7239만
	㉠		37억 7249만
34억 7259만	35억 7259만	㉡	37억 7259만
	35억 8259만		㉢
	35억 9259만		

지훈: ㉠에 알맞은 수는 35억 6259만이야.
승주: ㉡에 알맞은 수는 35억 8259만이야.
나연: ㉢에 알맞은 수는 37억 8259만이야.

( )

04 빈칸에 알맞은 수를 쓰고, 얼마씩 뛰어 세었는지 써 보세요.

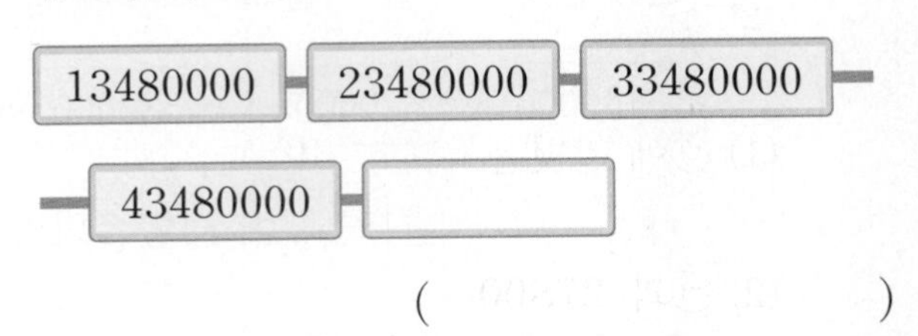

( )

05 중요

□ 안에 알맞은 수를 써넣으세요.

경민이의 일기

우리 가족은 여름 휴가로 해외여행을 가기로 결정했다. 아버지께서는 300만 원을 모으는 것이 좋겠다고 하셨다. 어머니께서는 이번 달부터 매달 30만 원씩 모으자고 하셨다. 부모님의 말씀을 듣고 계산해 보니 여행에 필요한 돈을 다 모으려면 □ 달이 걸린다는 것을 알게 되었다.

06 두 수의 크기를 비교하여 ○ 안에 >, =, <를 알맞게 써넣으세요.

(1) 89976 ○ 1032547

(2) 36억 4800만 ○ 3647900000

(3) 169000000000 ○ 1조 3000억

07 49813766과 46975031의 크기를 비교하려고 합니다. 알맞은 말에 ○표 하세요.

① 두 수의 자리 수는 (같습니다 , 다릅니다).
② 어느 수가 더 큰지 알기 위해서는 (천만 , 백만)의 자리 수를 비교해 봅니다.
③ 따라서 49813766은 46975031보다 (큽니다 , 작습니다).

정답과 해설 5쪽

08 수직선을 보고 물음에 답하세요.

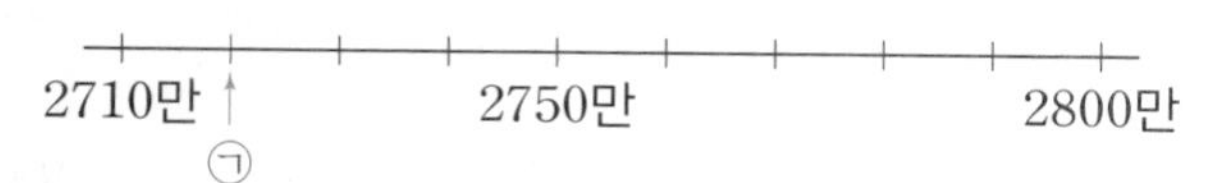

(1) ㉠에 알맞은 수를 구해 보세요.

( )

(2) ㉠과 27800000을 비교하여 ○ 안에 >, =, <를 알맞게 써넣으세요.

㉠ ○ 27800000

⊂중요⊃

09 수의 크기를 비교하여 큰 수부터 순서대로 기호를 써 보세요.

㉠ 87654321
㉡ 오억 육천육백사십구만
㉢ 삼천구백칠십팔만

( )

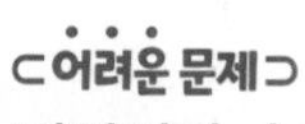

⊂어려운 문제⊃

10 지민이가 숙제로 찾은 수에 물감이 떨어져 일부분이 보이지 않게 되었습니다. 지민이가 찾은 수는 얼마일까요?

〈오늘의 숙제-조건에 맞는 수를 찾으세요.〉
- 아홉 자리 수입니다.
- 5, 6, 7, 8, 9를 모두 한 번씩만 사용하고, 0을 네 번 사용하여 만든 수입니다.
- 678000000보다는 크고, 679000000보다는 작은 수입니다.
- 십만의 자리 수는 만의 자리 수보다 작습니다.

( )

도움말 아홉 자리 수이고, 뒤의 네 자리가 0000이므로 찾으려는 수를 □□□□□0000으로 표현한 후 조건에 맞추어 구해 봅니다.

문제해결 접근하기

11 1부터 9까지의 수 중에서 □ 안에 들어갈 수 있는 수의 합을 구해 보세요.

673581290000<6□1249830000

이해하기

두 수를 보고 알 수 있는 것을 이야기해 보세요.

답

계획 세우기

어떤 방법으로 문제를 해결하면 좋을까요?

답

해결하기

생각한 방법으로 문제를 해결해 보세요.

답

되돌아보기

6□1249830000을 6□4249830000으로 바꾼다면 □ 안에 들어갈 수 있는 수의 합은 얼마가 되는지 알아보세요.

답

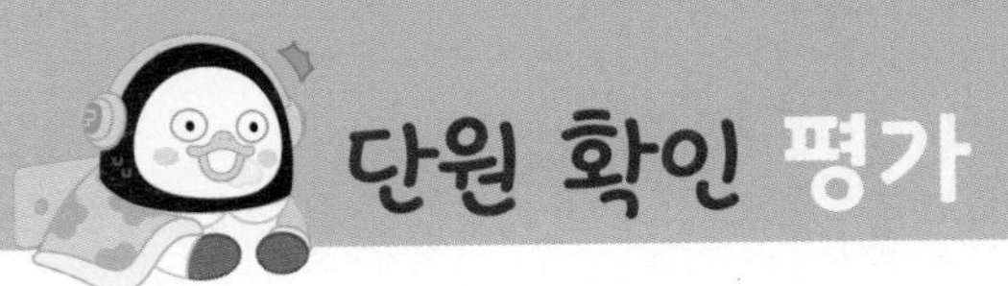

01 그림을 보고 □ 안에 알맞은 수를 써넣으세요.

1000원짜리 지폐가 10장이면 □원 입니다.

02 □ 안에 알맞은 수를 써넣으세요.

- 10000은 9000보다 □만큼 더 큰 수입니다.
- 10000은 9900보다 □만큼 더 큰 수입니다.
- 10000은 9990보다 □만큼 더 큰 수입니다.
- 10000은 9999보다 □만큼 더 큰 수입니다.

03 빈칸에 알맞은 수를 써넣으세요.

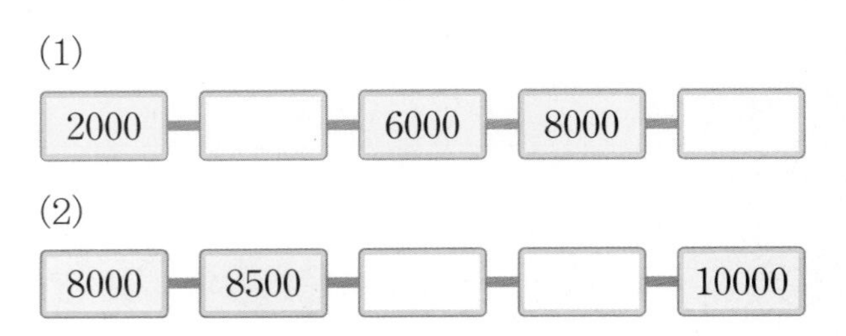

04 수를 보기와 같이 나타내어 보세요.

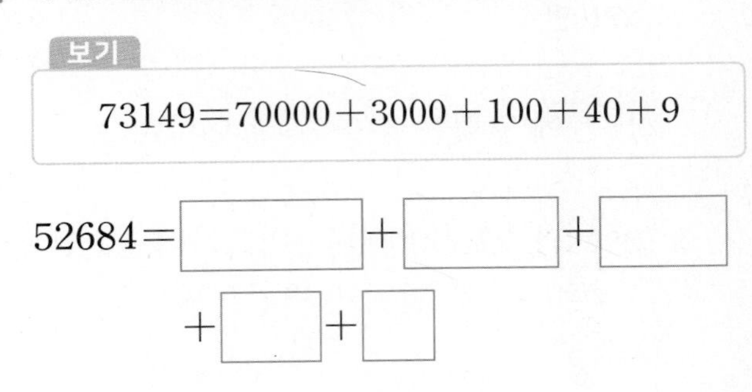

보기

73149=70000+3000+100+40+9

52684=□+□+□+□+□

중요

05 다음 수를 써 보세요.

(1) 사만 팔천이백십삼 ➡ (　　　　　　)

(2) 육만 삼백칠 ➡ (　　　　　　)

(3) 10000이 5개, 1000이 2개, 100이 3개, 10이 7개, 1이 8개인 수
➡ (　　　　　　)

(4) 10000이 9개, 100이 1개, 10이 5개, 1이 2개인 수 ➡ (　　　　　　)

⊂어려운 문제⊃

06 조건 을 만족하는 수를 구해 보세요.

조건

- 다섯 자리 수입니다.
- 2부터 6까지의 숫자를 한 번씩만 사용하였습니다.
- 5만보다 크고 6만보다 작은 수입니다.
- 일의 자리 수는 홀수입니다.
- 십의 자리 수는 백의 자리 수보다 크고, 백의 자리 수는 천의 자리 수보다 큽니다.

(　　　　　　　　　　)

07 빈칸에 알맞은 수나 말을 써넣으세요.

44960000	사천사백구십육만
	오천삼십팔만
69020000	

08 숫자 3이 나타내는 값을 보기 에서 찾아 써 보세요.

보기

30000000　　3000000
300000　　30000

(1) 63910000 ➡ (　　　　　　　　　　)
(2) 37450000 ➡ (　　　　　　　　　　)

09 설명하는 수가 얼마인지 써 보세요.

100만이 59개, 10만이 6개, 만이 7개인 수

(　　　　　　　　　　)

10 다음 중 십만의 자리 숫자가 가장 작은 수는 어느 것일까요? (　　　)

① 80716432　　② 9982154
③ 31496178　　④ 26180193
⑤ 8893675

11 □ 안에 알맞은 수를 써넣으세요.

(1) 100만이 □ 개인 수는 1억입니다.

(2) 1000억이 □ 개인 수는 1조입니다.

12 억과 조에 대한 설명 중 틀린 것은 어느 것일까요? (　　)

① 9000만보다 1000만만큼 더 큰 수는 1억입니다.
② 9990만보다 10만만큼 더 큰 수는 1억입니다.
③ 9900만보다 100만만큼 더 큰 수는 1조입니다.
④ 9999억보다 1억만큼 더 큰 수는 1조입니다.
⑤ 8000억보다 2000억만큼 더 큰 수는 1조입니다.

⊂중요⊃

13 수를 바르게 읽은 것을 찾아 기호를 써 보세요.

㉠ 31680229597
➡ 삼천백육십팔억 이백이십구만 오백구십칠
㉡ 69772341500000
➡ 육십구조 칠천칠백이십삼억 사천백오십만

(　　　　　　　　)

⊂서술형⊃

14 ㉠이 나타내는 값은 ㉡이 나타내는 값의 몇 배인지 풀이 과정을 쓰고 답을 구해 보세요.

206186835972
㉠ ㉡

풀이

(1) ㉠은 (　　　　)의 자리 숫자이고,
(　　　　　　　　　)을 나타냅니다.
(2) ㉡은 (　　　　)의 자리 숫자이고,
(　　　　　　　　　)을 나타냅니다.
(3) 따라서 ㉠이 나타내는 값은 ㉡이 나타내는 값의 (　　　　)배입니다.

답 ____________

15 규칙에 따라 빈칸에 알맞은 수나 말을 써넣으세요.

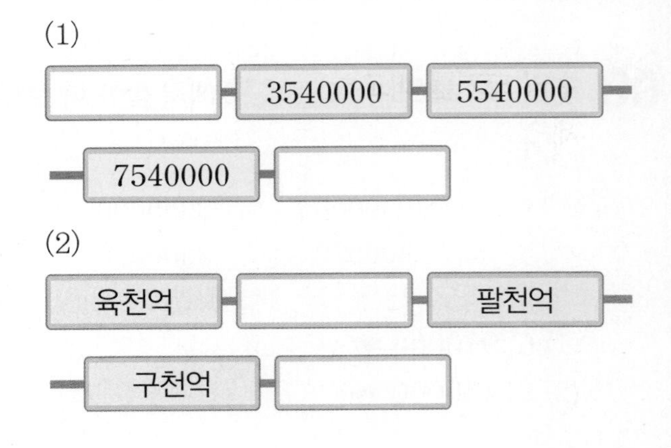

16 □ 안에 알맞은 수를 쓰고, 얼마만큼씩 뛰어 세었는지 써 보세요.

3020억 7740만－3030억 7740만－
□ －3050억 7740만－
3060억 7740만

(　　　　　　　　)

17 어떤 수에서 1000억씩 뛰어 세기를 4번 하였더니 다음과 같았습니다. 어떤 수는 얼마일까요?

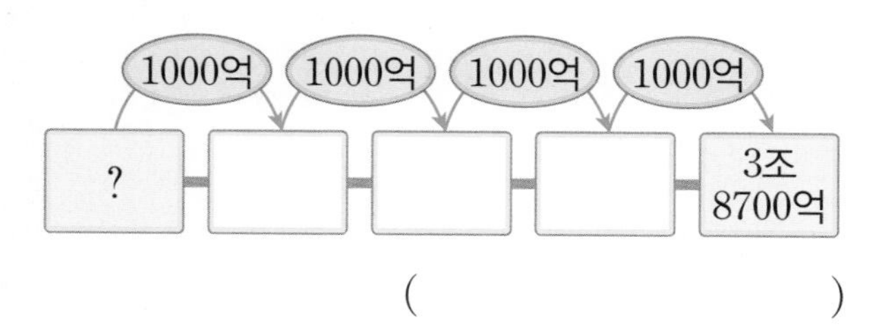

(　　　　　　　　)

18 수의 크기를 비교하여 큰 수부터 순서대로 써 보세요.

33829761
26억
구천만 사천팔백삼십

(　　　　　　　　)

서술형

19 1부터 9까지의 수 중 □ 안에 들어갈 수 있는 가장 큰 수는 얼마인지 풀이 과정을 쓰고 답을 구해 보세요.

213049756＞21□897512

풀이

(1) 두 수 모두 (　　　　)자리 수이기 때문에 가장 높은 자리 수부터 차례로 비교해 봅니다.

(2) 두 수의 (　　　　)의 자리 수와 (　　　　)의 자리 수는 같으므로 (　　　　)의 자리 수를 비교합니다.

(3) 따라서 □ 안에 들어갈 수 있는 수는 (　　　　)과 (　　　　)이고, 그중 가장 큰 수는 (　　　　)입니다.

답 ＿＿＿＿＿＿＿＿

20 현서네 모둠 학생들이 큰 수를 만들었습니다. 가장 큰 수를 만든 학생과 가장 작은 수를 만든 학생의 이름을 각각 써 보세요.

현서: 874700000000
정호: 천사백삼십구억
서우: 1조 3000억
채빈: 9999만

가장 큰 수를 만든 학생 (　　　　)
가장 작은 수를 만든 학생 (　　　　)

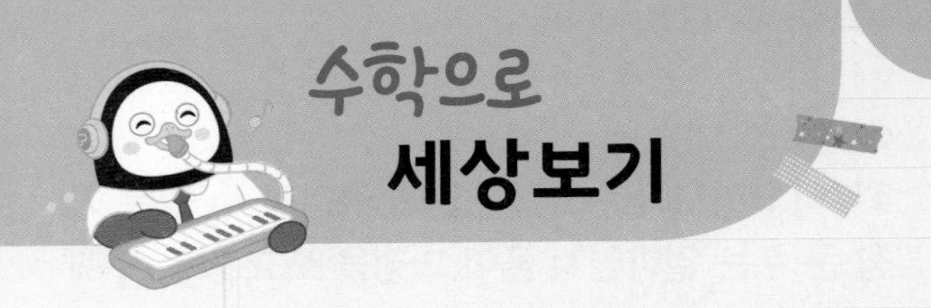

큰 수의 세계에 빠져 볼까요?

여러분은 큰 수를 사용한 경험이 있나요? 만약 있다면 언제 큰 수를 사용해 보았나요?

쉽게 사용하기 어려울 것 같지만 사실 큰 수는 우리 주변 곳곳에서 언제나 함께하고 있답니다.

지금부터 큰 수의 세계에 빠져 볼까요?

1 한국어는 전 세계에서 몇 명이나 사용하고 있을까요?

세계의 언어 정보를 전달하는 홈페이지인 Ethnologue에 따르면 2021년을 기준으로 한국어는 전 세계에서 가장 많이 사용되는 언어 20위에 올랐어요. 우리의 자랑스러운 한글은 전 세계 82000000명이 사용하는 언어라고 합니다. 그렇다면 가장 많은 사람들이 사용하는 언어는 무엇일까요? 바로 영어랍니다. 영어는 전 세계 1348000000명이 사용하고 있다고 해요. 그렇다면 한국어를 사용하는 사람 수와 영어를 사용하는 사람 수를 각각 쓰고 읽어 볼까요?

- 전 세계에서 한국어를 사용하는 사람 수: 쓰기 (　　　　　　　　　　)
  읽기 (　　　　　　　　　　)
- 전 세계에서 영어를 사용하는 사람 수: 쓰기 (　　　　　　　　　　)
  읽기 (　　　　　　　　　　)

2 우주 공간에서는 더욱 쉽게 큰 수를 찾을 수 있어요.

우리는 일반적으로 거리를 나타낼 때 m나 km를 사용해 나타냅니다. 그러나 태양계는 m나 km 단위로 표현하기에는 너무 넓은 공간이죠. 따라서 태양계 내에 있는 천체들의 거리를 나타낼 때는 '천문단위(AU)'를 사용합니다. 천문단위(AU)는 지구와 태양 사이의 평균 거리를 의미하는데 1AU는 약 1억 5000만 km(정확히는 149597870000 m)를 나타낸다고 해요. 지구와 태양 사이의 거리를 1이라고 했을 때, 천문단위를 이용하여 태양에서 다른 행성까지의 상대적인 거리를 비교해 보면 화성은 1.5, 목성은 5.2, 토성은 9.5 정도가 되고, "태양에서 화성까지의 거리는 1.5 천문단위입니다"라고 읽을 수 있답니다.

또 다른 단위로는 LY(광년)과 pc(파섹)이라는 단위가 있어요. LY(광년)은 빛이 1년 동안 진행하는 거리를 의미하고, pc(파섹)은 LY(광년)을 3배 한 거리보다 조금 더 길다고 해요. 따라서 길이가 긴 순서대로 나열해 보면 pc(파섹)>LY(광년)>천문단위(AU)가 되겠네요. 그렇다면 다음 문장에서 밑줄 친 부분을 수로 써 볼까요?

"태양에서 지구까지의 거리는 약 <u>1억 5000만</u> km입니다." 쓰기 (　　　　　　　　　　)

3 우리 몸 속에서 찾을 수 있는 큰 수를 알아볼까요?

우리가 쉽게 알아채지 못하는 우리 몸 구석구석에서도 큰 수를 찾을 수 있어요. 가장 먼저 눈에 띄는 곳은 바로 우리의 머리카락입니다. 머리카락의 개수는 과연 몇 개쯤 될까요? 물론 그 수는 사람마다 다르지만 평균적으로 8만 개에서 10만 개 정도 된다고 합니다. 머리카락은 우리 몸 속의 열이 머리를 통해 빠져 나가는 것을 막아 주고, 외부의 충격으로부터 뇌를 보호해 주는 중요한 역할도 한다고 하니 앞으로 머리카락을 더욱 소중히 다뤄주어야겠네요.

이번엔 몸 속으로 들어가 봅시다. 우리의 몸 속에는 어느 곳이든 우리 눈에 보이지 않는 수많은 미생물들이 살고 있어요. 이 미생물의 수는 자그마치 100조 개나 된다고 합니다. 많은 사람들은 미생물이라고 하면 곰팡이, 박테리아(세균), 바이러스 등을 떠올려 미생물이 모두 나쁜 것이라고 생각하는 경우가 많아요. 그러나 우리 몸에 좋은 영향을 주는 미생물도 많답니다. 우리가 자주 먹는 김치나 간장, 된장, 요구르트, 치즈 등은 모두 미생물이 만든 것이고, 빵을 부풀리는 효모도 미생물의 일종이기 때문에 결국은 빵도 미생물이 만들어주는 것이라고 할 수 있어요. 결국 미생물은 인간의 삶에서 없어서는 안 될 소중한 존재라는 것을 알게 되었죠? 내 몸 속에 이렇게 소중한 미생물이 100조 개나 있다니 정말 신나는 일이 아닐 수가 없네요. 이제 소중한 우리 몸에서 찾아 본 큰 수를 떠올리며, 10만과 100조를 수로 써 봅시다.

10만 ➡ (   )   100조 ➡ (   )

4 아주 작은 수를 세는 단위도 있나요?

1단원에서 배운 것처럼, 큰 수를 세는 단위가 있다면 아주 작은 수를 세는 단위도 있을까요?

정답은 '있다'입니다. 1보다 작은 수의 단위도 생각보다 매우 많아요. 어떤 단위들이 있는지 알아보고, 몇 가지 단위를 통해 어떤 뜻이 담겨 있는지도 살펴볼까요?

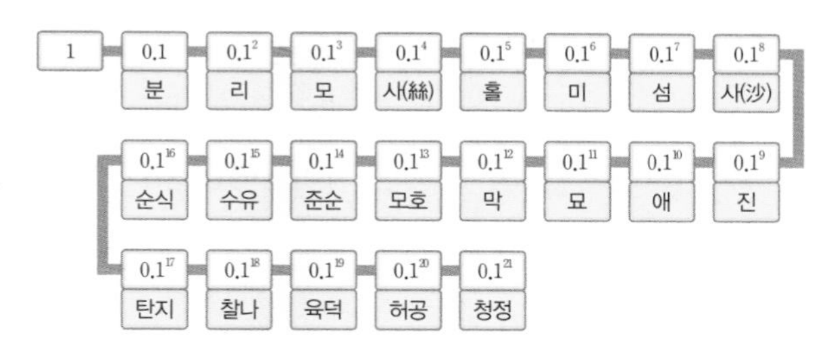

※ 그림 속의 0.1 위에 붙은 작은 숫자들은 0.1을 다시 10개로 나누었다는 말과 같아요. 즉, '리'의 경우 $0.1(=\frac{1}{10})$을 또 10개로 나눈 것이고, '모'의 경우 앞에 있는 '리'의 값을 또 10개로 나누었다는 뜻이에요. '리'만 해도 작은 수인데 또 10개로 나누었다니 뒤로 갈수록 수의 크기가 매우 작겠죠?

1) 모호: 너무나 작아서 도저히 구별할 수도 알아볼 수도 없는 것이라는 의미입니다. 우리가 보통 '모호하다'라고 표현하는 것도 이 단위에서 온 것이랍니다.

2) 순식: 극히 짧은 시간을 말할 때 사용하는 단위입니다. 우리가 눈을 깜짝하거나, 숨을 한 번 쉴 동안의 매우 짧은 순간을 가리킬 때 흔히 쓰입니다. 우리가 보통 '순식간에'라고 말을 할 때의 그 '순식'이에요.

3) 찰나: 아주 가는 비단실에 날카로운 칼을 대어 끊어지는 데 필요한 시간을 의미합니다. 날카로운 칼이라면 아주 가는 비단실을 대자마자 순간적으로 끊어지겠지요? 그만큼 매우 짧은 시간을 말할 때 사용한다고 해요.

2 단원

각도

한가로운 주말 아침, 서준이네 가족은 함께 집안일을 하고 있습니다. 아버지께서는 빨래를 널고 계시네요. 어머니께서는 식탁을 닦고, 서준이는 펼쳐져 있던 책을 덮어 제자리에 꽂고 있어요. 빨래 건조대도, 식탁도, 책도 모두 벌어진 정도가 다르네요.

이번 2단원에서는 표준 단위인 도(°)를 알아본 뒤 각도기를 이용하여 각도를 재고 주어진 각을 그려 볼 거예요. 직각과 비교하여 예각과 둔각을 구별하고, 각도의 합과 차를 구하며 삼각형의 세 각의 크기의 합과 사각형의 네 각의 크기의 합을 알아볼 거예요.

단원 학습 목표

1. 각의 크기를 비교할 수 있습니다.
2. 각의 크기의 단위인 도(°)를 알고, 각도기를 이용하여 각의 크기를 재고 주어진 각을 그릴 수 있습니다.
3. 직각과 비교하여 예각과 둔각을 구별할 수 있습니다.
4. 각도를 어림하고 각도기로 재어 확인할 수 있습니다.
5. 각도의 합과 차를 구할 수 있습니다.
6. 삼각형의 세 각의 크기의 합이 180°, 사각형의 네 각의 크기의 합이 360°임을 알 수 있습니다.

단원 진도 체크

회차	구성		진도 체크
1차	개념 1 각의 크기를 비교해 볼까요 개념 2 각의 크기를 재어 볼까요	개념 확인 학습 + 문제 / 교과서 문제 학습	✓
2차	개념 3 각을 그려 볼까요 개념 4 직각보다 작은 각과 직각보다 큰 각을 알아볼까요	개념 확인 학습 + 문제 / 교과서 문제 학습	✓
3차	개념 5 각도를 어림해 볼까요 개념 6 각도의 합과 차를 구해 볼까요	개념 확인 학습 + 문제 / 교과서 문제 학습	✓
4차	개념 7 삼각형의 세 각의 크기의 합을 알아볼까요 개념 8 사각형의 네 각의 크기의 합을 알아볼까요	개념 확인 학습 + 문제 / 교과서 문제 학습	✓
5차	단원 확인 평가		✓
6차	수학으로 세상보기		✓

해당 부분을 공부한 후 ✓표를 하세요.

개념 확인 학습

개념 1 각의 크기를 비교해 볼까요

• 각의 크기는 변의 길이와 관계없이 두 변이 많이 벌어질수록 큰 각입니다.

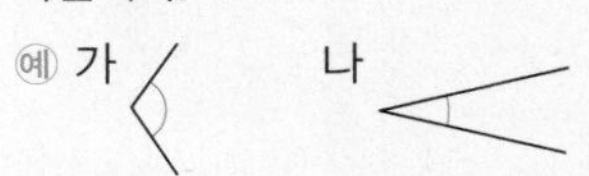

➡ 가의 각의 크기가 더 큽니다.

투명 종이를 이용하여 각의 크기 비교하기

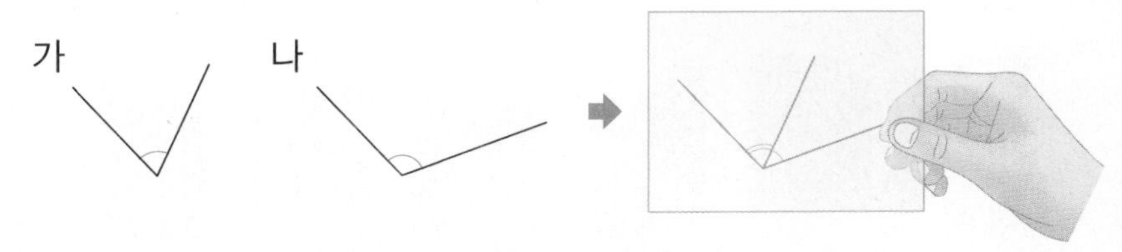

➡ 투명 종이에 가를 그대로 그려 나에 겹쳐 두 각의 크기를 비교해 보면 나의 각의 크기가 더 큽니다.

부챗살을 이용하여 각의 크기 비교하기

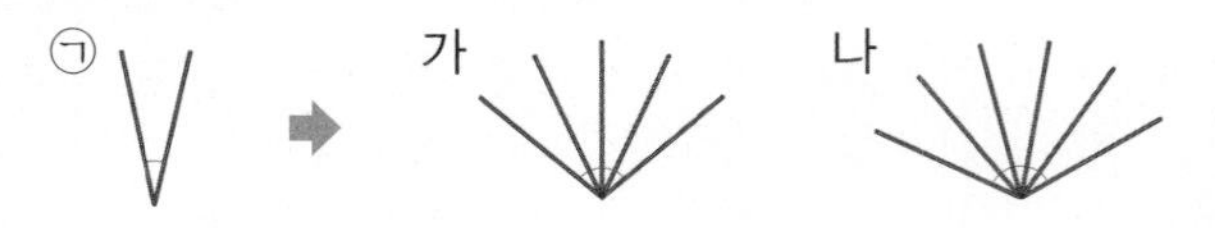

➡ ㉠과 같은 각이 가에는 4개, 나에는 5개 있으므로 나의 각의 크기가 더 큽니다.

개념 2 각의 크기를 재어 볼까요

• 각도를 잘못 잰 경우

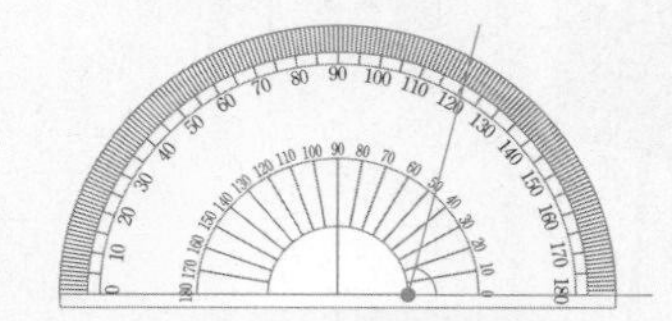

➡ 각도기의 중심을 바르게 맞추지 않았습니다.

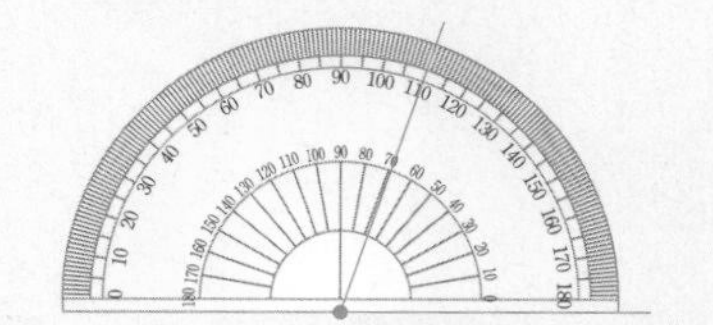

➡ 각도기의 밑금을 바르게 맞추지 않았습니다.

각의 크기를 나타내는 단위

• 각의 크기를 각도라고 합니다.

• 직각을 똑같이 90으로 나눈 것 중의 하나를 1도라 하고, $1°$라고 씁니다.

• 직각의 크기는 $90°$입니다.

각의 크기를 재는 방법

① 각도기의 중심과 각의 꼭짓점을 맞춥니다.

② 각도기의 밑금과 각의 한 변을 맞춥니다.

③ 각도를 읽을 때는 각도기의 밑금과 각의 한 변이 만난 쪽의 눈금에서 시작하여 각의 나머지 변이 각도기의 눈금과 만나는 부분을 읽습니다.

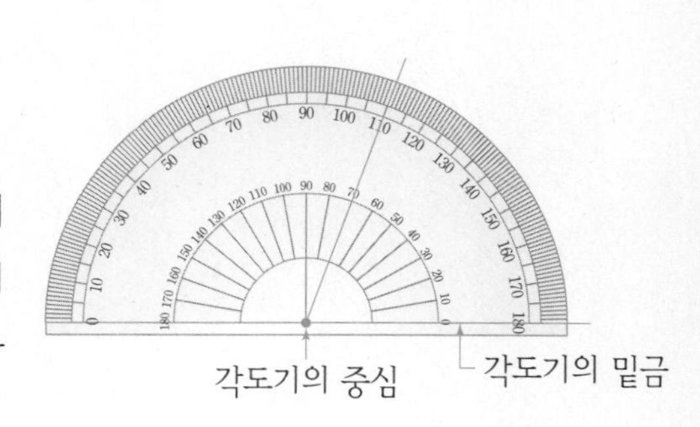

➡ 각의 한 변이 안쪽 눈금 0에 맞춰져 있으므로 안쪽 눈금을 읽으면 $70°$입니다.

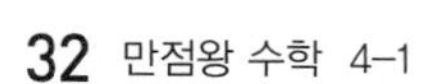

문제를 풀어 이해해요

정답과 해설 9쪽

1 두 각의 크기를 비교하여 보세요.

(1) 가 나

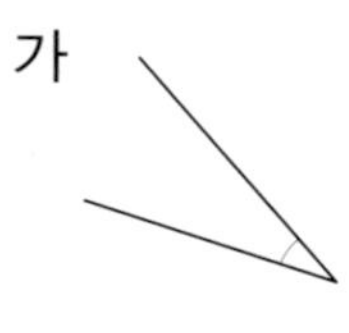

두 변이 더 많이 벌어진 각은 ☐입니다.

➡ 두 각 중 더 큰 각은 ☐입니다.

(2) 가 나

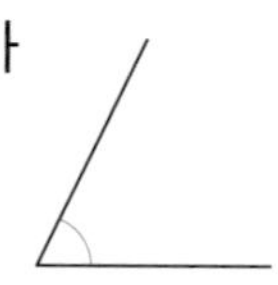

두 변이 더 적게 벌어진 각은 ☐입니다.

➡ 두 각 중 더 작은 각은 ☐입니다.

두 각의 크기를 비교할 수 있는지 묻는 문제예요.

각의 크기는 변의 길이와는 관계가 없어요.

2 각도를 구해 보세요.

(1)

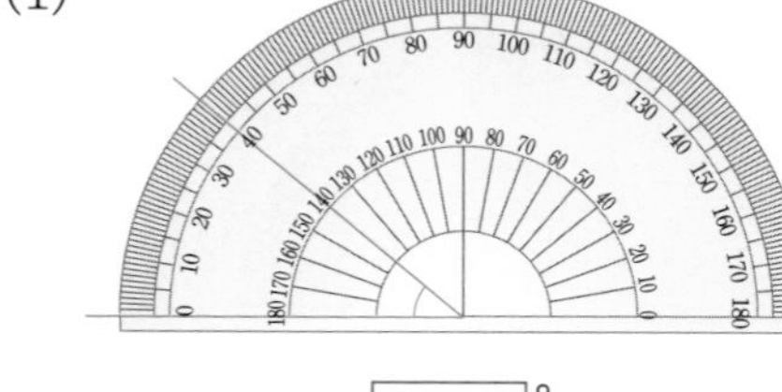

☐°

(2)

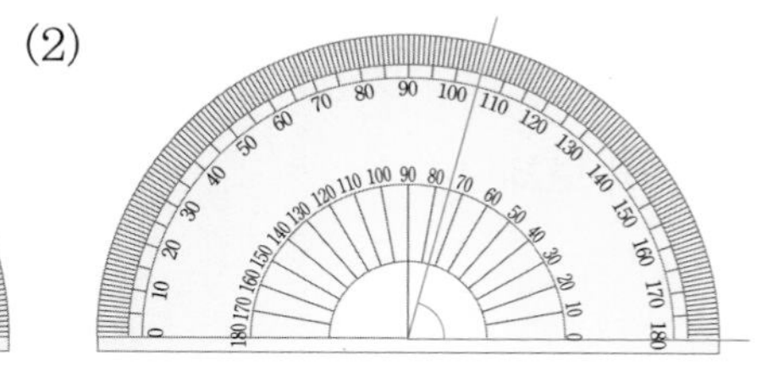

☐°

(3)

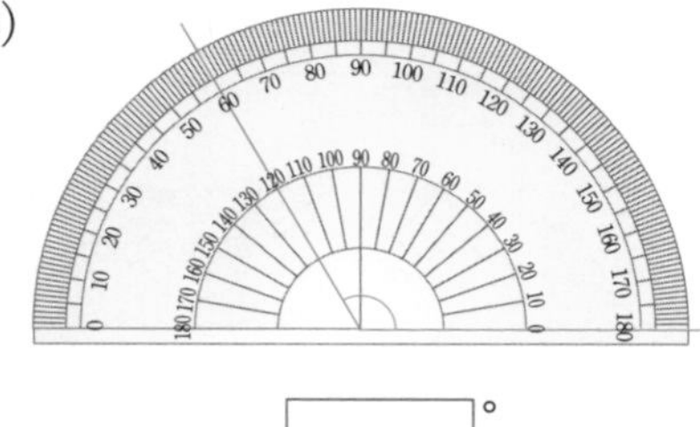

☐°

(4)

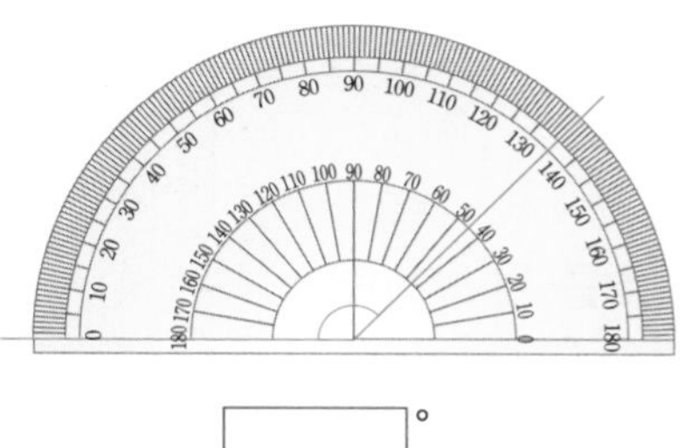

☐°

각도기를 이용하여 각도를 바르게 읽을 수 있는지 묻는 문제예요.

각의 한 변이 각도기 안쪽 눈금 0에 맞춰져 있는지, 바깥쪽 눈금 0에 맞춰져 있는지 확인하여 읽어요.

교과서 내용 학습

01 케이크를 잘랐습니다. 조각 케이크의 각 중에서 더 작은 각을 찾아 기호를 써 보세요.

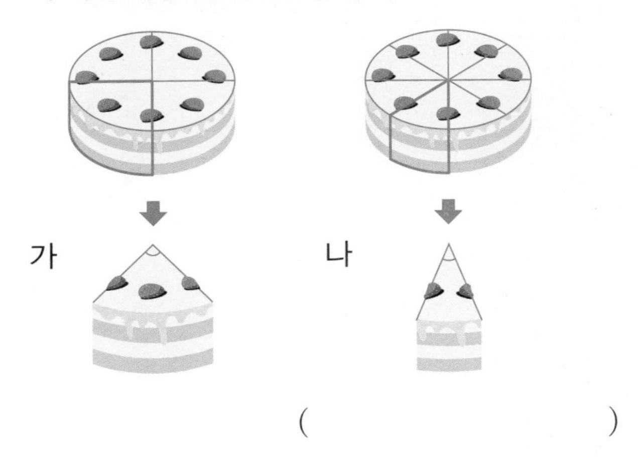

( )

02 각의 크기를 비교하여 옳은 설명에 ○표 하세요.

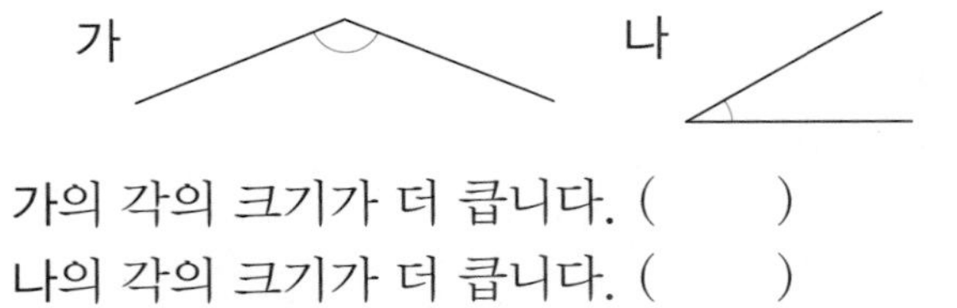

가의 각의 크기가 더 큽니다. ( )
나의 각의 크기가 더 큽니다. ( )

03 각의 크기가 작은 순서대로 기호를 써 보세요.

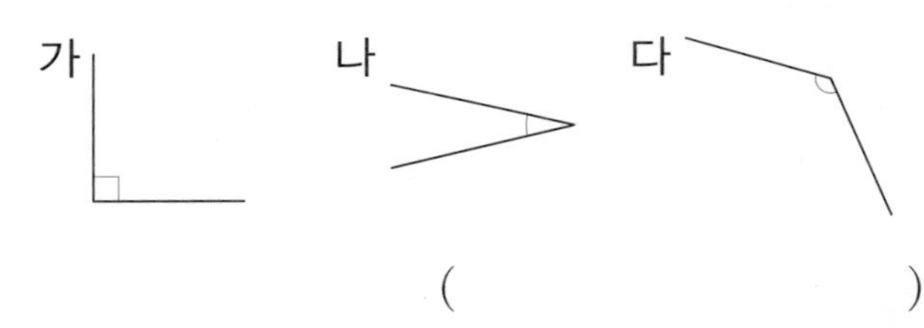

( )

04 가장 큰 각과 가장 작은 각의 기호를 써 보세요.

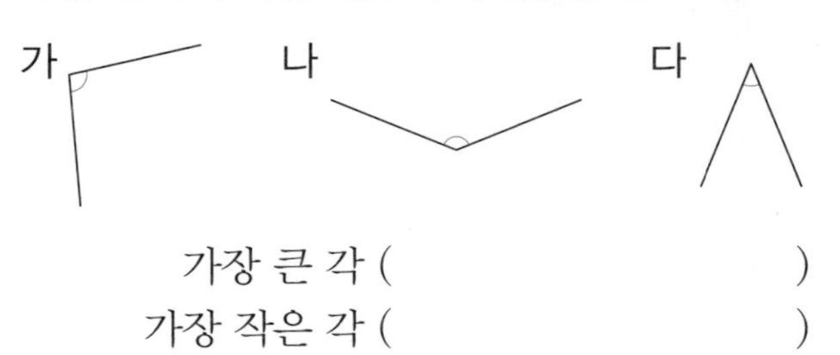

가장 큰 각 ( )
가장 작은 각 ( )

중요

05 소희, 선호, 하율이가 펼친 부채의 각의 크기를 바르게 비교한 사람은 누구일까요?

정우: 하율이가 펼친 부채의 각의 크기가 가장 커요.
재민: 세 사람이 펼친 부채의 각의 크기는 모두 같아요.
수정: 소희가 펼친 부채의 각의 크기가 가장 작아요.

( )

06 각도를 구해 보세요.

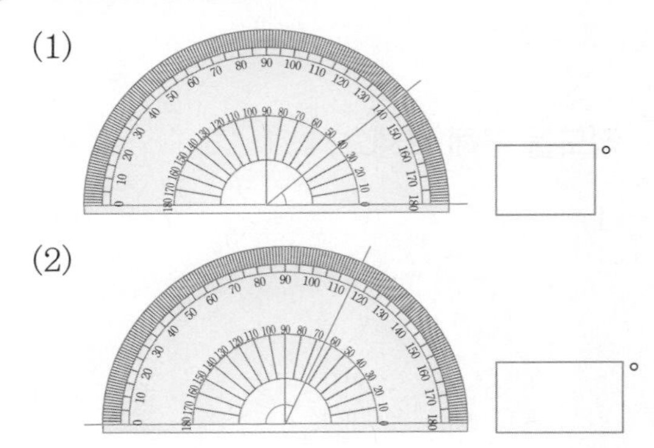

07 각도를 잘못 읽은 것을 찾아 기호를 써 보세요.

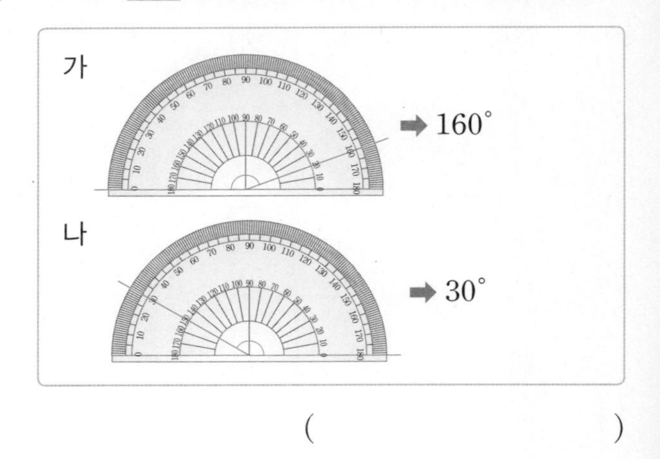

( )

08 각도기를 이용하여 각도를 재어 보세요.

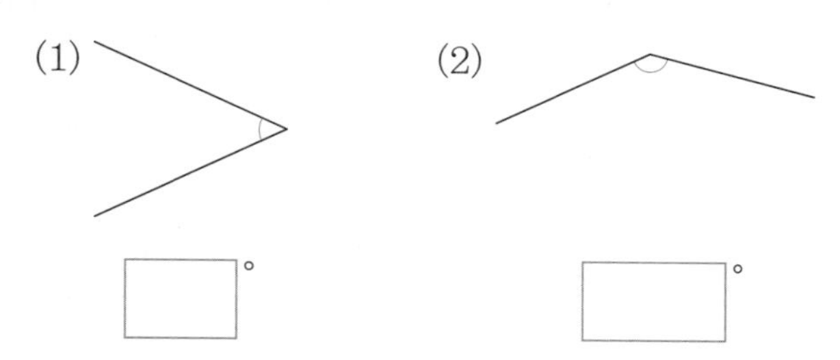

□°　　□°

09 ⊂중요⊃ 칠교판을 활용해 배를 만들었습니다. 각도기를 이용하여 주어진 부분의 각도를 재어 보세요.

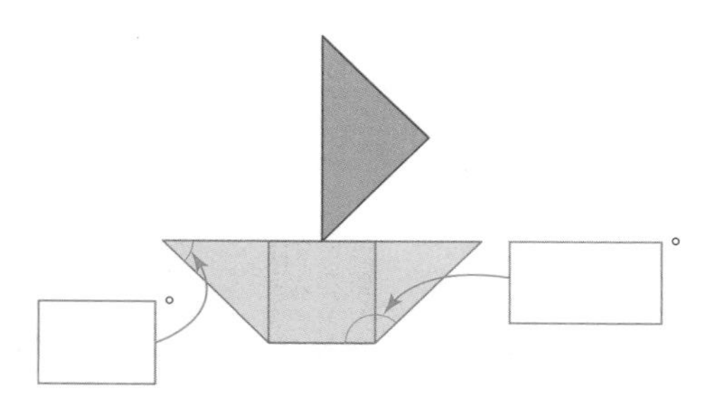

10 ⊂어려운 문제⊃ 우리 주변에서 볼 수 있는 다양한 각도를 나타내었습니다. 각도기를 이용하여 각도를 재어 보세요.

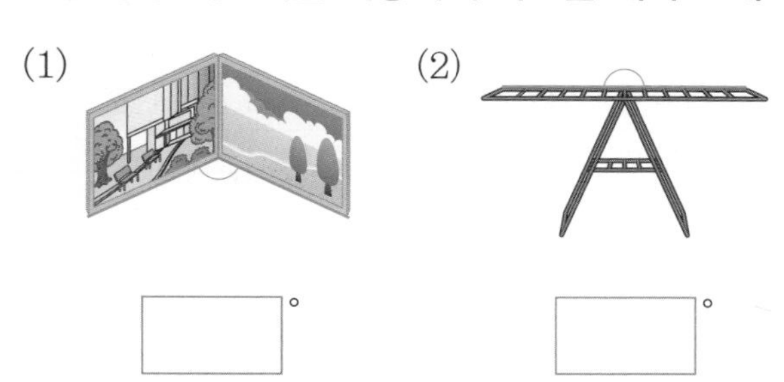

□°　　□°

도움말 각도를 잴 때에는 각도기의 중심과 각의 꼭짓점을 맞추고, 각도기의 밑금과 각의 한 변을 맞추어야 합니다.

문제해결 접근하기

11 아래 시각의 긴바늘과 짧은바늘이 이루는 작은 쪽의 각의 크기를 비교해 보고, 각의 크기가 더 큰 시각을 찾아보세요.

이해하기

구하려고 하는 것은 무엇인가요?

계획 세우기

어떤 방법으로 문제를 해결하면 좋을까요?

해결하기

(1) 아래 시계에 각각의 시각을 나타내어 보세요.

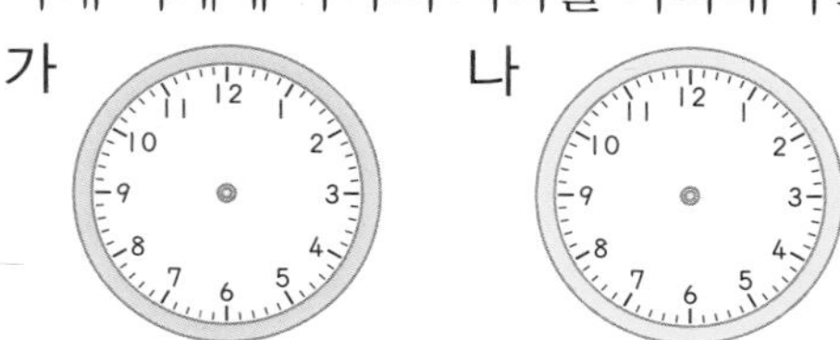

(2) 두 시계의 긴바늘과 짧은바늘이 이루는 작은 쪽의 각의 크기를 비교해 보았을 때, 각의 크기가 더 큰 시각은 몇 시일까요?

(　　　　　　)

되돌아보기

1시와 4시 중 긴바늘과 짧은바늘이 이루는 작은 쪽의 각의 크기를 비교해 보았을 때, 각의 크기가 더 작은 시각은 몇 시인지 알아보세요.

답 ______________________

개념 3 각을 그려 볼까요

• 각의 꼭짓점의 위치를 달리하면 각의 방향을 다르게 그릴 수도 있습니다.

예
– 각의 꼭짓점이 점 ㄴ일때

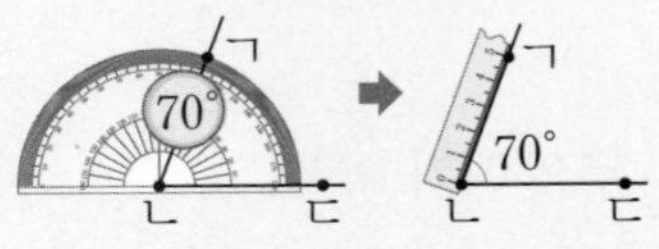

– 각의 꼭짓점이 점 ㄷ일 때

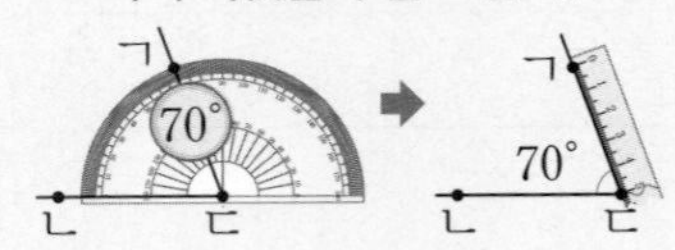

각도기와 자를 이용하여 각도가 70°인 각 ㄱㄴㄷ 그리기

① 자를 이용하여 각의 한 변 ㄴㄷ을 그립니다.

② 각도기의 중심과 점 ㄴ을 맞추고, 각도기의 밑금과 각의 한 변인 ㄴㄷ을 맞춥니다.

③ 각도기의 밑금에서 시작하여 각도가 70°가 되는 눈금에 점 ㄱ을 표시합니다.

④ 각도기를 떼고, 자를 이용하여 변 ㄱㄴ을 그려 각도가 70°인 각 ㄱㄴㄷ을 완성합니다.

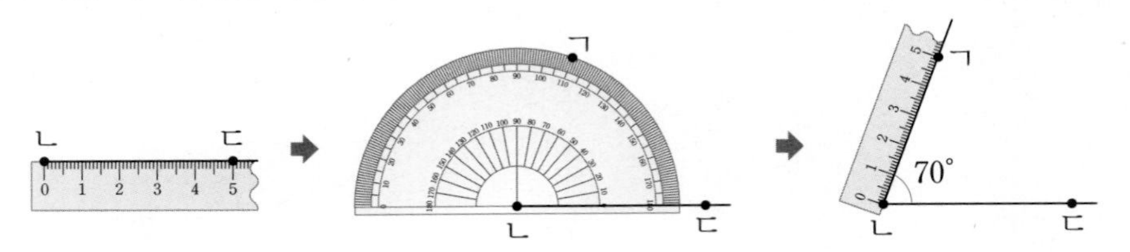

개념 4 직각보다 작은 각과 직각보다 큰 각을 알아볼까요

• 직각은 '곧을 직(直)' 자를 써서 나타내며, 두 직선이 만나서 이루는 각이 90°인 각을 의미합니다.

• 예각은 '날카로울 예(銳)' 자를 써서 나타내고, 둔각은 '둔할 둔(鈍)' 자를 써서 나타냅니다.

예각과 둔각 알아보기

• 각도가 0°보다 크고 직각보다 작은 각을 예각이라고 합니다.
0° < (예각) < 90°

• 각도가 직각보다 크고 180°보다 작은 각을 둔각이라고 합니다.
90° < (둔각) < 180°

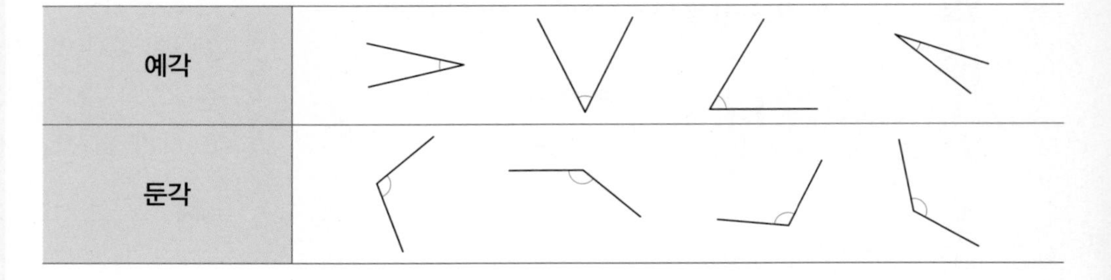

문제를 풀며 이해해요

정답과 해설 10쪽

1 각도기와 자를 이용하여 각이 50°인 각을 그리려고 합니다. 순서에 맞게 기호를 써 보세요.

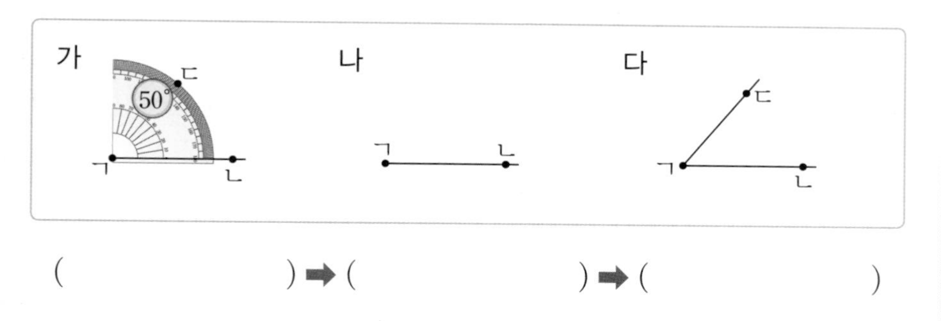

( ) ➡ ( ) ➡ ( )

각도기를 이용하여 각을 그리는 방법을 알고 있는지 묻는 문제예요.

자를 이용해 각의 한 변을 그린 다음 각도기의 중심과 각의 꼭짓점을 맞추고 각도기의 밑금과 각의 한 변을 맞춰요.

2 주어진 각도의 각을 각도기 위에 그려 보세요.

(1) 25°

(2) 105°

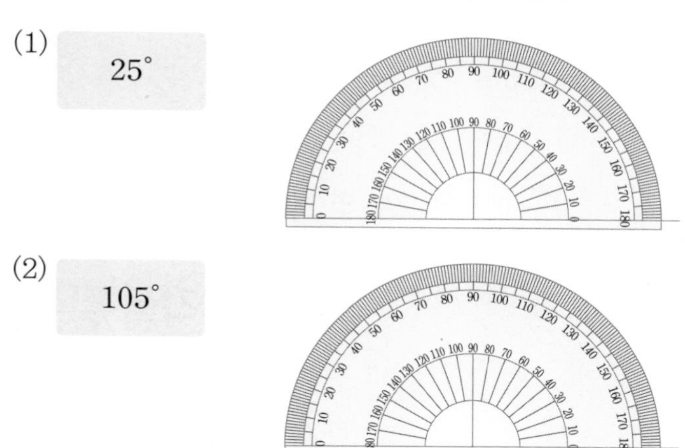

각도기의 밑금에서 시작해 주어진 각도가 되는 눈금에 점을 표시하고, 선으로 연결해요.

3 주어진 각을 보고 물음에 답하세요.

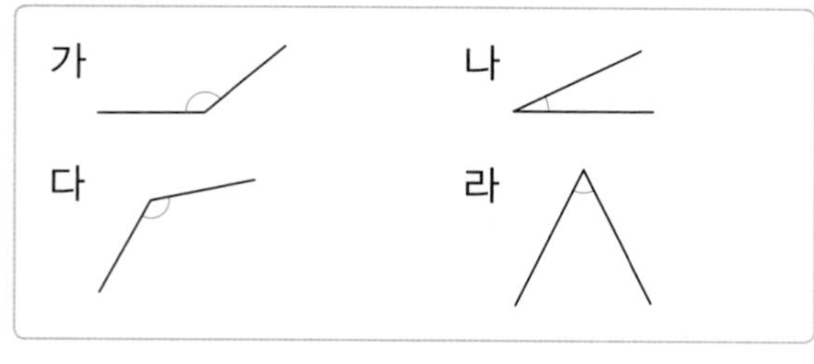

(1) 예각을 모두 찾아 기호를 써 보세요. ( )

(2) 둔각을 모두 찾아 기호를 써 보세요. ( )

예각과 둔각을 바르게 이해하고 있는지 묻는 문제예요.

예각은 각도가 0°보다 크고 직각보다 작은 각이에요.

둔각은 각도가 직각보다 크고 180°보다 작은 각이에요.

교과서 내용 학습

01 주어진 선을 한 변으로 하는 각을 그리려고 합니다. 각도기와 자를 이용하여 주어진 각도의 각을 그려 보세요.

(1) 30°

(2) 100°

02 중요 각도기와 자를 이용해 주어진 각도의 각을 그려 보세요.

(1) 65°

(2) 150°

03 각도기로 왼쪽 각을 재어 각도가 몇 도인지 쓰고, 각도가 같은 다른 모양의 각을 그려 보세요.

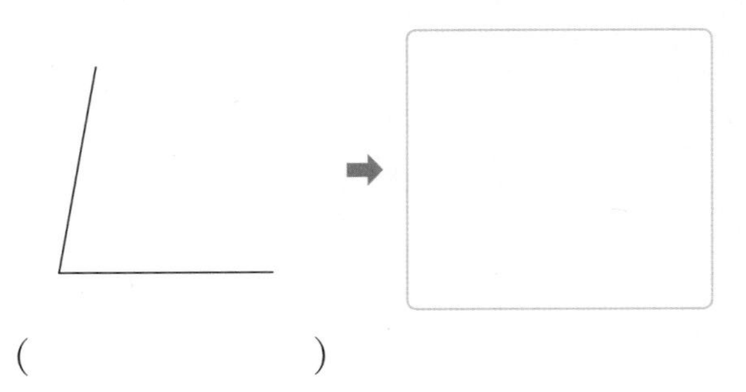

(　　　　　　)

04 색종이를 점선을 따라 접었을 때 생기는 세 개의 각 중 하나를 골라 각도기와 자를 이용하여 각도가 같은 각을 그려 보세요.

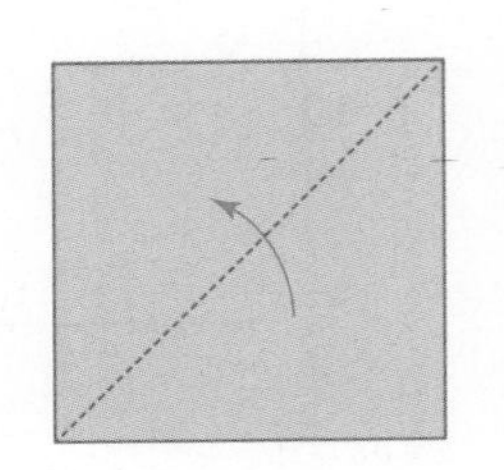

05 다섯 개의 각을 원 위에 겹치지 않게 그려 보세요.

35° 55° 80° 90° 100°

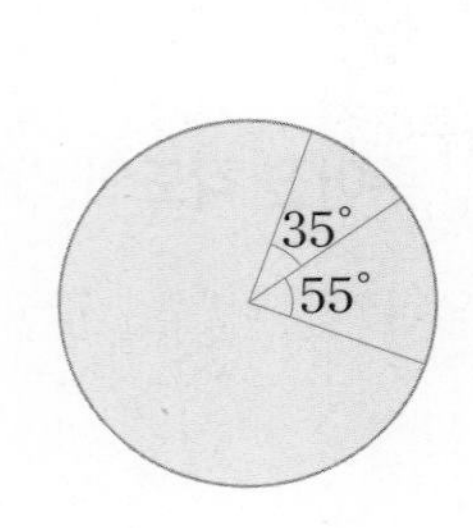

06 예각은 모두 몇 개인지 구해 보세요.

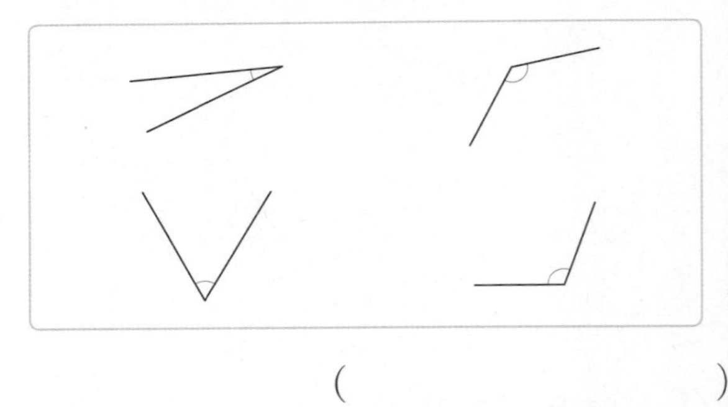

(　　　　　　)

07 중요 주어진 각을 예각, 직각, 둔각으로 분류하여 기호를 써 보세요.

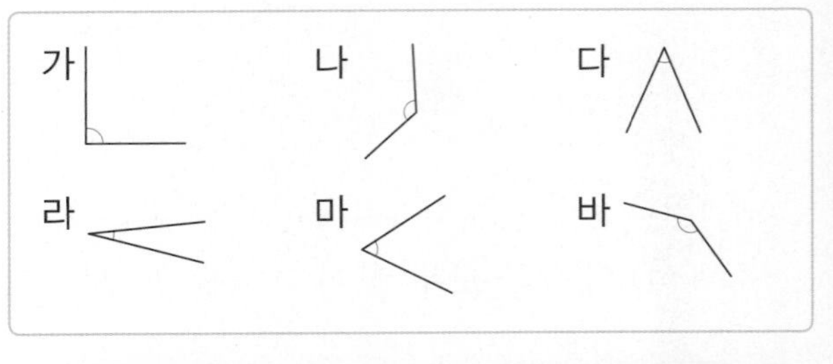

예각	직각	둔각

정답과 해설 10쪽

08 주어진 선분을 이용하여 예각과 둔각을 각각 그려 보세요.

예각 둔각

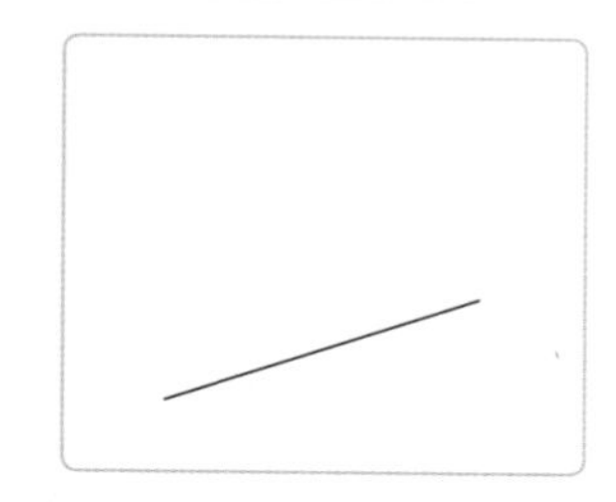
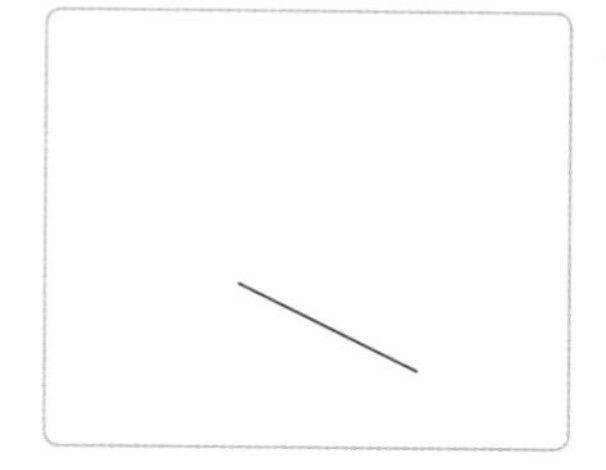

⊂어려운 문제⊃

09 주어진 선분을 한 변으로 하는 각을 그리려고 합니다. 점 ㄴ과 이었을 때 예각 또는 둔각이 되지 않는 점은 어느 것일까요?

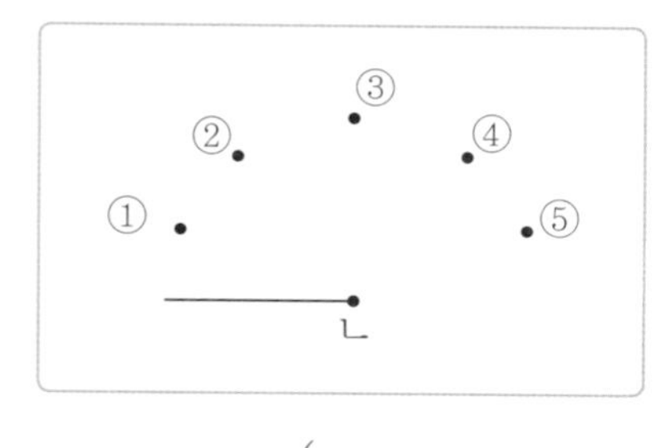

(　　　　　　　　　　)

도움말 점 ㄴ과 이어 그린 각을 직각을 기준으로 구별해 봅니다.

10 표시된 부분의 각 중에서 둔각은 모두 몇 개일까요?

(　　　　　　　　　　)

문제해결 접근하기

11 1부터 9까지의 수 중 □ 안에 들어갈 수 있는 수를 모두 더하면 얼마인지 구해 보세요.

> □시 30분의 긴바늘과 짧은바늘이 이루는 작은 쪽의 각은 둔각입니다.

이해하기

구하려고 하는 것은 무엇인가요?

답 ____________________

계획 세우기

어떤 방법으로 문제를 해결하면 좋을까요?

답 ____________________

____

____

해결하기

□ 안에 알맞은 수를 써넣으세요.

- 둔각이 되려면 각의 크기가 □° 보다 크고 □° 보다 작아야 합니다.
- 1부터 9까지의 수를 차례로 넣었을 때 긴바늘과 짧은바늘이 이루는 작은 쪽의 각이 둔각인 시각은 □시 30분, □시 30분, □시 30분입니다.
- 따라서 □ 안에 들어갈 수 있는 수를 모두 더하면 □입니다.

되돌아보기

문제를 해결한 방법을 설명해 보세요.

답 ____________________

____

____

개념 확인 학습

개념 5 각도를 어림해 볼까요

• 직각 삼각자의 각도(30°, 45°, 60°, 90°)를 이용하면 측정값에 더 가깝게 어림할 수 있습니다.

● 직각 삼각자의 각과 비교하여 주어진 각을 어림해 봅니다.

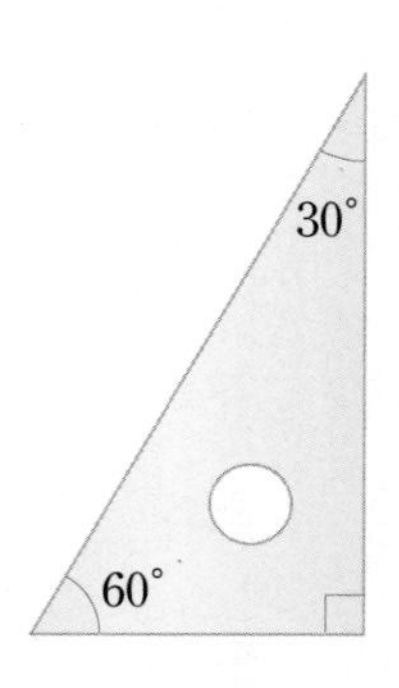

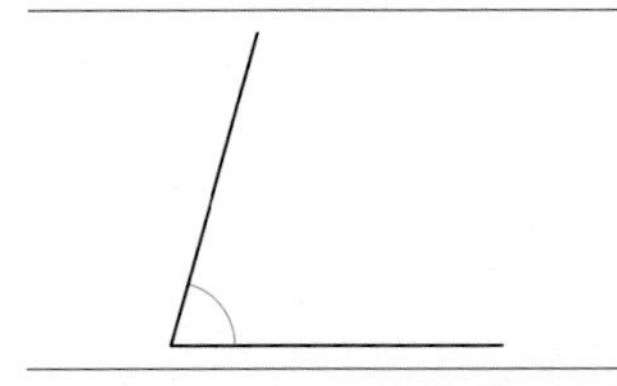	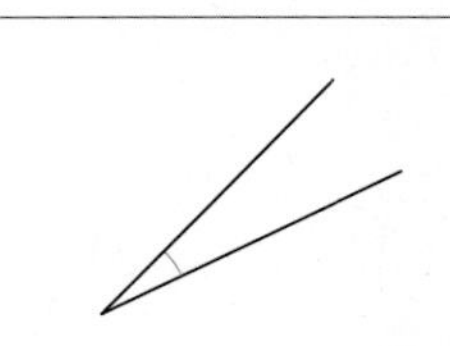
직각 삼각자의 직각인 90° 보다 조금 작은 것 같아서 80°라고 어림하였습니다.	직각 삼각자의 30°의 반쯤 되는 것 같아서 15°라고 어림하였습니다.

개념 6 각도의 합과 차를 구해 볼까요

• **각도의 합**
두 각을 이어 붙일 때에는 각의 꼭짓점과 한 변이 겹치도록 붙여야 합니다.

• **각도의 차**
두 각을 겹쳐 붙일 때에는 각의 꼭짓점과 한 변이 겹치도록 붙여야 합니다.

• 각도의 합과 차는 자연수의 덧셈, 뺄셈과 같은 방법으로 계산합니다.

각도의 합

• 두 각도의 합은 각각의 각도를 더한 것과 같습니다.
• 두 각을 겹치지 않게 이어 붙인 각의 크기와 같습니다.

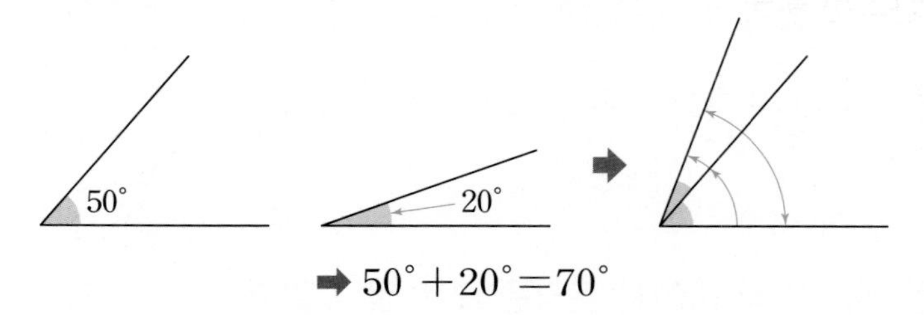

➡ $50° + 20° = 70°$

각도의 차

• 두 각도의 차는 큰 각도에서 작은 각도를 뺀 것과 같습니다.
• 한 변을 기준으로 하여 두 각을 겹치게 붙였을 때 겹쳐지지 않은 부분의 각도와 같습니다.

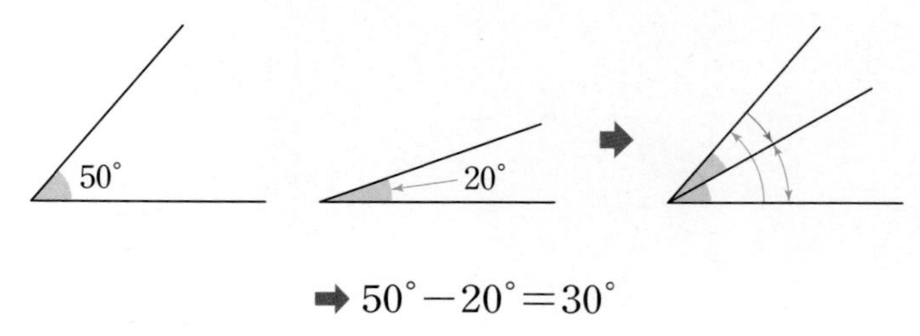

➡ $50° - 20° = 30°$

정답과 해설 11쪽

1 직각 삼각자의 각과 비교하여 주어진 각도를 어림하고, 각도기로 재어 확인해 보세요.

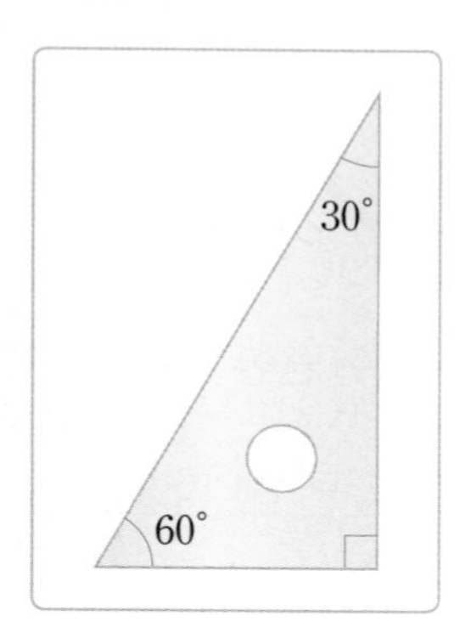

(1)

어림한 각도 약 $\square$°

잰 각도 $\square$°

(2)

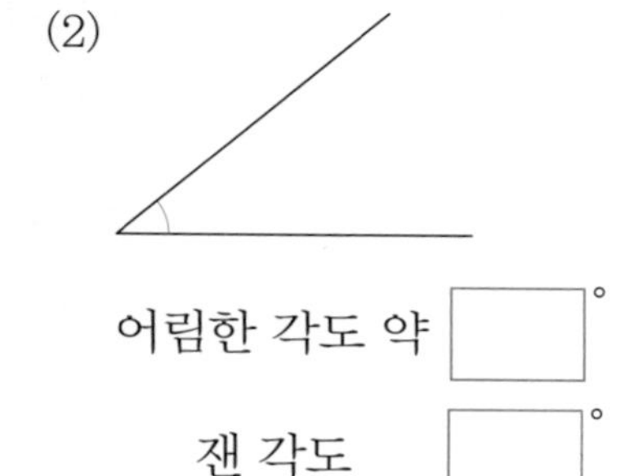

어림한 각도 약 $\square$°

잰 각도 $\square$°

(3)

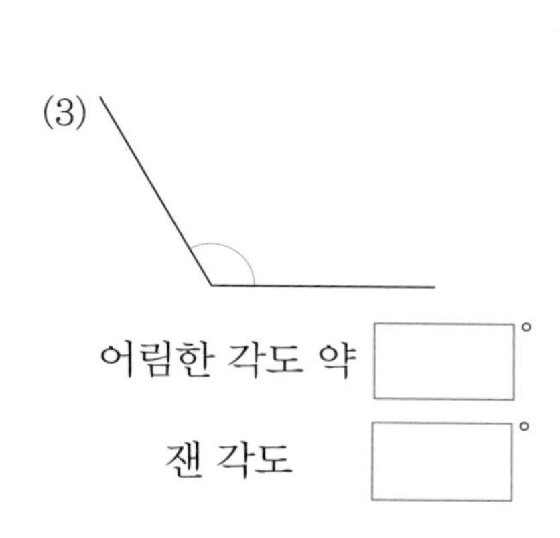

어림한 각도 약 $\square$°

잰 각도 $\square$°

각을 알맞게 어림할 수 있는지 묻는 문제예요.

어림하기가 어려울 때는 직각 삼각자의 각을 생각하면서 어림해 보아요.

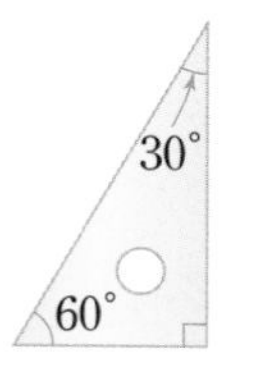

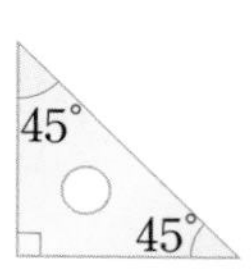

2 두 각도의 합과 차를 구하려고 합니다. $\square$ 안에 알맞은 수를 써넣으세요.

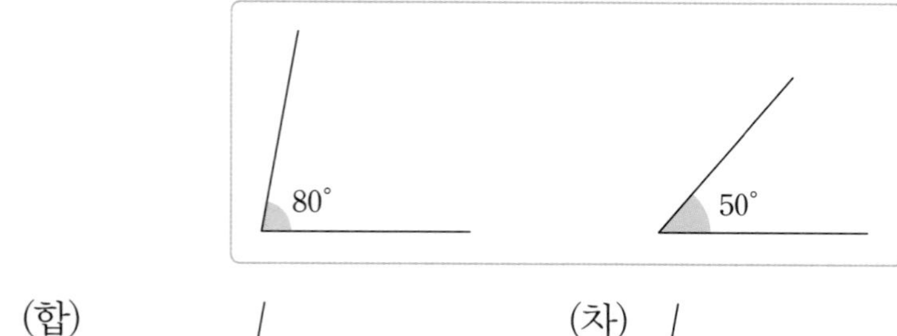

(합)

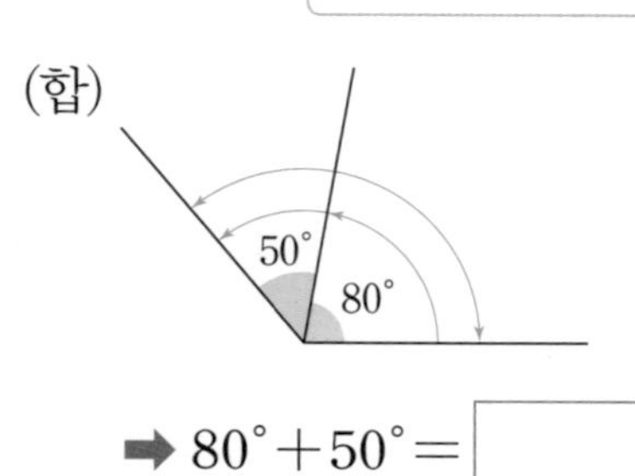

➡ $80° + 50° = \square°$

(차)

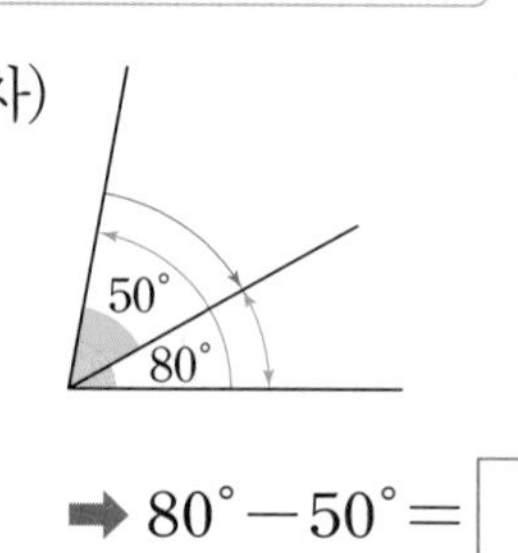

➡ $80° - 50° = \square°$

각도의 합과 차를 바르게 구할 수 있는지 묻는 문제예요.

각도의 합과 차는 자연수의 덧셈, 뺄셈과 같은 방법으로 계산해요.

교과서 내용 학습

01 직각 삼각자의 각과 비교하여 각도를 어림하여 보세요.

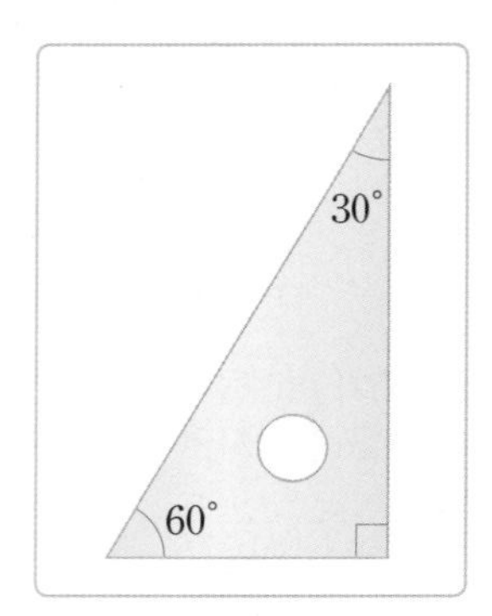

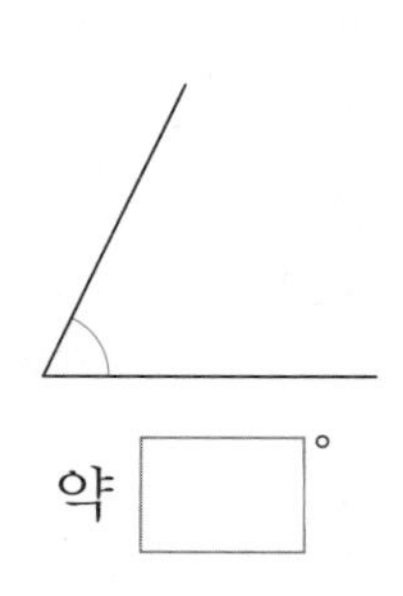

약 □°

02 각도를 어림하고, 각도기로 재어 확인해 보세요.

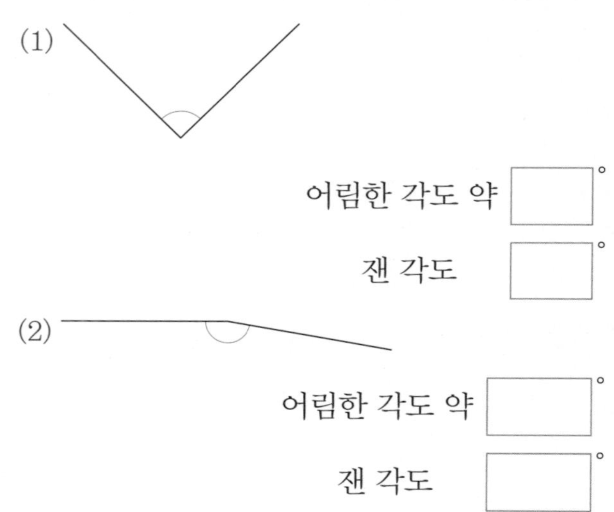

(1) 어림한 각도 약 □°
재 각도 □°

(2) 어림한 각도 약 □°
잰 각도 □°

03 더 작은 각도를 어림하고, 각도기로 재어 확인해 보세요.

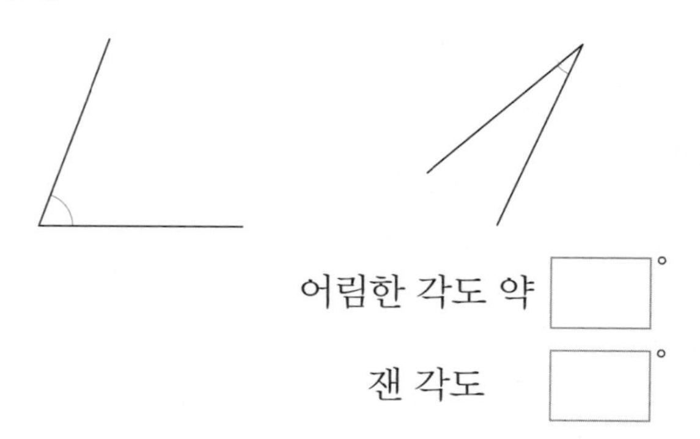

어림한 각도 약 □°
잰 각도 □°

04 독서대의 각도를 어림하고, 각도기로 재어 확인해 보세요.

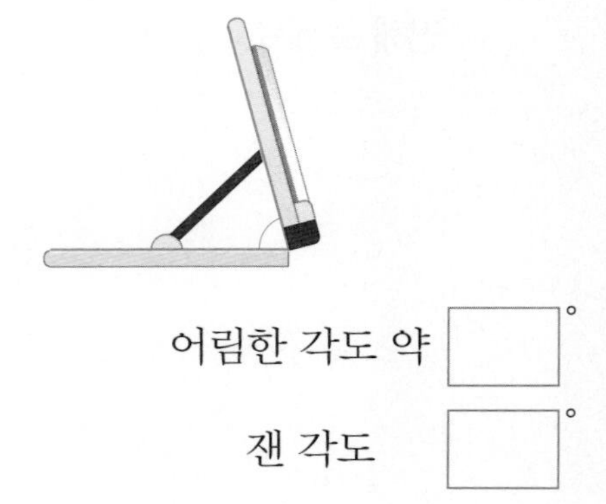

어림한 각도 약 □°
잰 각도 □°

중요

05 나현이와 병훈이가 각도를 어림하였습니다. 각도를 더 잘 어림한 학생의 이름을 써 보세요.

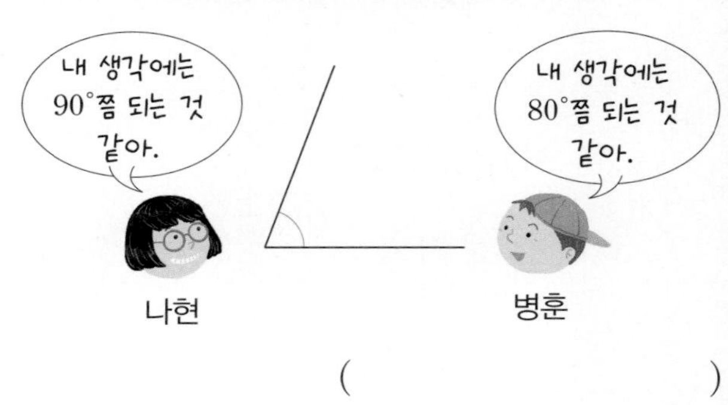

내 생각에는 90°쯤 되는 것 같아.
내 생각에는 80°쯤 되는 것 같아.
나현
병훈

(　　　　　)

06 각도기를 이용하여 각도를 각각 재어 보고, 두 각도의 합을 구해 보세요.

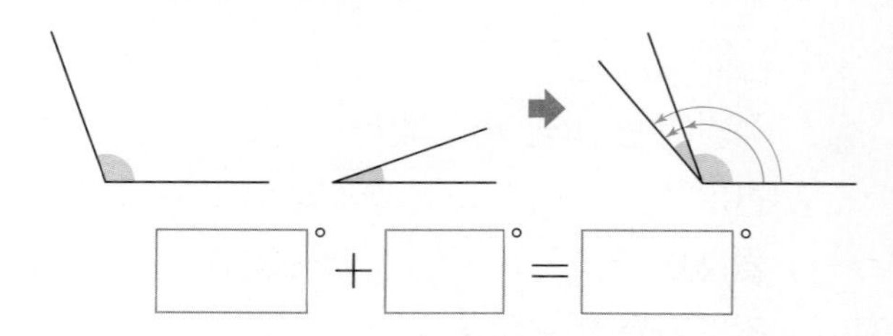

□° + □° = □°

07 두 각도의 합과 차를 구해 보세요.

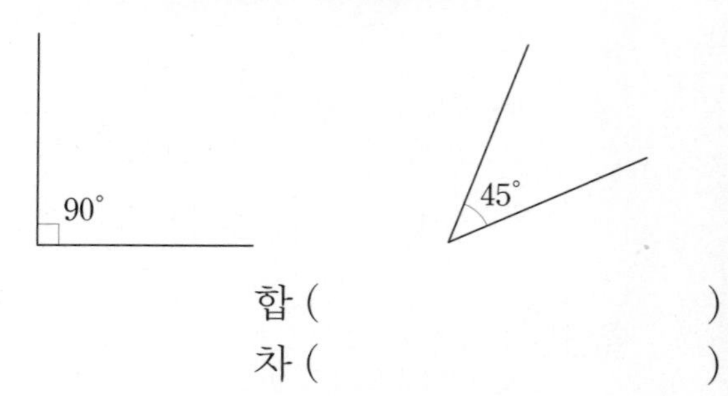

합 (　　　　　)
차 (　　　　　)

⊂중요⊃

08 각도의 합과 차가 잘못된 것은 어느 것일까요?

(　　)

① $56^\circ+88^\circ=144^\circ$
② $147^\circ+26^\circ=163^\circ$
③ $102^\circ-98^\circ=4^\circ$
④ $139^\circ-71^\circ=68^\circ$
⑤ $173^\circ-54^\circ=119^\circ$

09 ㉠의 각도를 구해 보세요.

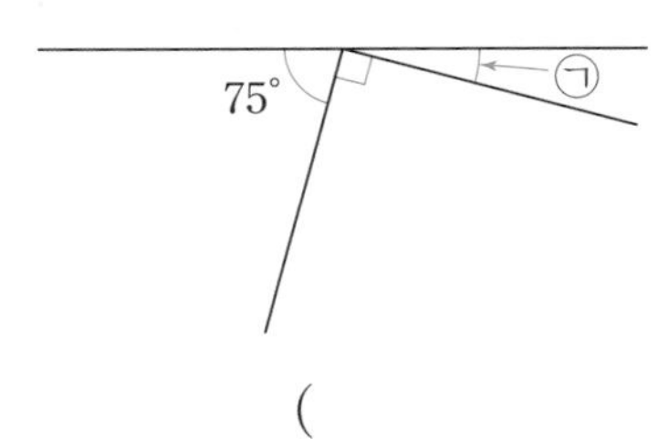

(　　　　　　　　)

⊂어려운 문제⊃

10 정민이는 러닝 머신에서 가볍게 뛴 뒤 걷는 것을 반복하고 있습니다. 정민이가 걸을 때는 가볍게 뛸 때보다 러닝 머신의 각도를 몇 도 더 높였는지 각도기를 이용하여 구해 보세요.

가볍게 뛸 때

걸을 때

(　　　　　　　　)

도움말 먼저 주어진 각도의 크기를 각각 재어 본 다음 가볍게 뛸 때의 각도와 걸을 때의 각도의 차를 구해 봅니다.

문제해결 접근하기

11 두 직각 삼각자를 겹치지 않게 이어 붙여서 만들 수 있는 각도 중 가장 큰 각도와 가장 작은 각도의 차를 구해 보세요.

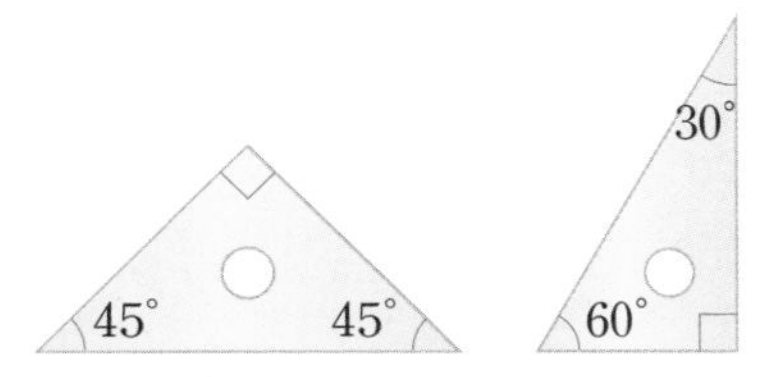

이해하기

구하려고 하는 것은 무엇인가요?

답 ____________________

계획 세우기

어떤 방법으로 문제를 해결하면 좋을까요?

답 ____________________

해결하기

□ 안에 알맞은 수를 써넣으세요.

- 두 직각 삼각자를 겹치지 않게 이어 붙여서 만들 수 있는 각도 중 가장 큰 각도:
  □°＋□°＝□°
- 두 직각 삼각자를 겹치지 않게 이어 붙여서 만들 수 있는 각도 중 가장 작은 각도:
  □°＋□°＝□°
- 두 각도의 차:
  □°－□°＝□°

되돌아보기

문제를 해결한 방법을 설명해 보세요.

답 ____________________

개념 7 삼각형의 세 각의 크기의 합을 알아볼까요

• 삼각형의 세 각의 크기의 합

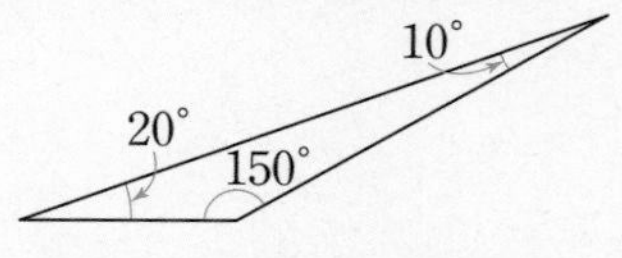

➡ $20° + 150° + 10° = 180°$

• 세 꼭짓점이 한 점에 모이도록 이어 붙일 때에는 세 조각이 겹치지 않도록 변과 변을 이어 붙입니다.

● 삼각형의 세 각이 각각 하나씩 포함되도록 세 조각으로 자른 다음 세 꼭짓점이 한 점에 모이도록 이어 붙여 보면 180°가 됩니다.

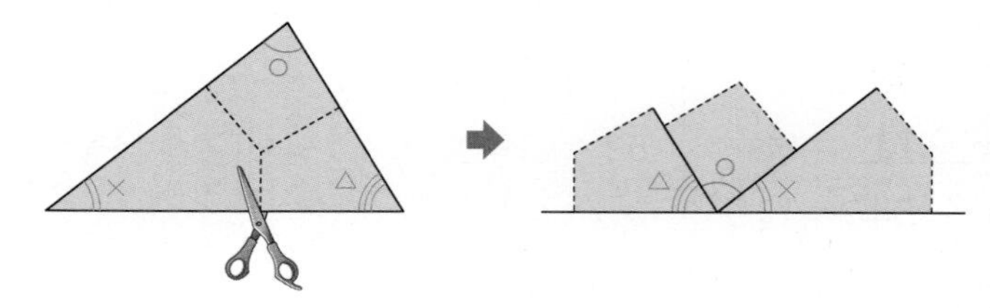

➡ 삼각형의 세 각의 크기의 합은 180°입니다.

개념 8 사각형의 네 각의 크기의 합을 알아볼까요

• 사각형의 네 각의 크기의 합

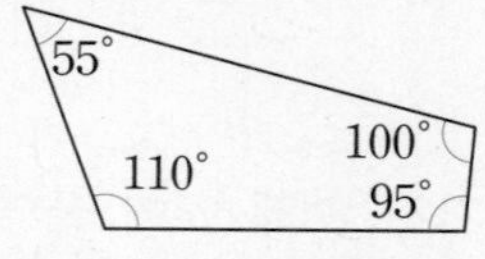

➡ $55° + 110° + 95° + 100°$
$= 360°$

• 사각형을 삼각형 2개로 나누어 사각형의 네 각의 크기의 합 구하기

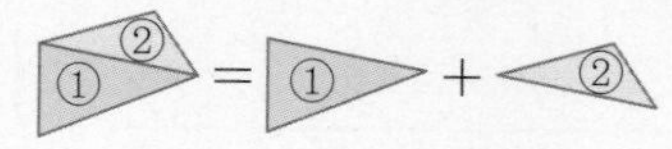

➡ 사각형은 삼각형 2개로 나눌 수 있으므로 네 각의 크기의 합은 $180° + 180° = 360°$입니다.

● 사각형의 네 각이 각각 하나씩 포함되도록 네 조각으로 자른 다음 네 꼭짓점이 한 점에 모이도록 이어 붙여 보면 360°가 됩니다.

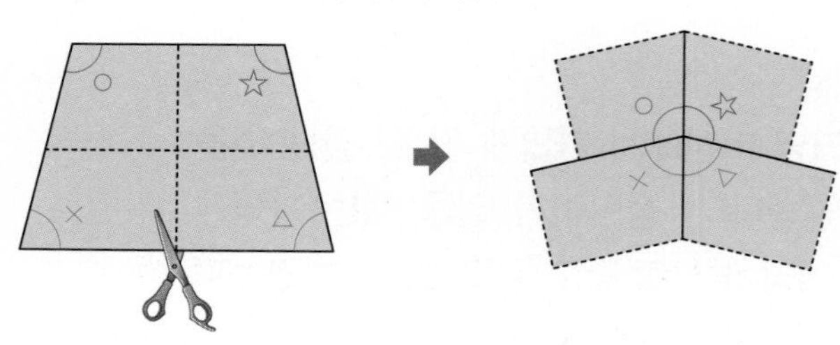

➡ 사각형의 네 각의 크기의 합은 360°입니다.

문제를 풀며 이해해요

정답과 해설 12쪽

1 각도기로 재어 삼각형의 세 각의 크기의 합을 알아보세요.

(1)

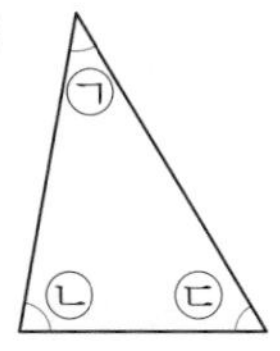

㉠의 각도: 40°

㉡의 각도: □°

㉢의 각도: □°

(삼각형의 세 각의 크기의 합)

=㉠+㉡+㉢

=□°+□°+□°

=□°

(2)

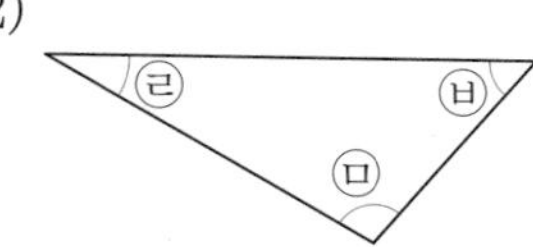

㉣의 각도: 30°

㉤의 각도: □°

㉥의 각도: □°

(삼각형의 세 각의 크기의 합)

=㉣+㉤+㉥

=□°+□°+□°

=□°

삼각형의 세 각의 크기의 합에 대해 알고 있는지 묻는 문제예요.

모양과 크기에 상관없이 삼각형의 세 각의 크기의 합은 항상 같아요.

2 각도기로 재어 사각형의 네 각의 크기의 합을 알아보세요.

(1)

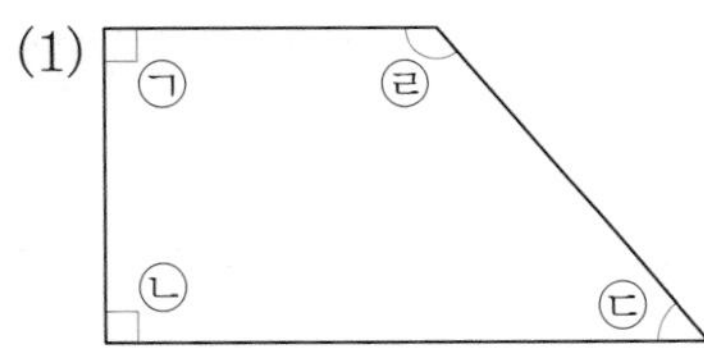

㉠의 각도: 90°

㉡의 각도: □°

㉢의 각도: □°

㉣의 각도: □°

(사각형의 네 각의 크기의 합)

=㉠+㉡+㉢+㉣

=□°+□°

+□°+□°

=□°

(2)

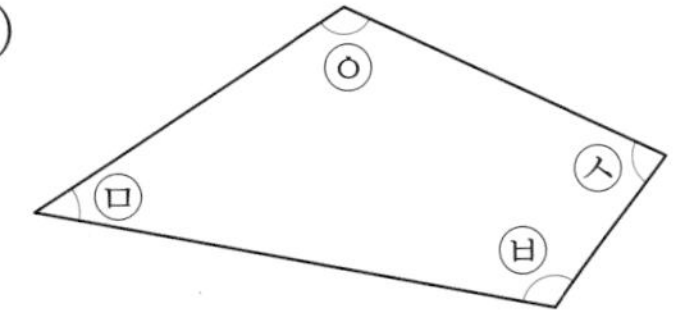

㉤의 각도: 45°

㉥의 각도: □°

㉦의 각도: □°

㉧의 각도: □°

(사각형의 네 각의 크기의 합)

=㉤+㉥+㉦+㉧

=□°+□°

+□°+□°

=□°

사각형의 네 각의 크기의 합에 대해 알고 있는지 묻는 문제예요.

모양과 크기에 상관없이 사각형의 네 각의 크기의 합은 항상 같아요.

교과서 내용 학습

01 삼각형을 잘라서 세 꼭짓점이 한 점에 모이도록 겹치지 않게 이어 붙였습니다. ㉠의 각도를 구해 보세요.

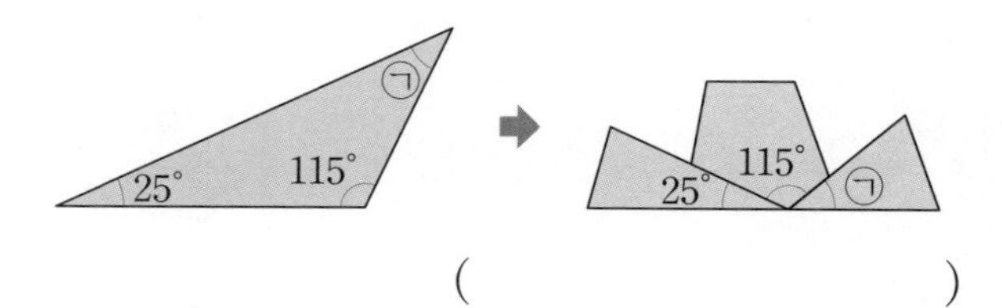

( )

02 ⊂중요⊃ 각도기로 재어 □ 안에 알맞은 수를 써넣으세요.

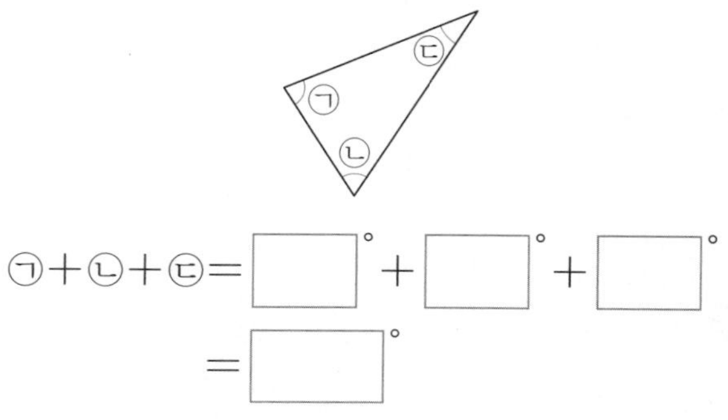

03 □ 안에 알맞은 수를 써넣으세요.

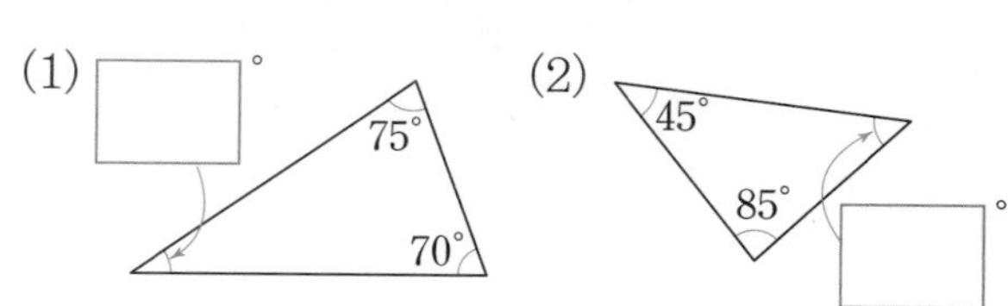

04 ㉠과 ㉡의 각도의 합을 구해 보세요.

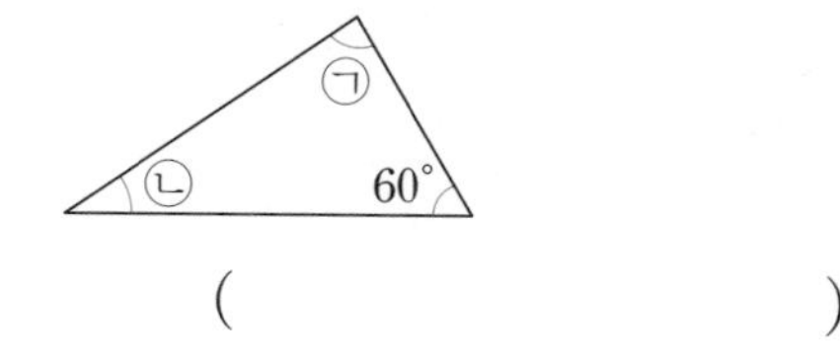

( )

05 ㉠의 각도를 바르게 구한 학생의 이름을 써 보세요.

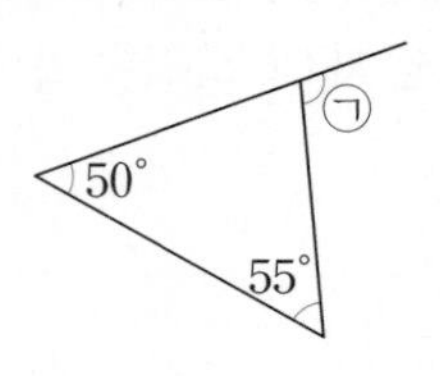

민영: ㉠의 각도는 105°야.
기진: ㉠의 각도는 120°야.

( )

06 두 직각 삼각자를 다음과 같이 겹쳤습니다. ㉠의 각도를 구해 보세요.

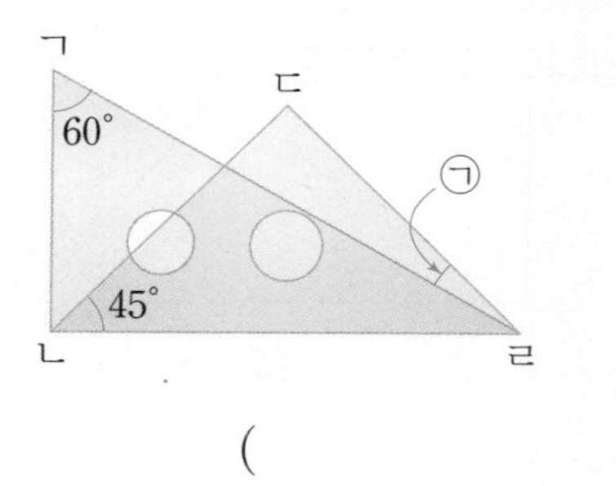

( )

07 ⊂중요⊃ □ 안에 알맞은 수를 써넣으세요.

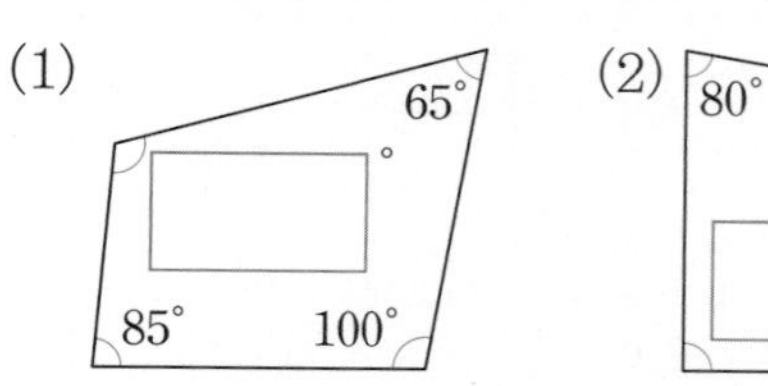

08 ㉠과 ㉡의 각도의 합을 구해 보세요.

(1)

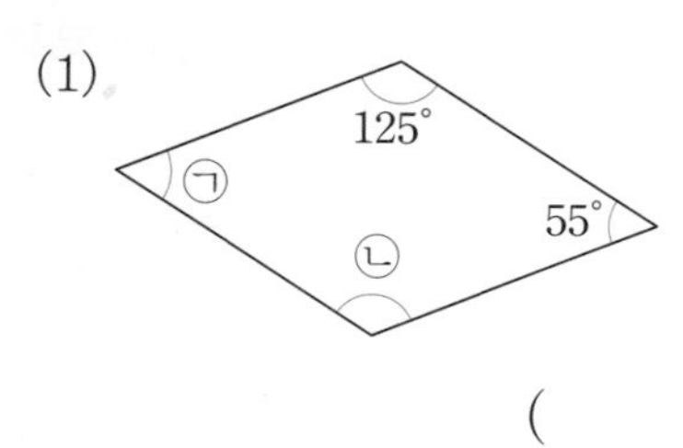

( )

(2)

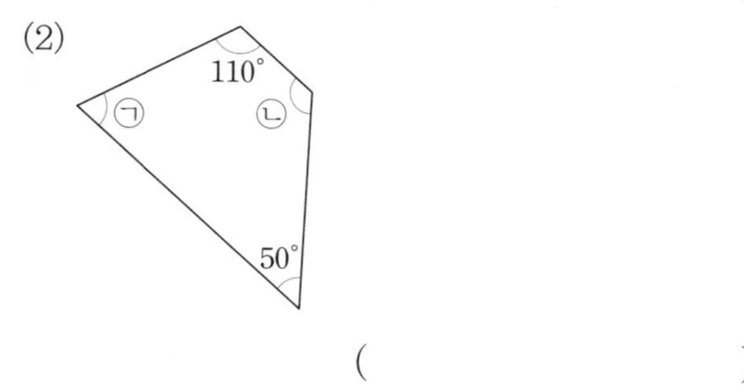

( )

09 사각형의 네 각 중에서 세 각의 크기를 나타낸 것입니다. 나머지 한 각의 크기를 구해 보세요.

115°, 65°, 50°

( )

⊂어려운 문제⊃

10 ㉠과 ㉡의 각도를 각각 구해 보세요.

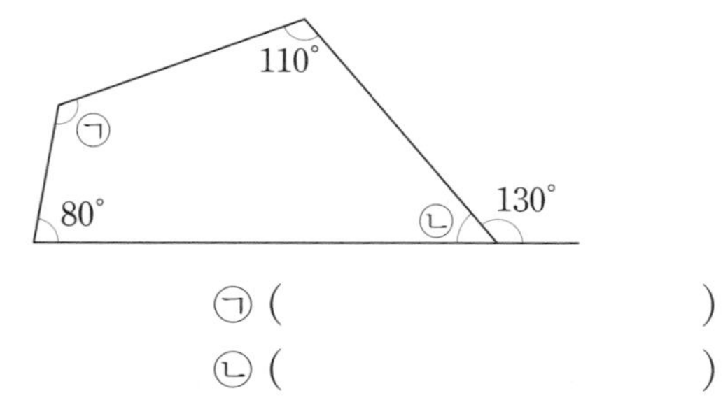

㉠ ( )

㉡ ( )

도움말 130°와 ㉡의 각도가 더해져 이루는 각이 일직선이 된다는 것을 이용하여 ㉡의 각도를 먼저 구합니다.

문제해결 접근하기

11 ㉠과 ㉡의 각도의 합을 구해 보세요.

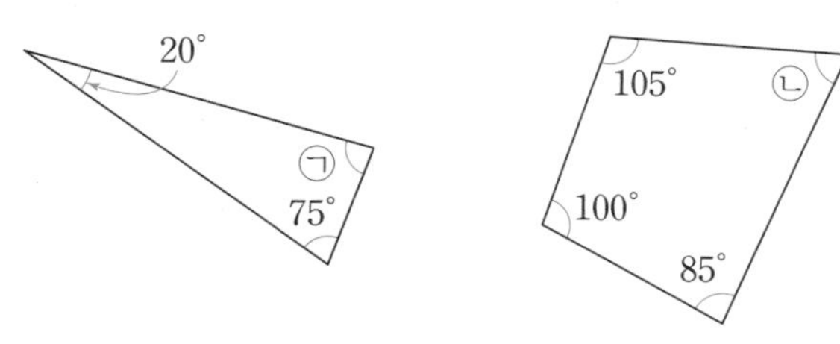

이해하기

구하려고 하는 것은 무엇인가요?

답 ______________________

____

계획 세우기

어떤 방법으로 문제를 해결하면 좋을까요?

답 ______________________

____

____

해결하기

□ 안에 알맞은 수를 써넣으세요.

- 삼각형의 세 각의 크기의 합은 □°이므로 ㉠의 각도는 □°입니다.
- 사각형의 네 각의 크기의 합은 □°이므로 ㉡의 각도는 □°입니다.
- ㉠과 ㉡의 각도의 합: □° + □° = □°

되돌아보기

문제를 해결한 방법을 설명해 보세요.

답 ______________________

____

____

단원 확인 평가

01 더 큰 각에 ○표, 더 작은 각에 △표 하세요.

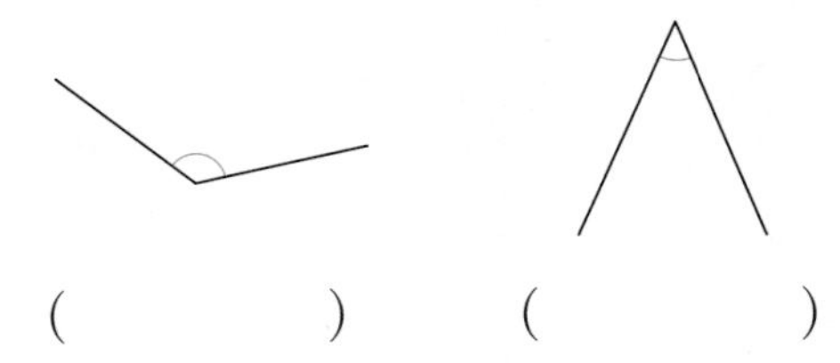

( ) ( )

02 각의 크기가 큰 순서대로 기호를 써 보세요.

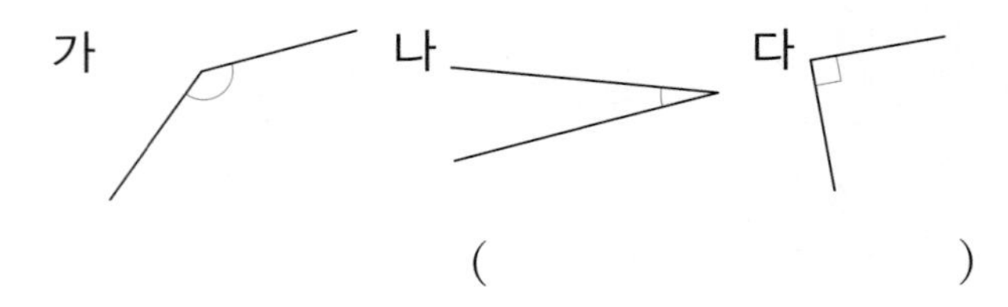

( )

03 각도를 구하려고 합니다. 알맞게 ○표 하세요.

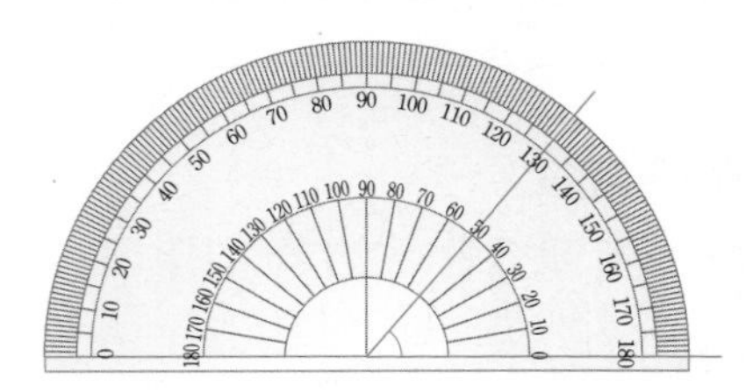

각도기의 (안쪽 눈금 , 바깥쪽 눈금)을 읽어야 하므로 각도는 (50°, 130°)입니다.

04 각도기를 이용하여 주어진 각도를 재어 보세요.

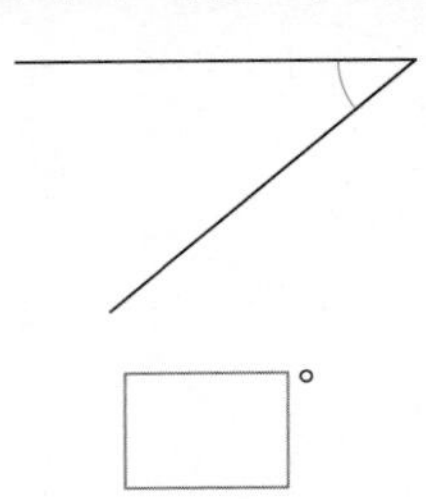

05 혜주네 반 학생들이 각도기를 이용하여 여러 도형의 각도를 재었습니다. 바르게 말한 학생을 모두 찾아 이름을 써 보세요.

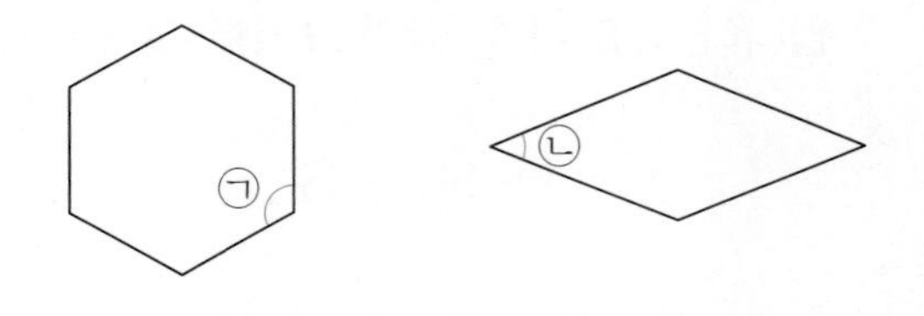

혜주: ㉠의 각도는 120°야.
도영: ㉠의 각도는 60°야.
유미: ㉡의 각도는 135°야.
서진: ㉡의 각도는 45°야.

( )

06 주어진 각도의 각을 각도기 위에 그려 보세요.

105°

중요

07 각도를 재는 방법이 잘못된 그림에 ○표 하고, □ 안에 알맞은 말을 써넣으세요.

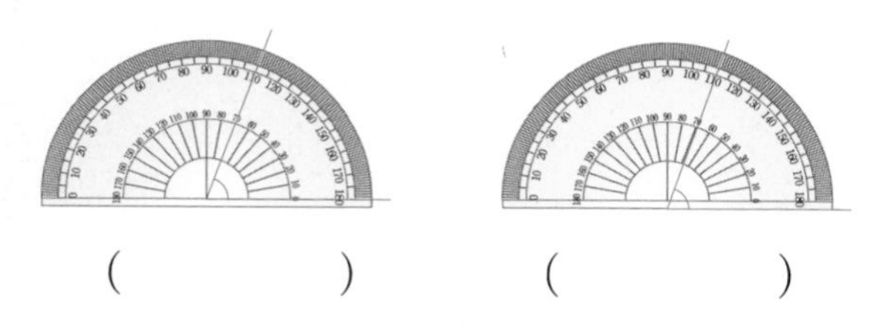

( )　　　( )

잘못된 이유: 각도기의 □과 각의 한 변을 맞추지 않았습니다.

08 각도기를 이용하여 각도가 30°인 각 ㄱㄴㄷ을 그리려고 합니다. 순서에 맞게 기호를 써 보세요.

㉠ 각도기의 중심과 점 ㄴ을, 각도기의 밑금과 변 ㄴㄷ을 맞춥니다.
㉡ 각도기의 밑금에서 시작하여 각도가 30°가 되는 눈금에 점 ㄱ을 표시합니다.
㉢ 각의 한 변인 변 ㄴㄷ을 그립니다.
㉣ 각도기를 떼고, 변 ㄱㄴ을 그어 각을 완성합니다.

( )

09 점 ㄱ을 꼭짓점으로 하고, 주어진 선을 한 변으로 하여 각의 크기가 80°인 각을 그려 보세요.

ㄱ

10 예각, 직각, 둔각을 모두 찾아 기호를 써 보세요.

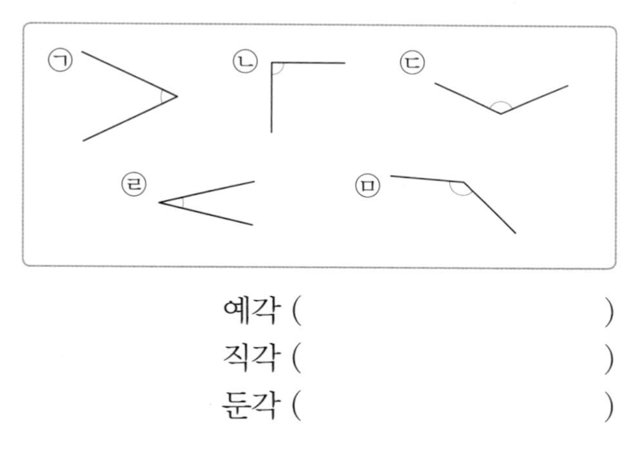

예각 ( )
직각 ( )
둔각 ( )

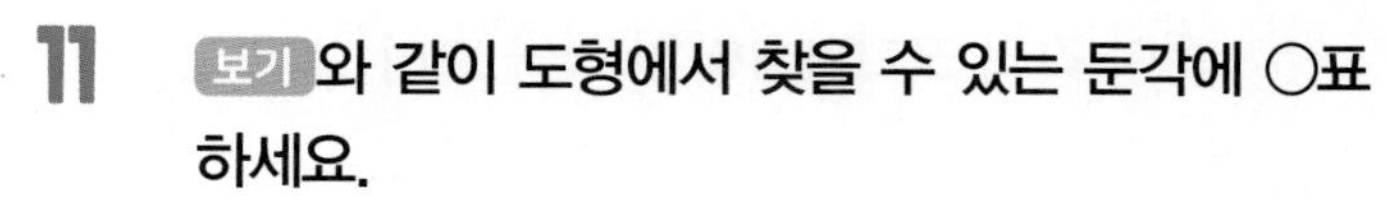

11 보기 와 같이 도형에서 찾을 수 있는 둔각에 ○표 하세요.

보기

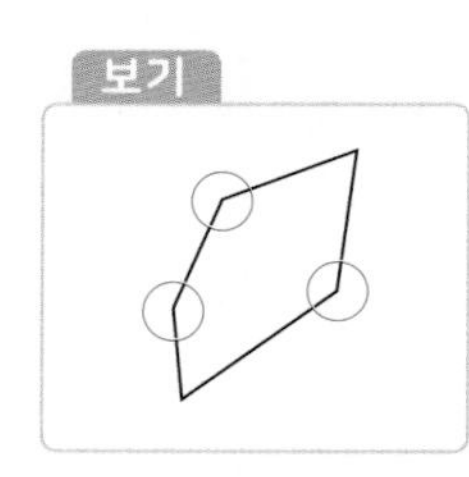

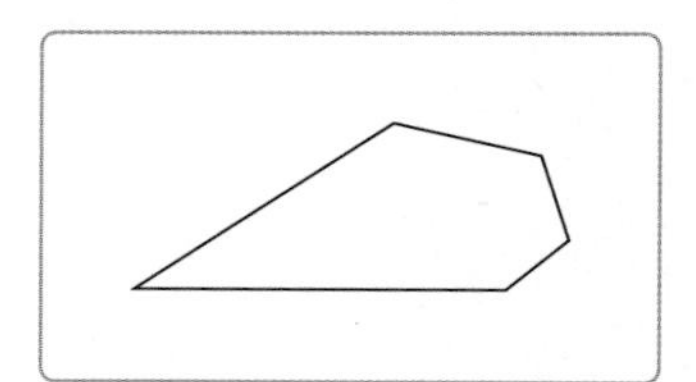

12 주어진 점을 이용해 둔각을 두 개 그려 보세요.

13 각도를 어림하고, 각도기로 재어 확인해 보세요.

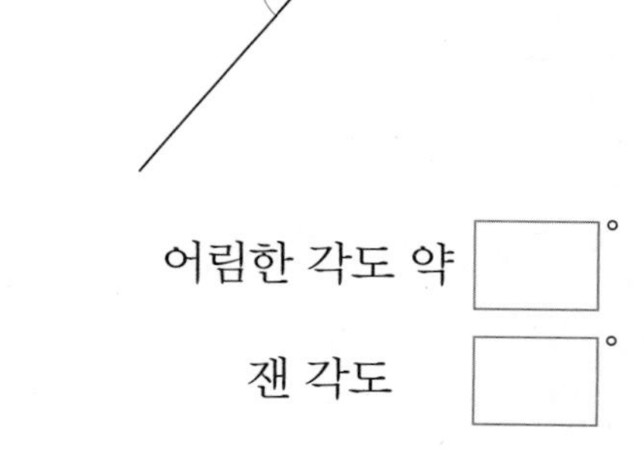

어림한 각도 약 □°

잰 각도 □°

14 각도를 어림한 것입니다. 각도기로 재어 보고 더 가깝게 어림한 것의 기호를 써 보세요.

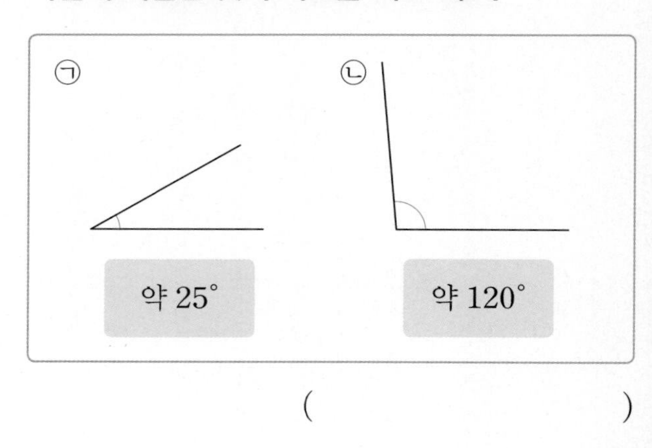

(　　　　　　　)

중요

15 두 각도의 합과 차를 구하려고 합니다. □ 안에 알맞은 수를 써넣으세요.

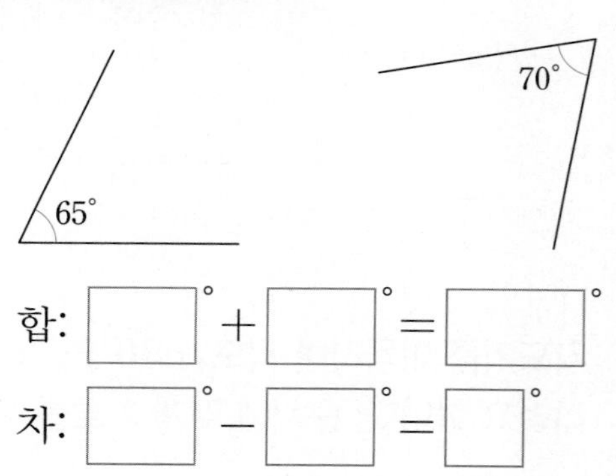

합: □° + □° = □°

차: □° − □° = □°

16 계산한 각도를 비교하여 ○ 안에 >, =, <를 알맞게 써넣으세요.

$85° + 25°$ ○ $145° - 50°$

ᄃ어려운 문제ᄀ

17 두 직각 삼각자를 겹쳐서 ㉠을 만들었습니다. ㉠과 ㉡의 각도의 차를 구해 보세요.

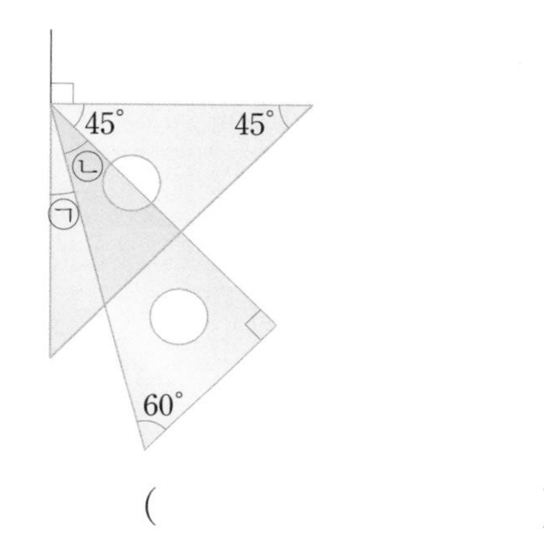

(　　　　　　　　　　)

ᄃ서술형ᄀ

18 ㉠과 ㉡의 각도의 합을 구하려고 합니다. 풀이 과정을 쓰고 답을 구해 보세요.

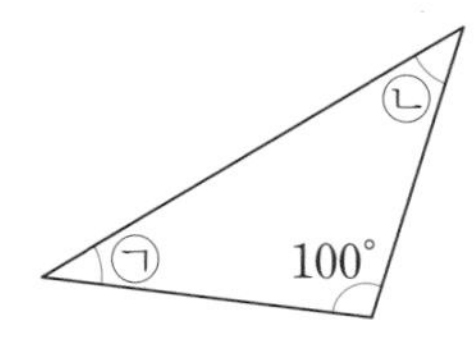

풀이

(1) 삼각형의 세 각의 크기의 합은 (　　　　)입니다.

(2) ㉠+㉡+100°=(　　　　)

(3) ㉠+㉡
=(　　　　)−100°=(　　　　)

답 ______________

ᄃ어려운 문제ᄀ

19 ㉠과 ㉡의 각도의 합을 구해 보세요.

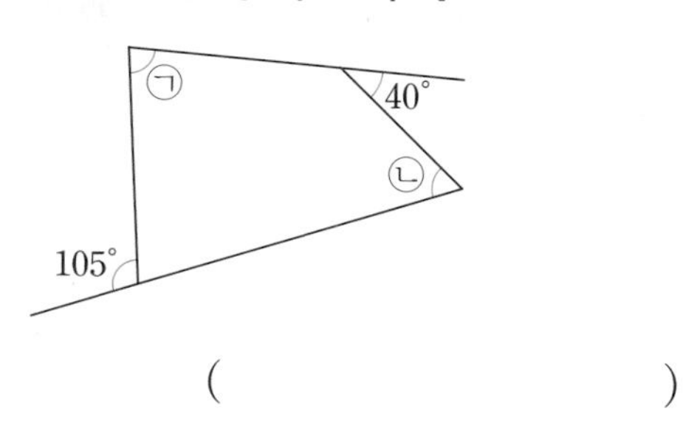

(　　　　　　　　　　)

ᄃ서술형ᄀ

20 □ 안에 알맞은 각도를 구하려고 합니다. 풀이 과정을 쓰고 답을 구해 보세요.

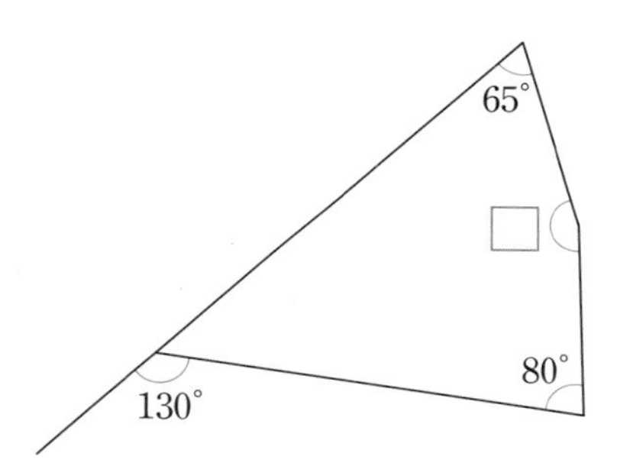

풀이

(1) 130°와 일직선을 만드는 각을 ㉠이라고 하면 일직선이 이루는 각은 (　　　　)이므로 ㉠=(　　　　)입니다.

(2) 사각형의 네 각의 크기의 합은 (　　　　)입니다.

(3) 따라서 □ 안에 알맞은 각도는
(　　　　)−65°−80°−(　　　　)
=(　　　　)입니다.

답 

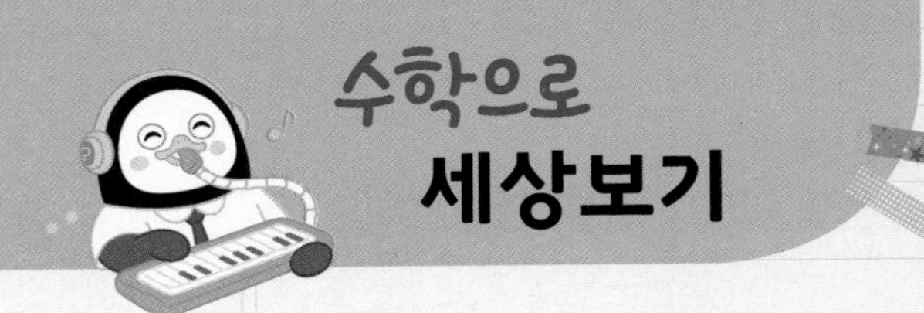

알수록 빠져드는 각 이야기

여러분은 '도형' 하면 무엇이 떠오르나요?

삼각형? 사각형? 별 모양, 하트 모양도 도형이라고 할 수 있겠네요. 그런데 사실은 우리가 2단원에서 배웠던 각도 하나의 '도형'이랍니다. 우리가 생각하는 '도형'과는 조금 다르죠?

이렇듯 각에 대해 조금만 더 관심을 가지고 찾아보면 훨씬 놀랍고 재미있는 각 이야기가 있다는 것을 알게 될 거예요. 그럼, 지금부터 각의 매력에 빠져 볼까요?

1 지구에서도 각을 찾을 수 있다고?

자전축은 천체가 스스로 회전할 때 기준이 되는 고정된 중심축을 의미합니다. 우리가 살고 있는 지구 역시 오른쪽 그림에서 볼 수 있는 것처럼 23.5° 정도 기울어진 자전축을 기준으로 하루에 한 바퀴씩 스스로 회전하는 '자전 운동'을 하고 있지요. 게다가 우리의 부지런한 지구는 태양의 주위를 일년에 한 바퀴씩 도는 '공전 운동'도 하는데 자전축이 기울어진 상태로 태양의 주위를 공전하기 때문에 우리는 봄, 여름, 가을, 겨울이라는 아름다운 사계절을 선물 받을 수 있답니다.

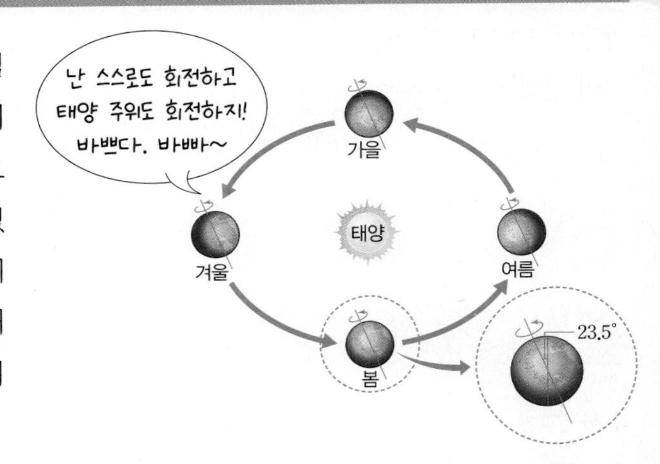

2 한옥의 각에서 찾아보는 조상들의 지혜

한옥을 본 적이 있는 친구들은 아름다운 곡선 모양을 가진 지붕을 쉽게 떠올릴 수 있을 거예요. 특히 한옥 지붕의 밑부분을 우리는 처마라고 부릅니다. 대부분의 한옥에서, 이 처마의 끝부분과 한옥 기둥의 끝부분을 연결했을 때 이루는 각도를 구하면 약 30°가 된다고 해요. 이 30°의 각도는 집안으로 들어오는 비나 눈을 막아 주고, 계절에 따라 햇빛의 양을 효과적으로 받을 수 있는 가장 최적의 각도라고 하네요. 태양이 상대적으로 더 높이 뜨는 여름에는 뜨거운 햇빛이 처마에 가려 방 안으로 들어오는 것을 막아주고, 상대적으로 더 낮게 뜨는 겨울에는 햇빛이 집 안까지 깊이 들어와 방 안을 따뜻하게 해주었다고 합니다. 우리 조상들의 지혜, 알면 알수록 놀랍지 않나요?

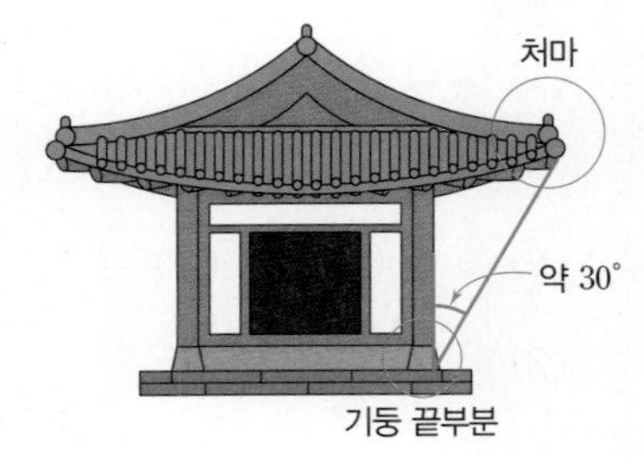

3 물수제비가 쏘아 올린 작은 공

여러분은 물수제비를 떠 본 적이 있나요? 물수제비는 '둥글고 얄팍한 돌을 물 위로 튕겨 가게 던졌을 때에 그 튕기는 자리마다 생기는 물결 모양'을 의미합니다. 놀랍게도, 물수제비에 대한 연구는 1940년대부터 이미 주목받기 시작했다네요.

프랑스 비평형현상연구소의 크리스토프 클라네 박사는 2004년 1월 1일 과학저널 네이처에 "둥글고 납작한 지름 5 cm의 돌을 수면과 20° 각도를 유지하며 초속 2.5 m 이상으로 던져야 물에 빠지지 않는다"고 밝혔어요. 또한, 돌을 강하게 회전시켜야 평평한 면이 안정적으로 수평을 유지해 물속으로 쉽게 가라앉지 않는다는 결과도 함께 내놓았지요. 클라네 박사의 실험에 따르면 20°보다 낮은 각도로 던진 돌은 수면에서 튕기기는 하지만 그 다음엔 수면과 너무 맞붙게 되고, 반대로 던진 돌의 각도가 20°보다 크면 몇 번 튕기지 못하고 물속에 빠진다고 하네요. 또한 각도가 45°보다 크면 곧바로 물속으로 빠진다고 하니 물수제비를 뜨는 일이 보통 일이 아니지요?

우리는 비록 연구 결과를 알아도 물수제비를 잘 뜨기 어렵겠지만 흥미롭게도 이 연구는 우주과학자들의 많은 관심을 받았다고 해요. 미국 항공우주국(NASA)을 비롯한 우주개발기관들은 물수제비 연구 결과를 통해 가장 적절한 대기권 진입 각도를 유추해내는 데 도움을 받고 있다니 재미 삼아 뜨던 물수제비가 새삼 대단하게 느껴지네요.

4 각, 너는 대체 어디서 온거니?

수학 교과서를 학습하면서 부채를 완전히 펼쳐 한 바퀴 돌아왔을 때의 각이 360°가 된다는 것을 알게 되었을 거예요. 우리는 이것을 "원의 중심각이 360°이다"라고 말할 수 있답니다. 그런데 왜 360이라는 숫자가 쓰이게 되었는지 궁금하지 않나요?

4000여 년 전 수학이 발달한 고대 바빌로니아의 한 학자는 태양이 날마다 조금씩 다른 위치에서 뜬다는 것과 다시 처음의 자리로 돌아오는 기간까지는 360일이 걸린다는 것을 알게 되었어요. 그러나 당시에는 특별한 달력이 없어 1년을 원으로 나타내었고, 1년을 360일이라고 생각했기 때문에 원의 중심각도 360°가 된 거랍니다.

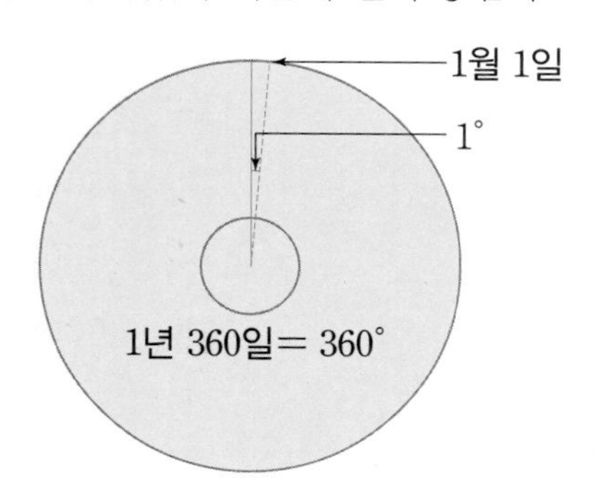

3 단원

곱셈과 나눗셈

예림이는 어머니와 함께 녹색장터에 왔습니다. 어머니께서는 한 개에 781원인 친환경 옥수수를 20개 구매하려고 합니다. 얼마를 내야 할까요? 한쪽에서는 방문객들에게 나누어 줄 천연 수세미를 포장하고 있네요. 216개의 천연 수세미를 72명에게 나누어 주면 한 사람당 받을 수 있는 수세미는 몇 개일까요?

이번 3단원에서는 곱하는 수가 두 자리 수인 곱셈의 계산 원리와 나누는 수가 두 자리 수인 나눗셈의 계산 원리를 이해하고 계산해 볼 거예요. 또, 실생활과 관련된 다양한 곱셈과 나눗셈 문제를 만들어 보고 해결해 볼 거예요.

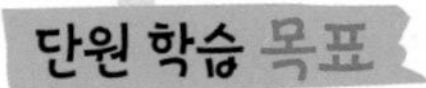

1. (세 자리 수)×(몇십), (세 자리 수)×(두 자리 수)의 계산 원리와 형식을 이해하고 계산할 수 있습니다.
2. (세 자리 수)÷(몇십), 몫이 한 자리 수인 (두 자리 수)÷(두 자리 수), (세 자리 수)÷(두 자리 수)의 계산 원리와 형식을 이해하고 계산할 수 있습니다.
3. 몫이 두 자리 수이고 나누어떨어지는 (세 자리 수)÷(두 자리 수), 몫이 두 자리 수이고 나머지가 있는 (세 자리 수)÷(두 자리 수)의 계산 원리와 형식을 이해하고 계산할 수 있습니다.
4. (세 자리 수)÷(두 자리 수)의 몫과 나머지를 구하고 계산 결과를 확인할 수 있습니다.

단원 진도 체크

회차	구성		진도 체크
1차	개념 1 세 자리 수에 몇십을 곱해 볼까요	개념 확인 학습 + 문제 / 교과서 문제 학습	✓
2차	개념 2 세 자리 수에 몇십몇을 곱해 볼까요	개념 확인 학습 + 문제 / 교과서 문제 학습	✓
3차	개념 3 몇십으로 나누어 볼까요	개념 확인 학습 + 문제 / 교과서 문제 학습	✓
4차	개념 4 몇십몇으로 나누어 볼까요(1)	개념 확인 학습 + 문제 / 교과서 문제 학습	✓
5차	개념 5 몇십몇으로 나누어 볼까요(2)	개념 확인 학습 + 문제 / 교과서 문제 학습	✓
6차	개념 6 몇십몇으로 나누어 볼까요(3)	개념 확인 학습 + 문제 / 교과서 문제 학습	✓
7차	개념 7 실생활 문제를 해결해 볼까요	개념 확인 학습 + 문제 / 교과서 문제 학습	✓
8차	단원 확인 평가		✓
9차	수학으로 세상보기		✓

해당 부분을 공부한 후 ✓표를 하세요.

천연 수세미
친환경 옥수수
환경 옥수수

개념 1 세 자리 수에 몇십을 곱해 볼까요

• **172×40의 계산**

$=172\times40$

$=172\times4\times10$

$=\underline{172\times4}\times10$ (688)

$=6880$

172×4와 172×40의 결과를 표로 나타내어 봅시다.

172×40: 172×4의 10배

	천의 자리	백의 자리	십의 자리	일의 자리	결과
172×4		6	8	8	➡ 688
172×40	6	8	8	0	6880

• **(몇백)×(몇십)의 계산**

$4\times2=8$

→ $400\times20=8000$

$$\begin{array}{r} 400 \\ \times\ \ 20 \\ \hline 8000 \end{array}$$

$5\times7=35$

→ $500\times70=35000$

$$\begin{array}{r} 500 \\ \times\ \ 70 \\ \hline 35000 \end{array}$$

$9\times4=36$

→ $900\times40=36000$

$$\begin{array}{r} 900 \\ \times\ \ 40 \\ \hline 36000 \end{array}$$

➡ (몇백)×(몇십)의 계산은 (몇)×(몇)의 값에 곱하는 두 수의 0의 개수만큼 0을 붙입니다.

(세 자리 수)×(몇십)을 계산하는 방법을 알아봅시다.

$463\times5=2315$

$463\times50=23150$ (10배)

$$\begin{array}{r} 463 \\ \times\ \ \ 5 \\ \hline 2315 \end{array} \qquad \begin{array}{r} 463 \\ \times\ \ 50 \\ \hline 23150 \end{array}$$

10배

$260\times3=780$

$260\times30=7800$ (10배)

$$\begin{array}{r} 260 \\ \times\ \ \ 3 \\ \hline 780 \end{array} \qquad \begin{array}{r} 260 \\ \times\ \ 30 \\ \hline 7800 \end{array}$$

10배

$600\times9=5400$

$600\times90=54000$ (10배)

$$\begin{array}{r} 600 \\ \times\ \ \ 9 \\ \hline 5400 \end{array} \qquad \begin{array}{r} 600 \\ \times\ \ 90 \\ \hline 54000 \end{array}$$

10배

➡ (세 자리 수)×(몇십)의 계산은 (세 자리 수)×(몇)의 값에 0을 1개 붙입니다.

문제를 풀여 이해해요

정답과 해설 14쪽

1 표를 완성하여 곱셈을 해 보세요.

(1)

	천의 자리	백의 자리	십의 자리	일의 자리		결과
138×5		6	9	0	➡	690
138×50					➡	

$138 \times 50 =$ □

(2)

	천의 자리	백의 자리	십의 자리	일의 자리		결과
247×3					➡	
247×30					➡	

$247 \times 30 =$ □

세 자리 수에 몇십을 곱할 수 있는지 묻는 문제예요.

(세 자리 수)×(몇십)의 계산은 (세 자리 수)×(몇)의 값에 0을 1개 붙여요.

2 □ 안에 알맞은 수를 써넣으세요.

$$\begin{array}{r} 316 \\ \times \quad 7 \\ \hline \square \end{array} \quad \xrightarrow{\square\text{배}} \quad \begin{array}{r} 316 \\ \times \quad 70 \\ \hline \square \end{array}$$

3 계산해 보세요.

(1) $\begin{array}{r} 849 \\ \times \quad 20 \\ \hline \end{array}$

(2) $\begin{array}{r} 900 \\ \times \quad 70 \\ \hline \end{array}$

(몇백)×(몇십)의 계산은 (몇)×(몇)의 값에 곱하는 두 수의 0의 개수만큼 0을 붙여 나타내요.

교과서 내용 학습

01 □ 안에 알맞은 수를 써넣으세요.

$280 \times 3 = \square$

$280 \times 30 = \square$

```
    2 8 0
×     3 0
─────────
   □
```

⊂중요⊃

02 계산해 보세요.

(1)
```
    3 4 8
×     6 0
─────────
```

(2)
```
    8 1 7
×     4 0
─────────
```

03 어떤 수를 넣으면 80이 곱해져 나오는 상자가 있습니다. □ 안에 알맞은 수를 써넣으세요.

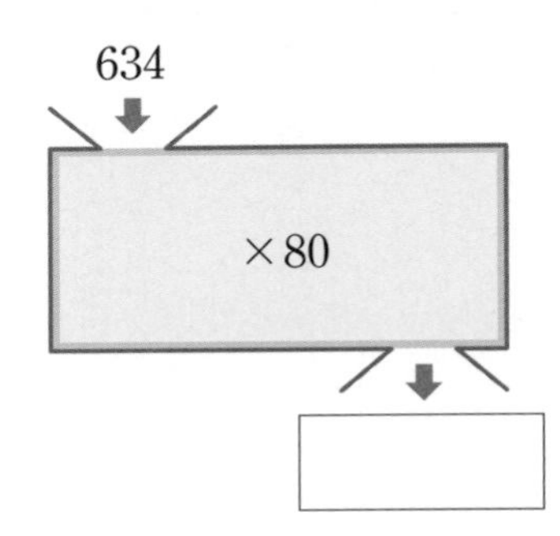

04 빈칸에 알맞은 수를 써넣으세요.

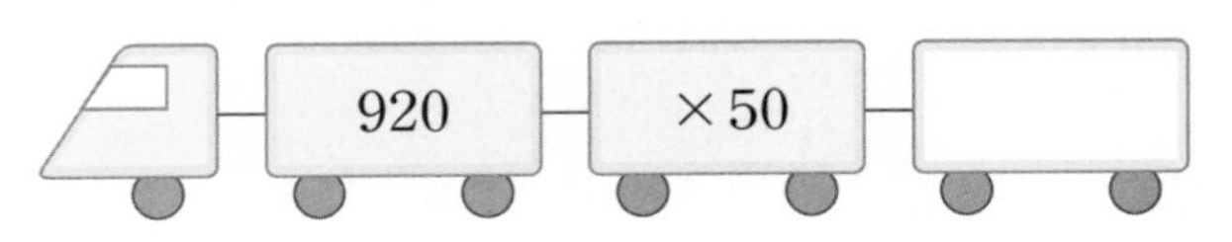

05 보기 에서 알맞은 계산 결과를 찾아 기호를 써 보세요.

보기

㉠ 54000 ㉡ 12900 ㉢ 40000

(1) 500×80 (　　　　)

(2) 900×60 (　　　　)

(3) 430×30 (　　　　)

06 계산 결과가 나머지와 다른 곱셈식을 들고 있는 학생은 누구일까요?

(　　　　)

⊂중요⊃

07 계산 결과가 더 큰 것을 찾아 ○표를 하세요.

700×80	600×90
(　　)	(　　)

08 계산 결과가 가장 큰 순서대로 기호를 써 보세요.

㉠ 500×90	㉡ 600×70
㉢ 800×60	㉣ 900×40

( )

09 채은이는 매일 줄넘기를 138회씩 하려고 합니다. 채은이가 30일 동안 할 수 있는 줄넘기는 모두 몇 회인가요?

( )

⊂어려운 문제⊃

10 정훈이네 반 학생들이 미술 시간에 클레이를 사용하려고 합니다. 1명당 노란색 클레이는 125 g, 파란색 클레이는 236 g씩 필요합니다. 정훈이네 반 학생 20명에게 필요한 클레이는 모두 몇 g인지 구해 보세요.

( )

도움말 먼저 1명당 필요한 클레이의 양이 몇 g인지부터 구해 봅니다.

문제해결 접근하기

11 0, 2, 3, 5, 6을 한 번씩만 사용하여 조건에 맞는 세 자리 수와 두 자리 수를 만들고, 만든 두 수의 곱을 구해 보세요.

조건 1. 백의 자리가 3인 가장 큰 세 자리 수를 만들어 보세요.
조건 2. 일의 자리가 0인 가장 작은 두 자리 수를 만들어 보세요.

이해하기

구하려고 하는 것은 무엇인가요?

답 ______________________

계획 세우기

어떤 방법으로 문제를 해결하면 좋을까요?

답 ______________________

해결하기

조건에 맞게 만든 세 자리 수와 두 자리 수로 곱셈식을 만들고 그 곱을 구해 보세요.

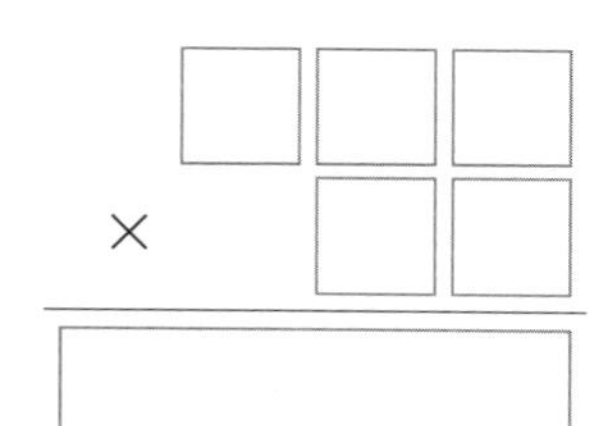

되돌아보기

위에서 만든 세 자리 수에 40을 곱한 값은 얼마인지 알아보세요.

답 ______________________

개념 2 세 자리 수에 몇십몇을 곱해 볼까요

214×36의 계산

• 214×36을 가로로 계산하기

214×30=6420　　214×6=1284

214×36=6420+1284=7704

• 214×36을 세로로 계산하기

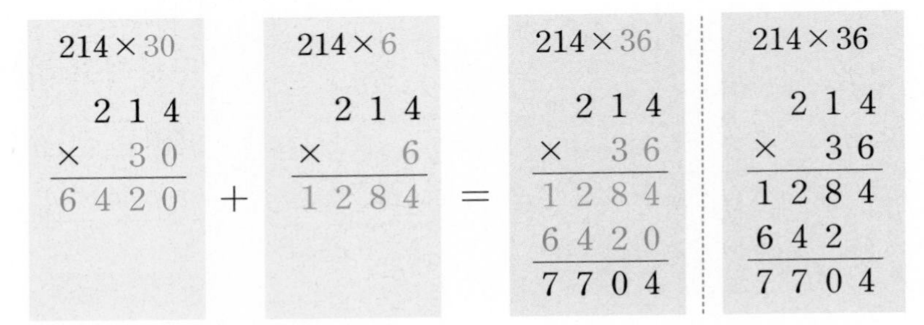

➡ (세 자리 수)×(몇십몇)의 계산은 (세 자리 수)×(몇십)과 (세 자리 수)×(몇)의 계산 결과를 더합니다.

• 세로 계산에서 십의 자리를 곱할 때, 계산상 편리함을 위해서 일의 자리 0의 표시를 생략할 수 있습니다.

214×36	214×36
2 1 4 × 　3 6 1 2 8 4 6 4 2 0 7 7 0 4	2 1 4 × 　3 6 1 2 8 4 6 4 2 7 7 0 4

➡ 위의 두 계산식은 같습니다.

170×53의 계산

170×50=8500　　170×3=510

170×53=8500+510=9010

```
    1 7 0
 ×    5 3   ← 50+3
    5 1 0   ← 170×3
  8 5 0     ← 170×50
  9 0 1 0
```

(세 자리 수)×(두 자리 수) 어림해 보기

• 어림을 할 때는 문제에 있는 수를 계산하기 쉬운 수로 바꾸어 계산합니다.

397 × 28	397을 400으로, 28을 30으로 어림하였을 때, 397은 400보다 작고 28은 30보다 작으므로 계산 결과는 400×30인 12000보다 작을 것입니다.
202 × 51	202를 200으로, 51을 50으로 어림하였을 때, 202는 200보다 크고 51은 50보다 크므로 계산 결과는 200×50인 10000보다 클 것입니다.

문제를 풀어 이해해요

정답과 해설 15쪽

1 한 상자에 고무줄이 362개씩 들어 있는 상자가 있습니다. 24상자에 들어 있는 고무줄은 모두 몇 개인지 알아보세요.

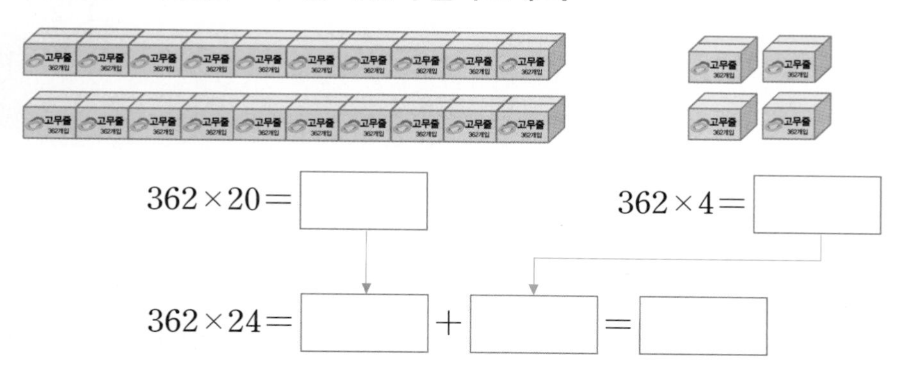

$362 \times 20 = \square$ 　　 $362 \times 4 = \square$

$362 \times 24 = \square + \square = \square$

(세 자리 수)×(두 자리 수)의 계산 원리를 이해하고, 바르게 계산할 수 있는지 묻는 문제예요.

2 보기 와 같이 계산해 보세요.

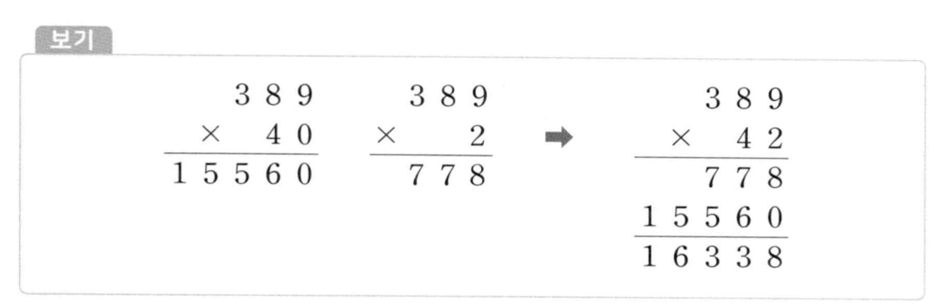

보기

$$\begin{array}{r} 389 \\ \times\ \ 40 \\ \hline 15560 \end{array} \quad \begin{array}{r} 389 \\ \times\ \ \ 2 \\ \hline 778 \end{array} \quad \Rightarrow \quad \begin{array}{r} 389 \\ \times\ \ 42 \\ \hline 778 \\ 15560 \\ \hline 16338 \end{array}$$

$$\begin{array}{r} 537 \\ \times\ \ 30 \\ \hline \square \end{array} \quad \begin{array}{r} 537 \\ \times\ \ \ 6 \\ \hline \square \end{array} \quad \Rightarrow \quad \begin{array}{r} 537 \\ \times\ \ 36 \\ \hline \square \\ \square \\ \hline \square \end{array}$$

(세 자리 수)×(몇십몇)의 계산은 (세 자리 수)×(몇십)과 (세 자리 수)×(몇)의 계산 결과를 더해요.

3 □ 안에 알맞은 수를 써넣으세요.

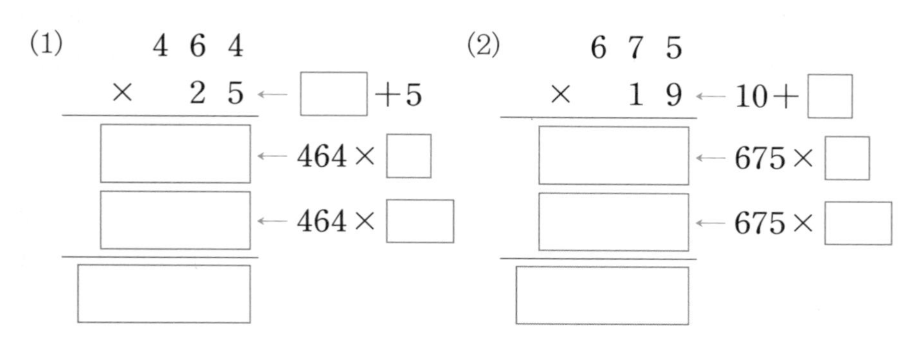

(1)
$$\begin{array}{rl} 464 & \\ \times\ \ 25 & \leftarrow \square + 5 \\ \hline \square & \leftarrow 464 \times \square \\ \square & \leftarrow 464 \times \square \\ \hline \square & \end{array}$$

(2)
$$\begin{array}{rl} 675 & \\ \times\ \ 19 & \leftarrow 10 + \square \\ \hline \square & \leftarrow 675 \times \square \\ \square & \leftarrow 675 \times \square \\ \hline \square & \end{array}$$

교과서 내용 학습

01 □ 안에 알맞은 수를 써넣으세요.

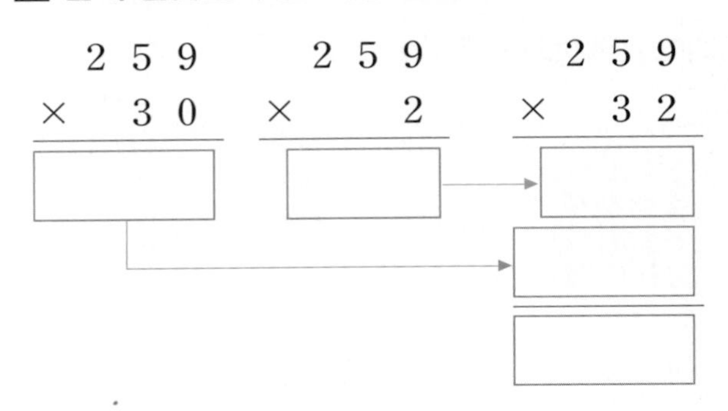

02 □ 안에 알맞은 수를 써넣어 328×41을 계산해 보세요.

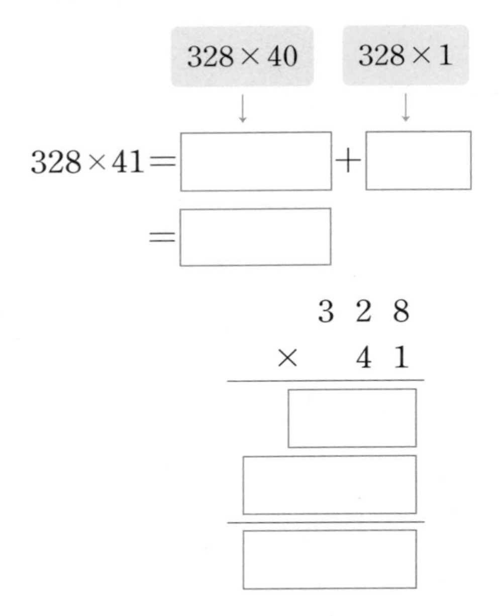

03 중요 계산해 보세요.

(1) 670×83

(2) 829×65

04 보기 와 같이 계산해 보세요.

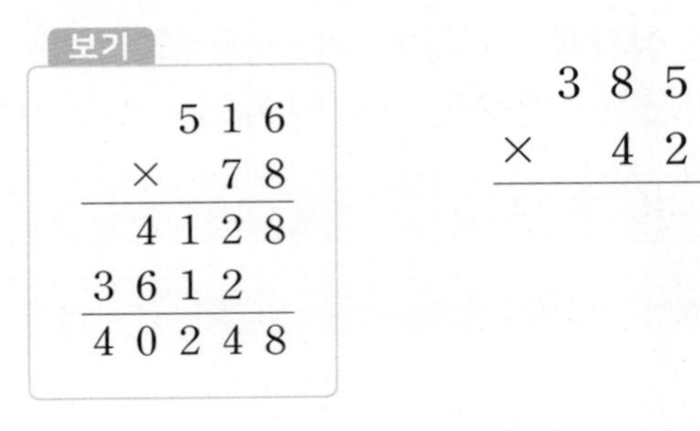

05 빈칸에 두 수의 곱을 써넣으세요.

523	76

06 처음으로 잘못 계산한 곳을 찾아 기호를 쓰고, 바르게 계산해 보세요.

```
    4 3 9
  ×   5 6
  2 6 3 4 … ㉠
  2 1 9 5 … ㉡
  4 8 2 9 … ㉢
```

➡ □

(　　　　　　)

07 곱이 가장 큰 것에 ○표 하세요.

352×28	631×17	274×39
(　　　)	(　　　)	(　　　)

08 가장 큰 수와 가장 작은 수의 곱을 구해 보세요.

396	415	92

(　　　　　　　　)

⊂중요⊃

09 영주는 704×22를 어림하려고 합니다. □ 안에 알맞은 수를 써넣으세요.

$$\begin{array}{r} 7\ 0\ 4 \\ \times \quad 2\ 2 \\ \hline \end{array}$$

704는 700보다 크고, 22는 20보다 크구나. 그럼 계산 결과는
□ × □ = □ 보다
클 거야.

⊂어려운 문제⊃

10 3부터 7까지의 수를 한 번씩만 사용하여 가장 작은 세 자리 수와 가장 큰 두 자리 수를 만들고, 만든 두 수로 곱셈식을 만들어 계산해 보세요.

가장 작은 세 자리 수: □

가장 큰 두 자리 수: □

곱셈식: □ × □ = □

도움말 세 자리 수를 □□□, 두 자리 수를 □□로 놓고 조건에 맞게 숫자를 넣어 봅니다.

문제해결 접근하기

11 (세 자리 수)×(두 자리 수)의 곱셈식에서 ㉠, ㉡, ㉢에 알맞은 수의 합을 구해 보세요.

$$\begin{array}{r} 4\ 1\ 6 \\ \times \quad 5\ ㉠ \\ \hline 1\ 2\ 4\ 8 \\ 2\ 0\ ㉡\ 0 \quad \\ \hline 2\ ㉢\ 0\ 4\ 8 \end{array}$$

이해하기

구하려고 하는 것은 무엇인가요?

답 ______

계획 세우기

어떤 방법으로 문제를 해결하면 좋을까요?

답 ______

해결하기

□ 안에 알맞은 수를 써넣으세요.

- 416×㉠=1248이므로 ㉠=□입니다.
- 416×50=□이므로 ㉡=□입니다.
- 곱셈식을 계산하면 ㉢=□입니다.

㉠+㉡+㉢=□

되돌아보기

문제를 해결한 방법을 설명해 보세요.

답 ______

개념 3 몇십으로 나누어 볼까요

• 백 모형 1개를 십 모형 10개로 바꾸어 십 모형 15개를 만든 후, 십 모형을 3개씩 묶어 봅니다.

150÷30의 계산

• 수 모형을 이용하여 알아보기

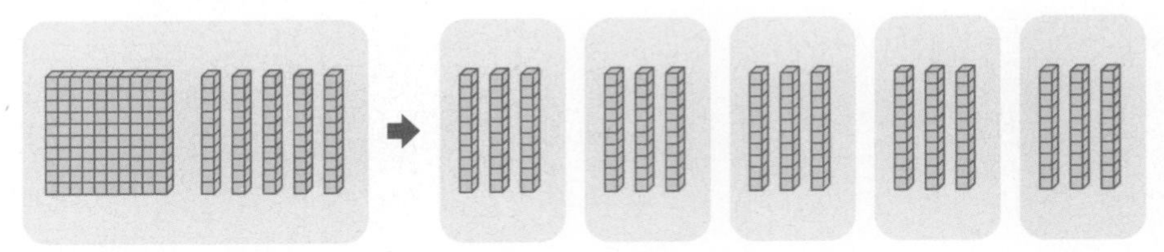

150을 30씩 묶으면 5묶음입니다.

• 나눗셈식을 이용하여 알아보기

$150 \div 30 = 5$

$15 \div 3 = 5$

$$\begin{array}{r} 5 \\ 30\overline{)150} \\ 150 \\ \hline 0 \end{array}$$

➡ 150÷30의 몫은 5, 나머지는 0입니다.

• **나머지가 없는 나눗셈의 계산 결과 확인하는 방법**
나누는 수와 몫을 곱하면 나누어지는 수가 되는지 알아봅니다.

• 계산한 결과가 맞는지 확인해 보기

$30 \times 5 = 150$

123÷20의 계산

• 123을 120으로 생각하여 120÷20=6으로 어림합니다.

$20 \times 5 = 100$

$20 \times 6 = 120$

$20 \times 7 = 140$

$$\begin{array}{r} 6 \\ 20\overline{)123} \\ 120 \\ \hline 3 \end{array}$$

➡ 123÷20의 몫은 6, 나머지는 3입니다.

• **나머지가 있는 나눗셈의 계산 결과 확인하는 방법**
나누는 수와 몫을 곱한 후 나머지를 더하면 나누어지는 수가 되는지 알아봅니다.

• 계산한 결과가 맞는지 확인해 보기

$20 \times 6 = 120,\ 120 + 3 = 123$

문제를 풀어 이해해요

정답과 해설 16쪽

1 수 모형을 이용하여 나눗셈을 하려고 합니다. □ 안에 알맞은 수를 써넣으세요.

(1)

$140 \div 20 = \square$

(2)

$200 \div 40 = \square$

수 모형을 이용해 나머지가 없는 (세 자리 수)÷(몇십)의 계산을 할 수 있는지 묻는 문제예요.

2 곱셈식을 이용하여 □ 안에 알맞은 수를 써넣으세요.

(1)

$30 \times 3 = 90$
$30 \times 4 = 120$
$30 \times 5 = 150$

30)135

몫: □ 나머지: □

135를 120으로 생각하여 120÷30으로 몫을 어림해 보아요.

(2)

$40 \times 6 = 240$
$40 \times 7 = 280$
$40 \times 8 = 320$

40)297

몫: □ 나머지: □

297을 280으로 생각하여 280÷40으로 몫을 어림해 보아요.

교과서 내용 학습

01 빈칸에 알맞은 수를 써넣고 $270 \div 90$의 몫을 구해 보세요.

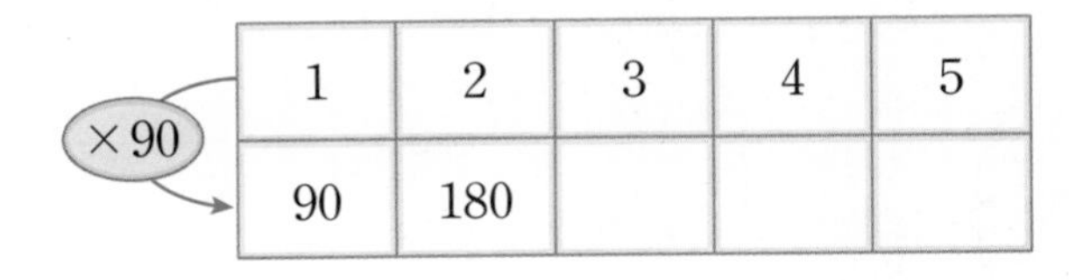

	1	2	3	4	5
×90	90	180			

$270 \div 90 = \square$

02 계산해 보세요.

(1) $70\overline{)560}$

(2) $60\overline{)440}$

03 나눗셈의 몫을 바르게 구한 것은 어느 것일까요? (　　)

① $240 \div 30$ ➡ 5
② $810 \div 90$ ➡ 8
③ $490 \div 70$ ➡ 6
④ $420 \div 60$ ➡ 4
⑤ $360 \div 60$ ➡ 6

⊂중요⊃

04 주어진 곱셈표를 이용하여 $221 \div 40$을 계산해 보세요.

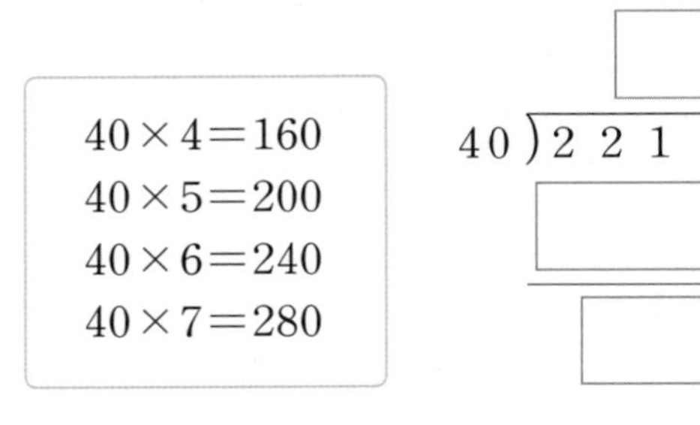

몫: $\square$　　나머지: $\square$

05 나눗셈의 몫이 같은 것끼리 이어 보세요.

(1) $172 \div 50$ •　　• ㉠ $529 \div 80$

(2) $207 \div 30$ •　　• ㉡ $316 \div 90$

06 나눗셈의 나머지가 같은 것끼리 이어 보세요.

(1) $362 \div 40$ •　　• ㉠ $252 \div 50$

(2) $199 \div 20$ •　　• ㉡ $499 \div 60$

⊂중요⊃

07 계산을 하여 몫과 나머지를 구한 후, 계산 결과를 확인해 보세요.

$70\overline{)513}$

몫	
나머지	

계산 결과 확인 $70 \times \square = \square$

$\square + \square = \square$

⊂어려운 문제⊃

08 10이 50개, 1이 7개인 수를 80으로 나눈 몫과 나머지를 구해 보세요.

몫 (　　　　　　)
나머지 (　　　　　　)

도움말 10이 10개이면 100입니다.

09 농장에서 생산한 사과 360개를 90개씩 상자에 담으려고 합니다. 사과를 모두 담으려면 상자는 몇 개가 필요할까요?

(　　　　　　)

10 색연필 128자루를 20자루씩 묶으려고 합니다. 색연필을 몇 묶음까지 묶을 수 있고, 몇 자루가 남는지 구해 보세요.

(　　　　　　)
남는 색연필 수 (　　　　　　)

문제해결 접근하기

11 공책 312권을 학생 50명에게 똑같이 나누어 주려고 하였더니 몇 권이 모자랐습니다. 남는 공책이 없이 똑같이 나누어 주려면 적어도 공책은 몇 권이 더 필요한지 구해 보세요.

이해하기

구하려고 하는 것은 무엇인가요?

답

계획 세우기

어떤 방법으로 문제를 해결하면 좋을까요?

답

해결하기

□ 안에 알맞은 수를 써넣으세요.

- 312÷50=□…□이므로 한 명에게 공책을 □권씩 줄 수 있고 남는 공책은 □권입니다.
- 학생 50명에게 나누어 주므로 적어도 공책은 50−□=□(권)이 더 필요합니다.

되돌아보기

이 학생들에게 연필 254자루를 똑같이 나누어 준다면 한 명에게 연필을 몇 자루까지 줄 수 있고, 몇 자루가 남는지 알아보세요.

답

개념 4 몇십몇으로 나누어 볼까요(1)

• 곱셈 결과로 나온 수를 나누어지는 수에서 빼면 나눗셈의 나머지가 됩니다.

98÷14의 계산

곱셈식	98－(곱셈 결과)
$14\times5=70$	$98-70=28$
$14\times6=84$	$98-84=14$
$14\times7=98$	$98-98=0$

몫 ← 7, 나머지 → 0

$$\begin{array}{r} 7 \\ 14\overline{)98} \\ 98 \\ \hline 0 \end{array}$$

• 계산한 결과가 맞는지 확인해 보기

$14\times7=98$

• 곱셈 결과로 나온 수를 나누어지는 수에서 뺄 수 없는 경우는 몫을 1 작게 하여 계산해 봅니다.

87÷16의 계산

곱셈식	87－(곱셈 결과)
$16\times4=64$	$87-64=23$
$16\times5=80$	$87-80=7$
$16\times6=96$	뺄 수 없습니다.

몫 ← 5, 나머지 → 7

$$\begin{array}{r} 5 \\ 16\overline{)87} \\ 80 \\ \hline 7 \end{array}$$

• 나머지가 나누는 수보다 크거나 나누는 수와 같으면 몫을 1 더 크게 해야 합니다.

$$\begin{array}{r} 6 \\ 16\overline{)87} \\ 96 \end{array}$$

(뺄 수 없습니다.)

(몫을 1 작게 합니다.) →

$$\begin{array}{r} 5 \\ 16\overline{)87} \\ 80 \\ \hline 7 \end{array}$$

• 계산한 결과가 맞는지 확인해 보기

$16\times5=80,\ 80+7=87$

• 159를 160으로, 38을 40으로 생각하여 $160\div40=4$로 어림합니다.

159÷38의 계산

곱셈식	159－(곱셈 결과)
$38\times3=114$	$159-114=45$
$38\times4=152$	$159-152=7$
$38\times5=190$	뺄 수 없습니다.

몫 ← 4, 나머지 → 7

$$\begin{array}{r} 4 \\ 38\overline{)159} \\ 152 \\ \hline 7 \end{array}$$

• 계산한 결과가 맞는지 확인해 보기

$38\times4=152,\ 152+7=159$

문제를 풀어 이해해요

정답과 해설 16쪽

1 □ 안에 알맞은 수를 써넣고, 계산해 보세요.

(1)

$13\times1=13$	$39-13=26$
$13\times2=26$	$39-\square=\square$
$13\times3=39$	$39-\square=\square$

$13\overline{)39}$

(2)

$17\times3=51$	$83-51=32$
$17\times4=68$	$83-\square=\square$
$17\times5=85$	뺄 수 없습니다.

$17\overline{)83}$

몫이 한 자리 수인 (두 자리 수) ÷(두 자리 수)를 바르게 계산할 수 있는지 묻는 문제예요.

곱셈식의 계산 결과를 나누어지는 수에서 빼 보아요.

2 계산해 보고, 계산한 결과가 맞는지 확인해 보세요.

(1)

$46\times6=276$
$46\times7=322$
$46\times8=368$

$46\overline{)345}$

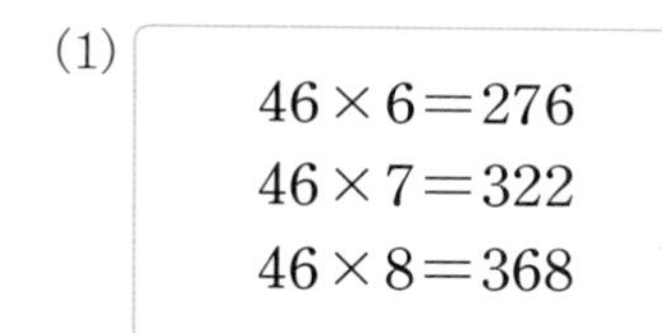

계산 결과 확인 $46\times\square=\square$, $\square+\square=\square$

(2)

$62\times7=434$
$62\times8=496$
$62\times9=558$

$62\overline{)537}$

계산 결과 확인 $62\times\square=\square$, $\square+\square=\square$

곱셈식을 이용하면 나눗셈의 몫을 알 수 있어요.

교과서 내용 학습

01 어림한 나눗셈의 몫으로 가장 적절한 수에 색칠해 보세요.

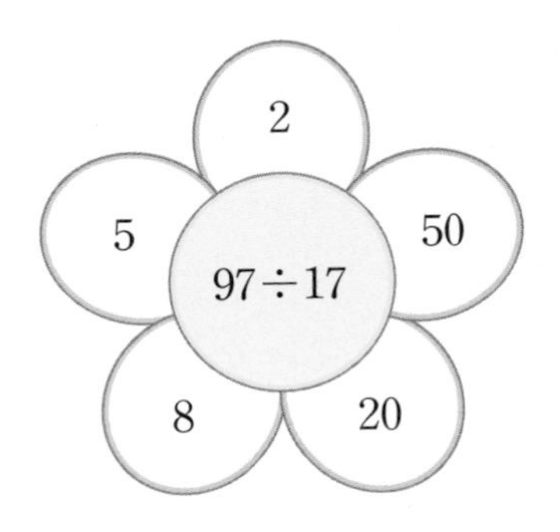

02 빈칸에 알맞은 수를 써넣으세요.

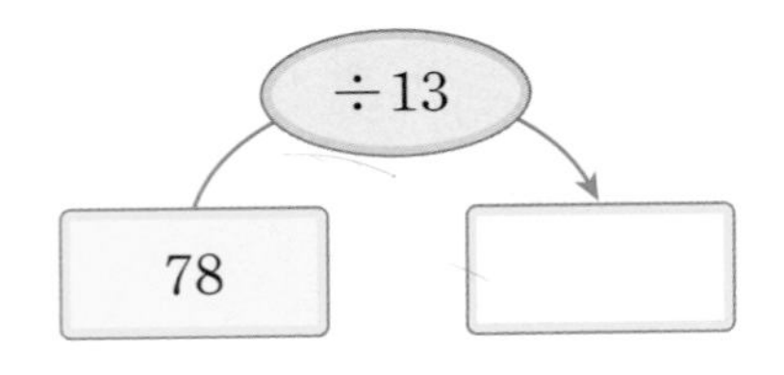

03 보기 와 같이 계산해 보세요.

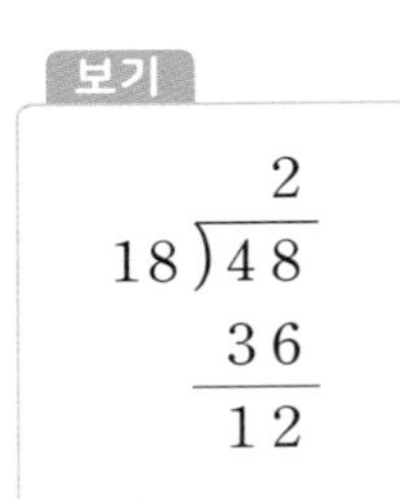

$12\overline{)61}$

중요

04 □ 안에 알맞은 수를 써넣으세요.

(1)

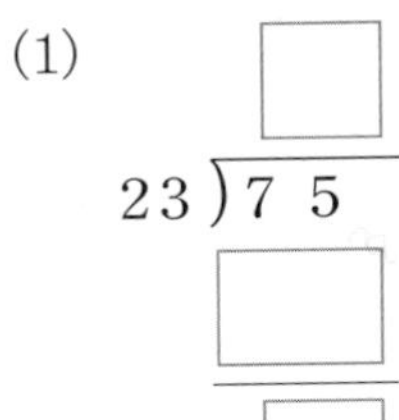

(2)

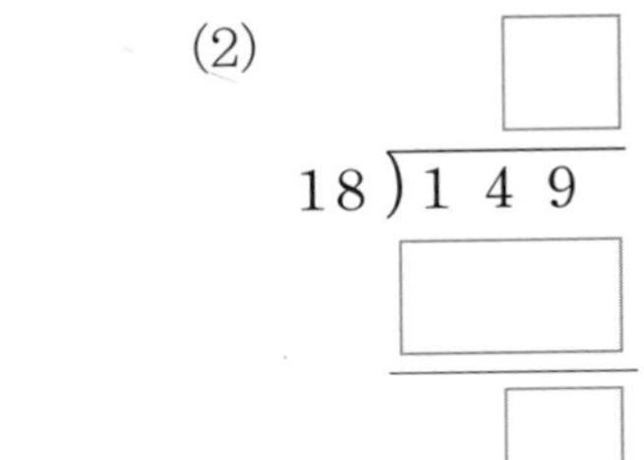

05 어떤 수를 21로 나누었을 때 나머지가 될 수 없는 수는 어느 것일까요? (　　)

① 21　② 13　③ 1
④ 5　⑤ 8

06 계산을 하여 △ 안에는 몫을 쓰고 ▽ 안에는 나머지를 써넣으세요.

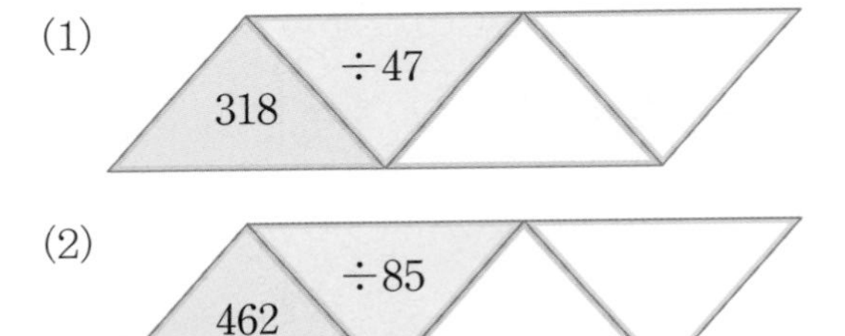

07 나머지가 더 큰 식의 기호를 써 보세요.

㉠ $76\overline{)187}$　㉡ $29\overline{)105}$

(　　　　　　　　)

정답과 해설 17쪽

08 계산이 잘못된 식을 찾아 ○표 하고, 바르게 계산해 보세요.

$$\begin{array}{r} 4 \\ 54\overline{)307} \\ 216 \\ \hline 91 \end{array} \quad \begin{array}{r} 7 \\ 83\overline{)619} \\ 581 \\ \hline 38 \end{array} \quad \begin{array}{r} 6 \\ 67\overline{)442} \\ 402 \\ \hline 40 \end{array}$$

( ) ( ) ( )

바르게 계산하기

09 ⊂중요⊃

지호와 유빈이는 $198 \div 41$의 몫을 어림하였습니다. 계산해 보고, 더 가깝게 어림한 학생의 이름을 써 보세요.

지호: 나는 $200 \div 40 = 5$로 어림했어.
유빈: 나는 $100 \div 50 = 2$로 어림했어.

( )

10 ⊂어려운 문제⊃

참외 133개를 한 상자에 15개씩 포장하려고 합니다. 몇 상자까지 포장할 수 있을까요?

( )

도움말 상자의 수는 133을 15씩 묶었을 때 나올 수 있는 묶음의 수와 같습니다.

문제해결 접근하기

11 250보다 크고 300보다 작은 수 중에서 55로 나누었을 때 나머지가 가장 큰 수를 구해 보세요.

이해하기

구하려고 하는 것은 무엇인가요?

답 ______

계획 세우기

어떤 방법으로 문제를 해결하면 좋을까요?

답 ______

해결하기

□ 안에 알맞은 수를 써넣으세요.

- 55로 나누어떨어지는 수는 55, 110, 165, □, □, □……입니다.
- 어떤 수를 55로 나누었을 때 나머지가 될 수 있는 수 중 가장 큰 수는 □입니다.
- 따라서 어떤 수를 55로 나누었을 때 나머지가 가장 큰 수는 55+□=□, 110+□=□, 165+□=□, 220+□=□……이므로 250보다 크고 300보다 작은 수 중에서 55로 나누었을 때 나머지가 가장 큰 수는 □입니다.

되돌아보기

문제를 해결한 방법을 설명해 보세요.

답 ______

개념 5 몇십몇으로 나누어 볼까요(2)

• 십의 자리의 몫을 구할 때 곱셈 부분의 결과에서 0을 생략하면 계산이 더욱 편리합니다.

예)
```
      33
17)561
    510
     51
     51
      0
```

561÷17의 계산

곱셈식	561−(곱셈 결과)
$17\times10=170$	$561-170=391$
$17\times20=340$	$561-340=221$
$17\times30=510$	$561-510=51$
$17\times40=680$	뺄 수 없습니다.

➡ 17씩 30묶음을 만들고 나면 나머지 51이 남습니다. 51은 다시 17씩 3묶음과 같으므로 만들 수 있는 묶음은 30+3=33(묶음)입니다. 따라서 나눗셈의 몫은 33입니다.

```
        3
       30
17)561
    510   ← 17×30
     51   ← 561−510
     51   ← 17×3
      0   ← 51−51
```
➡
```
       33
17)561
     51
     51
     51
      0
```

➡ 몫의 십의 자리를 곱하여 빼고 남은 수를 17로 나눕니다.

828÷36의 계산

• **828÷36의 몫 어림하기**
36×20=720, 36×30=1080입니다. 나누어지는 수인 828은 720보다 크고 1080보다 작으므로 828÷36의 몫은 20보다 크고 30보다 작습니다.

```
       23
36)828
    720   ← 36×20
    108   ← 828−720
    108   ← 36×3
      0   ← 108−108
```
➡
```
       23
36)828
     72
    108
    108
      0
```

– $36\times20=720$, $36\times30=1080$이므로 몫의 십의 자리는 20입니다.

– 828에서 720을 빼면 108이 남습니다.

– $108\div36=3$이므로 몫의 일의 자리는 3입니다.

– 따라서 828÷36의 몫은 $20+3=23$입니다.

➡ $828\div36=23$

• 계산한 결과가 맞는지 확인해 보기

$36\times23=828$

문제를 풀며 이해해요

정답과 해설 17쪽

1 **빈칸에 알맞은 수를 써넣고 나눗셈의 몫을 어림해 보세요.**

(1)

×	10	20	30	40	50
36	360	720	1080	1440	1800

698÷36의 몫은 □ 보다 크고 □ 보다 작습니다.

(2)

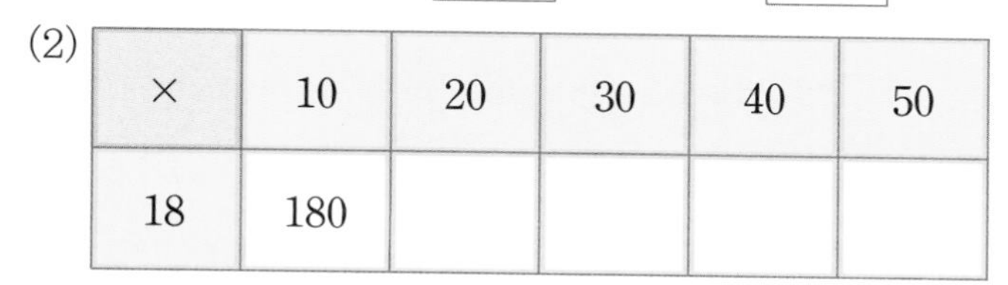

×	10	20	30	40	50
18	180				

402÷18의 몫은 □ 보다 크고 □ 보다 작습니다.

곱셈식을 이용해 나눗셈의 몫을 알맞게 어림할 수 있는지 묻는 문제예요.

곱셈식을 보고 나누어지는 수가 어느 곱과 어느 곱의 사이인지를 살펴보고 몫을 어림해 보아요.

2 **□ 안에 알맞은 수를 써넣으세요.**

(1)

24) 7 4 4

□ ← 24×□

□ ← 744−□

□ ← 24×□

□ ← □−□

(2)

32) 6 7 2

□ ← 32×□

□ ← □−□

□ ← 32×□

□ ← □−□

몫의 십의 자리를 곱하여 빼고 남은 수를 나누는 수로 나누어 보아요.

교과서 내용 학습

01 868÷33의 몫을 어림하려고 합니다. □ 안에 알맞은 수를 써넣으세요.

×	10	20	30	40	50
33	330	660	990	1320	1650

868÷33의 몫은 □보다 크고 □보다 작습니다.

02 다음 중 27×3의 계산 결과가 들어가야 할 자리는 어느 것일까요? (　　)

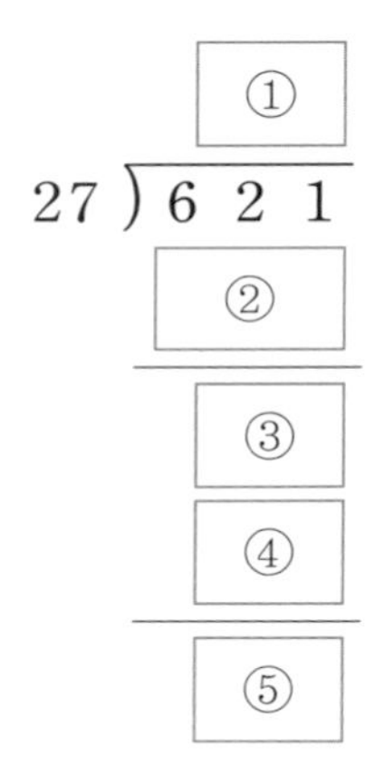

03 ⊂중요⊃ 계산해 보세요.

(1) 18) 4 8 6

(2) 52) 8 8 4

04 몫이 두 자리 수인 나눗셈은 모두 몇 개일까요?

693÷77	299÷23
855÷45	576÷16

(　　　　　)

05 가장 큰 수를 가장 작은 수로 나눈 몫을 구해 보세요.

(　　　　　)

06 몫이 10보다 크고 15보다 작은 나눗셈식을 만든 학생에게 선물이 주어집니다. 선물을 받게 되는 학생은 누구일까요?

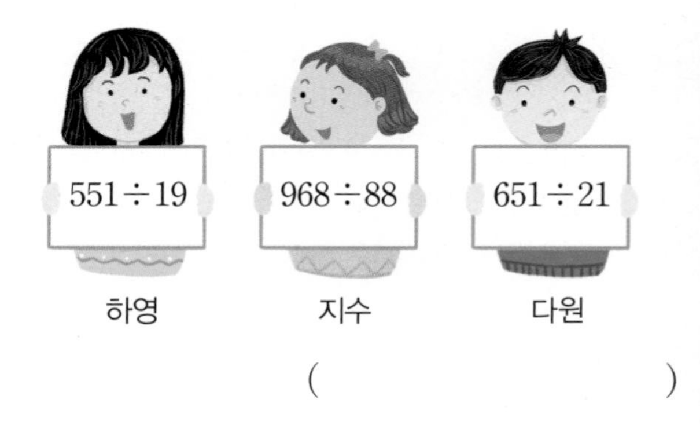

(　　　　　)

정답과 해설 18쪽

⊂중요⊃

07 □ 안에 알맞은 식을 써넣으세요.

$$\begin{array}{r} 17 \\ 31\overline{)527} \\ 310 \leftarrow \square \\ \hline 217 \leftarrow \square \\ 217 \leftarrow \square \\ \hline 0 \end{array}$$

08 하나의 기계가 1개의 의자를 만드는 데 12분이 걸립니다. 이 기계가 쉬지 않고 432분 동안 작동하였다면 만들어지는 의자는 모두 몇 개일까요?

( )

09 $702 \div 39$를 잘못 계산한 식입니다. 몫을 바르게 구할 수 있도록 □ 안에 알맞은 수를 써넣으세요.

$$\begin{array}{r} 16 \\ 39\overline{)702} \\ 39 \\ \hline 312 \\ 234 \\ \hline 78 \end{array}$$

나머지 78은 39로 □번 더 나눌 수 있으므로 $702 \div 39$의 몫은 □입니다.

⊂어려운 문제⊃

10 어떤 수를 24로 나누어야 할 것을 잘못하여 42로 나누었더니 몫이 12가 되었습니다. 바르게 계산했을 때의 몫을 구해 보세요.

( )

도움말 어떤 수를 □라고 하면 $\square \div 42 = 12$입니다.

문제해결 접근하기

11 다음 나눗셈이 나누어떨어질 때, ㉠과 ㉡의 곱을 구해 보세요.

$$\begin{array}{r} ㉠5 \\ 43\overline{)6㉡5} \end{array}$$

이해하기

구하려고 하는 것은 무엇인가요?

답 ______

계획 세우기

어떤 방법으로 문제를 해결하면 좋을까요?

답 ______

해결하기

□ 안에 알맞은 수를 써넣으세요.

- $43 \times 10 =$ □, $43 \times 20 =$ □ 이므로 ㉠= □입니다.
- $43 \times$ ㉠5에서 ㉠에 알맞은 수를 써넣어 곱셈식을 완성하면 $43 \times$ □ = □ 이므로 ㉡= □입니다.
- 따라서 ㉠과 ㉡의 곱은 □입니다.

되돌아보기

문제를 해결한 방법을 설명해 보세요.

답 ______

개념 6 몇십몇으로 나누어 볼까요(3)

• (세 자리 수)÷(두 자리 수)를 할 때 나누어지는 수를 왼쪽에서부터 하나씩 늘려가며 나누는 수와 같거나 나누는 수보다 큰지 살펴보면 몫의 자리 수를 알 수 있습니다.

예 $47\overline{)593}$ (몫 0) ➡ 5는 47로 나눌 수 없습니다.

$47\overline{)593}$ (몫 0□) ➡ 59는 47로 나눌 수 있습니다.

따라서 593÷47의 몫은 두 자리 수입니다.

851÷29의 계산

곱셈식	851－(곱셈 결과)
29×10＝290	851－290＝561
29×20＝580	851－580＝271
29×30＝870	뺄 수 없습니다.

➡ 29씩 20묶음을 만들고 나면 나머지 271이 남습니다. 271은 다시 29씩 9묶음을 만들 수 있고, 10이 남습니다. 그러므로 만들 수 있는 묶음은 20＋9＝29묶음이고, 남은 수는 10입니다. 따라서 나눗셈의 몫은 29이고 나머지는 10입니다.

```
      9
     2 0
29)8 5 1
   5 8 0  ← 29×20
   2 7 1  ← 851－580
   2 6 1  ← 29×9
     1 0  ← 271－261
```

➡

```
     2 9
29)8 5 1
   5 8
   2 7 1
   2 6 1
     1 0
```

➡ 몫의 십의 자리를 곱하여 빼고 남은 수를 29로 나눕니다.

648÷45의 계산

```
45)6 4 8
```

➡

```
      1
45)6 4 8
   4 5
   1 9 8
```

➡

```
      1 4  ← 몫
45)6 4 8
   4 5
   1 9 8
   1 8 0
     1 8  ← 나머지
```

– 45×10＝450, 45×20＝900이므로 몫의 십의 자리는 10입니다.

– 648에서 450을 빼면 198이 남습니다.

– 45×4＝180, 45×5＝225이므로 몫의 일의 자리는 4이고, 198에서 180을 빼면 18이 남습니다.

– 따라서 648÷45의 몫은 10＋4＝14이고, 나머지는 18입니다.

• 계산한 결과가 맞는지 확인해 보기

45×14＝630, 630＋18＝648

문제를 풀어 이해해요

정답과 해설 18쪽

1 곱셈표를 보고 □ 안에 알맞은 수를 써넣으세요.

(1)

×	31	32	33	34	35
12	372	384	396	408	420

$390 \div 12 = \square \cdots \square$

(2)

×	15	16	17	18	19
25	375	400	425	450	475

$414 \div 25 = \square \cdots \square$

곱셈식을 이용해 나머지가 있는 (세 자리 수)÷(두 자리 수)의 계산을 바르게 할 수 있는지 묻는 문제예요.

- 곱셈식을 보고 나누어지는 수가 어느 곱과 어느 곱의 사이인지를 살펴보고 몫을 어림해 보아요.
- 곱셈식의 계산 결과와 나누어지는 수의 차를 이용하여 나머지를 구해 보아요.

2 계산해 보고, 계산 결과가 맞는지 확인해 보세요.

(1) $31\overline{)489}$

(2) $43\overline{)576}$

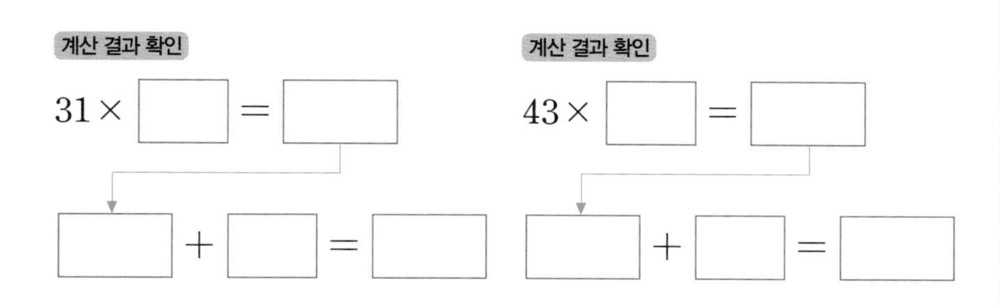

계산 결과 확인

$31 \times \square = \square$

$\square + \square = \square$

계산 결과 확인

$43 \times \square = \square$

$\square + \square = \square$

- 나눗셈의 몫과 나누는 수를 곱하고 나머지를 더했을 때 나누어지는 수가 되는지 알아보아요.

교과서 내용 학습

01 □ 안에 알맞은 수를 써넣으세요.

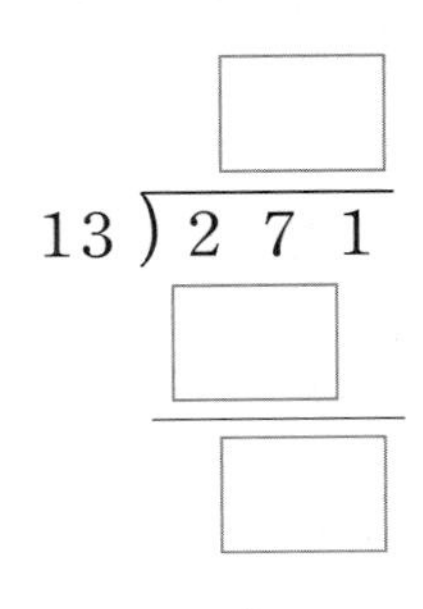

02 □ 안에 알맞은 수를 써넣으세요.

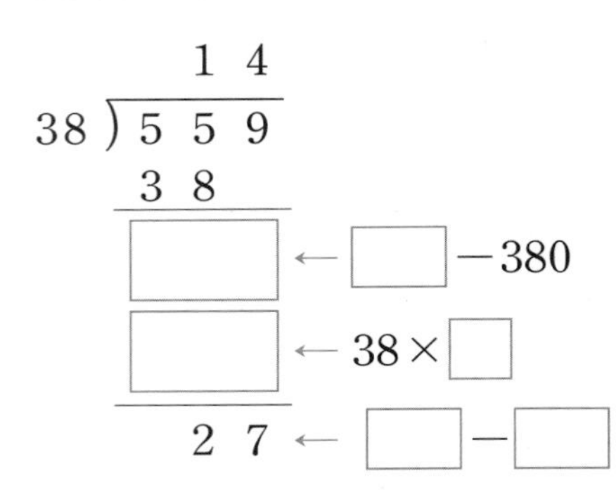

⊂중요⊃

03 계산해 보세요.

(1) 26) 6 7 2

(2) 48) 9 2 3

04 나눗셈을 바르게 계산한 쪽에 ○표 하세요.

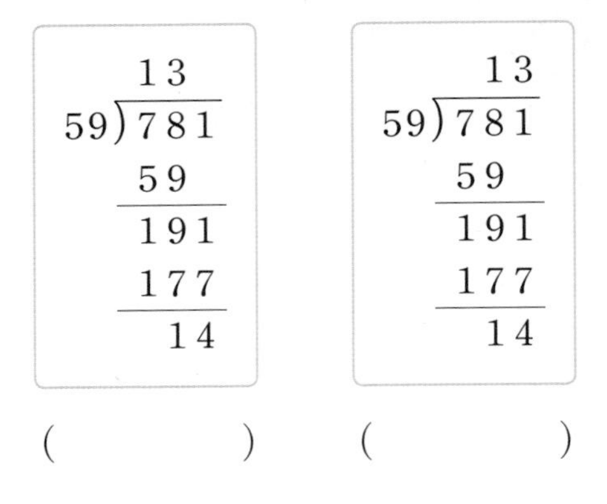

(　　　　)　(　　　　)

05 나눗셈의 몫이 가장 큰 깃발을 들고 있는 학생은 누구일까요?

(　　　　　　　　)

06 나머지가 작은 순서대로 기호를 써 보세요.

㉠ 548÷24	㉡ 811÷66
㉢ 297÷18	㉣ 964÷87

(　　　　　　　　)

⊂중요⊃

07 ㉠과 ㉡에 알맞은 수의 차를 구해 보세요.

㉠ 어떤 수를 43으로 나누었을 때 나머지가 될 수 있는 수 중 가장 큰 수

㉡ 383÷22의 몫

(　　　　　　　　)

정답과 해설 19쪽

08 설명하는 수는 얼마일까요?

- 240보다 크고 250보다 작습니다.
- 12로 나누었을 때 나머지가 3이 됩니다.

(　　　　　　　　)

09 742 cm의 철사를 한 도막이 46 cm가 되도록 자르려고 합니다. 만들 수 있는 철사 도막은 몇 개이고, 남는 철사의 길이는 몇 cm일까요?

(　　　　　　), (　　　　　　)

⊂어려운 문제⊃

10 나은이는 친구 13명과 함께 주말 농장에서 방울토마토 215개를 땄습니다. 수확한 방울토마토를 모두 똑같이 나누고 남는 방울토마토는 나은이가 갖기로 했다면 나은이가 갖게 되는 방울토마토는 몇 개일까요?

(　　　　　　　　)

도움말 나은이가 친구 13명과 함께 방울토마토를 땄으므로 14명이 방울토마토를 똑같이 나누어 가집니다.

문제해결 접근하기

11 재현이는 643쪽짜리 책을 하루에 37쪽씩, 승연이는 385쪽짜리 책을 하루에 29쪽씩 읽으려고 합니다. 두 사람이 같은 날 책을 읽기 시작한다면 누가 며칠 먼저 책을 다 읽게 되는지 구해 보세요.

이해하기

구하려고 하는 것은 무엇인가요?

답 ______________________

계획 세우기

어떤 방법으로 문제를 해결하면 좋을까요?

답 ______________________

해결하기

□ 안에 알맞은 수를 써넣으세요.

- $643 \div 37 = \square \cdots \square$ 이므로 재현이가 책을 다 읽는 데 □일이 걸립니다.
- $385 \div 29 = \square \cdots \square$ 이므로 승연이가 책을 다 읽는 데 □일이 걸립니다.
- 따라서 □이가 □일 더 먼저 책을 다 읽습니다.

되돌아보기

승연이가 385쪽짜리 책을 하루에 35쪽씩 읽기로 했다면 승연이가 책을 다 읽는 데 며칠이 걸리는지 알아보세요.

답 ______________________

개념 7 실생활 문제를 해결해 볼까요

• 곱셈은 순서를 바꾸어도 그 결과가 같기 때문에 (두 자리 수)×(세 자리 수)가 익숙하지 않다면 (세 자리 수)×(두 자리 수)로 바꾸어 계산해도 됩니다.
$26\times575=575\times26$

곱셈을 활용하여 실생활 문제 해결하기

㉮ 환경에 관심이 많은 강찬이는 인터넷 검색을 통해 생활 속에서 에너지를 절약할 수 있는 방법을 찾아보았습니다.

생활 속 실천 방법(1일)	줄일 수 있는 이산화탄소의 양(g)
샤워 시간 1분 짧게 하기	74 g
냉방 이용 1시간 줄이기	26 g
버스, 전철 등의 대중교통 이용하기	180 g

① 강찬이의 아버지께서 30일 동안 자가용 대신 버스를 이용하셨다면 줄일 수 있는 이산화탄소의 양은 얼마일까요?

➡ (30일 동안 줄일 수 있는 이산화탄소의 양)
=(하루 동안 대중교통을 이용할 때 줄일 수 있는 이산화탄소의 양)×30
$=180\times30=5400$(g)

② 강찬이가 사는 아파트에는 575가구가 살고 있습니다. 이 아파트에 사는 모든 가구에서 하루 동안 냉방 이용을 1시간 줄인다면 줄일 수 있는 이산화탄소의 양은 얼마일까요?

➡ (575가구가 줄일 수 있는 이산화탄소의 양)
=575×(한 가구가 냉방 이용을 1시간 줄일 때 줄일 수 있는 이산화탄소의 양)
$=575\times26=14950$(g)

• 나눗셈을 활용하여 실생활 문제를 해결할 때는 구하려는 것이 몫인지, 나머지인지, 몫과 나머지 모두인지를 생각해 봅니다.

나눗셈을 활용하여 실생활 문제 해결하기

㉮ 오징어 한 축은 20마리입니다. 어느 지역에서 잡은 오징어 340마리를 한 축씩 묶어 팔려고 합니다. 묶을 수 있는 오징어는 몇 축일까요?

➡ (묶음의 수)=(잡은 오징어의 수)÷(오징어 한 축의 수)
$=340\div20=17$(축)

㉮ 수확한 장미 768송이를 15송이씩 묶어 꽃다발을 만드려고 합니다. 만들 수 있는 꽃다발의 수와 남은 장미의 수를 구해 보세요.

➡ 만들 수 있는 꽃다발의 수는 수확한 장미의 수를 한 묶음에 들어가는 장미의 수로 나눈 나눗셈식의 몫과 같고, 남은 장미의 수는 나머지와 같습니다.
$768\div15=51\cdots3$이므로 만들 수 있는 꽃다발은 51개, 남은 장미는 3송이입니다.

문제를 풀며 이해해요

정답과 해설 20쪽

1 신비는 12일 동안 둘레가 300 m인 공원을 매일 한 바퀴씩 뛰었습니다. 신비가 12일 동안 뛴 거리는 모두 몇 m인지 구해 보세요.

(1) 구하려고 하는 것은 무엇인가요? (　　　　　　　　　　　　　　　　　)

(2) 식을 만들고, 답을 구해 보세요.

식 ______________________

답 ______________________

곱셈과 나눗셈을 활용하여 실생활 문제를 해결할 수 있는지 묻는 문제예요.

2 곶감 876개를 한 상자에 12개씩 담아 포장하려고 합니다. 필요한 상자는 몇 개인지 구해 보세요.

(1) 구하려고 하는 것은 무엇인가요? (　　　　　　　　　　　　　　　　　)

(2) 식을 만들고, 답을 구해 보세요.

식 ______________________

답 ______________________

구하는 식이 곱셈식인지, 나눗셈식인지를 확인하여 문제를 해결해 보아요.

3 은별이는 빵을 만들기 위해 한 봉지에 185 g씩 들어 있는 밀가루를 29 봉지 사서 큰 그릇에 부었습니다. 그릇에 부은 밀가루의 양은 몇 g인지 구해 보세요.

(1) 구하려고 하는 것은 무엇인가요? (　　　　　　　　　　　　　　　　　)

(2) 식을 만들고, 답을 구해 보세요.

식 ______________________

답 ______________________

4 구슬 504개를 한 통에 72개씩 나누어 담으려고 합니다. 필요한 통은 몇 개인지 구해 보세요.

(1) 구하려고 하는 것은 무엇인가요? (　　　　　　　　　　　　　　　　　)

(2) 식을 만들고, 답을 구해 보세요.

식 ______________________

답 ______________________

교과서 내용 학습

01 어느 미술관의 입장료를 나타낸 표를 보고 □ 안에 알맞은 수를 써넣으세요.

구분	입장료
어린이	500원
어른	800원

(1) 어린이 13명의 입장료는

□ × □ = □ (원)입니다.

(2) 어른 20명의 입장료는

□ × □ = □ (원)입니다.

02 마트에서 796원짜리 호박을 15개 사려고 합니다. 호박을 사는 데 필요한 금액은 모두 얼마인지 구해 보세요.

식 ____________________

답 ____________________

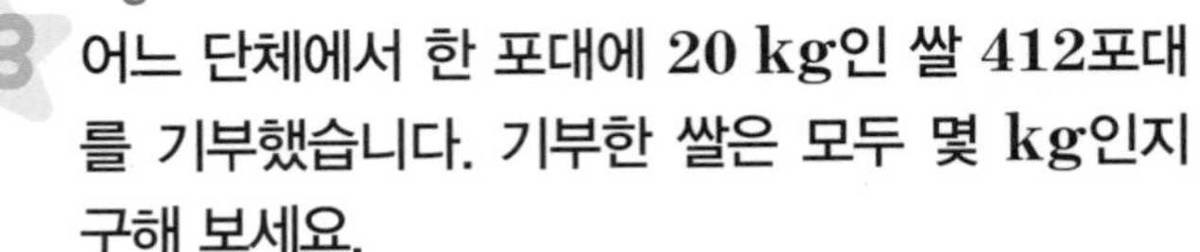

중요

03 어느 단체에서 한 포대에 20 kg인 쌀 412포대를 기부했습니다. 기부한 쌀은 모두 몇 kg인지 구해 보세요.

식 ____________________

답 ____________________

[04~06] A 나라로 국제 전화를 걸 때의 요금은 1분당 233원이고, B 나라로 국제 전화를 걸 때의 요금은 1분당 189원입니다. 물음에 답하세요.

04 A 나라에 있는 사람과 14분 통화를 했을 때 지불해야 하는 요금을 ㉠이라고 하면 ㉠의 값은 얼마일까요?

( )

05 B 나라에 있는 사람과 30분 통화를 했을 때 지불해야 하는 요금을 ㉡이라고 하면 ㉡의 값은 얼마일까요?

( )

06 ㉠과 ㉡의 차를 구해 보세요.

( )

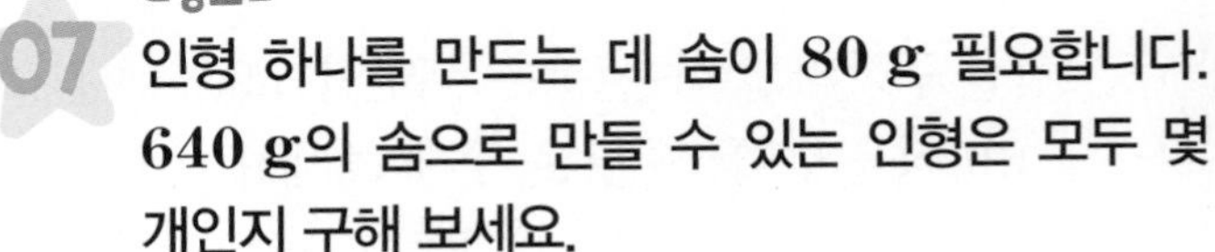

중요

07 인형 하나를 만드는 데 솜이 80 g 필요합니다. 640 g의 솜으로 만들 수 있는 인형은 모두 몇 개인지 구해 보세요.

식 ____________________

답 ____________________

정답과 해설 20쪽

08 하루에 26 cm를 움직이면 멈추는 기계가 있습니다. 이 기계가 출발점으로부터 728 cm 떨어진 상태로 멈추었다면 이 기계는 며칠 동안 움직였는지 구해 보세요. (단, 기계는 하루도 쉬지 않고 작동합니다.)

식 ______

답 ______

09 어느 마을에서 옥수수 839개를 수확했습니다. 한 상자에 31개씩 담아 포장하려고 할 때, 몇 상자까지 포장할 수 있는지 구해 보세요.

식 ______

답 ______

⊂어려운 문제⊃

10 관광객 318명이 놀이 기구를 타려고 기다리고 있습니다. 놀이 기구에는 한 번에 20명이 탈 수 있다면 모든 관광객이 놀이 기구를 타려면 놀이 기구는 적어도 몇 회 운행해야 할까요?

(   )

문제해결 접근하기

11 어느 학교에서 22권씩 묶여 있는 공책을 36묶음 구매하였습니다. 공책을 24권씩 다시 상자에 넣어 학생들에게 나누어 주려고 할 때, 상자는 몇 개가 필요한지 구해 보세요.

이해하기

구하려고 하는 것은 무엇인가요?

답 ______

계획 세우기

어떤 방법으로 문제를 해결하면 좋을까요?

답 ______

해결하기

□ 안에 알맞은 수를 써넣으세요.

- 학교에서 구매한 공책은 모두 □ × □ = □(권)입니다.
- 필요한 상자의 수를 구하기 위해 식을 만들어 보면 □ ÷ □ 입니다.
- 따라서 필요한 상자는 □ ÷ □ = □(개)입니다.

되돌아보기

공책을 24권씩 담은 상자들의 무게를 재어 보았더니 모두 99 kg이었습니다. 상자 하나의 무게는 몇 kg인지 알아보세요.

답 ______

단원 확인 평가

3. 곱셈과 나눗셈

01 □ 안에 알맞은 수를 써넣으세요.

$319 \times 7 = \square$

➡ $319 \times 70 = \square$

02 계산해 보세요.

(1) $\begin{array}{r} 462 \\ \times \quad 30 \\ \hline \end{array}$

(2) $\begin{array}{r} 700 \\ \times \quad 90 \\ \hline \end{array}$

03 빈칸에 두 수의 곱을 써넣으세요.

615	43

중요

04 계산 결과가 가장 큰 것에 ○표, 가장 작은 것에 △표 하세요.

581×54	972×31
803×49	286×97

05 한 개에 860원인 사과를 35개 샀습니다. 사과의 값은 모두 얼마인지 구해 보세요.

( )

정답과 해설 21쪽

⊂서술형⊃

06 빨간색 상자에서 공을 세 개 꺼내 일의 자리가 홀수인 가장 큰 세 자리 수를 만들고, 파란색 상자에서 공을 두 개 꺼내 일의 자리가 짝수인 가장 작은 두 자리 수를 만들었습니다. 만든 두 수의 곱은 얼마인지 풀이 과정을 쓰고 답을 구해 보세요.

풀이

(1) 빨간색 상자에서 공을 꺼내 만들 수 있는 일의 자리가 홀수인 가장 큰 세 자리 수는 (　　　)입니다.

(2) 파란색 상자에서 공을 꺼내 만들 수 있는 일의 자리가 짝수인 가장 작은 두 자리 수는 (　　　)입니다.

(3) 따라서 두 수의 곱은
(　　　)×(　　　)=(　　　)입니다.

답 ____________

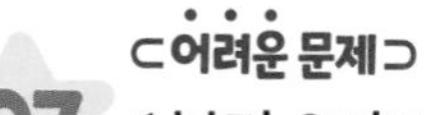
⊂어려운 문제⊃

07 1부터 9까지의 자연수 중에서 □ 안에 들어갈 수 있는 수는 모두 몇 개일까요?

$61 \times \square > 442$

(　　　　　　)

08 어림한 나눗셈의 몫으로 가장 적절한 것을 보기 에서 찾아 써 보세요.

보기

1　3　7　10　30

$91 \div 29$

(　　　　　　)

09 나눗셈의 몫을 알맞게 이어 보세요.

(1) $120 \div 30$ •　　　• ㉠ 8

(2) $250 \div 50$ •　　　• ㉡ 4

(3) $480 \div 60$ •　　　• ㉢ 5

10 계산해 보세요.

(1) $17 \overline{) 68}$

(2) $22 \overline{) 99}$

11 76÷37과 나머지가 같은 것은 어느 것일까요?

(　　)

① 48÷15　② 89÷29　③ 55÷49
④ 72÷12　⑤ 98÷30

12 곱셈식을 보고 계산해 보세요.

60×2=120
60×3=180
60×4=240

$60\overline{)192}$

13 나눗셈의 몫을 비교하여 ○ 안에 >, =, <를 알맞게 써넣으세요.

741÷39 ○ 912÷38

14 □ 안에 알맞은 수를 써넣으세요.

$$\begin{array}{r} 13 \\ 47\overline{)655} \\ 470 \\ \hline 185 \\ 141 \\ \hline 44 \end{array}$$

470 ← 47× □
185 ← 655− □
141 ← 47× □
44 ← 185− □

⊂서술형⊃

15 500보다 큰 수 중에서 90으로 나누었을 때 나머지가 22가 되는 가장 작은 수는 얼마인지 풀이 과정을 쓰고 답을 구해 보세요.

풀이

(1) 90으로 나누어떨어지는 수는
90, 180, (　　　), 360, (　　　),
(　　　)……입니다.

(2) 90으로 나누었을 때 나머지가 22인 수는
112, 202, (　　　), 382, (　　　),
(　　　)……입니다.

(3) 따라서 500보다 큰 수 중에서 90으로 나누었을 때 나머지가 22가 되는 가장 작은 수는 (　　　)입니다.

답 ____________

16 몫이 두 자리 수가 아닌 것은 어느 것일까요?

( )

① $787 \div 41$ ② $502 \div 36$ ③ $199 \div 23$
④ $640 \div 55$ ⑤ $296 \div 18$

⊂어려운 문제⊃

17 수 카드를 한 번씩만 사용하여 몫이 가장 큰 (세 자리 수)÷(두 자리 수)를 만들었을 때 몫과 나머지를 구해 보세요.

1	3	4	8	9

몫 ( )
나머지 ( )

18 준우는 378쪽짜리 책을 하루에 12쪽씩 읽기로 하였습니다. 준우가 책을 다 읽으려면 며칠이 걸릴까요?

( )

19 어느 마트에서 한 상자에 26개가 들어 있는 고구마를 28상자 사 왔습니다. 1봉지에 50개씩 들어가도록 다시 포장한다면 몇 봉지까지 포장할 수 있고, 몇 개의 고구마가 남을까요?

( ), ( )

⊂서술형⊃

20 어떤 수를 14로 나누어야 할 것을 잘못하여 더하였더니 525가 되었습니다. 바르게 계산했을 때의 몫과 나머지를 구하려고 합니다. 풀이 과정을 쓰고 답을 구해 보세요.

풀이

(1) 어떤 수에 14를 더하여 525가 되었으므로
(어떤 수)=( )−( )
=( )입니다.

(2) 바르게 계산하면
( )÷14=( )⋯( )
입니다.

(3) 따라서 바르게 계산했을 때의 몫은
( ), 나머지는 ( )입니다.

답 몫: , 나머지:

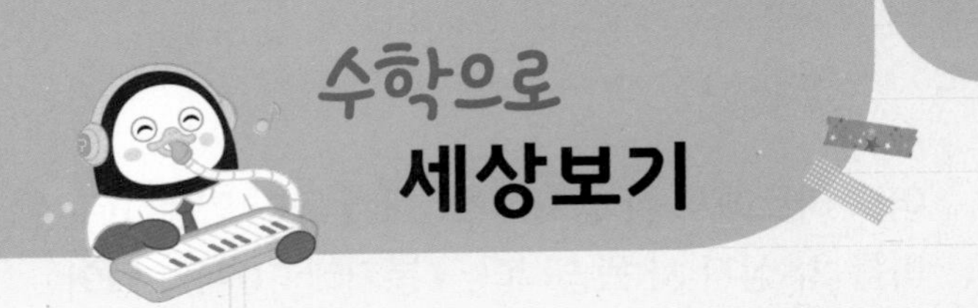

이집트 곱셈 방법으로 곱셈 계산 해보기

3단원을 통해 여러분은 곱셈이 복잡한 수를 빠르고 정확하게 계산할 수 있는 방법이라는 것을 이해하고 연습해 보았어요. 곱셈은 고대에서부터 많이 사용되었는데 이 사실을 통해 곱셈은 정말 편리한 방법이라는 것을 다시 한 번 느낄 수 있을 것 같네요. 그럼 지금부터는 고대 이집트에서 사용되었던 곱셈 방법을 알아보고 계산해 볼까요?

1 고대 이집트의 곱셈 계산 방법

[14×38 계산하기] 이집트의 곱셈 계산은 2를 활용한다는 점이 특징입니다.

① 앞의 수 14를 2의 곱셈 결과들의 합으로 쪼갭니다. 따라서 14=2+4+8입니다.

② 뒤의 수 38에 2를 1번, 2번, 3번…… 곱하여 늘려 줍니다.

$38\times2=76$, $38\times2\times2=38\times4=152$, $38\times2\times2\times2=38\times8=304$……

③ 앞에서 쪼개진 수가 들어 있는 곱셈식만 골라 그 계산 결과를 더합니다.

같은 방법으로 22×31을 곱할 수도 있습니다.

14 × 38

2+4+8

38
76 (=38 × 2)
152 (=38 × 4)
304 (=38 × 8)
608 (=38 × 16)

➡ 14×38=76+152+304=532

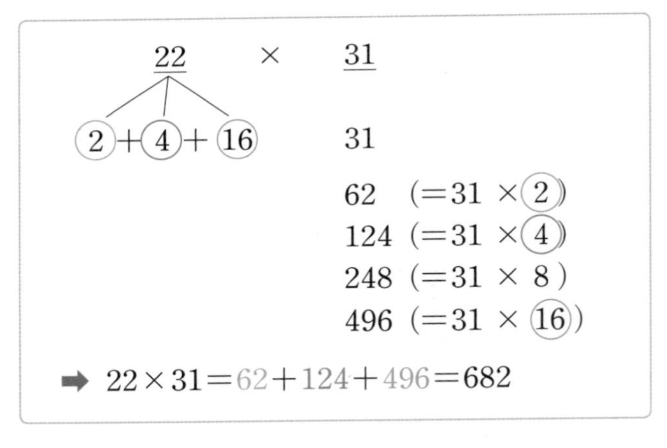

이제 우리도 고대 이집트의 곱셈 계산 방법을 연습해 볼까요?

(1)

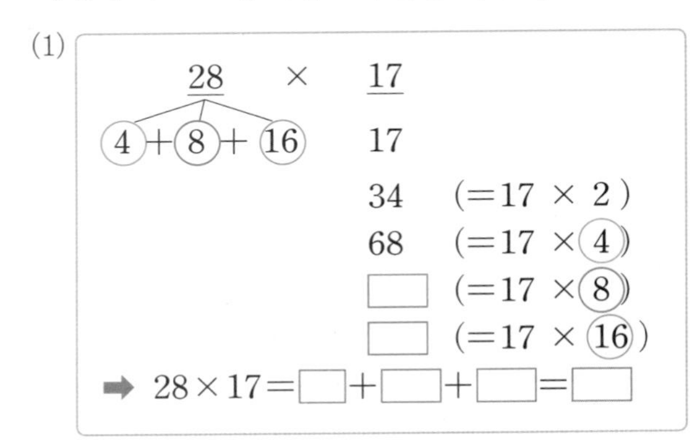

(2)

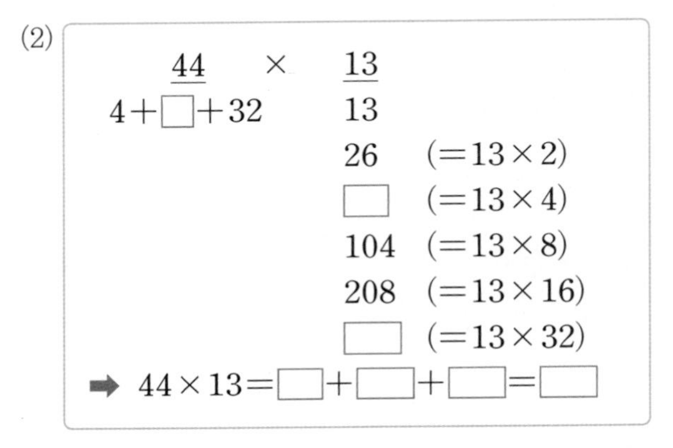

2 나눗셈의 나머지를 활용한 문제 해결하기

나눗셈의 나머지를 잘 활용하면 복잡한 실생활의 문제를 쉽게 해결할 수 있어요. 함께 해결해 볼까요?

1. 우리나라에는 사람이 태어난 해를 동물 이름으로 상징하여 부르는 열두 개의 '띠'가 있어요. 열두 개의 띠는 다음과 같습니다.

혜경이의 아버지께서 토끼띠일 때, 아버지와 30살 나이 차이가 나는 혜경이의 동생은 무슨 띠인지 구하는 방법을 알아볼까요?

먼저 열두 개의 띠를 잘 보세요. 혜경이 아버지의 띠인 토끼띠에서 출발하여 한 바퀴를 돌아 다시 자신의 띠인 토끼띠로 돌아오는 데까지는 12년이 걸린다는 것을 알 수 있습니다. 즉, 12의 1배, 2배, 3배……만큼 움직일 때는 바퀴의 수만 달라지고, 띠는 항상 토끼띠입니다.

그렇다면 이제 동생의 띠를 알아봅시다. 동생은 아버지와 30살 차이가 난다고 하였습니다. $30 \div 12 = 2 \cdots 6$이므로 12띠를 2바퀴 돌아 토끼띠로 돌아오고 나서도 6칸 더 움직여야 합니다. 토끼띠에서 6칸을 움직이면 차례로 용, 뱀, 말, 양, 원숭이, 닭이므로 혜경이의 동생은 닭띠라는 것을 알 수 있습니다.

이제, 비슷한 문제를 연습해 봅시다.

2. 1초마다 8가지 불빛의 색이 반복하여 바뀌는 장난감이 있습니다. 이 장난감의 전원을 켰을 때 매 초마다 변하는 색을 표로 나타내면 다음과 같습니다.

1초 후	2초 후	3초 후	4초 후	5초 후	6초 후	7초 후	8초 후
빨간색	주황색	노란색	초록색	파란색	갈색	보라색	흰색

이 장난감이 455초 후에는 무슨 색의 불빛이 켜질지 함께 알아볼까요?

(1) 전원을 켜고 1초 후에는 빨간색이 켜집니다. 처음 빨간색이 켜지고 난 뒤 몇 초만에 빨간색이 다시 켜질까요?

( )

(2) 이 문제를 해결하기 위해서는 455를 얼마로 나누어야 할까요? ( )

(3) (2)에서 정한 숫자로 나눗셈식을 세우고, 나머지를 활용하여 무슨 색이 켜질지 써 보세요.

나눗셈식 ( )

켜지는 불빛의 색 ( )

4 단원

평면도형의 이동

서하는 모양 조각으로 여러 가지 모양을 만드는 것을 좋아합니다. 지금은 동생과 큰 직사각형 만들기를 하고 있어요. 직사각형 틀에 모양 조각을 채워 넣기 위해 이리저리 밀어 보고, 뒤집어도 보고, 뱅글뱅글 돌려도 봅니다.

이번 4단원에서는 평면도형을 밀고, 뒤집고, 돌려 보며 모양의 위치와 방향이 어떻게 바뀌는지 살펴보고, 이를 이용해 규칙적인 무늬를 꾸미는 방법에 대해 배울 거예요.

단원 학습 목표

1. 구체물이나 평면도형을 여러 방향으로 미는 활동을 통해 그 변화를 이해하고, 이동 후의 모양과 이동 과정을 표현할 수 있습니다.
2. 구체물이나 평면도형을 여러 방향으로 뒤집는 활동을 통해 그 변화를 이해하고, 이동 후의 모양과 이동 과정을 표현할 수 있습니다.
3. 구체물이나 평면도형을 여러 방향으로 돌리는 활동을 통해 그 변화를 이해하고, 이동 후의 모양과 이동 과정을 표현할 수 있습니다.
4. 구체물이나 평면도형의 이동을 이용하여 규칙적인 무늬를 꾸밀 수 있습니다.

단원 진도 체크

회차	구성		진도 체크
1차	개념 1 평면도형을 밀어 볼까요 개념 2 평면도형을 뒤집어 볼까요	개념 확인 학습 + 문제 / 교과서 문제 학습	✓
2차	개념 3 평면도형을 돌려 볼까요	개념 확인 학습 + 문제 / 교과서 문제 학습	✓
3차	개념 4 평면도형을 뒤집고 돌려 볼까요 개념 5 무늬를 꾸며 볼까요	개념 확인 학습 + 문제 / 교과서 문제 학습	✓
4차	단원 확인 평가		✓
5차	수학으로 세상보기		✓

해당 부분을 공부한 후 ✓표를 하세요.

이렇게 돌려서
여기 넣어 볼까?
아니면 뒤집어 볼까?
뒤집지 말고,
이 조각을 그대로
밀어서 빈 공간에
넣어 보는 건 어때?

개념 1 평면도형을 밀어 볼까요

• ↘ 방향으로 밀기
주어진 도형을 두 단계에 걸쳐 밀면 ↘ 방향으로 이동이 가능합니다.
㉮ 오른쪽으로 3 cm 밀고 아래쪽으로 2 cm 밀면 도형이 ↘ 방향으로 이동합니다.

도형을 밀었을 때의 도형을 알아봅시다.

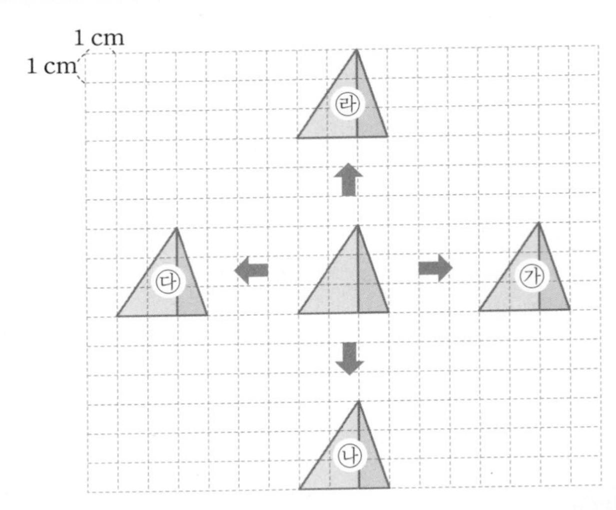

• 도형을 밀면 모양과 크기는 변하지 않고, 민 방향과 거리만큼 도형의 위치가 바뀝니다.
• 도형을 주어진 거리만큼 밀려면 도형의 한 변이나 꼭짓점을 기준으로 밀면 됩니다.
• ㉮ 도형과 ㉰ 도형은 가운데 도형을 오른쪽과 왼쪽으로 각각 6 cm 밀었을 때의 도형입니다.
• ㉱ 도형과 ㉯ 도형은 가운데 도형을 위쪽과 아래쪽으로 각각 6 cm 밀었을 때의 도형입니다.

개념 2 평면도형을 뒤집어 볼까요

• 뒤집었을 때 도형의 변화
- 도형을 오른쪽 또는 왼쪽으로 뒤집으면 도형의 오른쪽과 왼쪽이 서로 바뀝니다.
- 도형을 위쪽 또는 아래쪽으로 뒤집으면 도형의 위쪽과 아래쪽이 서로 바뀝니다.

도형을 뒤집었을 때의 도형을 알아봅시다.

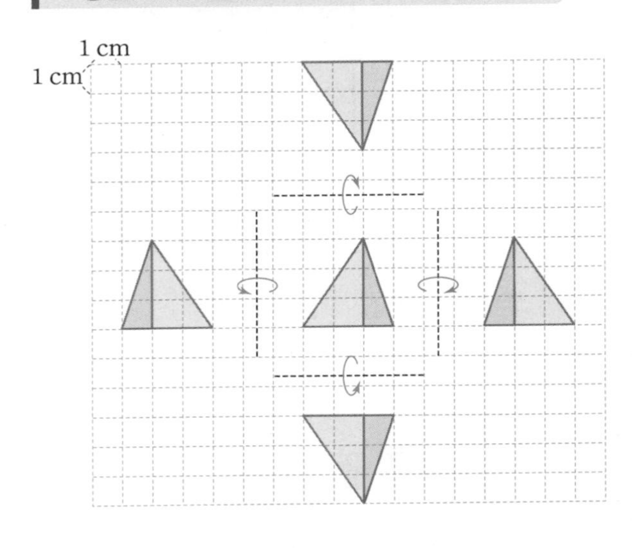

• 도형을 뒤집으면 모양과 크기는 변하지 않지만 도형의 방향은 뒤집는 방향에 따라 반대가 됩니다.
• 도형을 오른쪽으로 뒤집었을 때와 왼쪽으로 뒤집었을 때의 도형은 서로 같습니다.
• 도형을 아래쪽으로 뒤집었을 때와 위쪽으로 뒤집었을 때의 도형은 서로 같습니다.

문제를 풀며 이해해요

정답과 해설 22쪽

1 도형을 오른쪽으로 9 cm 밀었을 때의 도형을 그려 보세요.

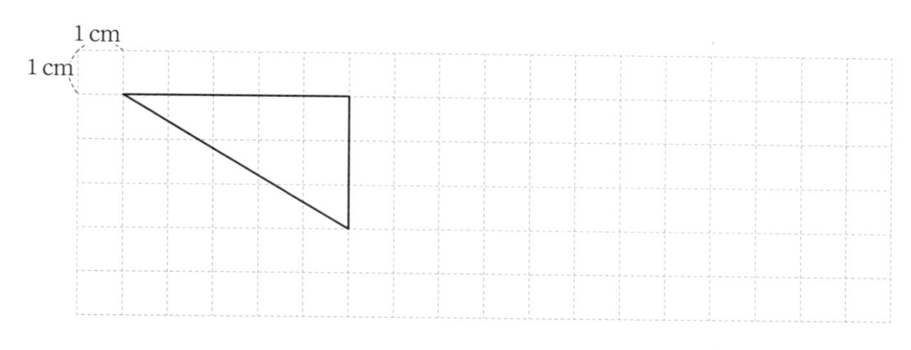

도형을 주어진 거리만큼 밀었을 때 위치의 변화를 알 수 있는지 묻는 문제예요.

- 도형의 한 변 또는 꼭짓점을 기준으로 주어진 방향과 거리만큼 밀어 보아요.

2 도형을 주어진 방향으로 뒤집었을 때의 도형을 각각 그려 보세요.

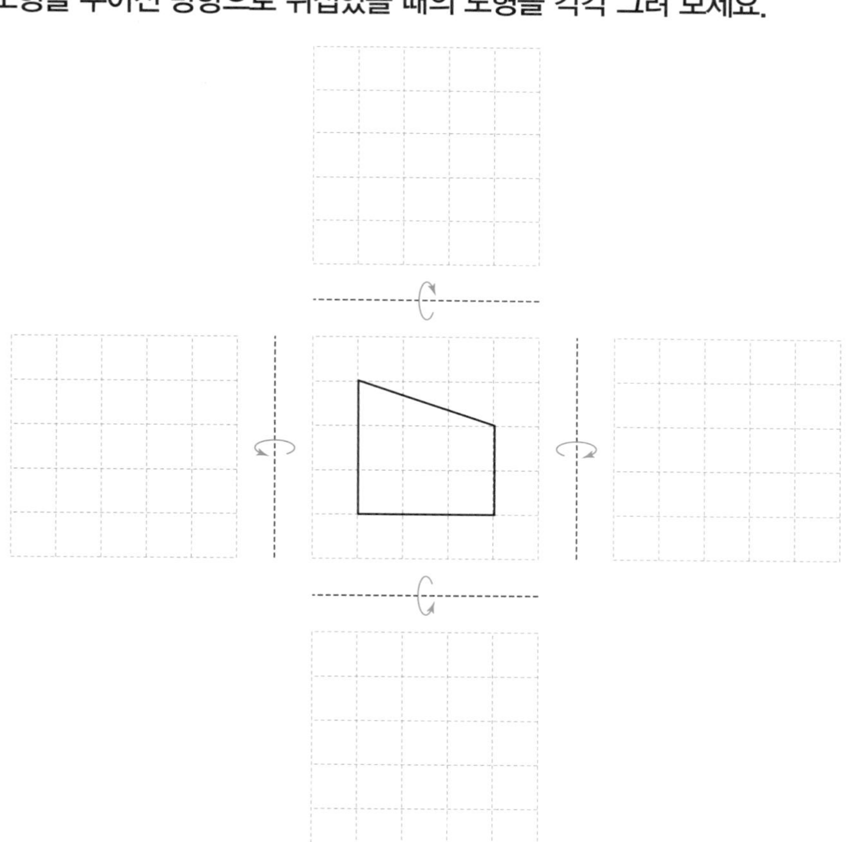

도형을 주어진 방향으로 뒤집었을 때 도형의 변화를 알 수 있는지 묻는 문제예요.

- 도형을 위쪽이나 아래쪽으로 뒤집으면 도형의 위쪽과 아래쪽이 서로 바뀌어요.
- 도형을 왼쪽이나 오른쪽으로 뒤집으면 도형의 왼쪽과 오른쪽이 서로 바뀌어요.

교과서 내용 학습

01 도형을 주어진 방향으로 밀었을 때의 도형을 그려 보세요.

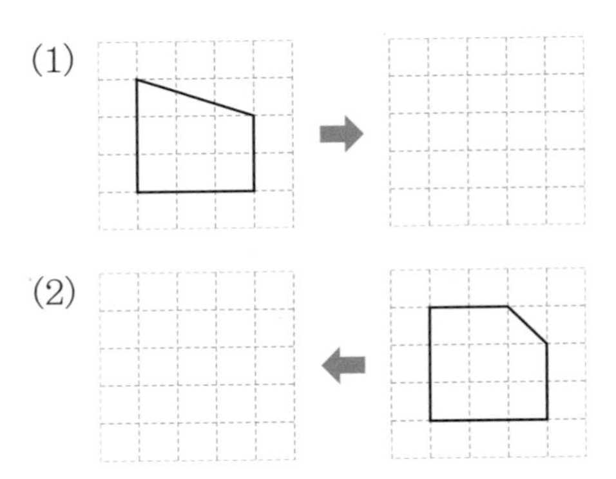

02 모양을 위쪽으로 밀었을 때의 모양을 찾아 ○표 하세요.

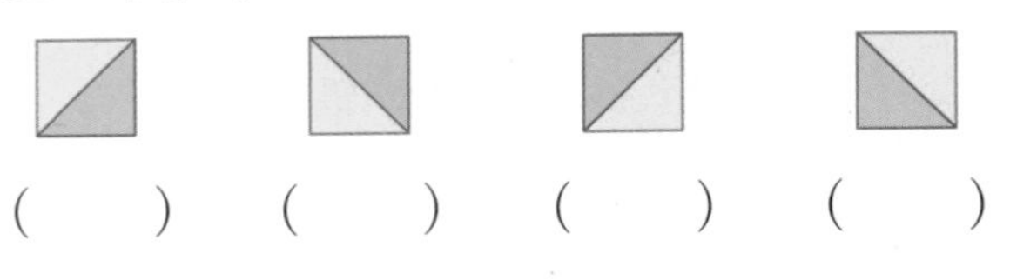

( ) ( ) ( ) ( )

03 다음 중 바르게 말한 사람은 누구일까요?

민서: 도형을 밀면 도형의 위치가 변해.
윤하: 도형을 밀면 도형의 모양과 크기가 변해.

( )

04 중요 도형을 왼쪽으로 6 cm 밀었을 때의 도형을 그려 보세요.

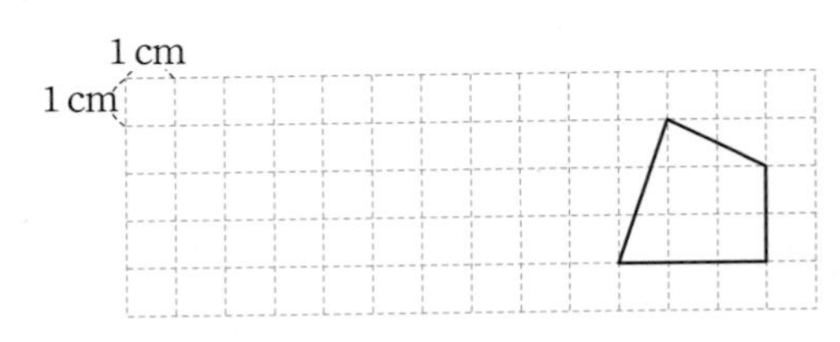

05 하준이는 다음과 같이 도형을 밀었습니다. □ 안에 알맞은 수를 써넣으세요.

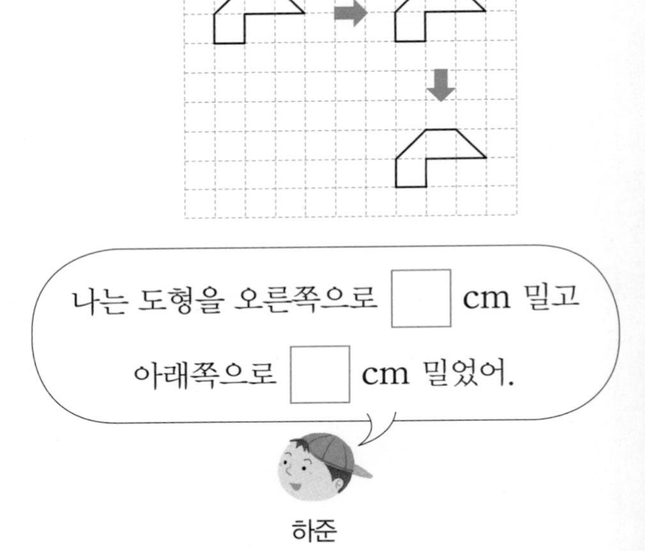

1 cm
1 cm
나는 도형을 오른쪽으로 □ cm 밀고
아래쪽으로 □ cm 밀었어.
하준

06 어떤 도형을 오른쪽으로 뒤집은 도형을 다음과 같이 그렸습니다. 뒤집기 전 도형을 그려 보세요.

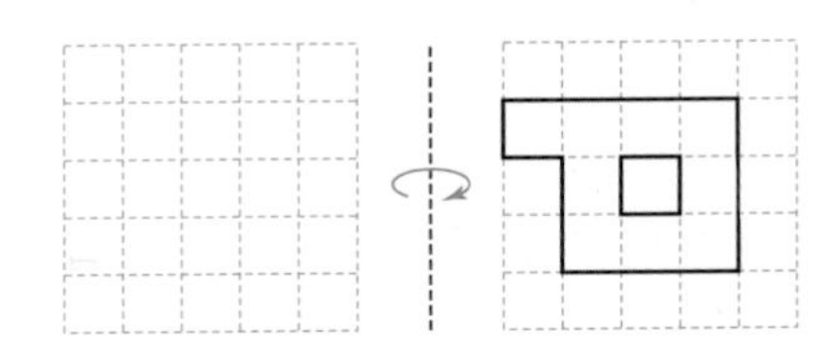

정답과 해설 22쪽

⊂중요⊃

07 도형을 아래쪽으로 뒤집고 왼쪽으로 뒤집었을 때의 도형을 각각 그려 보세요.

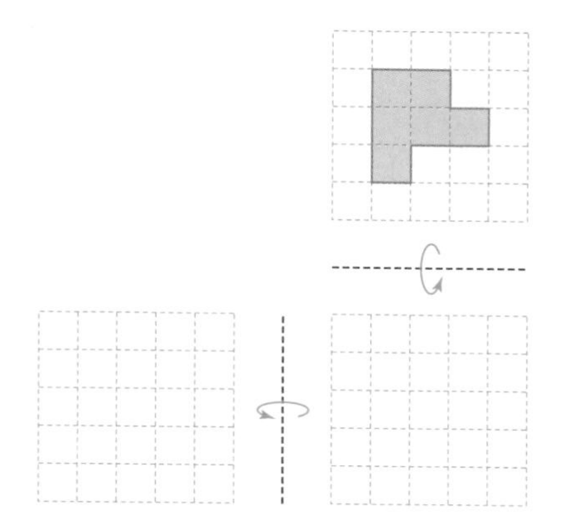

08 오른쪽 글자를 다음과 같이 주어진 방향으로 뒤집은 모양을 써 보세요.

군

뒤집은 방향	위쪽	아래쪽	오른쪽	왼쪽
뒤집은 결과				

09 왼쪽 모양을 위쪽, 아래쪽, 오른쪽, 왼쪽으로 뒤집었을 때 나올 수 있는 모양을 모두 그려 보세요.

⊂어려운 문제⊃

10 오른쪽으로 5번 뒤집고 위쪽으로 4번 뒤집었을 때의 도형이 처음과 같은 도형을 모두 찾아 기호를 써 보세요.

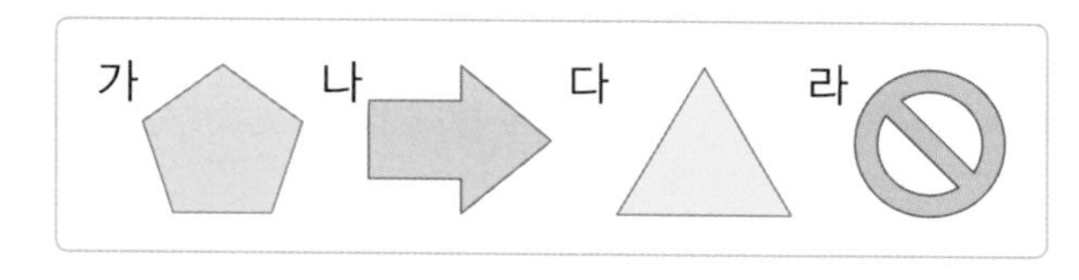

( )

도움말 같은 방향으로 2번, 4번……뒤집으면 처음으로 돌아옵니다.

문제해결 접근하기

11 다음은 시계의 왼쪽에 놓인 거울에 비친 시계의 모습입니다. 시계가 나타내는 시각을 구해 보세요.

이해하기

구하려고 하는 것은 무엇인가요?

답 ______

계획 세우기

어떤 방법으로 문제를 해결하면 좋을까요?

답 ______

해결하기

다음 빈칸을 색칠하여 시계가 나타내는 시각을 표현해 보세요.

되돌아보기

다음은 시계의 왼쪽에 놓인 거울에 비친 시계의 모습입니다. 시계가 나타내는 시각을 알아보세요.

답 ______

개념 3 평면도형을 돌려 볼까요

• 돌린 도형을 상상하는 것이 어렵게 느껴진다면 주어진 도형을 다른 종이에 그린 다음 종이를 직접 주어진 방향과 각도만큼 돌려 보며 처음 모양과 비교해 봅니다.

도형을 돌렸을 때의 도형을 알아봅시다.

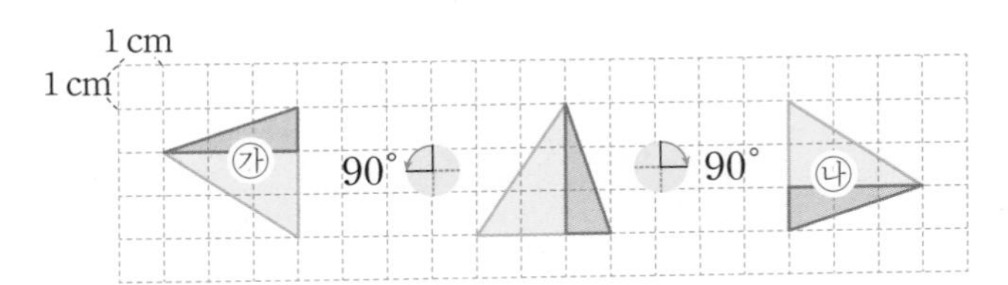

• 가운데 도형을 시계 방향으로 90°만큼 돌리면 ㉯ 도형과 같이 왼쪽에 있던 노란색 삼각형이 위쪽으로 이동하고, 시계 반대 방향으로 90°만큼 돌리면 ㉮ 도형과 같이 왼쪽에 있던 노란색 삼각형이 아래쪽으로 이동합니다.

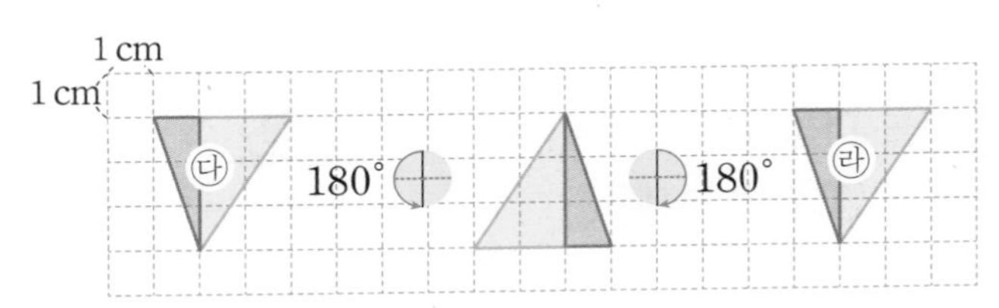

• 시계 반대 방향으로 180°만큼 돌린 도형은 시계 방향으로 180°만큼 돌린 도형과 같습니다.

• 가운데 도형을 시계 방향으로 180°만큼 돌리면 ㉱ 도형과 같이 위쪽 부분이 아래쪽으로 이동하고, 시계 반대 방향으로 180°만큼 돌려도 ㉰ 도형과 같이 위쪽 부분이 아래쪽으로 이동합니다.

여러 방향으로 돌린 도형을 비교해 봅시다.

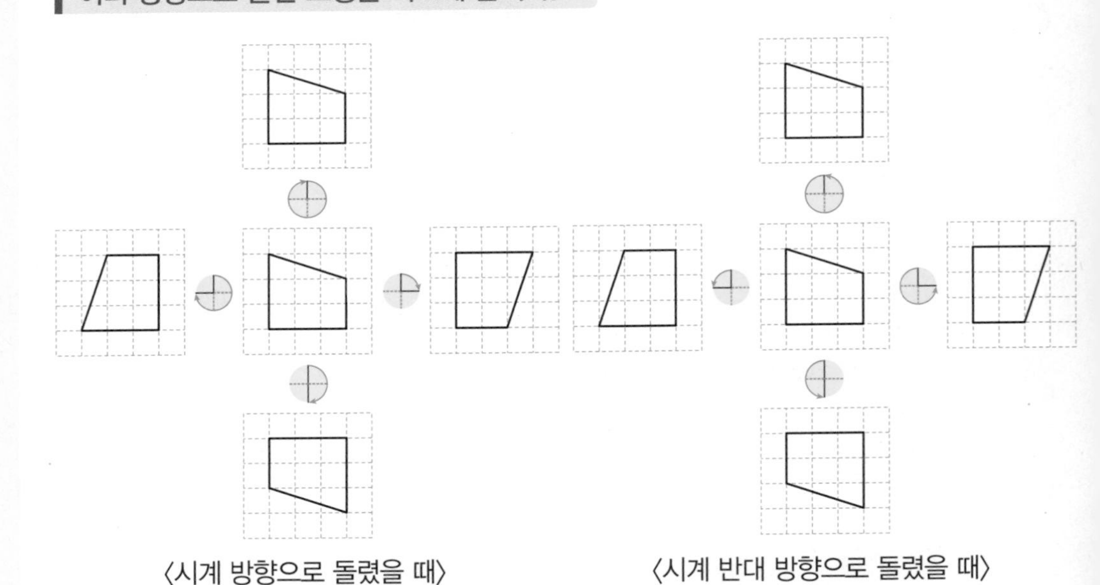

〈시계 방향으로 돌렸을 때〉 〈시계 반대 방향으로 돌렸을 때〉

• 시계 방향으로 270°만큼 돌리려면 위쪽 부분이 오른쪽 → 아래쪽 → 왼쪽의 순서로 90°씩 3번 이동하면 됩니다.

• 360°만큼 돌리면 한 바퀴를 돌린 것이므로 처음 도형과 같아집니다.
• 시계 반대 방향으로 90°만큼 돌린 도형은 시계 방향으로 270°만큼 돌린 도형과 같습니다.
• 시계 반대 방향으로 270°만큼 돌린 도형은 시계 방향으로 90°만큼 돌린 도형과 같습니다.

문제를 풀어 이해해요

정답과 해설 23쪽

1 도형을 시계 방향으로 90°만큼 돌렸을 때의 도형을 그려 보세요.

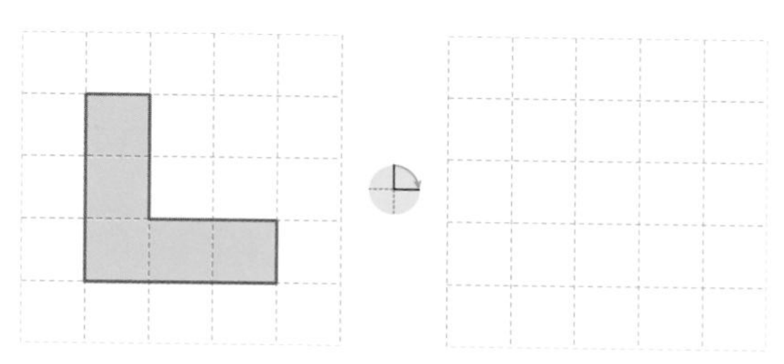

도형을 시계 방향으로 주어진 각도만큼 돌렸을 때의 도형을 알 수 있는지 묻는 문제예요.

시계 방향으로 90°만큼 돌리면 위쪽 부분이 오른쪽으로 이동해요.

2 도형을 시계 반대 방향으로 90°, 180°, 270°, 360°만큼 돌렸을 때의 도형을 각각 그려 보세요.

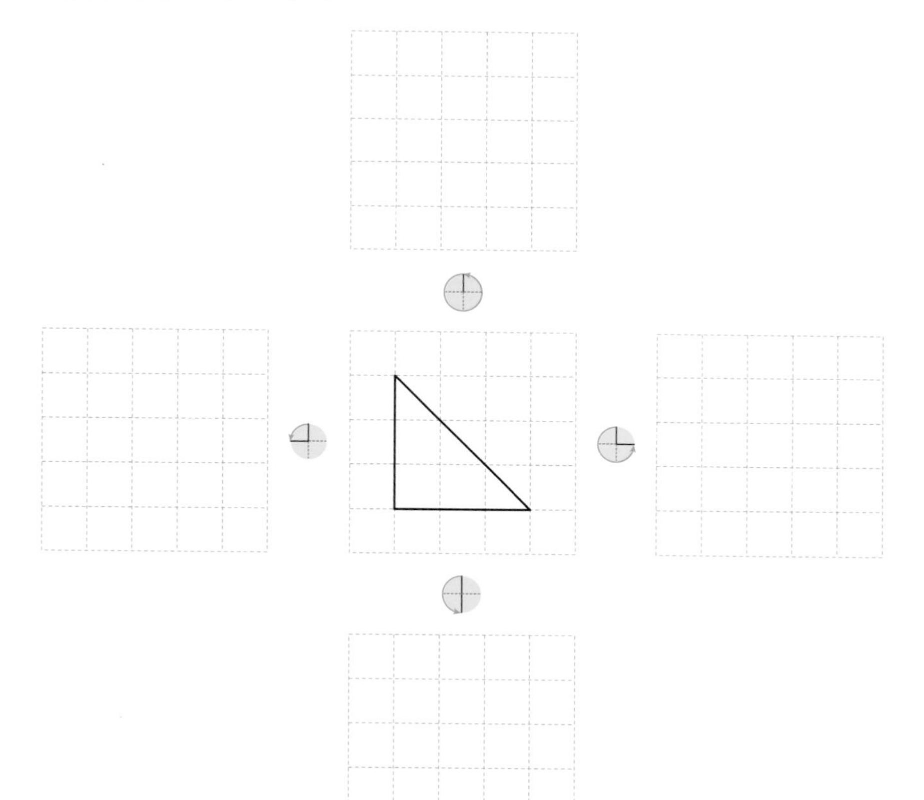

도형을 시계 반대 방향으로 주어진 각도만큼 돌렸을 때의 도형을 알 수 있는지 묻는 문제예요.

교과서 내용 학습

01 빈칸에 알맞은 도형은 어느 것일까요? (　　　)

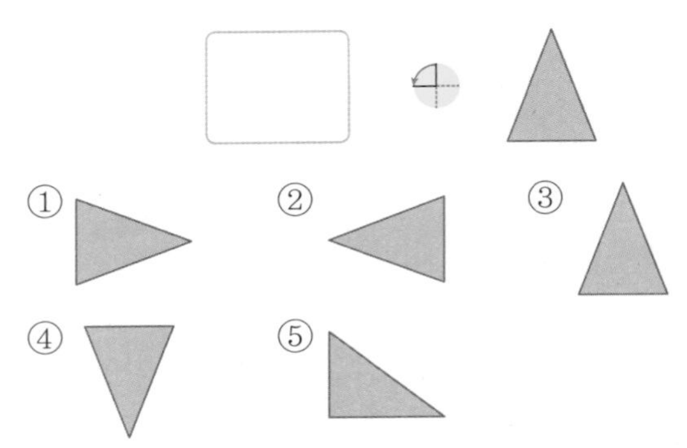

ㄷ중요ㄷ

02 도형을 시계 반대 방향으로 180°만큼 돌린 도형을 그려 보세요.

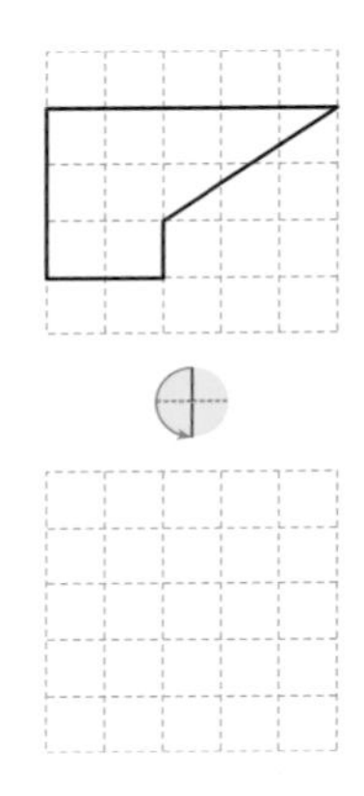

03 왼쪽 도형을 시계 방향으로 어떻게 돌리면 오른쪽 도형이 되는지 위에 화살표로 알맞게 나타내어 보세요.

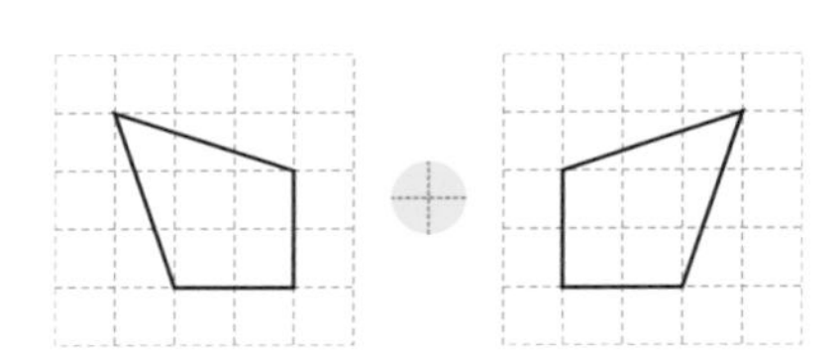

04 도형을 와 같이 돌린 도형과 항상 같은 모양이 되는 돌리기는 어느 것일까요? (　　　)

① ② ③ ④ ⑤

05 그림 카드를 보고 물음에 답하세요.

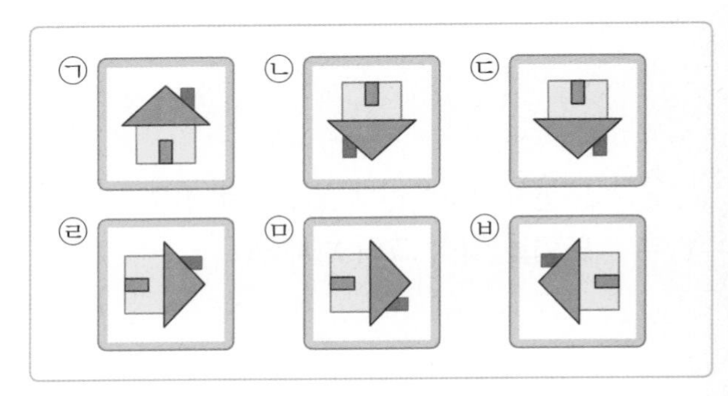

(1) 그림 카드 ㉠을 시계 반대 방향으로 270°만큼 돌렸을 때의 그림 카드를 찾아 기호를 써 보세요.

(　　　　　　　　)

(2) 그림 카드 ㉠을 시계 방향으로 180°만큼 돌렸을 때의 그림 카드를 찾아 기호를 써 보세요.

(　　　　　　　　)

06 알맞은 각도에 ○표 하세요.

는　극

(1) 왼쪽 글자를 시계 방향으로 (90°, 180°, 270°, 360°)만큼 돌리면 오른쪽 글자가 됩니다.

(2) 왼쪽 글자를 시계 반대 방향으로 (90°, 180°, 270°, 360°)만큼 돌리면 오른쪽 글자가 됩니다.

정답과 해설 24쪽

중요

07 □ 안에 알맞은 수를 써넣으세요.

(1) 시계 반대 방향으로 90°만큼 돌린 도형은 시계 방향으로 □°만큼 돌린 도형과 같습니다.

(2) 시계 반대 방향으로 270°만큼 돌린 도형은 시계 방향으로 □°만큼 돌린 도형과 같습니다.

08 조각 ㉮를 시계 반대 방향으로 90°만큼 적어도 몇 번 돌리면 조각 ㉯가 되는지 구해 보세요.

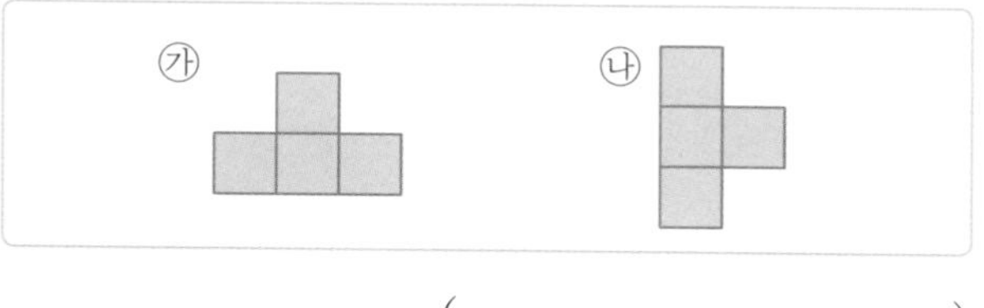

(   )

어려운 문제

09 어떤 도형을 시계 방향으로 90°만큼 3번 돌렸더니 다음과 같은 도형이 되었습니다. 돌리기 전의 도형을 그려 보세요.

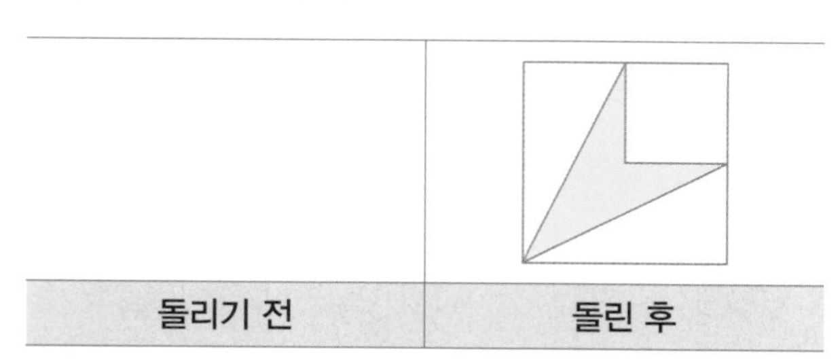

도움말 돌리기 전의 도형을 알려면 반대로 돌리기 하면 됩니다.

10 시계 반대 방향으로 180°만큼 돌렸을 때 처음 모양과 같은 숫자를 모두 찾아 ○표 하세요.

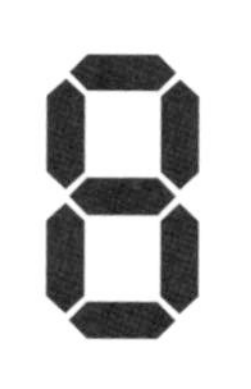

(   ) (   ) (   ) (   )

문제해결 접근하기

11 채하와 라윤이는 다음 그림과 같이 앉아 $\frac{7}{12}$이 적힌 분수 카드를 바라보고 있습니다. 채하에게는 분수가 바르게 보이지만 라윤이는 분수가 돌아간 모습으로 보입니다. 라윤이 자리에서는 $\frac{7}{12}$이 어떻게 보일까요?

이해하기

구하려고 하는 것은 무엇인가요?

답 ______________________

계획 세우기

어떤 방법으로 문제를 해결하면 좋을까요?

답 ______________________

해결하기

라윤이 자리에서 보이는 $\frac{7}{12}$의 모습을 그려 보세요.

되돌아보기

라윤이 자리에서 보이는 $\frac{7}{12}$의 모습은 $\frac{7}{12}$이 적힌 분수 카드를 어떻게 돌린 모습과 같은지 알아보세요.

답 ______________________

개념 확인 학습

개념 4 평면도형을 뒤집고 돌려 볼까요

• 시계 반대 방향으로 270°만큼 돌린 도형은 시계 방향으로 90°만큼 돌린 도형과 같습니다.

• 돌리기와 뒤집기 중 어떤 것을 먼저 했느냐에 따라 이동한 결과가 달라집니다.

도형을 뒤집고 돌린 도형과 돌리고 뒤집은 도형의 변화를 비교해 봅시다.

• 도형을 오른쪽으로 뒤집고 시계 반대 방향으로 270°만큼 돌렸을 때의 도형

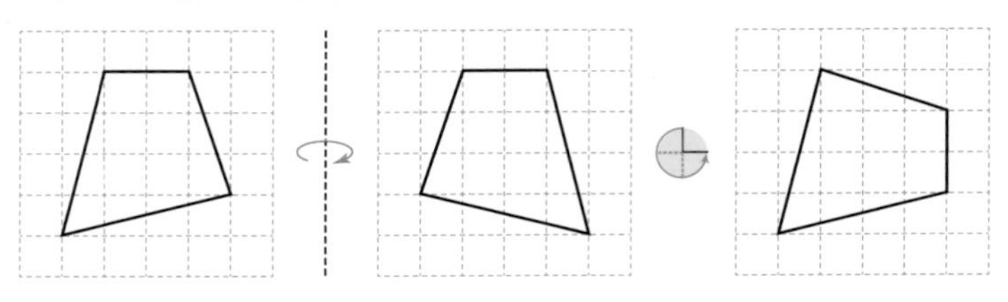

• 도형을 시계 반대 방향으로 270°만큼 돌리고 오른쪽으로 뒤집었을 때의 도형

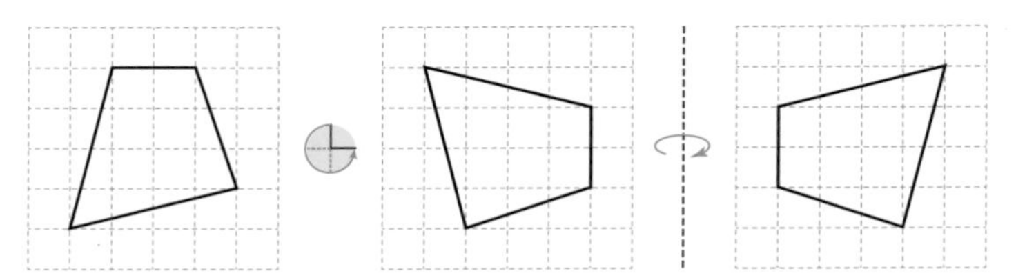

개념 5 무늬를 꾸며 볼까요

• 자신이 무늬를 만든 방법을 말이나 글로 설명하며 수학적 언어로 의사소통하는 능력을 길러 봅니다.

주어진 모양으로 규칙적인 무늬를 만들어 봅시다.

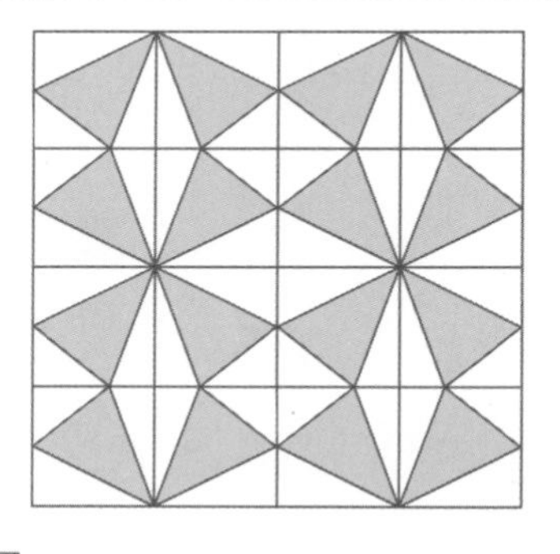

모양을 오른쪽으로 뒤집는 것을 반복해서 모양을 만들고, 그 모양을 아래쪽으로 뒤집어서 무늬를 만들었습니다.

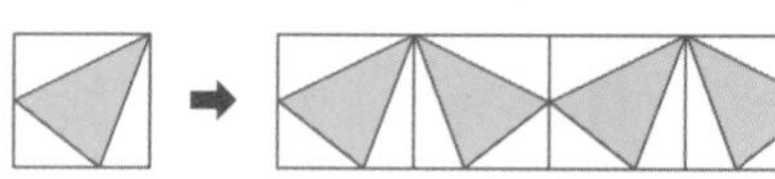

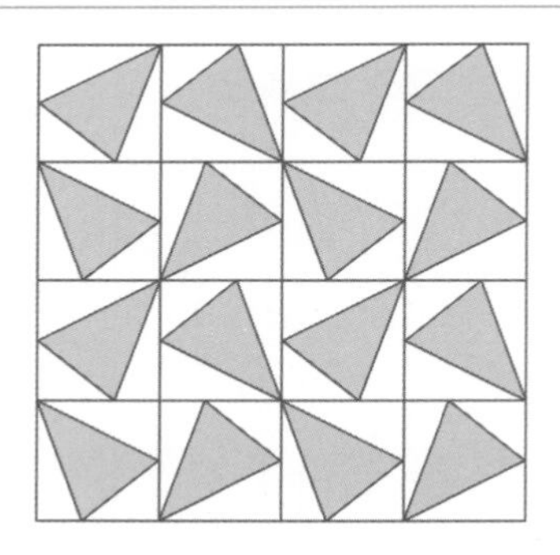

모양을 시계 방향으로 90°만큼 돌리는 것을 반복해서 모양을 만들고, 그 모양을 오른쪽과 아래쪽으로 밀어서 무늬를 만들었습니다.

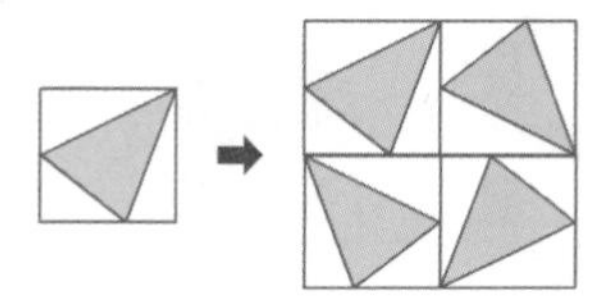

문제를 풀여 이해해요

정답과 해설 24쪽

도형을 돌리고 뒤집었을 때의 모양을 알 수 있는지 묻는 문제예요.

1 도형을 시계 방향으로 180°만큼 돌리고 오른쪽으로 뒤집었을 때의 도형을 각각 그려 보세요.

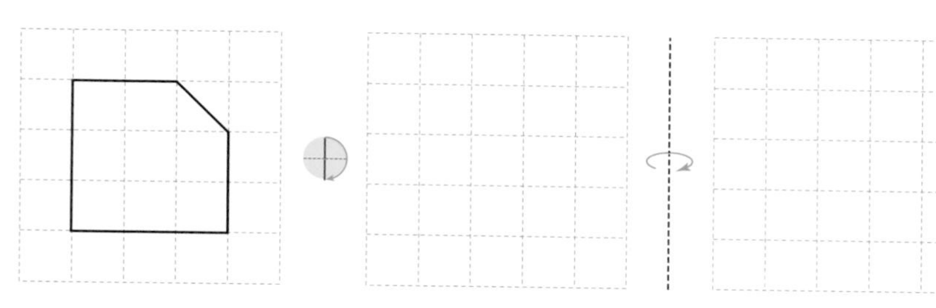

시계 방향으로 180°만큼 돌리면 위쪽 부분이 아래쪽으로 이동하고, 오른쪽으로 뒤집으면 왼쪽과 오른쪽이 바뀌어요.

2 도형을 아래쪽으로 뒤집고 시계 방향으로 90°만큼 돌렸을 때의 도형을 각각 그려 보세요.

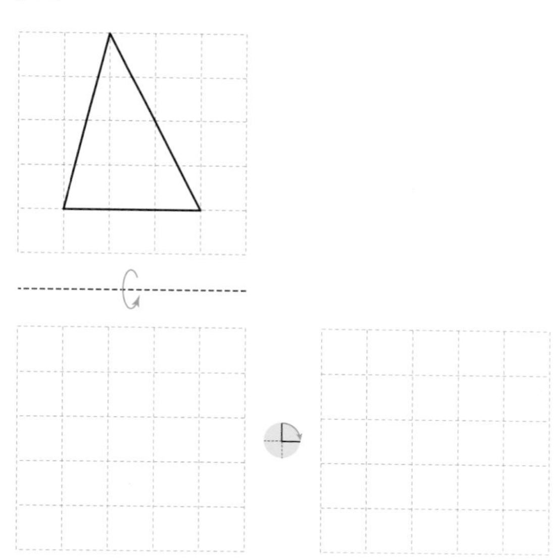

아래쪽으로 뒤집으면 위쪽과 아래쪽이 바뀌고, 시계 방향으로 90°만큼 돌리면 위쪽 부분이 오른쪽으로 이동해요.

3 모양으로 뒤집기를 이용하여 규칙적인 무늬를 만들어 보세요.

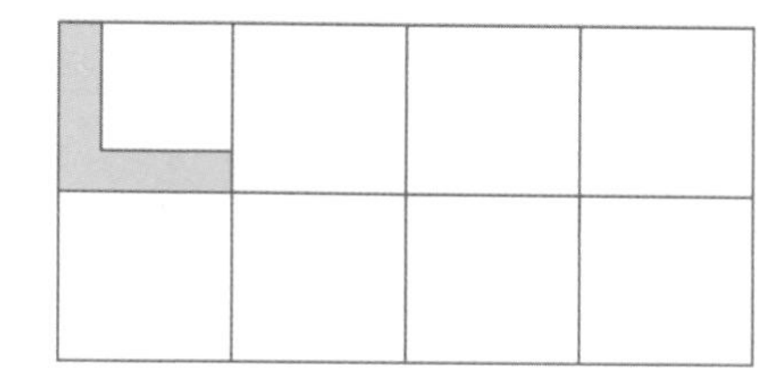

같은 모양 조각이라도 만드는 방법에 따라 다양한 무늬를 꾸밀 수 있어요.

교과서 내용 학습

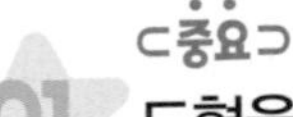

중요

01 도형을 위쪽으로 뒤집고 시계 방향으로 90°만큼 돌렸을 때의 도형을 각각 그려 보세요.

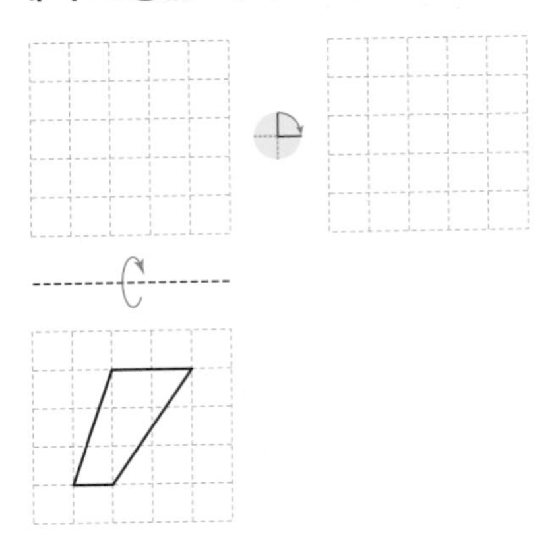

02 도형을 시계 반대 방향으로 270°만큼 돌리고 오른쪽으로 뒤집었을 때의 도형을 각각 그려 보세요.

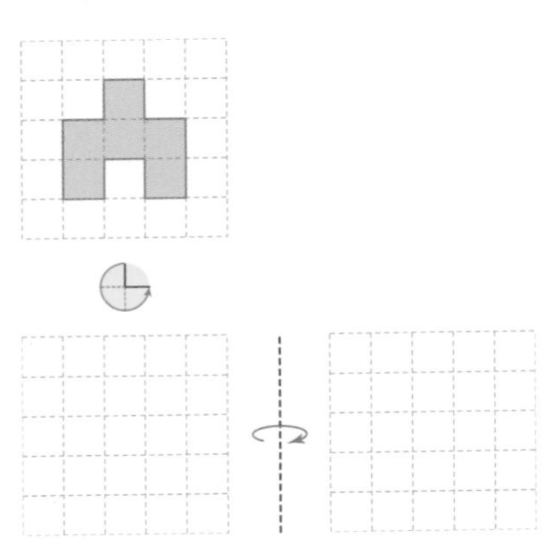

03 다음 도형 중 오른쪽으로 뒤집고 시계 반대 방향으로 180°만큼 돌렸을 때의 도형이 처음 도형과 같은 것은 모두 몇 개일까요?

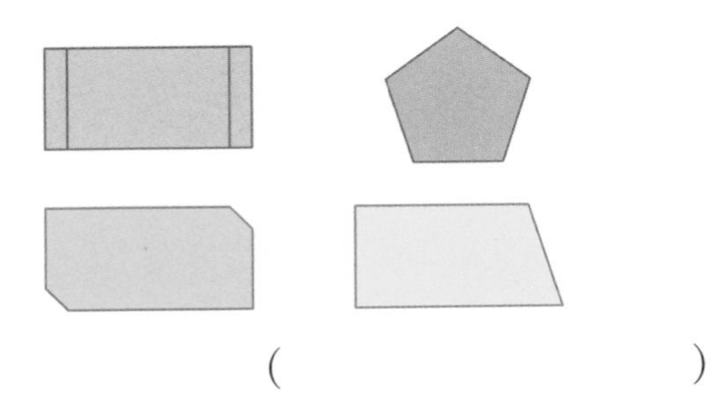

( )

어려운 문제

04 도형을 시계 반대 방향으로 180°만큼 3번 돌리고 오른쪽으로 3번 뒤집었을 때의 도형을 그려 보세요.

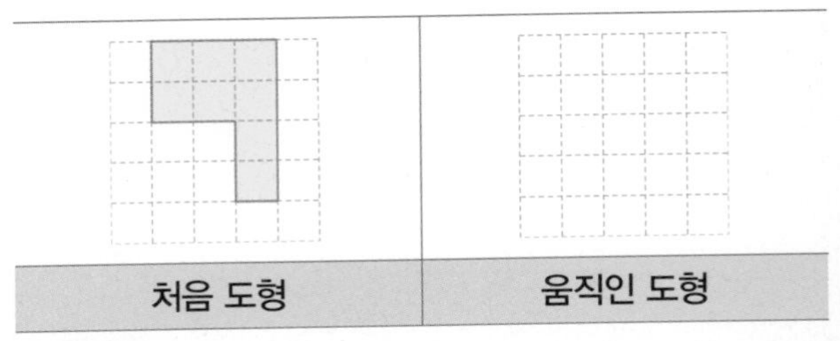

처음 도형	움직인 도형

도움말 시계 반대 방향으로 180°만큼 2번 돌리면 다시 처음으로 돌아옵니다.

05 오른쪽 모양 조각을 아래쪽으로 뒤집고 시계 반대 방향으로 90°만큼 돌렸을 때의 모양에 ○표 하세요.

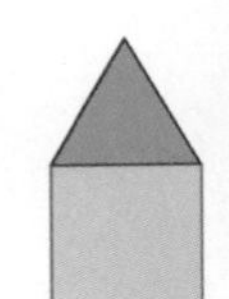

( ) ( ) ( )

중요

06 도형을 어떻게 움직였는지 설명해 보세요.

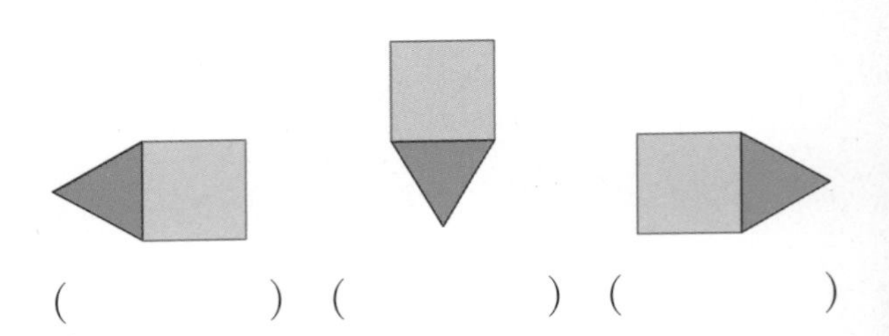

처음 도형	움직인 도형

방법 1 오른쪽으로 뒤집고 시계 반대 방향으로 [ ] 만큼 돌렸습니다.

방법 2 위쪽으로 뒤집고 시계 방향으로 [ ] 만큼 돌렸습니다.

07 모양을 이용해 다음과 같이 규칙적인 무늬를 만들어 보았습니다. 밀기, 뒤집기, 돌리기 중에서 주로 어떤 방법을 이용하였는지 써 보세요.

(1)

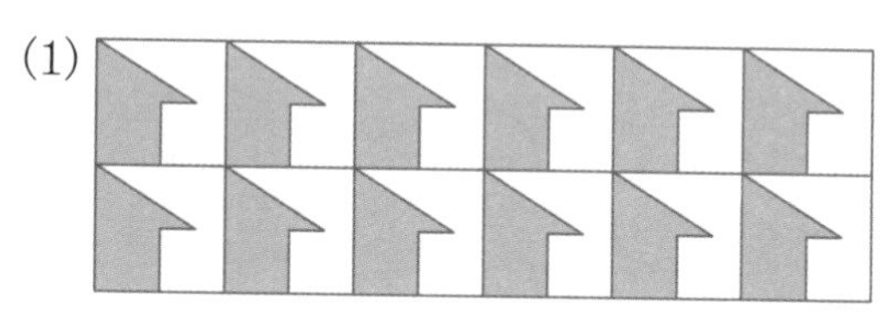

( )

(2)

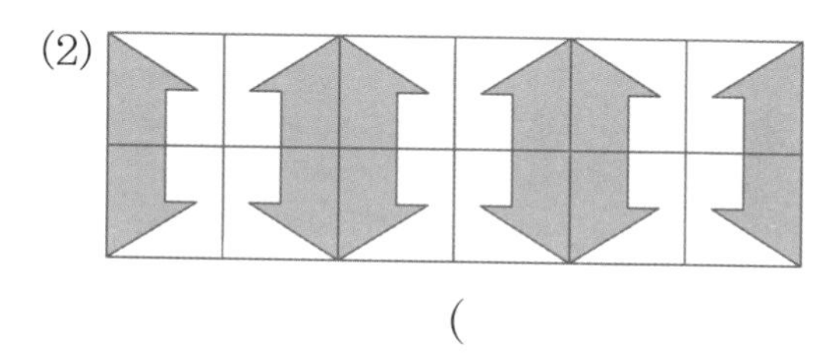

( )

08 모양을 시계 방향으로 90°만큼 돌리는 것을 반복해서 만든 무늬를 찾아 기호를 써 보세요.

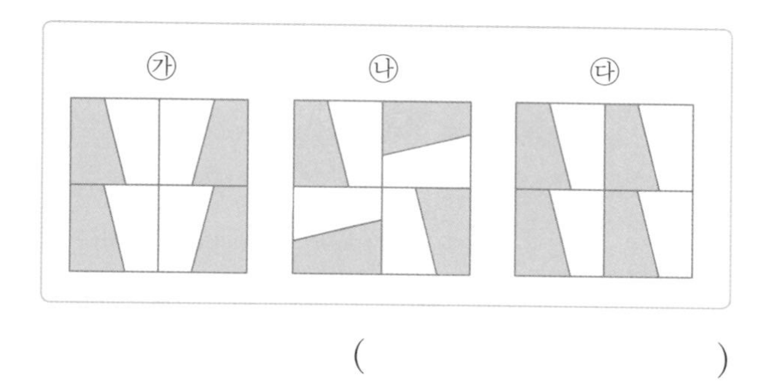

( )

09 모양으로 규칙적인 무늬를 만들었습니다. 무늬를 완성해 보세요.

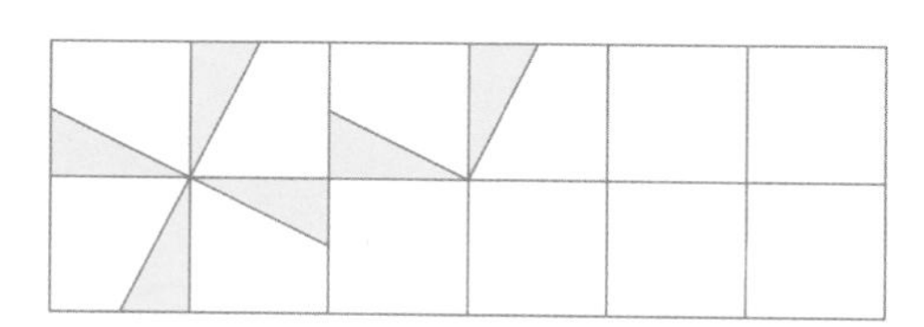

문제해결 접근하기

10 한글 모음을 살펴보면 뒤집거나 돌렸을 때 다른 모음과 모양이 같아지는 경우가 많음을 알 수 있습니다. 'ㅑ'를 시계 방향으로 돌려서 'ㅕ', 'ㅛ', 'ㅠ'가 되게 하려면 각각 어떻게 돌리면 될까요?

이해하기

구하려고 하는 것은 무엇인가요?

답 ______________________

계획 세우기

어떤 방법으로 문제를 해결하면 좋을까요?

답 ______________________

해결하기

□ 안에 360°보다 작은 각도를 알맞게 써넣으세요.

(1) 'ㅑ'를 시계 방향으로 □만큼 돌리면 'ㅕ'가 됩니다.

(2) 'ㅑ'를 시계 방향으로 □만큼 돌리면 'ㅛ'가 됩니다.

(3) 'ㅑ'를 시계 방향으로 □만큼 돌리면 'ㅠ'가 됩니다.

되돌아보기

'ㅕ'를 시계 방향으로 돌리면 어떤 모음이 만들어질까요? 빈칸에 알맞은 모음을 써넣으세요.

ㅕ		
ㅕ		
ㅕ		

단원 확인 평가

4. 평면도형의 이동

01 보기의 도형을 오른쪽으로 밀었을 때의 도형을 찾아 ○표 하세요.

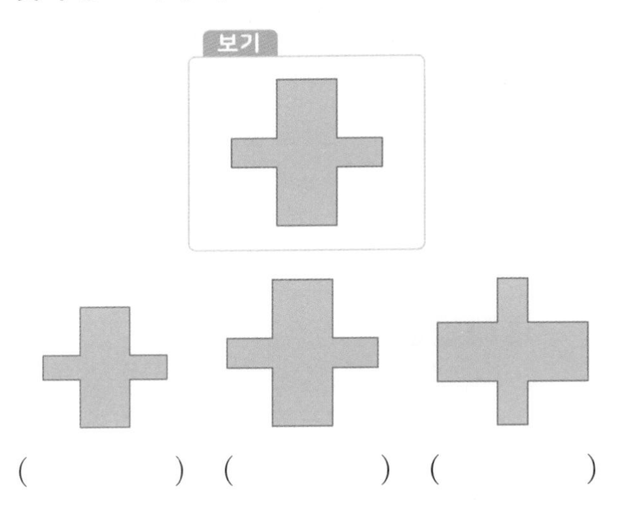

(　　　　) (　　　　) (　　　　)

02 도형을 오른쪽으로 5 cm 밀고 아래쪽으로 2 cm 밀었을 때의 도형을 그려 보세요.

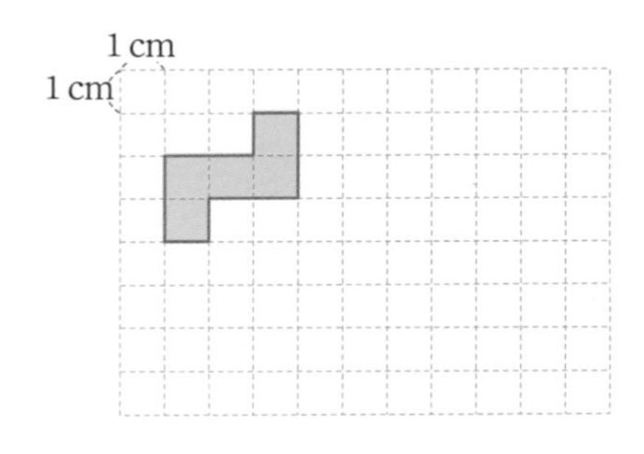

03 도형을 왼쪽으로 뒤집었을 때의 도형을 그려 보세요.

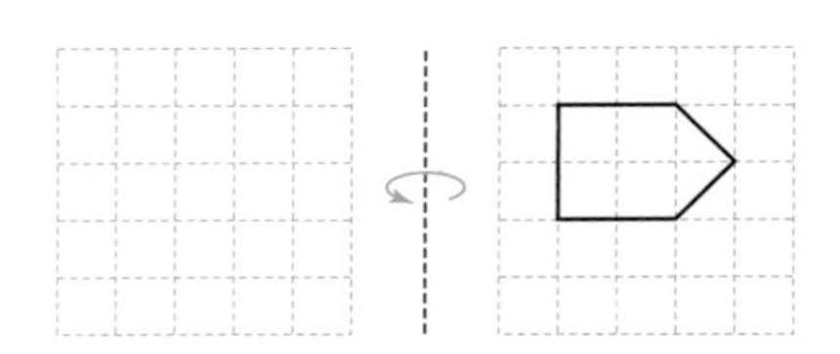

⊂중요⊃

04 ☆을 여러 가지 방향으로 뒤집어 보고, 다음과 같이 이야기를 나누고 있습니다. 바르게 말한 사람은 누구일까요?

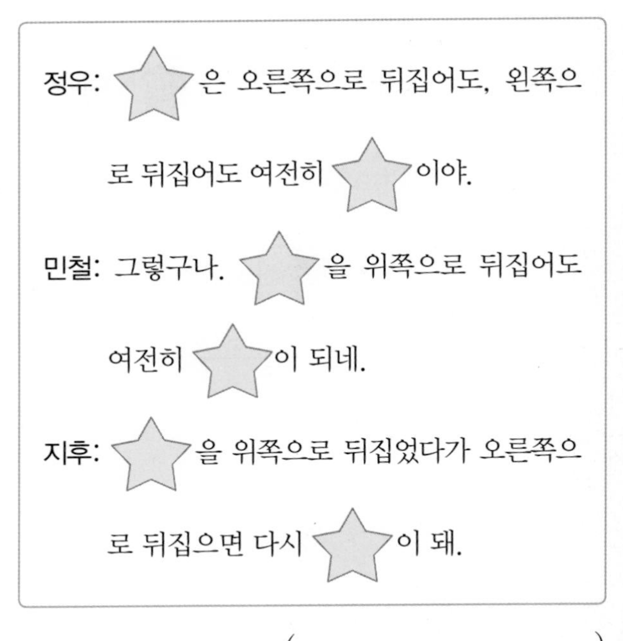

(　　　　　　　　)

⊂서술형⊃

05 세 자리 수가 적힌 카드를 아래쪽으로 뒤집었을 때 만들어지는 수와 처음 수의 차는 얼마인지 풀이 과정을 쓰고 답을 구해 보세요.

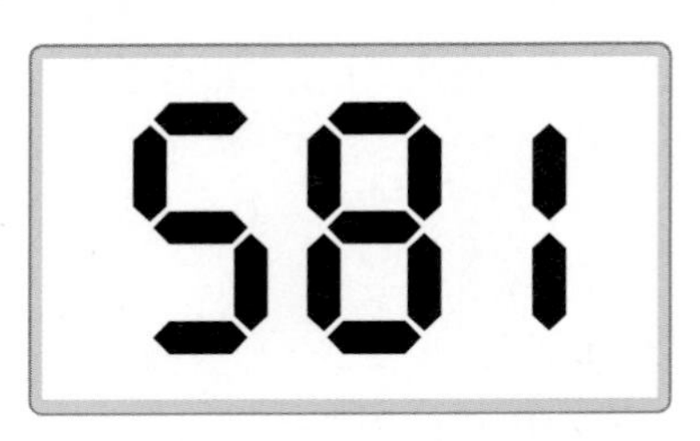

풀이

(1) 세 자리 수가 적힌 카드를 아래쪽으로 뒤집었을 때 만들어지는 수는 (　　　)입니다.

(2) 따라서 두 수의 차는
(　　　)−(　　　)=(　　　)입니다.

답 ____________

06 보기 에서 오른쪽으로 4번 뒤집고 아래쪽으로 3번 뒤집었을 때 모양이 달라지는 알파벳을 모두 찾아 써 보세요.

( )

07 투명 종이에 다음과 같이 적고 여러 방향으로 뒤집어 보았습니다. 빈칸에 알맞은 모양을 그리거나 알맞은 말을 써넣으세요.

자두

(1) 쿠ㅈ 는 **자두** 를 ☐쪽 또는 ☐쪽으로 뒤집은 모양입니다.

(2) ☐는 **자두** 를 위쪽 또는 ☐쪽으로 뒤집은 모양입니다.

08 어떤 도형을 뒤집어서 처음과 같은 도형이 되게 하려고 합니다. 가능한 방법을 모두 고르세요.

( )

① 오른쪽으로 뒤집고 왼쪽으로 뒤집기
② 위쪽으로 3번 뒤집기
③ 왼쪽으로 뒤집고 아래쪽으로 뒤집기
④ 아래쪽으로 6번 뒤집기
⑤ 왼쪽으로 2번 뒤집고 오른쪽으로 한 번 뒤집기

09 왼쪽 도형을 돌렸더니 오른쪽 도형이 되었습니다. ㉮에 들어갈 수 있는 것은 어느 것일까요?

( )

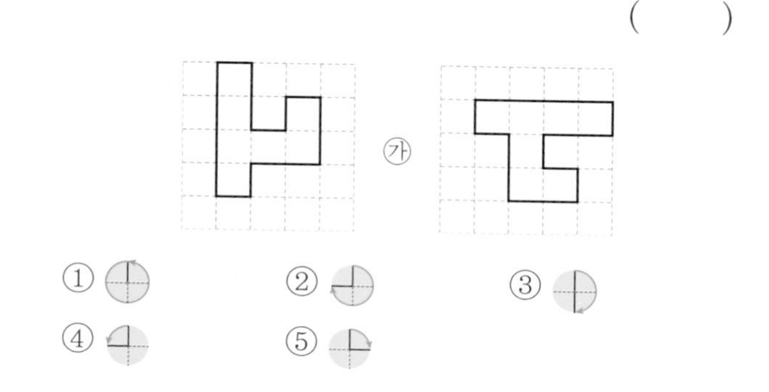

10 도형을 시계 반대 방향으로 $90°$, $180°$, $270°$, $360°$만큼 돌렸을 때의 도형을 각각 그려 보세요.

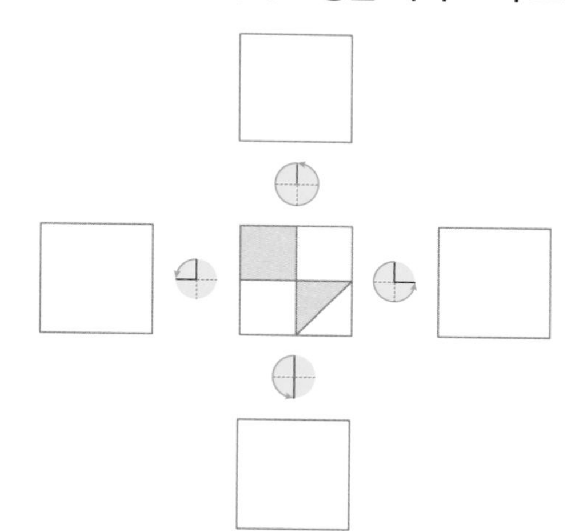

[11~12] 보기 의 화살표를 주어진 방법으로 돌린 모양을 찾아 기호를 써 보세요.

보기

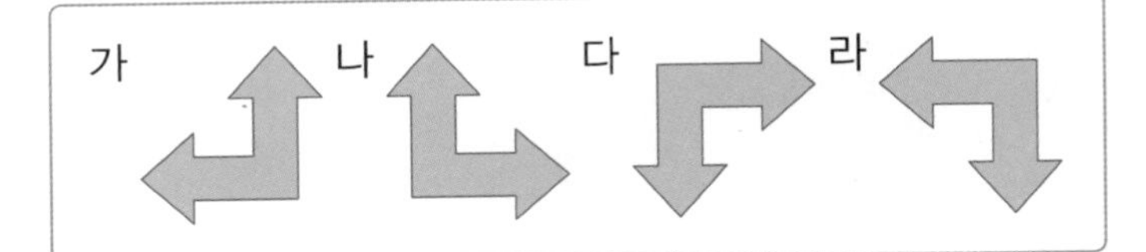

11 보기 의 화살표를 시계 반대 방향으로 270°만큼 돌렸을 때의 모양을 찾아 기호를 써 보세요.

( )

12 보기 의 화살표를 시계 방향으로 90°만큼 돌리고 시계 반대 방향으로 180°만큼 돌렸을 때의 모양을 찾아 기호를 써 보세요.

( )

13 오른쪽 그림을 여러 가지 방법으로 움직여 보았습니다. 움직인 방법과 움직인 후의 모양을 이어 보세요.

(1) 오른쪽으로 뒤집기 • • ㉠

(2) 오른쪽으로 밀기 • • ㉡

(3) 시계 방향으로 90°만큼 돌리기 • • ㉢

14 글자 '공'을 다음과 같이 움직였을 때의 모양이 다른 하나를 찾아 기호를 써 보세요.

공

㉠ 시계 방향으로 360°만큼 돌리고 아래쪽으로 밀기
㉡ 시계 방향으로 180°만큼 돌리고 오른쪽으로 밀기
㉢ 시계 반대 방향으로 180°만큼 돌리기

( )

15 도형을 돌렸을 때 모양이 같은 것끼리 짝 지어 보세요.

㉮ 시계 방향으로 90°만큼 돌리기
㉯ 시계 반대 방향으로 90°만큼 돌리기
㉰ 시계 방향으로 270°만큼 돌리기
㉱ 시계 반대 방향으로 270°만큼 돌리기
㉲ 시계 방향으로 360°만큼 돌리기
㉳ 시계 반대 방향으로 360°만큼 돌리기

( )와 ( )
( )와 ( )
( )와 ( )

⊂어려운 문제⊃

16 어떤 도형을 시계 반대 방향으로 90°만큼 5번 돌렸더니 오른쪽 도형이 되었습니다. 돌리기 전 처음 도형을 그려 보세요.

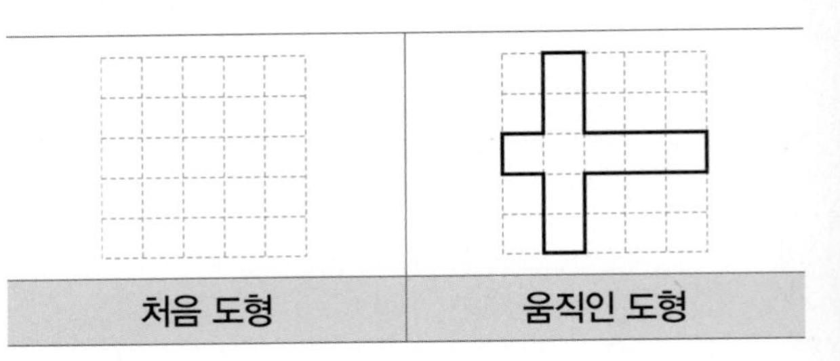

⊂중요⊃

17 도형을 시계 반대 방향으로 $270°$만큼 돌리고 아래쪽으로 뒤집었을 때의 도형을 각각 그려 보세요.

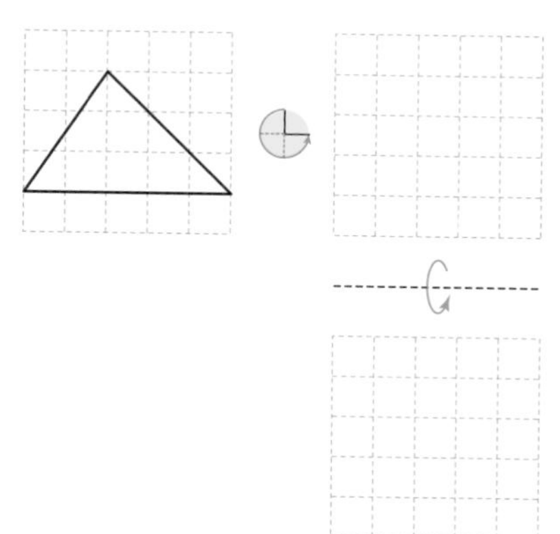

18 모양으로 규칙적인 무늬를 만들려고 합니다. 물음에 답하세요.

(1) 모양을 오른쪽으로 뒤집는 것을 반복해서 무늬를 만들어 보세요.

(2) 위에서 만든 한 줄의 무늬를 아래쪽으로 뒤집는 것을 반복해서 규칙적인 무늬를 만들어 보세요.

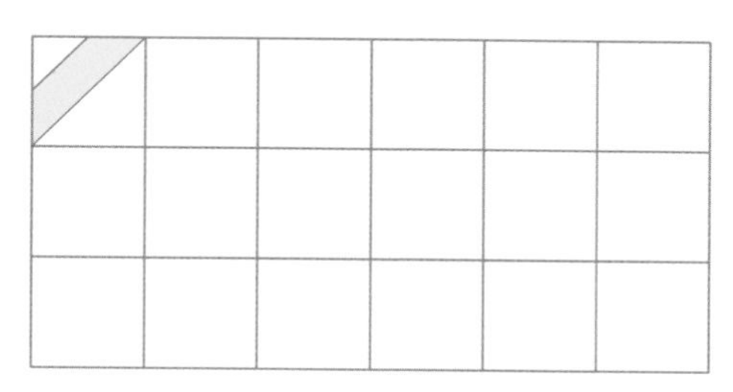

⊂서술형⊃

19 규칙에 따라 무늬를 만들었습니다. 무늬를 만든 규칙을 설명해 보세요.

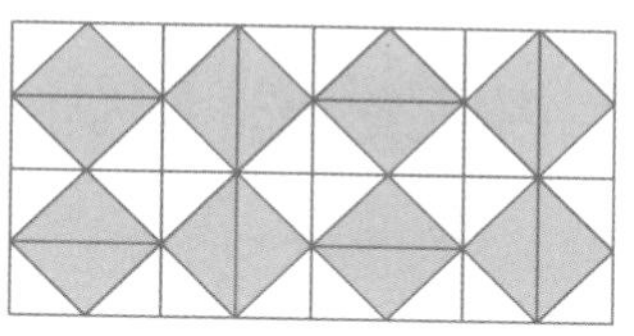

모양을 시계 방향으로 (   )만큼 돌리는 것을 반복해서 모양을 만들고, 그 모양을 아래쪽으로 (   ) 무늬를 만들었습니다.

20 주어진 방법을 이용하여 보기 의 모양으로 규칙적인 무늬를 만들어 보세요.

보기

(1) 밀기를 이용해 규칙적인 무늬를 만들어 보세요.

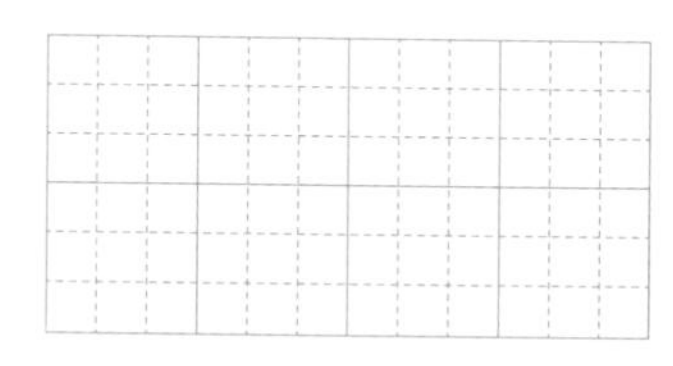

(2) 뒤집기를 이용해 규칙적인 무늬를 만들어 보세요.

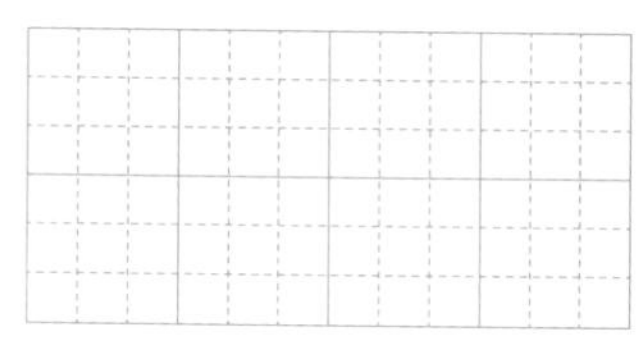

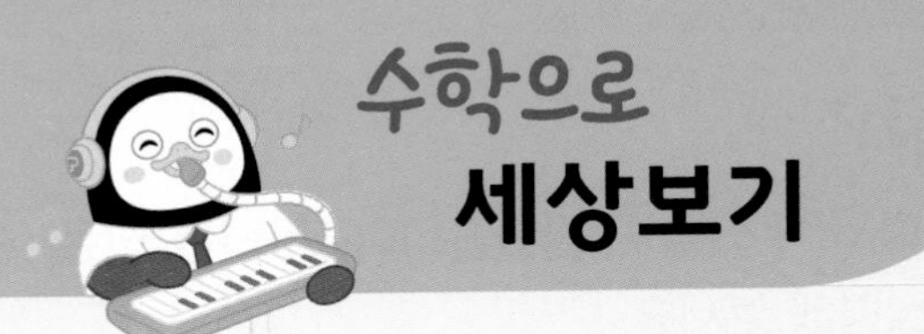

테셀레이션의 매력 속으로!

1 테셀레이션에 대해 알아봅시다.

우리 조상들의 예술 감각이 살아 있는 전통 조각보를 본 적이 있나요? 우리 선조들은 옷을 만들고 남은 헝겊 자투리 하나도 버리지 않고 다음과 같은 조각보를 만들어 사용했어요. 조각보의 무늬를 자세히 살펴보면 삼각형 모양, 사각형 모양의 천 조각을 빈틈없이 이어 붙여 조각보를 만들었음을 알 수 있습니다. 이와 같이 모양 조각들을 서로 겹치거나 틈이 생기지 않게 늘어놓아 평면을 완벽하게 채우는 것을 테셀레이션(tessellation) 또는 쪽매맞춤이라고 해요.

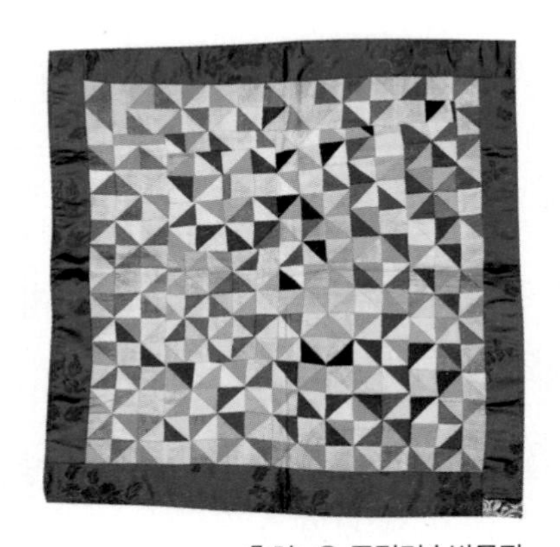

출처: © 국립민속박물관

테셀레이션은 우리 생활 주변에서 많이 활용되고 있습니다. 거리의 보도블록, 욕실의 타일 바닥, 포장지나 카페트의 무늬 등에서도 쉽게 찾아볼 수 있답니다.

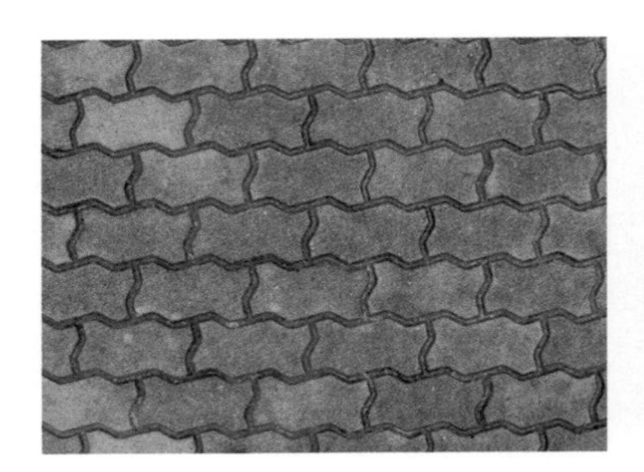
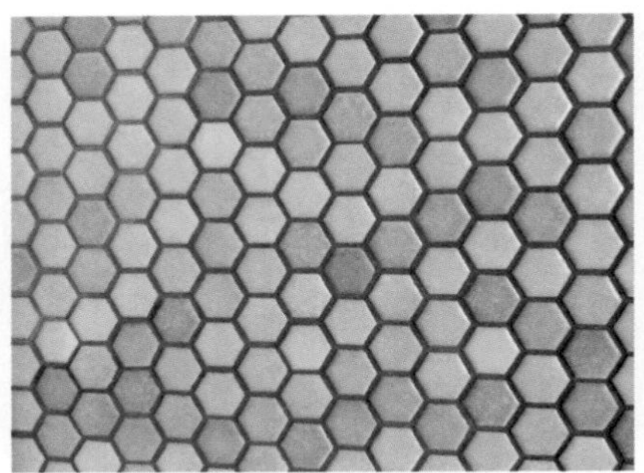

2 한 가지 정다각형으로 테셀레이션을 만들어 봅시다.

정사각형처럼 모든 변의 길이가 같고, 모든 각의 크기가 같은 다각형을 '정다각형'이라고 해요. 수많은 정다각형 중에서 빈틈없이 이어 붙여 테셀레이션을 만들 수 있는 다각형은 '정삼각형', '정사각형', '정육각형' 세 가지 뿐입니다. 정오각형으로는 왜 테셀레이션을 만들 수 없을까요? 테셀레이션이 되려면 한 꼭짓점에 모이는 도형들의 각의 합이 360°가 되어야 하기 때문입니다. 다음 테셀레이션을 잘 살펴보면서 □ 안에 알맞은 수를 써넣어 볼까요?

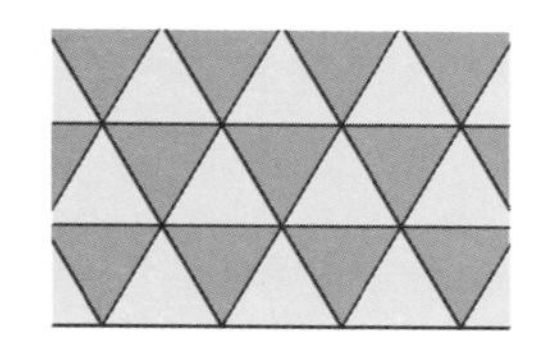

한 각의 크기가 60°인 정삼각형은 한 꼭짓점에 □개가 모여 360°가 되므로 테셀레이션을 만들 수 있어요.

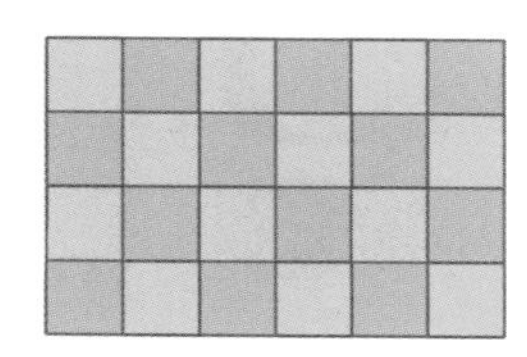

한 각의 크기가 90°인 정사각형은 한 꼭짓점에 □개가 모여 360°가 되므로 테셀레이션을 만들 수 있어요.

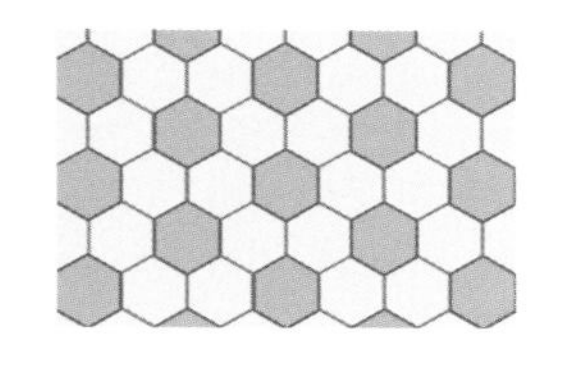

한 각의 크기가 120°인 정육각형은 한 꼭짓점에 □개가 모여 360°가 되므로 테셀레이션을 만들 수 있어요.

정오각형은 한 각의 크기가 108°입니다. 그러므로 2개 또는 3개가 모여도 360°를 만들 수 없으므로 정오각형만 사용해서 테셀레이션을 만들 수 없습니다. 여러분도 주변에서 테셀레이션을 직접 찾아보세요.

3 테셀레이션을 완성해 봅시다.

다음 테셀레이션의 일부가 지워져 있어요. 알맞은 선을 그려 넣어 테셀레이션을 완성해 보세요.

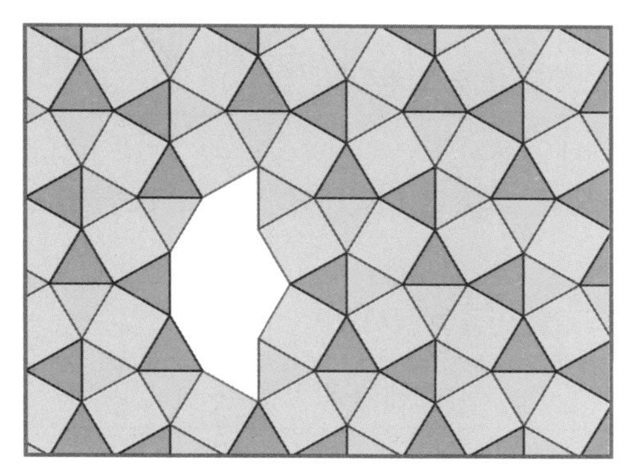

5 단원

막대그래프

채은이네 반 친구들이 체험 학습 장소와 시기를 정하려고 합니다. 친구들이 체험 학습으로 가고 싶은 장소를 조사하고, 월별 비가 오지 않은 날수도 찾아보았습니다. 친구들이 조사한 자료를 막대그래프로 어떻게 나타낼까요?

이번 5단원에서는 막대그래프에 대해 알아보고, 막대그래프를 그리는 방법과 막대그래프를 통해 알 수 있는 사실들을 공부할 거예요.

단원 학습 목표

1. 막대그래프로 나타낸 자료를 보고 막대그래프의 특징을 알 수 있습니다.
2. 막대그래프를 보고 여러 가지 통계적 사실을 알 수 있습니다.
3. 막대그래프의 의미와 그리는 방법을 알 수 있습니다.
4. 실생활 자료를 수집하여 막대그래프로 나타낼 수 있습니다.
5. 실생활 자료를 나타낸 막대그래프를 보고 의사 결정을 할 수 있습니다.

단원 진도 체크

회차	구성		진도 체크
1차	개념 1 막대그래프를 알아볼까요 개념 2 막대그래프에서 무엇을 알 수 있을까요	개념 확인 학습 + 문제 / 교과서 문제 학습	✓
2차	개념 3 막대그래프로 나타내어 볼까요 개념 4 자료를 조사하여 막대그래프로 나타내어 볼까요	개념 확인 학습 + 문제 / 교과서 문제 학습	✓
3차	개념 5 막대그래프로 이야기를 만들어 볼까요	개념 확인 학습 + 문제 / 교과서 문제 학습	✓
4차	단원 확인 평가		✓
5차	수학으로 세상보기		✓

해당 부분을 공부한 후 ✓표를 하세요.

체험 학습으로 가고 싶은 장소

놀이공원	박물관	도자기공예관	생태학습관

월별 비가 오지 않은 날수

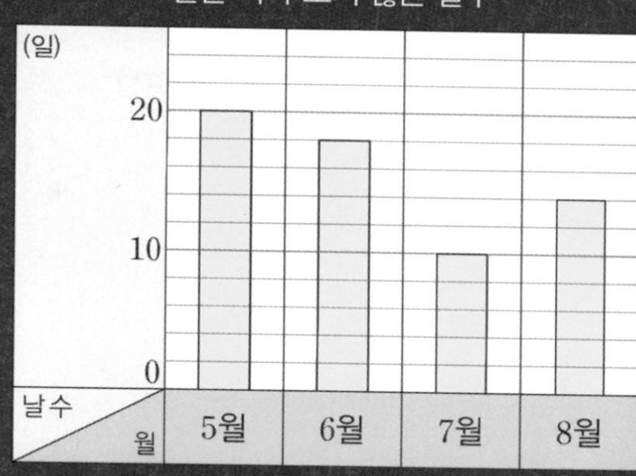

개념 1 막대그래프를 알아볼까요

• **표와 막대그래프 비교**
– 표: 전체 학생 수를 알아보기에 편리함.
– 막대그래프: 음식별로 많고 적음을 한눈에 알아보기 쉬움.

좋아하는 음식별 학생 수

음식	파스타	불고기	피자	짜장면	합계
학생 수(명)	5	7	11	3	26

좋아하는 음식별 학생 수

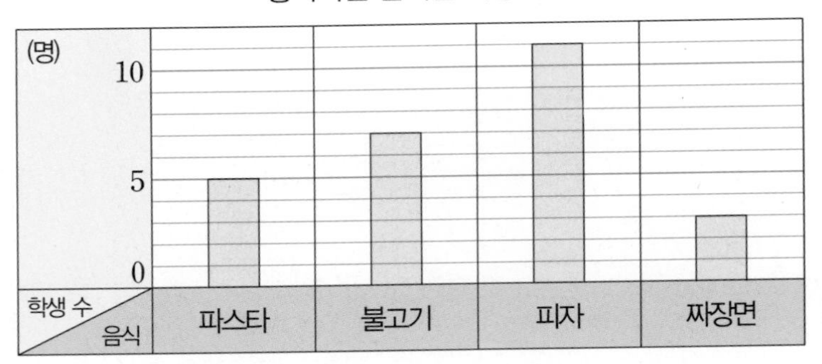

• 가로는 음식을, 세로는 학생 수를 나타냅니다.
• 세로 눈금 한 칸은 1명을 나타냅니다.
• 조사한 자료를 막대 모양으로 나타낸 그래프를 막대그래프라고 합니다.

개념 2 막대그래프에서 무엇을 알 수 있을까요

• **'강좌별 학생 수' 막대그래프를 통해 알 수 있는 내용**
– 학생 수가 컴퓨터보다 적고, 미술보다 많은 강좌는 줄넘기입니다.
– 컴퓨터 강좌와 배드민턴 강좌에 참여하는 학생 수가 6명으로 같습니다.

● 민지네 반에서 방과후학교 수업에 참여하는 학생 수를 강좌별로 조사한 막대그래프를 보고 내용을 알아봅시다.

강좌별 학생 수

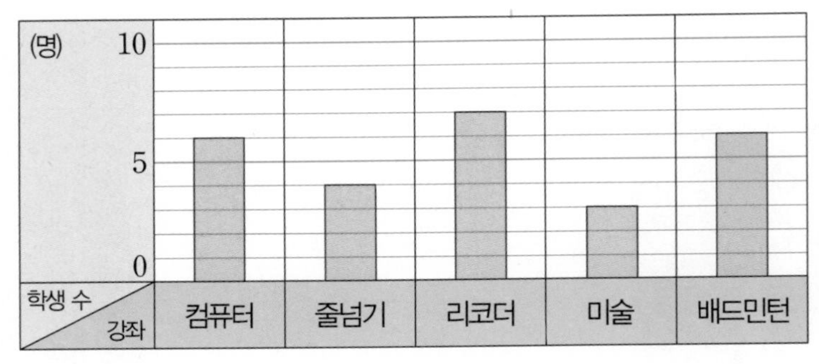

• 가로는 강좌를, 세로는 학생 수를 나타냅니다.
• 세로 눈금 한 칸은 1명을 나타냅니다.
• 학생들이 가장 많이 듣는 강좌는 리코더입니다.
• 학생들이 가장 적게 듣는 강좌는 미술입니다.

문제를 풀며 이해해요

정답과 해설 27쪽

1 한나네 반 학생들이 좋아하는 과일을 조사하여 나타낸 표와 그래프를 보고, 물음에 답하세요.

좋아하는 과일별 학생 수

과일	사과	귤	포도	수박	복숭아	합계
학생 수 (명)	3	2	5	6	4	20

좋아하는 과일별 학생 수

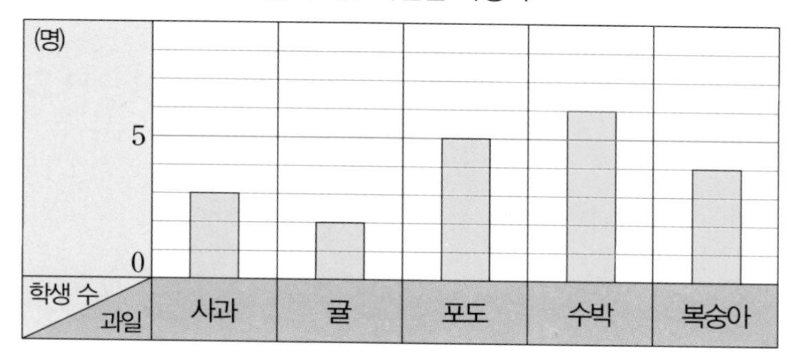

(1) 조사한 자료를 막대 모양으로 나타낸 그래프를 무엇이라고 할까요?

( )

(2) 세로 눈금 한 칸은 몇 명을 나타낼까요?

( )

(3) 가장 많은 학생들이 좋아하는 과일은 무엇일까요?

( )

(4) 표와 막대그래프 중 전체 학생 수를 알아보기 편리한 것은 무엇일까요?

( )

(5) 표와 막대그래프 중 학생들이 가장 좋아하는 과일을 한눈에 알아보기 편리한 것은 무엇일까요?

( )

표와 막대그래프를 보고 내용을 알 수 있는지 묻는 문제예요.

세로 눈금 5칸이 5명을 나타낼 때 세로 눈금 한 칸은 몇 명을 나타내는지 생각해 보아요.

막대그래프에서 막대의 길이가 가장 긴 것을 찾아보아요.

교과서 내용 학습

[01~04] 희진이네 반 학생들이 좋아하는 색깔을 조사하여 나타낸 막대그래프입니다. 물음에 답하세요.

좋아하는 색깔별 학생 수

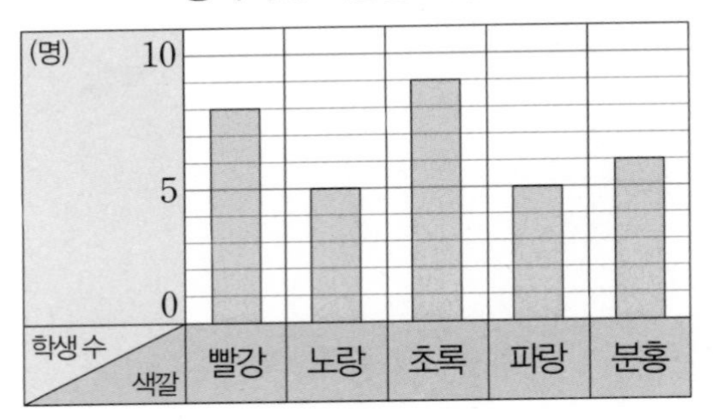

01 가로와 세로는 각각 무엇을 나타낼까요?

가로 (　　　　　　　　)
세로 (　　　　　　　　)

02 막대의 길이는 무엇을 나타낼까요?

(　　　　　　　　)

중요

03 세로 눈금 한 칸은 몇 명을 나타낼까요?

(　　　　　　　　)

04 가장 많은 학생들이 좋아하는 색깔의 학생 수는 세 번째로 많은 학생들이 좋아하는 색깔의 학생 수보다 몇 명 더 많을까요?

(　　　　　　　　)

[05~07] 4학년 미술 대회에 참가한 반별 학생 수를 조사하여 나타낸 막대그래프입니다. 물음에 답하세요.

미술 대회에 참가한 반별 학생 수

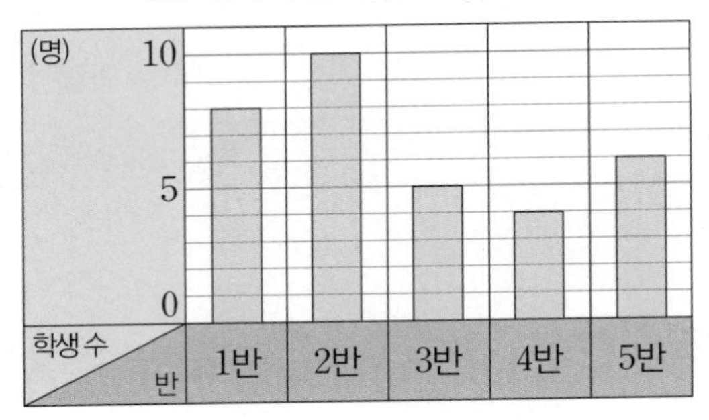

05 미술 대회에 참가한 학생 수가 많은 반부터 차례로 써 보세요.

(　　　　　　　　)

중요

06 미술 대회에 참가한 학생은 모두 몇 명일까요?

(　　　　　　　　)

07 미술 대회에 참가한 학생 수가 1반보다 적고, 3반보다 많은 반은 몇 반일까요?

(　　　　　　　　)

[08~10] 한초네 반과 병은이네 반 학생들이 집에서 기르는 반려동물을 조사하여 나타낸 막대그래프입니다. 물음에 답하세요.

한초네 반 학생들이 기르는 반려동물별 학생 수

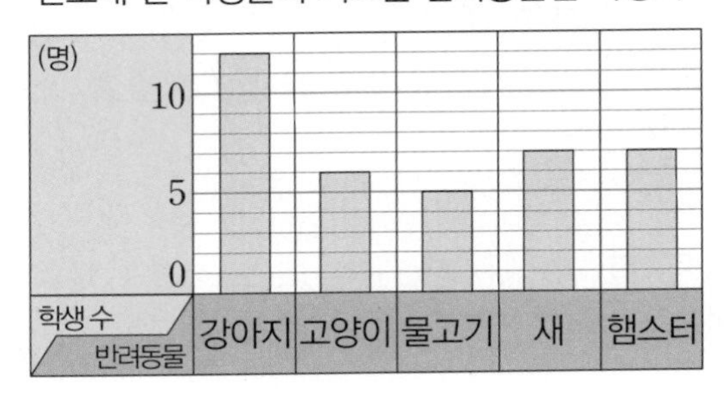

정답과 해설 27쪽

병은이네 반 학생들이 기르는 반려동물별 학생 수

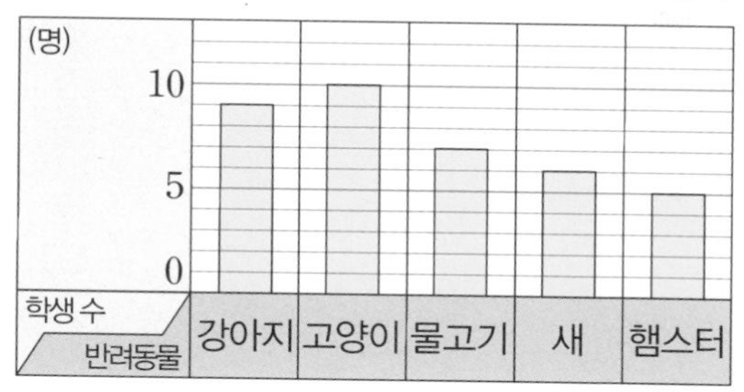

08 두 막대그래프에 대한 학생들의 대화입니다. 옳게 말한 학생의 이름을 모두 써 보세요.

민수: 한초네 반 학생들은 강아지를 가장 많이 기르네.

서윤: 한초네 반에서 두 번째로 적게 기르는 반려동물과 병은이네 반에서 가장 많이 기르는 반려동물이 같아.

지민: 병은이네 반에서 가장 적게 기르는 반려동물은 물고기야.

(　　　　　　　　　　)

09 한초네 반과 병은이네 반 학생 수는 각각 몇 명인지 차례로 써 보세요.

(　　　　　　), (　　　　　　)

어려운 문제

10 한초네 반에서 가장 많은 학생들이 기르는 반려동물의 학생 수는 병은이네 반에서 가장 적은 학생들이 기르는 반려동물의 학생 수보다 몇 명 더 많을까요?

(　　　　　　　　　　)

도움말 한초네 반에서 막대의 길이가 가장 긴 동물과 병은이네 반에서 막대의 길이가 가장 짧은 동물을 찾아봅니다.

문제해결 접근하기

11 어느 미술관의 월별 관람객 수를 조사하여 나타낸 막대그래프입니다. 전체 관람객 수가 500명이고, 5월의 관람객 수가 3월의 관람객 수의 2배입니다. 관람객이 가장 많은 달과 가장 적은 달의 관람객 수의 차를 구해 보세요.

월별 미술관 관람객 수

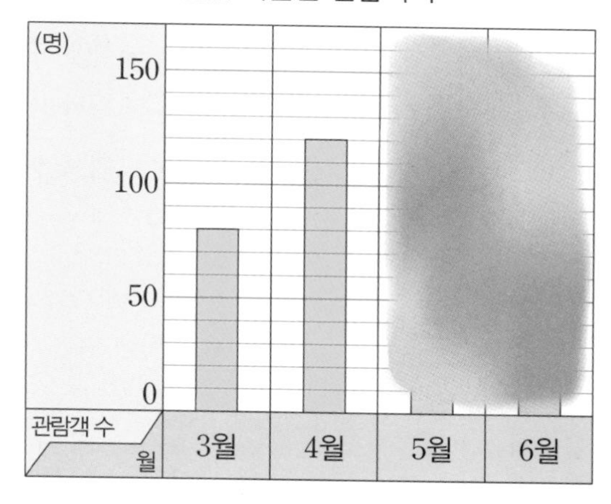

이해하기

막대그래프를 보고 알 수 있는 것을 이야기해 보세요.

답 ______________________

계획 세우기

어떤 방법으로 문제를 해결하면 좋을까요?

답 ______________________

해결하기

생각한 방법으로 문제를 해결해 보세요.

답 ______________________

되돌아보기

관람객이 가장 많은 달과 두 번째로 많은 달의 관람객 수의 차를 알아보세요.

답 ______________________

개념 확인 학습

개념 3 막대그래프로 나타내어 볼까요

• 막대그래프로 나타낼 때 눈금 한 칸의 크기에 따라 막대의 길이가 달라집니다.

좋아하는 동물별 학생 수

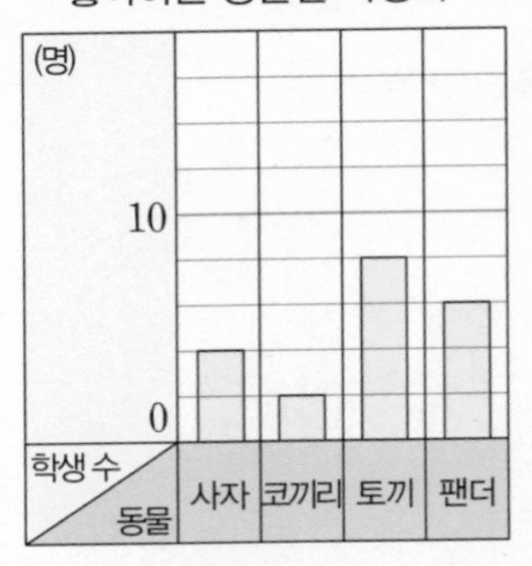

– 위 그래프는 세로 눈금 한 칸이 2명을 나타내고, 오른쪽 그래프는 세로 눈금 한 칸이 1명을 나타냅니다.
– 세로 눈금 한 칸이 2명인 그래프의 막대의 길이가 더 짧습니다.

막대그래프로 나타내는 방법

- 조사한 내용을 표로 정리합니다.
- 가로와 세로에 무엇을 나타낼 것인지 정합니다.
- 눈금 한 칸의 크기를 정합니다.
- 조사한 수량 중 가장 큰 수를 나타낼 수 있도록 눈금을 표시합니다.
- 조사한 것을 막대로 나타냅니다.
- 그래프에 알맞은 제목을 붙입니다. (제목은 처음이나 마지막에 씁니다.)

좋아하는 동물별 학생 수

동물	사자	코끼리	토끼	팬더	합계
학생 수 (명)	4	2	8	6	20

좋아하는 동물별 학생 수

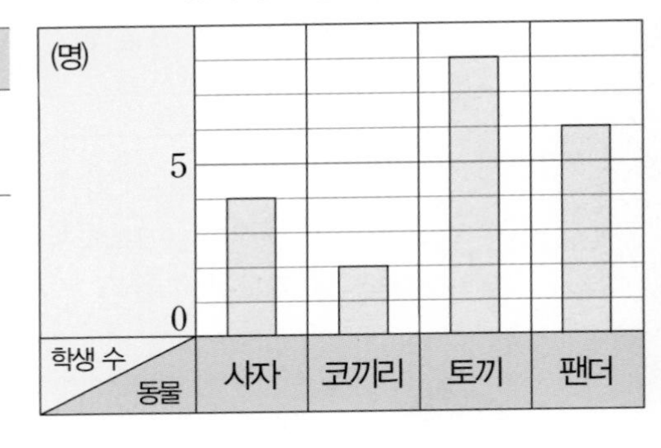

개념 4 자료를 조사하여 막대그래프로 나타내어 볼까요

• 막대그래프를 가로로 나타내는 방법
– 가로에 조사한 수량을 나타냅니다.
– 세로에 조사한 대상을 나타냅니다.

좋아하는 꽃별 학생 수

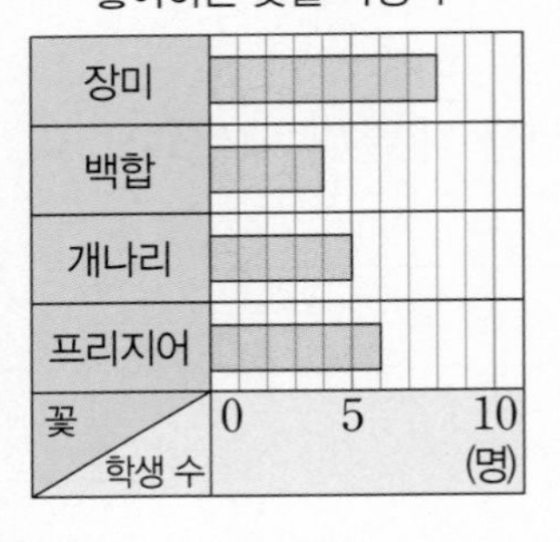

● 지은이네 반 학생들이 좋아하는 꽃을 조사하여 그 결과를 표와 막대그래프로 나타내어 봅시다.

좋아하는 꽃별 학생 수

장미	백합	개나리	프리지어
●●●●●●●●	●●●●	●●●●●	●●●●●●

좋아하는 꽃별 학생 수

꽃	장미	백합	개나리	프리지어	합계
학생 수 (명)	8	4	5	6	23

좋아하는 꽃별 학생 수

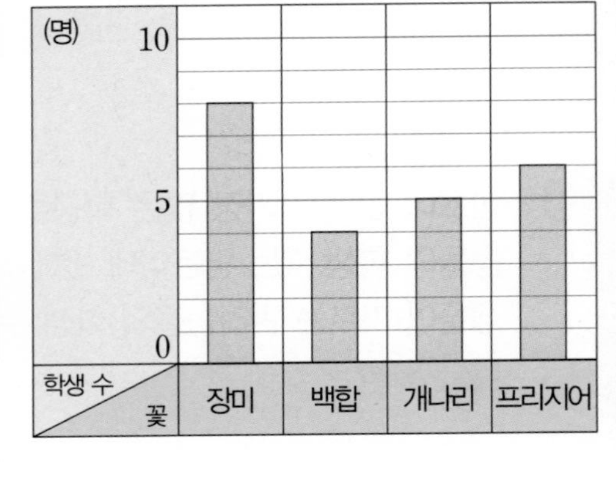

- 자료를 조사한 후에는 조사한 자료를 수집하여 분류합니다.
- 조사한 결과를 표와 그래프로 나타내면 보는 사람이 쉽게 알 수 있습니다.

문제를 풀여 이해해요

정답과 해설 28쪽

[1~2] 채은이네 모둠 학생들이 1주일 동안 읽은 책의 수를 조사하여 막대그래프로 나타내려고 합니다. 물음에 답하세요.

학생별 읽은 책의 수

이름	채은	다온	서진	이솔	합계
책의 수(권)	8	5	3	6	

> 표를 보고 막대그래프로 나타낼 수 있는지 묻는 문제예요.

1 □ 안에 알맞은 수나 말을 써넣으세요.

(1) 채은이네 모둠 학생들이 1주일 동안 읽은 책은 모두 □권입니다.

(2) 가로에 이름을 나타낸다면 세로에는 □를 나타냅니다.

(3) 세로 눈금 한 칸이 1권을 나타낸다면 이솔이가 읽은 책의 수는 □칸으로 나타내야 합니다.

(4) 1주일 동안 가장 많은 책을 읽은 학생은 □이입니다.

- 학생별로 읽은 책의 수를 모두 더해 보아요.
- 세로 눈금 한 칸이 1권을 나타내면 6권은 몇 칸으로 나타낼 수 있을지 생각해 보아요.

2 표를 보고 막대그래프로 나타내어 보세요.

□

(권) 10 / 5 / 0				
책의 수 / 이름				

- 표를 보고 읽은 책의 수를 막대로 나타낼 때 몇 칸으로 나타낼지 생각해 보아요.
- 그래프에 알맞은 제목을 붙여 보아요.

[01~03] 수진이네 반 학생들이 여름방학 때 가고 싶은 장소를 조사한 표입니다. 물음에 답하세요.

여름방학 때 가고 싶은 장소별 학생 수

장소	놀이공원	바다	박물관	계곡	수영장	합계
학생 수 (명)	6	8	2	3	7	26

01 표를 보고 막대그래프로 나타낼 때 막대그래프의 가로에 장소를 나타낸다면 세로에는 무엇을 나타내어야 할까요?

( )

⊂중요⊃

02 표를 보고 막대그래프로 나타내어 보세요.

여름방학 때 가고 싶은 장소별 학생 수

(명) 10, 5, 0

학생 수 / 장소 | 놀이공원 | 바다 | 박물관 | 계곡 | 수영장

03 가로에는 학생 수, 세로에는 장소가 나타나도록 막대가 가로인 막대그래프로 나타내어 보세요.

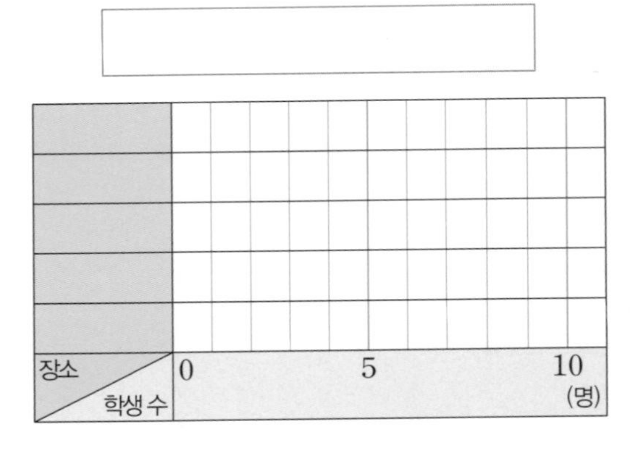

[04~07] 성윤이네 반 학생들이 좋아하는 간식을 조사하였습니다. 물음에 답하세요.

: 떡볶이, : 피자, : 치킨, : 햄버거

04 조사한 결과를 표로 정리해 보세요.

좋아하는 간식별 학생 수

간식	떡볶이	피자	치킨	햄버거	합계
학생 수 (명)					

05 표를 보고 막대그래프로 나타내어 보세요.

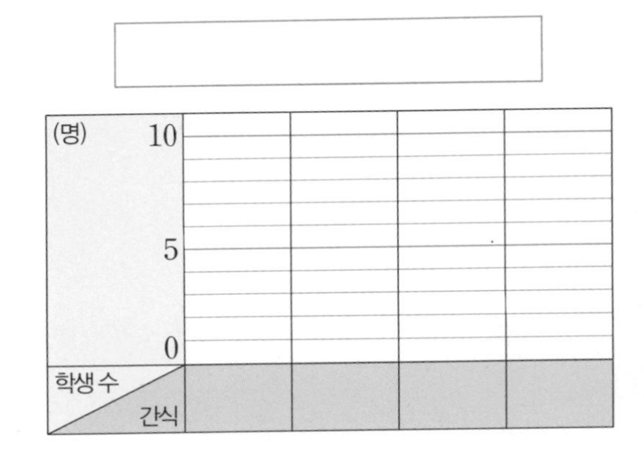

06 학생들이 가장 좋아하는 간식은 무엇일까요?

( )

⊂어려운 문제⊃

07 위 막대그래프를 세로 눈금 한 칸이 2명인 막대그래프로 다시 나타낸다면 떡볶이를 좋아하는 학생 수는 몇 칸으로 나타내어야 할까요?

( )

도움말 떡볶이를 좋아하는 학생 수를 알아봅니다.

[08~10] 다음은 어느 해의 동계 올림픽에서 나라별로 획득한 금메달 수를 나타낸 표입니다. 물음에 답하세요.

나라별 획득한 금메달 수

나라	대한민국	캐나다	이탈리아	일본	합계
금메달 수(개)	5	11		4	23

08 이탈리아가 획득한 금메달 수는 몇 개일까요?

( )

09 금메달 수가 적은 나라부터 위에서 차례로 나타나도록 막대가 가로인 막대그래프로 나타내어 보세요.

	0	5	10 (개)

10 금메달 수가 이탈리아보다 2개 더 많은 나라는 어디일까요?

( )

문제해결 접근하기

11 지나네 모둠 친구들이 모은 붙임 딱지 수를 조사하여 표로 나타내었습니다. 지나의 붙임 딱지 수는 혜원이의 붙임 딱지 수의 2배입니다. 빈칸에 알맞은 수를 써넣고, 막대그래프로 나타내어 보세요.

학생별 모은 붙임 딱지 수

이름	지나	혜원	희수	한나	합계
붙임 딱지 수(장)			6	7	25

이해하기

표에서 알 수 있는 것은 무엇인가요?

답

계획 세우기

어떤 방법으로 문제를 해결하면 좋을까요?

답

해결하기

위 표의 빈칸에 알맞은 수를 써넣고, 막대그래프로 나타내어 보세요.

학생별 모은 붙임 딱지 수

	0	5	10 (장)

되돌아보기

문제를 해결한 방법을 설명해 보세요.

답

개념 5 막대그래프로 이야기를 만들어 볼까요

• 이야기를 막대그래프로 나타내는 법
- 가로와 세로에 무엇을 나타낼지 정합니다.
- 눈금 한 칸의 크기를 정합니다.
- 조사한 것을 막대로 나타냅니다.
- 알맞은 제목을 씁니다.
  (제목을 처음에 쓸 수도 있습니다.)

이야기를 읽고 막대그래프를 완성해 볼까요?

수현이가 한 달 동안 운동을 하고 난 뒤 쓴 이야기입니다.

> 나는 한 달 동안 건강을 위해 열심히 운동을 했다. 줄넘기는 10번, 배드민턴은 8번, 달리기는 7번, 걷기는 5번 했다. 운동을 하니 더욱 건강해진 것 같다.

• 수현이의 이야기를 아래와 같이 막대그래프로 나타낼 수 있습니다.

한 달 동안 한 운동별 횟수

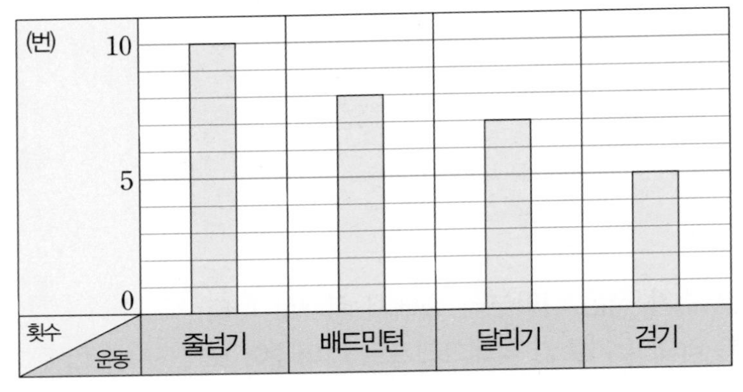

• 가로에는 운동을, 세로에는 횟수를 나타냈습니다.

• 세로 눈금 한 칸은 1번을 나타냅니다.

• 막대그래프의 세로 눈금은 10까지 나타낼 수 있어야 합니다.

• 이야기를 막대그래프로 나타내면 가장 많이 한 운동과 가장 적게 한 운동 등을 쉽게 알 수 있습니다.

수현이의 이야기를 나타낸 막대그래프를 보고 알 수 있는 것은 무엇일까요?

• 수현이가 한 달 동안 가장 많이 한 운동은 줄넘기입니다.

• 수현이가 한 달 동안 가장 적게 한 운동은 걷기입니다.

• 수현이는 걷기의 2배만큼 줄넘기를 했습니다.

• 걷기보다 많이 하고, 줄넘기보다 적게 한 운동은 배드민턴과 달리기입니다.

문제를 풀며 이해해요

정답과 해설 29쪽

[1~2] 로희가 모둠 친구들과 50 m 달리기를 하고 난 뒤 쓴 이야기입니다. 물음에 답하세요.

> 우리 모둠에는 나와 호준, 예주, 지호가 있습니다. 나는 모둠 친구들과 50 m 달리기를 했습니다. 나는 10초, 호준이는 9초, 예주는 11초가 걸렸습니다. 지호는 호준이와 같은 기록이 나왔습니다.

이야기를 읽고, 막대그래프의 빠진 부분을 완성할 수 있는지 묻는 문제예요.

1 이야기를 읽고 막대그래프를 완성해 보세요.

- 학생별로 기록을 살펴보아요.
- 막대그래프의 가로, 세로에 들어갈 내용들을 생각해 보아요.
- 막대의 칸 수를 보고, 각 막대에 해당하는 학생을 생각해 보아요.

50 m 달리기 기록

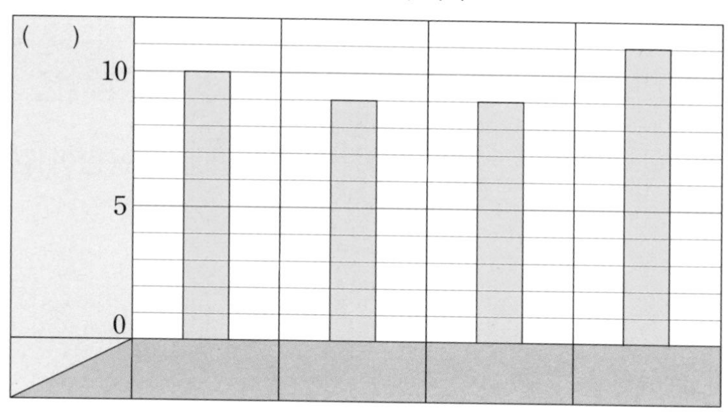

2 위 막대그래프를 통해 알 수 있는 사실로 맞으면 ○표, 틀리면 ×표 하세요.

- 막대의 길이가 가장 긴 학생과 가장 짧은 학생을 찾아보아요.

(1) 달리기가 가장 느린 학생은 예주입니다. (　　)

(2) 달리기가 가장 빠른 학생은 로희입니다. (　　)

교과서 내용 학습

[01~04] 이야기를 읽고 물음에 답하세요.

> 희경이네 모둠에서는 세계 물의 날을 맞아 실생활에서 물 절약을 실천하기로 했습니다. 샤워 시간을 1분 줄이면 물 12 L가 절약된다는 기사를 보고, 하루에 1분씩 샤워 시간을 절약하기로 했습니다. 1주일 동안 희경이는 6번, 지희는 7번, 송아는 5번, 대봉이는 4번 실천했습니다.

01 가로에 학생들의 이름을 나타낸다면 세로에는 무엇을 나타내어야 할까요?

( )

02 중요 막대그래프를 완성해 보세요.

1주일 동안 샤워 시간 절약 횟수

(번) 10, 5, 0

횟수 / 이름	희경		송아	

03 샤워 시간 절약을 가장 많이 실천한 학생은 누구일까요?

( )

04 샤워 시간 절약을 가장 많이 실천한 학생이 1주일 동안 샤워 시간 절약을 통해 아낀 물의 양은 모두 몇 L일까요?

( )

[05~07] 1인당 하루 평균 물 사용량을 연도별로 조사하여 나타낸 막대그래프입니다. 물음에 답하세요.

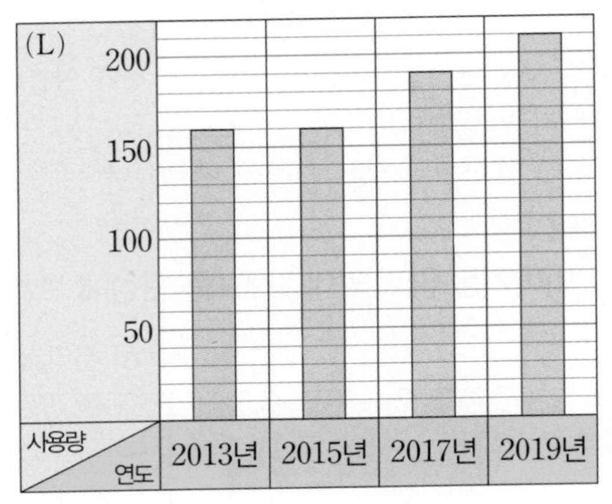

05 1인당 하루 평균 물 사용량이 같은 해는 언제일까요?

( ), ( )

06 1인당 하루 평균 물 사용량이 가장 많은 해는 가장 적은 해보다 물을 몇 L 더 사용했을까요?

( )

07 중요 위 막대그래프를 보고 바르게 말한 학생의 이름을 모두 써 보세요.

선아: 2019년에는 2017년보다 1인당 하루 평균 20 L의 물을 더 사용했어.

한나: 2015년의 1인당 하루 평균 물 사용량은 160 L야.

철민: 해가 갈수록 사람들이 물 절약을 실천하고 있어.

( )

정답과 해설 29쪽

[08~10] 세계 주요 도시별 1인당 하루 평균 물 사용량과 물 사용 금액을 나타낸 막대그래프입니다. 물음에 답하세요.

도시별 1인당 하루 평균 물 사용량

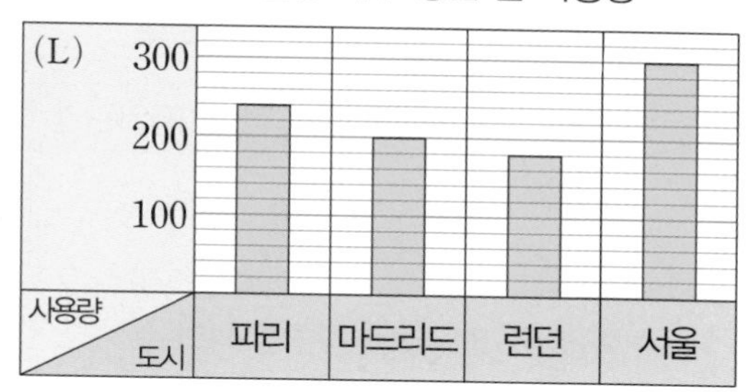

도시별 1인당 하루 평균 물 사용 금액

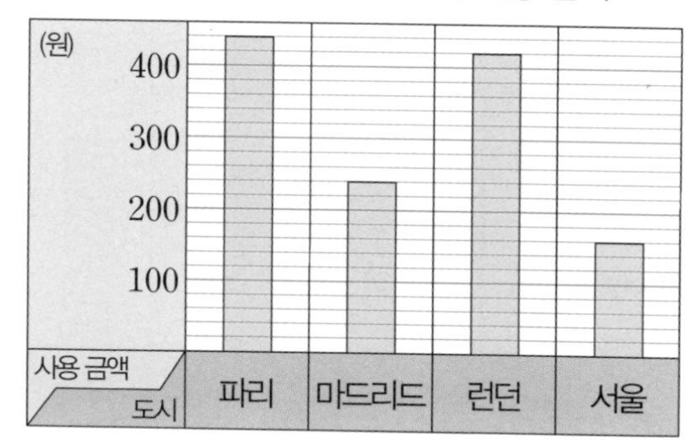

08 1인당 하루 평균 물 사용량이 가장 많은 도시와 가장 적은 도시를 각각 써 보세요.

가장 많은 도시 (　　　　　　　　)
가장 적은 도시 (　　　　　　　　)

09 마드리드의 1인당 하루 평균 물 사용 금액은 얼마일까요?

(　　　　　　　　)

10 ⊂어려운 문제⊃
위 막대그래프를 보고 도시별로 같은 양을 사용했을 때 물 사용 금액이 가장 적은 도시는 어디인지 구해 보세요.

(　　　　　　　　)

도움말 하루 평균 물 사용량과 물 사용 금액을 서로 비교해 봅니다.

문제해결 접근하기

11 혜경이는 4학년 학생들 중 안경을 쓴 학생 수를 반별로 조사하여 수수께끼를 다음과 같이 만들었습니다. 수수께끼를 읽고 막대그래프로 나타내어 보세요.

1. 4학년 학생들 중 안경을 쓴 학생은 모두 50명이다.
2. 1반의 안경을 쓴 학생 수는 2반보다 4명 적다.
3. 3반의 안경을 쓴 학생 수는 2반보다 2명 많고, 4반보다 2명 적다.
4. 4반의 안경을 쓴 학생은 16명이다.

이해하기
구하려고 하는 것은 무엇인가요?

답 ______________________

계획 세우기
어떤 방법으로 문제를 해결하면 좋을까요?

답 ______________________

____

해결하기
막대그래프로 나타내어 보세요.

반별 안경을 쓴 학생 수

(명) 20, 10, 0
학생 수 / 반

되돌아보기
문제를 해결한 방법을 설명해 보세요.

____

____

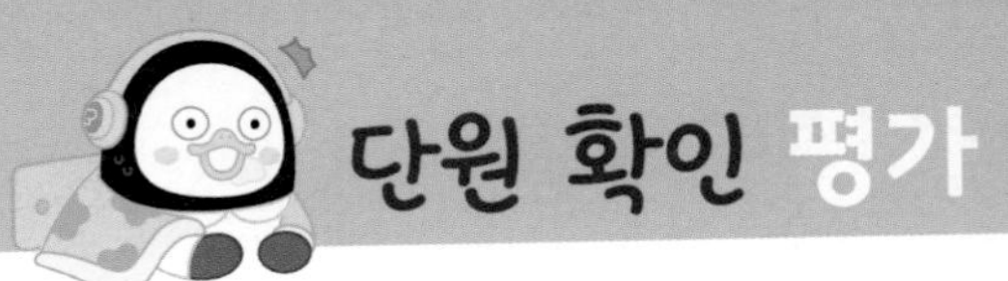

단원 확인 평가

[01~03] 유하네 반 학생들이 좋아하는 운동을 조사하여 나타낸 표와 막대그래프입니다. 물음에 답하세요.

좋아하는 운동별 학생 수

운동	축구	피구	줄넘기	배드민턴	합계
학생 수 (명)	5	10	6	7	

좋아하는 운동별 학생 수

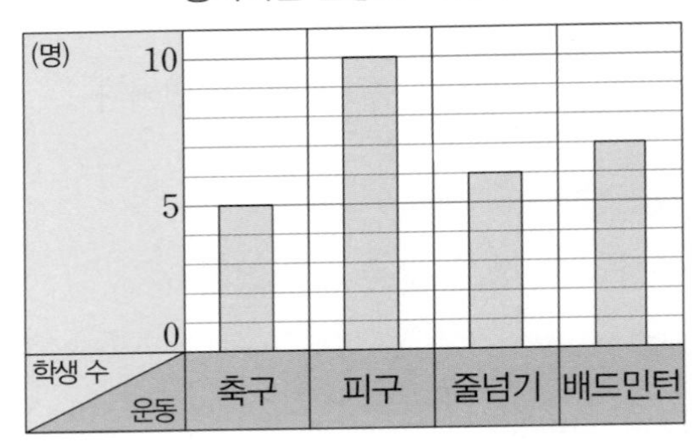

중요

01 유하네 반 학생들은 모두 몇 명일까요?

( )

02 피구를 좋아하는 학생 수는 축구를 좋아하는 학생 수의 몇 배일까요?

( )

03 표와 막대그래프 중 어떤 운동을 가장 많이 좋아하는지 알아보기 쉬운 것은 무엇일까요?

( )

[04~06] 진욱이네 학급 문고에 있는 종류별 책의 수를 조사하여 나타낸 표와 막대그래프입니다. 물음에 답하세요.

학급 문고에 있는 종류별 책의 수

종류	동화책	위인전	동시집	자연관찰	합계
책의 수 (권)		20	10		

학급 문고에 있는 종류별 책의 수

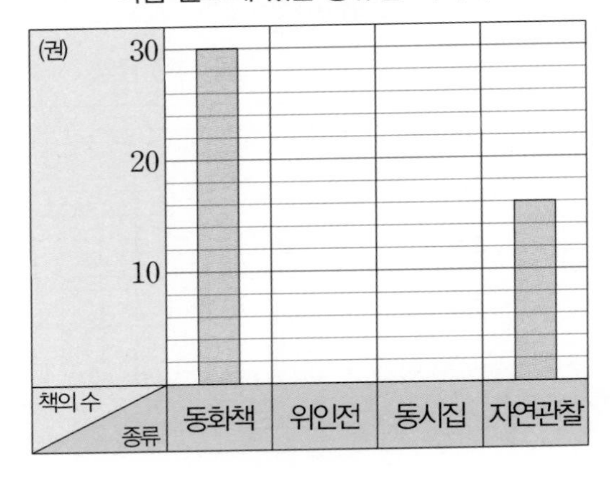

04 표와 막대그래프를 완성해 보세요.

05 위인전은 자연관찰 책보다 몇 권 더 많을까요?

( )

06 진욱이네 학급 문고에는 어떤 종류의 책을 더 보충하면 좋을까요?

( )

[07~09] 나현이네 반 남학생들과 여학생들이 생일 선물로 받고 싶은 것을 조사하여 나타낸 막대그래프입니다. 물음에 답하세요.

받고 싶은 선물별 남학생 수

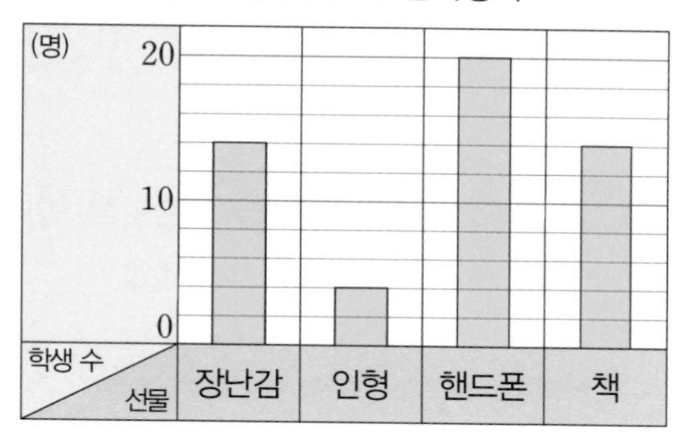

받고 싶은 선물별 여학생 수

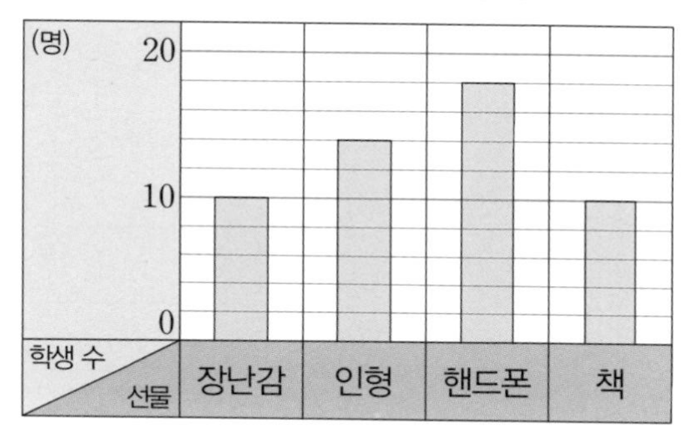

07 남학생과 여학생 모두 생일 선물로 가장 많이 받고 싶은 것은 무엇일까요?

( )

08 생일 선물로 핸드폰을 받고 싶은 남학생 수와 여학생 수의 차를 구해 보세요.

( )

09 여학생이 두 번째로 많이 받고 싶은 생일 선물을 남학생은 몇 명이 받고 싶어할까요?

( )

[10~11] 어제 햇님 가게와 달님 가게의 아이스크림 종류별 판매량을 나타낸 막대그래프입니다. 물음에 답하세요.

햇님 가게의 아이스크림 종류별 판매량

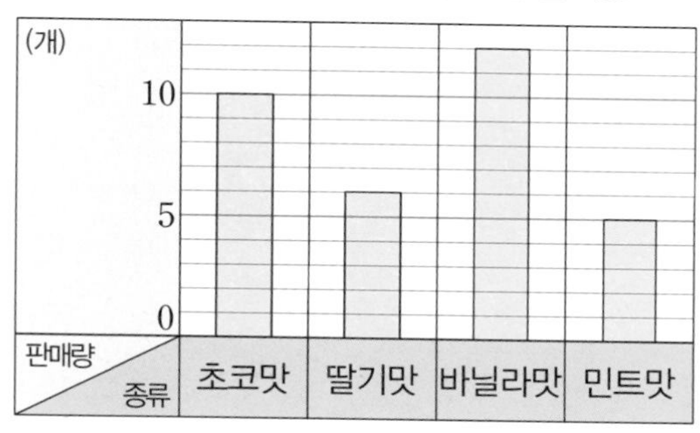

달님 가게의 아이스크림 종류별 판매량

(개)
20
10
0
판매량
종류
초코맛 딸기맛 바닐라맛 민트맛

10 각각의 막대그래프에서 세로 눈금 한 칸은 몇 개를 나타낼까요?

햇님 가게 ( )

달님 가게 ( )

⊂서술형⊃

11 햇님 가게와 달님 가게에서 어제 판매한 아이스크림 수의 차는 몇 개인지 풀이 과정을 쓰고 답을 구해 보세요.

풀이

(1) 햇님 가게에서 어제 판매한 아이스크림은 모두 ( )개입니다.

(2) 달님 가게에서 어제 판매한 아이스크림은 모두 ( )개입니다.

(3) 따라서 햇님 가게와 달님 가게에서 어제 판매한 아이스크림 수의 차는 ( )−( )=( )(개)입니다.

답 ______

[12~13] 지희네 반 학생들의 장래 희망을 조사하여 나타낸 것입니다. 물음에 답하세요.

지희네 반 학생들의 장래 희망

과학자	디자이너	크리에이터	디자이너	선생님
디자이너	선생님	디자이너	선생님	크리에이터
크리에이터	디자이너	선생님	과학자	디자이너
선생님	크리에이터	선생님	선생님	크리에이터

12 표를 완성해 보세요.

지희네 반 학생들의 장래 희망

장래 희망	선생님	과학자	크리에이터	디자이너	합계
학생 수 (명)					

중요

13 위 표를 보고 막대그래프로 나타내어 보세요.

지희네 반 학생들의 장래 희망

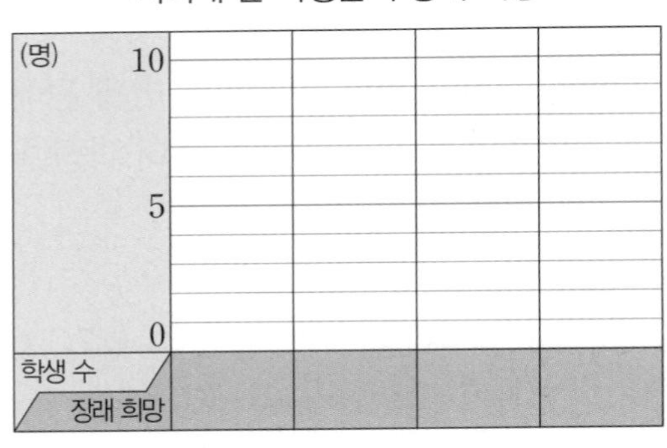

[14~16] 다음은 어느 해의 월별 비가 오지 않은 날을 조사하여 나타낸 표입니다. 물음에 답하세요.

월별 비가 오지 않은 날수

월	5월	6월	7월	8월	합계
날수 (일)	20	18	10	14	62

14 가로에는 날수, 세로에는 월이 오도록 막대가 가로인 막대그래프로 나타내어 보세요.

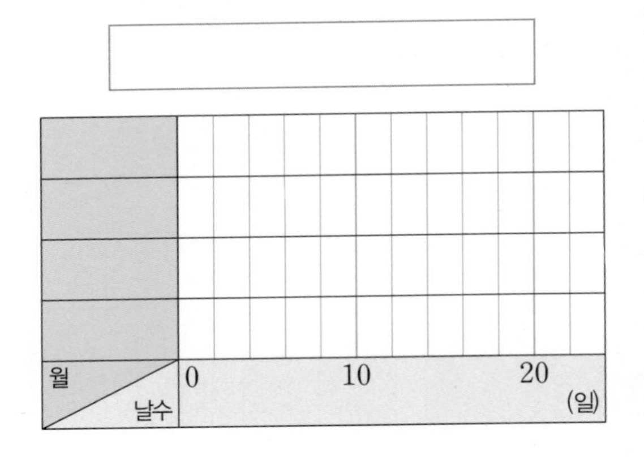

15 위 막대그래프를 가로 눈금 한 칸이 1일인 막대그래프로 다시 나타낸다면 8월은 몇 칸으로 나타내어야 할까요?

(   )

16 비가 오지 않는 날에 캠핑을 가려고 합니다. 몇 월에 가는 것이 좋을까요?

(   )

[17~18] 다음 이야기를 막대그래프로 나타내려고 합니다. 물음에 답하세요.

> 보영이네 반 친구들은 재활용을 위해 한 달 동안 우유갑을 모았습니다. 1모둠은 16 kg, 2모둠은 14 kg, 3모둠은 18 kg, 4모둠은 20 kg, 5모둠은 22 kg을 모았습니다. 보영이는 친구들과 함께 열심히 모은 우유갑이 재활용될 생각을 하니 뿌듯했습니다.

⊂어려운 문제⊃

17 세로 눈금 한 칸이 2kg을 나타낼 때 세로 눈금은 적어도 몇 칸을 그려야 할까요?

( )

18 막대그래프를 완성해 보세요.

모둠별로 모은 우유갑의 무게

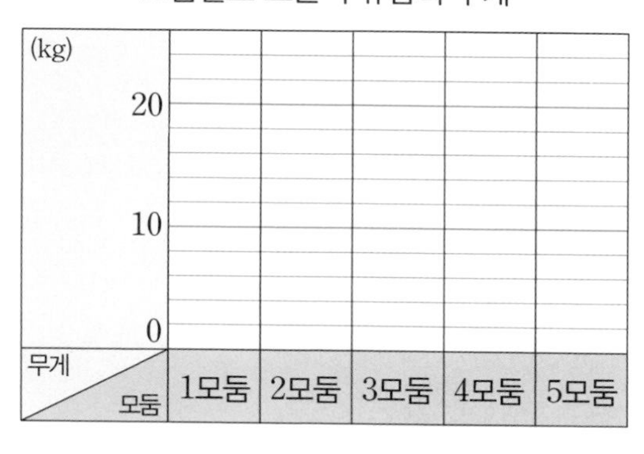

[19~20] 다음은 어느 해의 연령별 스마트폰 주당 사용 시간을 나타낸 막대그래프입니다. 물음에 답하세요.

연령별 스마트폰 주당 사용 시간

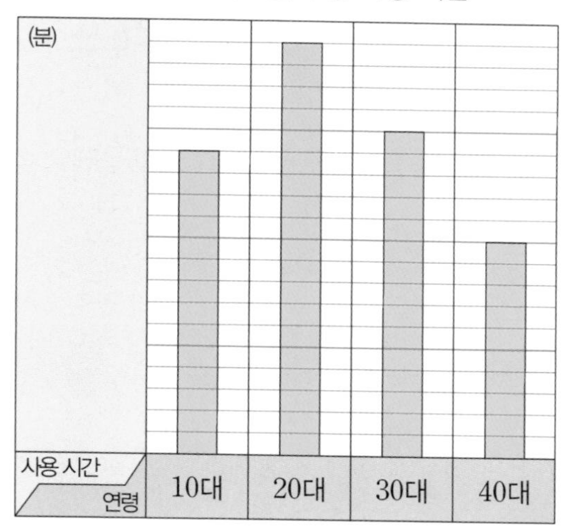

19 위 막대그래프에서 주당 스마트폰을 가장 많이 사용하는 연령과 가장 적게 사용하는 연령을 각각 써 보세요.

가장 많이 사용하는 연령 ( )

가장 적게 사용하는 연령 ( )

⊂서술형⊃

20 30대의 스마트폰 주당 사용 시간이 150분이라면 10대의 스마트폰 주당 사용 시간은 몇 분인지 풀이 과정을 쓰고 답을 구해 보세요.

풀이

(1) 30대의 스마트폰 주당 사용 시간인 ( )분이 세로 눈금 ( )칸이므로 세로 눈금 한 칸은 ( )분을 나타냅니다.

(2) 따라서 10대의 스마트폰 주당 사용 시간은 ( )칸이므로 ( )분입니다.

답 ____________

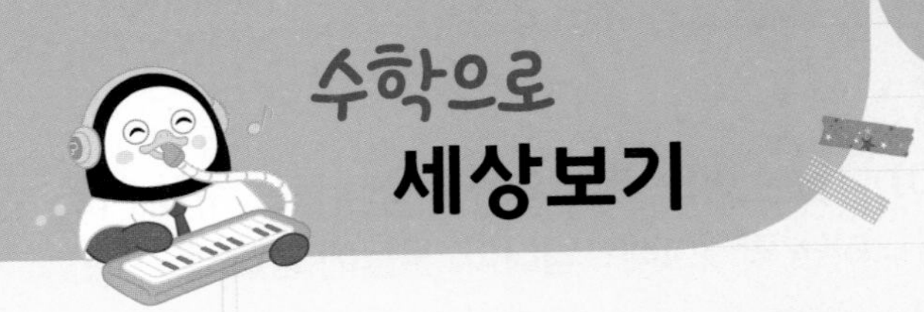

생활 속 막대그래프

채은이는 사회 시간에 지역 문제와 주민 참여에 대해 배웠습니다. 채은이가 조사한 지역 문제에 관한 이야기를 살펴봅시다.

1 이야기 속 막대그래프

오늘 사회 시간에 지역 문제와 주민 참여에 대해 배웠다. 지역 주민으로서 우리 지역 문제가 무엇인지 생각해보다 학교 앞 스쿨존을 보니 얼마 전 뉴스에서 어린이 교통 사고에 대해 다룬 것이 떠올랐다. 그래서 스쿨존 내 교통 사고 관련 자료를 찾아보았다.

연도별 스쿨존 내 교통 사고 건수

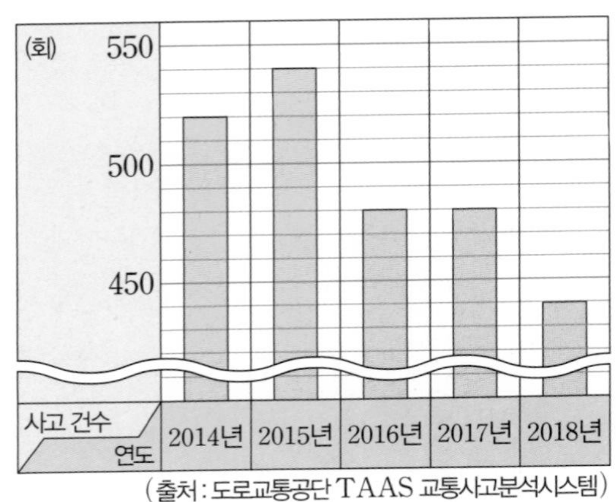

(출처: 도로교통공단 TAAS 교통사고분석시스템)

시간별 스쿨존 내 교통 사고 건수

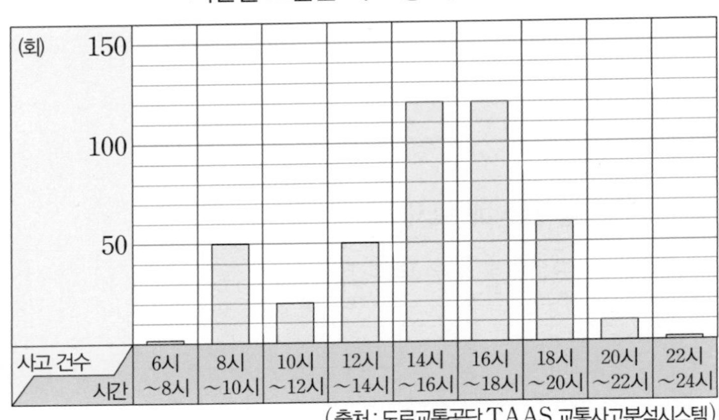

(출처: 도로교통공단 TAAS 교통사고분석시스템)

내가 찾은 막대그래프를 보니 5년간 스쿨존 내 어린이 교통 사고 건수가 조금씩 줄어들고 있지만 여전히 연간 400건이 넘었다. 또한 하교 시간에 교통 사고가 집중된다는 것을 알 수 있었다.

스쿨존 내 교통 사고를 줄일 수 있는 방법을 인터넷에서 조사해 본 결과 옐로 카펫 설치, 보행자 전용 길 설치, 불법 주정차 차량 단속 등이 있다는 것을 알게 되었다.

나도 지역 주민으로서 지역 문제 해결에 적극 참여하기 위해 무엇을 할까 곰곰이 생각해 보다 시청 누리집에 글을 남겼다. 우리 학교 주변의 불법 주정차 단속과 옐로 카펫 설치를 요구하는 글이다. 내 의견이 받아들여져서 우리 학교 주변이 더욱 안전한 장소가 되면 좋겠다.

2 생활 속에서 막대그래프 찾아보기

우리는 신문, 광고지, 인터넷, 뉴스 등 주변에서 막대그래프를 흔히 찾아볼 수 있습니다. 여러분 주변에서 막대그래프를 찾아보세요.

내가 찾은 막대그래프
여기에 붙여 보세요.

3 막대그래프를 통해 알 수 있는 사실 찾아보기

여러분이 찾은 막대그래프를 통해 알게 된 사실은 무엇인가요? 아래 빈칸에 정리하여 보세요.

6 단원

규칙 찾기

수진이가 친구 집을 찾아가고 있습니다. 햇님 아파트 동이 규칙에 따라 배치되어 있습니다. 어떤 규칙에 따라 배치되어 있을까요? 수진이가 찾고 있는 108동은 어디에 있을까요?

이번 6단원에서는 수와 도형의 배열에서 규칙을 찾아보고, 계산식에서도 규칙을 찾아볼 거예요.

단원 학습 목표

1. 수 배열표나 실생활에서 변화하는 수의 규칙을 찾을 수 있습니다.
2. 계산 도구를 이용하여 수의 규칙을 찾고 설명할 수 있습니다.
3. 도형이나 실생활에서 변화하는 모양의 규칙을 찾을 수 있습니다.
4. 계산식 배열에서 규칙을 찾을 수 있습니다.
5. 계산 도구를 이용하여 계산식의 배열에서 규칙을 추측하고 찾을 수 있습니다.
6. 계산 도구를 이용하여 규칙적인 계산식을 만들고 설명할 수 있습니다.

단원 진도 체크

회차	구성		진도 체크
1차	개념 1 수의 배열에서 규칙을 찾아볼까요 개념 2 수의 배열에는 어떤 규칙이 있을까요	개념 확인 학습 + 문제 / 교과서 문제 학습	✓
2차	개념 3 도형의 배열에서 규칙을 찾아볼까요	개념 확인 학습 + 문제 / 교과서 문제 학습	✓
3차	개념 4 덧셈식과 뺄셈식에서 규칙을 찾아볼까요 개념 5 곱셈식과 나눗셈식에서 규칙을 찾아볼까요	개념 확인 학습 + 문제 / 교과서 문제 학습	✓
4차	개념 6 규칙적인 계산식을 찾아볼까요	개념 확인 학습 + 문제 / 교과서 문제 학습	✓
5차	단원 확인 평가		✓
6차	수학으로 세상보기		✓

해당 부분을 공부한 후 ✓표를 하세요.

107
105
103
01
104
102
햇님 아파트
108동
306호
햇님 아파트

개념 1 수의 배열에서 규칙을 찾아볼까요

- 다양한 방법으로 규칙 표현하기
  - 가로는 오른쪽으로 1씩 커집니다.
  - 501부터 오른쪽으로 1씩 커집니다.
  - 504부터 왼쪽으로 1씩 작아집니다.

수의 배열에서 규칙 찾기

501	502	503	504
511	512	513	514
521	522	523	524
531	532	533	534

- 501부터 오른쪽으로 1씩 커집니다.
- 502부터 아래쪽으로 10씩 커집니다.
- 501부터 ↘ 방향으로 11씩 커집니다.
- 531부터 ↗ 방향으로 9씩 작아집니다.
- 어디에서부터 시작하는지 기준을 두면 지정된 선을 따라 보다 구체적인 상황에서 규칙을 찾을 수 있습니다.

개념 2 수의 배열에는 어떤 규칙이 있을까요

- 세로에서 찾을 수 있는 규칙
  - 6부터 시작하는 세로는 6, 2, 8, 4, 0이 반복됩니다.
  - 8부터 시작하는 세로는 8, 6, 4, 2, 0이 반복됩니다.
  - 9부터 시작하는 세로는 1씩 작아집니다.

수 배열표에서 규칙 찾기

	201	202	203	204	205	206	207	208	209
11	1	2	3	4	5	6	7	8	9
12	2	4	6	8	0	2	4	6	8
13	3	6	9	2	5	8	1	4	7
14	4	8	2	6	0	4	8	2	6
15	5	0	5	0	5	0	5	0	5
16	6	2	8	4	0	6	2	8	4
17	7	4	1	8	5	2	9	6	3

- 두 수의 곱셈의 결과에서 일의 자리 숫자를 쓰는 규칙이 있습니다.
- 1부터 시작하는 가로는 1씩 커집니다.
- 2부터 시작하는 가로는 2, 4, 6, 8, 0이 반복됩니다.
- 4부터 시작하는 가로는 4, 8, 2, 6, 0이 반복됩니다.
- 5부터 시작하는 가로는 5, 0이 반복됩니다.

정답과 해설 32쪽

1 수의 배열에서 규칙을 찾아보세요.

2201	2202	2203	2204
2301	2302	2303	2304
2401	2402	2403	2404
2501	2502	2503	2504

(1) 2201부터 오른쪽으로 ☐ 씩 커집니다.

(2) 2202부터 아래쪽으로 ☐ 씩 커집니다.

(3) 2501부터 ↗ 방향으로 ☐ 씩 (커집니다 , 작아집니다).

(4) 2201부터 ↘ 방향으로 ☐ 씩 (커집니다 , 작아집니다).

수의 배열에서 규칙을 찾을 수 있는지 묻는 문제예요.

기준을 중심으로 해당하는 방향으로 수가 어떻게 변화하는지 찾아보아요.

2 수의 배열에서 규칙을 찾아 빈칸에 알맞은 수를 써넣으세요.

530	540	550		570

수의 크기가 커지면 덧셈, 곱셈을 활용하고, 수의 크기가 작아지면 뺄셈, 나눗셈을 활용해 보아요.

교과서 내용 학습

[01~03] 수 배열표를 보고 물음에 답하세요.

5001	5012	5023	5034	5045
6001	6012	6023	6034	6045
7001	7012	7023	7034	7045
8001	8012	8023	8034	8045
9001	9012	9023	9034	♥

01 □로 표시된 칸의 규칙을 바르게 말한 학생의 이름을 써 보세요.

지민: 5045부터 왼쪽으로 10씩 작아지고 있어.
채이: 5001부터 오른쪽으로 11씩 커지고 있어.

( )

02 색칠된 칸의 규칙에 대한 설명입니다. □ 안에 알맞은 수를 써넣으세요.

9001부터 ↗ 방향으로 □씩 작아집니다.

03 수 배열의 규칙에 따라 ♥에 알맞은 수를 구해 보세요.

( )

04 규칙적인 수의 배열에서 빈칸에 알맞은 수를 써넣으세요.

1505	1605		1805	1905

중요

05 극장 좌석표에서 수지의 좌석은 ■라고 합니다. 수지의 좌석 번호를 써 보세요.

극장 좌석표

A2	A3	A4	A5	A6
B2	B3	B4	B5	B6
C2	C3	■	C5	C6
D2	D3	D4	D5	D6
E2	E3	E4	E5	E6

( )

[06~07] 수 배열표를 보고 물음에 답하세요.

10010	10110	10210	10310
30010	30110	30210	30310
50010	●	50210	50310
70010	70110	70210	70310

중요

06 조건을 만족하는 규칙적인 수의 배열을 찾아 색칠해 보세요.

조건
- 가장 큰 수는 70310입니다.
- ↑ 방향으로 다음 수는 앞의 수보다 20000씩 작아집니다.

07 수 배열의 규칙에 따라 ●에 알맞은 수를 구해 보세요.

( )

[08~09] 수 배열표를 보고 물음에 답하세요.

	301	302	303	304	305
13	3	6	9	2	5
14	4	8	★	6	0
15	5	▲	5	0	5
16	6	2	8	4	0

⊂어려운 문제⊃

08 수 배열표에서 규칙을 찾아보세요.

규칙 ______________________

____

도움말 두 수의 곱을 먼저 구해 보고, 수 배열표의 수와 비교해 봅니다.

09 ▲, ★에 알맞은 수를 찾아 이어 보세요.

(1) ▲ •　　　　• ㉠ 0

(2)  •　　　　• ㉡ 2

10 수의 배열에서 규칙을 찾아 빈칸에 알맞은 수를 써넣으세요.

1024	256		16	4

문제해결 접근하기

11 서영이는 시아의 생일을 맞아 깜짝 선물을 준비했습니다. 물품 보관함에 선물을 넣고, 시아에게 아래와 같이 물품 보관함 번호를 알려 주었습니다. 선물이 들어 있는 물품 보관함 번호를 구해 보세요.

420	430	440	450
520	530	540	550
620	630	640	650
720	730	740	750

- 선물이 들어 있는 칸의 수의 배열에서 가장 큰 수는 750이야.
- ↖ 방향으로 다음 수는 앞의 수보다 110씩 작아져.
- 530 다음 칸에 선물을 넣어 두었어.

이해하기

구하려고 하는 것은 무엇인가요?

답 ______________________

계획 세우기

어떤 방법으로 문제를 해결하면 좋을까요?

답 ______________________

____

해결하기

생각한 방법으로 문제를 해결해 보세요.

답 ______________________

____

____

되돌아보기

물품 보관함의 세로(↓)에서 규칙을 찾아보세요.

규칙 ______________________

개념 3 도형의 배열에서 규칙을 찾아볼까요

계단 모양의 배열에서 규칙 찾기

첫째	둘째	셋째	넷째	다섯째
1	1+2	1+2+3	1+2+3+4	1+2+3+4+5
1	3	6	10	15

• 규칙: 모형의 수가 1개에서 시작하여 2개, 3개, 4개……씩 더 늘어납니다.

• 모형의 수를 수의 배열로 나타내기: | 1 | 3 | 6 | 10 | 15 |

• 여섯째 도형의 모형 수

1+2+3+4+5+6=21

– 계산 결과는 다섯째 도형의 모형 수에 6을 더한 것과 같습니다.

사각형 모양의 배열에서 규칙 찾기

첫째	둘째	셋째	넷째	다섯째
1×1	2×2	3×3	4×4	5×5
1	4	9	16	25

• 가로와 세로가 각각 1개씩 늘어나며 정사각형 모양이 됩니다.

• 모형의 수를 수의 배열로 나타내기: | 1 | 4 | 9 | 16 | 25 |

• 사각형 모양의 배열에서 찾을 수 있는 다른 규칙

순서	식	모형의 수
첫째	1	1
둘째	1+3	4
셋째	1+3+5	9
넷째	1+3+5+7	16
다섯째	1+3+5+7+9	25

바둑돌의 배열에서 규칙 찾기

첫째	둘째	셋째	넷째	다섯째
1	1+2	1+2+3	1+2+3+4	1+2+3+4+5
1	3	6	10	15

• 규칙: 바둑돌의 수가 1개에서 시작하여 2개, 3개, 4개……씩 더 늘어납니다.

• 바둑돌의 수를 수의 배열로 나타내기: | 1 | 3 | 6 | 10 | 15 |

• 여섯째 도형의 바둑돌 수

1+2+3+4+5+6=21

– 계산 결과는 다섯째 도형의 바둑돌 수에 6을 더한 것과 같습니다.

문제를 풀며 이해해요

정답과 해설 32쪽

1 도형의 배열에서 규칙을 찾아보세요.

> 도형의 배열에서 규칙을 찾을 수 있는지 묻는 문제예요.

첫째	둘째	셋째	넷째

(1) 다섯째에 알맞은 도형에 ○표 하세요.

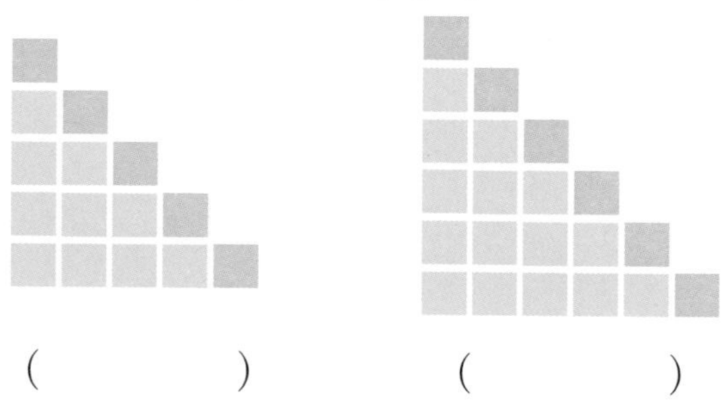

(   )   (   )

- 도형의 배열에서 규칙을 찾아 다섯째에 올 모양을 생각해 보아요.

(2) 다섯째에는 연두색 도형이 몇 개 있나요?

(   )

- 연두색 도형의 수를 세어 보아요.

(3) 다섯째에는 분홍색 도형이 몇 개 있나요?

(   )

- 분홍색 도형의 수를 세어 보아요.

교과서 내용 학습

[01~03] 도형의 배열을 보고 물음에 답하세요.

첫째	둘째	셋째	넷째

01 다섯째에 알맞은 도형을 그려 보세요.

다섯째

02 파란색 도형의 규칙을 바르게 말한 학생은 누구일까요?

봄이: 위쪽과 오른쪽으로 각각 1개씩 늘어나는 규칙이야.
다영: 아래쪽과 오른쪽으로 각각 1개씩 늘어나는 규칙이야.

( )

03 노란색 도형의 규칙입니다. □ 안에 알맞은 수를 써넣으세요.

가로, 세로가 각각 0개, 1개, □개, □개 ……인 정사각형 모양이 됩니다.

[04~07] 바둑돌의 배열을 보고 물음에 답하세요.

첫째	둘째	셋째	넷째

04 다섯째에 알맞은 모양에 ○표 하세요.

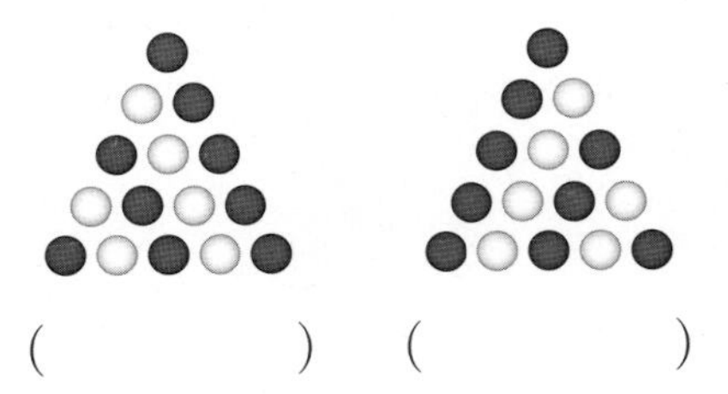

( ) ( )

05 바둑돌의 수를 세어 수의 배열로 나타내어 보세요.

1			

중요

06 여섯째 모양을 만드는 데 필요한 바둑돌은 모두 몇 개일까요?

( )

어려운 문제

07 모양을 만드는 데 필요한 바둑돌의 수가 28개인 것은 몇째 모양일까요?

( )

도움말 05번의 수의 배열을 이용하여 그 다음 단계를 생각해 봅니다.

정답과 해설 33쪽

[08~10] 계단 모양의 배열을 보고 물음에 답하세요.

첫째	둘째	셋째	넷째

08 다섯째에 알맞은 모양을 그린 학생은 누구일까요?

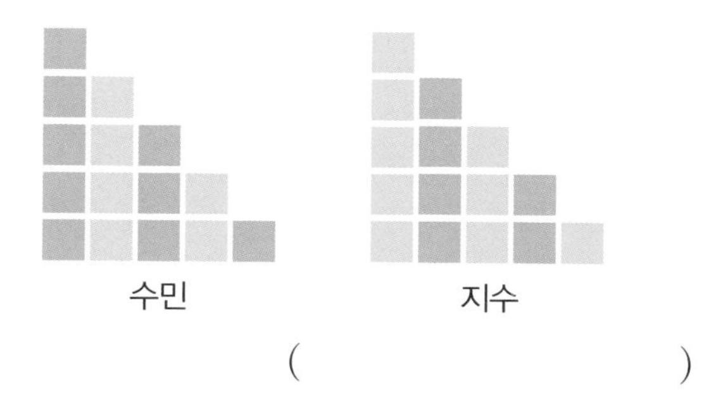

( )

09 도형의 배열에 대한 설명 중 옳지 않은 것의 기호를 모두 써 보세요.

㉠ 둘째 도형에서 파란색 사각형은 2개입니다.
㉡ 셋째 도형에서 분홍색 사각형은 2개입니다.
㉢ 넷째 도형에서 파란색 사각형은 7개입니다.
㉣ 다섯째에 알맞은 도형에서 분홍색 사각형은 5개입니다.

( )

10 중요
위 도형을 쌓기나무로 만들려고 합니다. 필요한 쌓기나무의 수를 식으로 나타내어 구해 보세요.

순서	식	쌓기나무의 수 (개)
첫째	1	1
둘째	$1+2$	3
셋째	$1+2+3$	6
넷째		
다섯째		

문제해결 접근하기

11 바둑돌의 배열을 보고 열째에 알맞은 모양을 그려 보세요.

첫째	둘째	셋째	넷째

이해하기
구하려고 하는 것은 무엇인가요?

답

계획 세우기
어떤 방법으로 문제를 해결하면 좋을까요?

답

해결하기
열째에 알맞은 모양을 그려 보세요.

열째

되돌아보기
문제를 해결한 방법을 설명해 보세요.

답

개념 4 덧셈식과 뺄셈식에서 규칙을 찾아볼까요

• 다섯째 덧셈식

$1+2+3+4+5+6+5+4+3+2+1=36$

- 계산 결과는 덧셈식의 가운데 수인 6을 2번 곱한 것과 같습니다. ($6\times6=36$)

덧셈식에서 규칙 찾기

순서	덧셈식
첫째	$1+2+1=4$ ($2\times2=4$)
둘째	$1+2+3+2+1=9$ ($3\times3=9$)
셋째	$1+2+3+4+3+2+1=16$ ($4\times4=16$)
넷째	$1+2+3+4+5+4+3+2+1=25$ ($5\times5=25$)

• 덧셈식 가운데 수가 1씩 커집니다.
• 1부터 1씩 커지며 가운데 수까지 더하고 다시 1씩 작아지며 1까지 더합니다.
• 계산 결과는 덧셈식의 가운데 수를 두 번 곱한 것과 같습니다.

뺄셈식에서 규칙 찾기

순서	뺄셈식
첫째	$3000-1000=2000$
둘째	$5000-2000=3000$
셋째	$7000-3000=4000$
넷째	$9000-4000=5000$

• 빼지는 수는 천의 자리 수가 2씩 커집니다.
• 빼는 수는 천의 자리 수가 1씩 커집니다.
• 계산 결과는 1000씩 커집니다.

개념 5 곱셈식과 나눗셈식에서 규칙을 찾아볼까요

• 여섯째 곱셈식

$111111\times3=333333$

- 여섯째이므로 곱해지는 수의 1의 개수는 6개입니다.
- 곱하는 수는 3으로 같습니다.
- 계산 결과의 3의 개수는 6개입니다.

곱셈식에서 규칙 찾기

순서	곱셈식
첫째	$1\times3=3$
둘째	$11\times3=33$
셋째	$111\times3=333$
넷째	$1111\times3=3333$
다섯째	$11111\times3=33333$

• 곱해지는 수의 자리 수가 1개씩 늘어납니다.
• 계산 결과의 자리 수가 1개씩 늘어납니다.
• 곱해지는 수는 1이 곱셈식의 순서만큼 있습니다.
• 곱하는 수는 3으로 같습니다.
• 계산 결과는 3이 곱셈식의 순서만큼 있습니다.

나눗셈식에서 규칙 찾기

순서	나눗셈식
첫째	$1002\div2=501$
둘째	$2004\div4=501$
셋째	$3006\div6=501$
넷째	$4008\div8=501$

• 나누어지는 수가 1002의 2배, 3배, 4배……가 됩니다.
• 나누는 수도 2의 2배, 3배, 4배……가 됩니다.
• 나누어지는 수와 나누는 수가 각각 2배, 3배, 4배……가 되면 몫은 모두 같습니다.

문제를 풀여 이해해요

정답과 해설 33쪽

[1~3] 보기 의 계산식을 보고 물음에 답하세요.

계산식을 보고 규칙을 찾을 수 있는지 묻는 문제예요.

보기

㉠	㉡	㉢
$325+125=450$ $425+225=650$ $525+325=850$ $625+425=1050$	$220-120=100$ $320-220=100$ $420-320=100$ $520-420=100$	$101\times2=202$ $202\times2=404$ $303\times2=606$ $404\times2=808$

1 설명에 맞는 계산식을 찾아 기호를 써 보세요.

> 같은 자리의 수가 똑같이 커지는 두 수의 차는 항상 일정합니다.

(　　　　　　　　)

두 수의 차가 일정한 계산식을 찾아보아요.

2 설명에 맞는 계산식을 찾아 기호를 써 보세요.

> 101부터 404까지 수 중에서 백의 자리와 일의 자리 수가 같고 십의 자리가 0인 수에 2를 곱하면 백의 자리와 일의 자리 수가 같은 세 자리 수가 나옵니다.

(　　　　　　　　)

백의 자리와 일의 자리가 같은 수로 이루어진 계산식을 찾아보아요.

3 설명에 맞는 계산식을 찾아 기호를 써 보세요.

> 백의 자리 수가 각각 1씩 커지는 두 수의 합은 200씩 커집니다.

(　　　　　　　　)

더해지는 수와 더하는 수의 백의 자리 수가 모두 1씩 커지는 덧셈식을 찾아보아요.

교과서 내용 학습

[01~03] 덧셈식의 배열을 보고 물음에 답하세요.

순서	덧셈식
첫째	110+220=330
둘째	220+220=440
셋째	330+220=550
넷째	440+220=660
다섯째	

01 덧셈식의 배열에서 찾을 수 있는 규칙입니다. □ 안에 알맞은 수를 써넣으세요.

백의 자리와 십의 자리의 수가 1씩 커지는 수에 220을 더하면 두 수의 합은 □씩 커집니다.

02 규칙에 따라 다섯째 빈칸에 알맞은 덧셈식을 써 보세요.

계산식 ______

03 규칙에 따라 일곱째 덧셈식을 바르게 말한 학생은 누구일까요?

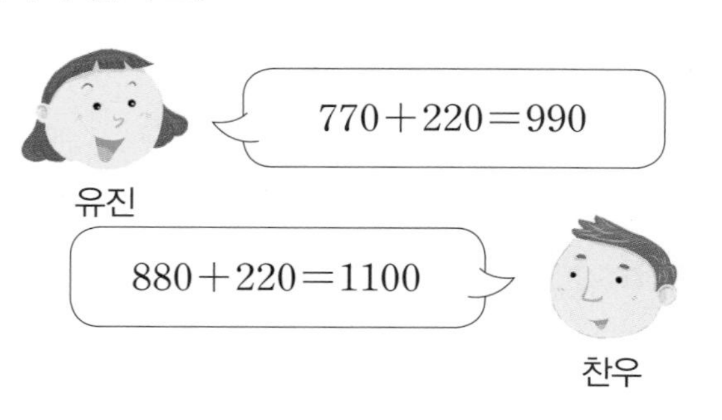

770+220=990
유진
880+220=1100
찬우

( )

[04~06] 규칙적인 계산식을 보고 물음에 답하세요.

순서	계산식
첫째	20+100−30=90
둘째	30+200−40=190
셋째	40+300−50=290
넷째	50+400−60=390
다섯째	

04 규칙에 따라 다섯째 빈칸에 알맞은 계산식을 써 보세요.

계산식 ______

중요

05 규칙에 따라 계산 결과가 790이 되는 계산식을 써 보세요.

계산식 ______

06 규칙에 따라 계산 결과가 990이 되는 계산식은 몇째인지 써 보세요.

( )

[07~10] 곱셈식의 배열을 보고 물음에 답하세요.

순서	곱셈식
첫째	$103 \times 5 = 515$
둘째	$1003 \times 5 = 5015$
셋째	$10003 \times 5 = 50015$
넷째	
다섯째	$1000003 \times 5 = 5000015$

07 위 곱셈식의 규칙을 설명한 것을 보고 옳은 것은 ○표, 틀린 것은 ×표 하세요.

(1) 곱해지는 수의 3 앞의 0의 개수는 곱셈식의 순서와 같습니다. (　　)

(2) 계산 결과의 1 앞의 0의 개수는 곱셈식의 순서보다 1개 더 많습니다. (　　)

⊂중요⊃

08 규칙에 따라 넷째 빈칸에 알맞은 곱셈식을 써 보세요.

계산식 ______

09 여섯째 곱셈식에는 0이 모두 몇 개 있을까요?

(　　　　　　)

⊂어려운 문제⊃

10 규칙에 따라 계산 결과가 5000000015가 되는 곱셈식은 몇째인지 써 보세요.

(　　　　　　)

도움말 계산 결과의 1 앞의 0의 개수를 세어 보고, 곱셈식의 순서와의 관계를 생각해 봅니다.

문제해결 접근하기

11 지은이네 반 학생들이 규칙적인 계산식을 만들어 칠판에 쓰고 있습니다. 1번부터 번호 순서대로 각 단계에 맞는 계산식을 하나씩 쓴다고 할 때 계산 결과가 4999999999995인 계산식을 쓰는 학생의 번호는 몇 번인지 구해 보세요.

순서	계산식
첫째	$9 \times 5 = 45$
둘째	$99 \times 5 = 495$
셋째	$999 \times 5 = 4995$
넷째	$9999 \times 5 = 49995$

이해하기

계산식의 배열을 보고 알 수 있는 것을 써 보세요.

답 ______

계획 세우기

어떤 방법으로 문제를 해결하면 좋을까요?

답 ______

해결하기

생각한 방법으로 문제를 해결해 보세요.

답 ______

되돌아보기

10번 학생이 칠판에 써야 할 계산식을 알아보세요.

답 ______

개념 6 규칙적인 계산식을 찾아볼까요

- □ 안에 있는 수의 배열에서 규칙 찾기
  - $6+22=14\times2$, $8+20=14\times2$
  - $6+14+22=14\times3$, $8+14+20=14\times3$
  - □ 안의 수를 모두 더한 후 9로 나눈 몫은 가운데 수인 14입니다.

달력의 색칠된 부분에서 규칙적인 계산식 찾기

일	월	화	수	목	금	토
			1	2	3	4
5	6	7	8	9	10	11
12	13	14	15	16	17	18
19	20	21	22	23	24	25
26	27	28	29	30	31	

- 가로 배열의 규칙: 오른쪽으로 1씩 커집니다.
- 가로 배열의 계산식: $12+1=13$, $13+1=14$, $14+1=15$……입니다.
- 세로 배열의 규칙: 아래쪽으로 7씩 커집니다.
- 세로 배열의 계산식: $19-7=12$, $20-7=13$, $21-7=14$……입니다.
- $12+20=13+19$, $13+21=14+20$의 계산식을 찾을 수 있습니다.

- 수 배열표에서 또 다른 규칙 찾기
  - $101+105=103\times2$
  - $103+107=105\times2$
  - $105+109=107\times2$

  (연속하여 나열된 세 수에서 양 끝의 두 수를 더한 값은 가운데 수의 2배와 같습니다.)

수 배열표에서 규칙적인 계산식 찾기

101	103	105	107	109	111	113
102	104	106	108	110	112	114

- $101+104=102+103$, $103+106=104+105$, $105+108=106+107$……입니다.
- $101+103+105=103\times3$, $103+105+107=105\times3$……입니다.
  - 연속한 세 홀수의 합은 가운데 수의 3배와 같습니다.
- $102+104+106=104\times3$, $104+106+108=106\times3$……입니다.
  - 연속한 세 짝수의 합은 가운데 수의 3배와 같습니다.
- $101+102=103+104-4$, $103+104=105+106-4$, $105+106=107+108-4$……입니다.

문제를 풀어 이해해요

정답과 해설 34쪽

[1~3] 수 배열표를 보고 물음에 답하세요.

301	303	305	307	309	311	313
302	304	306	308	310	312	314

수 배열표를 보고 규칙을 찾을 수 있는지 묻는 문제예요.

1 빈칸에 알맞은 수를 써넣으세요.

$$301+304=302+303$$
$$303+306=304+305$$
$$305+308=\square+307$$
$$307+\square=308+309$$

↘ 방향의 두 수의 합과 ↗ 방향의 두 수의 합은 어떤 규칙이 있는지 살펴보아요.

2 1의 규칙에 따라 계산식을 쓴 것입니다. 빈칸에 알맞은 식을 써넣으세요.

$$309+312=310+311$$
$$311+314=\square$$

3 빈칸에 공통으로 들어갈 수를 구해 보세요.

$$301+303+305=303\times\square$$
$$303+305+307=305\times\square$$
$$305+307+309=307\times\square$$

(　　　　　　　　)

연속한 세 홀수의 합은 가운데 수의 몇 배와 같은지 찾아보아요.

교과서 내용 학습

[01~03] 수 배열표를 보고 물음에 답하세요.

201	203	205	207	209
211	213	215	217	219
221	223	225	227	229

01 색칠된 부분에 있는 수의 배열을 보고 빈칸에 알맞은 식을 써넣으세요.

$$201+213=211+203$$
$$203+215=213+205$$
$$205+217=215+207$$

[ ]

중요

02 빈칸에 알맞은 수를 써넣으세요.

(1) $221+223+225=223\times$ □

(2) $223+225+227=$ □ $\times 3$

03 계산 결과가 같은 식끼리 이어 보세요.

201+213+225 •	• 207+215+223
203+215+227 •	• 205+213+221

04 보기 의 규칙을 이용하여 나누는 수가 5일 때의 계산식을 1개 더 써 보세요.

보기

$$2\div2=1$$
$$4\div2\div2=1$$
$$8\div2\div2\div2=1$$

$$5\div5=1$$
$$25\div5\div5=1$$

[ ]

[05~07] 달력을 보고 물음에 답하세요.

일	월	화	수	목	금	토
				1	2	3
4	5	6	7	8	9	10
11	12	13	14	15	16	17
18	19	20	21	22	23	24
25	26	27	28	29	30	31

05 달력에서 찾은 규칙으로 잘못된 것을 찾아 기호를 써 보세요.

㉠ 오른쪽으로 1씩 작아집니다.
㉡ 아래쪽으로 7씩 커집니다.
㉢ 연속한 세 수의 합은 가운데 수의 3배입니다.

( )

중요

06 달력 안에 있는 수를 이용하여 만든 규칙적인 계산식입니다. 빈칸에 공통으로 들어갈 수는 무엇일까요?

$$11+27=19\times\square$$
$$12+28=20\times\square$$
$$13+29=21\times\square$$

( )

어려운 문제

07 색칠된 부분의 수를 모두 더한 뒤 9로 나눈 몫을 구해 보세요.

( )

도움말 모두 합하여 9로 나누면 그 몫은 가운데 수와 같습니다.

[08~10] 승강기 버튼의 수 배열을 보고 물음에 답하세요.

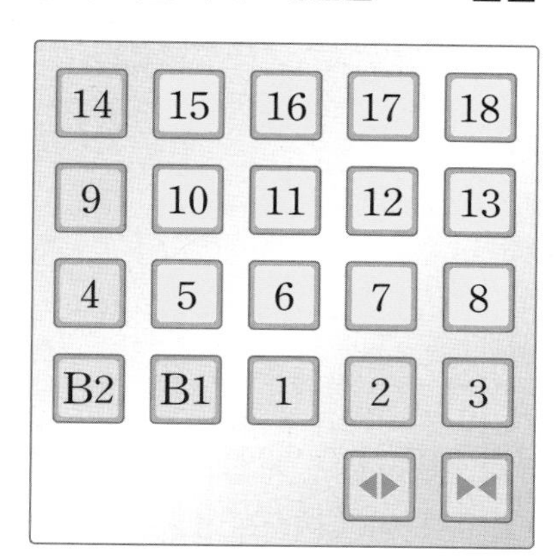

08 승강기 버튼의 수 배열을 보고 찾은 계산식입니다. 옳은 것은 ○표, 틀린 것은 ×표 하세요.

(1) $14+10=9+15$ (   )

(2) $15+11+7=11\times2$ (   )

09 노란 부분에 있는 수 배열을 보고 바르게 말한 학생의 이름을 모두 써 보세요.

> 재희: 위의 수는 아래 수보다 5 큰 수야.
> 현진: ↘ 방향으로 4씩 작아지고 있어.
> 윤성: $16+8=12\times2$라는 계산식을 찾았어.

(   )

10 승강기 버튼 안에 있는 수를 이용하여 만든 규칙적인 계산식입니다. 빈칸에 알맞은 수를 써넣으세요.

$$14+6=4+16$$
$$15+7=5+17$$
$$16+\square=\square+18$$

문제해결 접근하기

11 어느 해 7월의 달력입니다. 달력에 친구들의 생일을 연두색으로 표시했습니다. 조건 을 보고 철민, 현지, 희진이의 생일이 언제인지 구해 보세요.

일	월	화	수	목	금	토
					1	2
3	4	5	6	7	8	9
10	11	12	13	14	15	16
17	18	19	20	21	22	23
24	25	26	27	28	29	30
31						

조건

- 철민이와 현지의 생일 날짜의 합은 희진이의 생일 날짜의 2배와 같습니다.
- 5, 11, 13, 19와 현지의 생일 날짜를 합한 후 5로 나눈 몫은 12입니다.

이해하기

구하려고 하는 것은 무엇인가요?

답 ______________________

계획 세우기

어떤 방법으로 문제를 해결하면 좋을까요?

답 ______________________

해결하기

생각한 방법으로 문제를 해결해 보세요.

답 ______________________

되돌아보기

□ 안에 알맞은 수를 알아보세요.

$$12+20+28=\square\times3$$

답 ______________________

단원 확인 평가

6. 규칙 찾기

01 수 배열의 규칙에 따라 빈칸에 알맞은 수를 써넣으세요.

2200	2400	2600	2800
3200		3600	3800
4200	4400		4800
	5400	5600	5800

[02~04] 수 배열표를 보고 물음에 답하세요.

10550	10600	10650	10700	10750
20550	20600	20650	20700	20750
30550	♥	30650	30700	30750
40550	40600	40650	40700	★

02 가로(→)에서 규칙을 찾아보세요.

규칙 ______________________

____

03 색칠된 칸의 규칙에 대한 설명입니다. □ 안에 알맞은 수나 말을 써넣으세요.

10550부터 ↘ 방향으로 □ 씩 □.

04 수 배열의 규칙에 따라 ♥, ★에 알맞은 수를 각각 구해 보세요.

♥ (　　　　　　)
★ (　　　　　　)

[05~06] 수의 배열을 보고 물음에 답하세요.

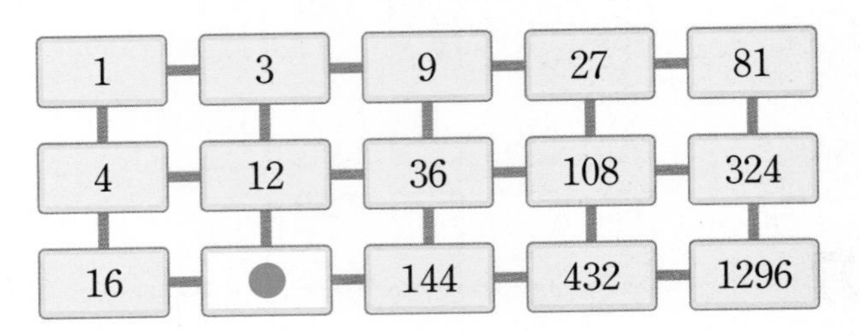

05 소은이와 건우가 수 배열표를 보고 가로(→)와 세로(↓)의 규칙을 말했습니다. □ 안에 알맞은 수를 써넣으세요.

1부터 시작하여 □ 씩 곱한 수가 오른쪽에 있어.
소은
1부터 시작하여 □ 씩 곱한 수가 아래쪽에 있어.
건우

06 수 배열의 규칙에 따라 ●에 알맞은 수를 구해 보세요.

(　　　　　　)

[07~08] 계단 모양의 배열을 보고 물음에 답하세요.

첫째	둘째	셋째	넷째

07 사각형의 수를 세어 수의 배열로 나타내어 보세요.

1			

⊂중요⊃

08 사각형의 수가 21개가 되는 것은 몇째일까요?

( )

[09~10] 도형의 배열을 보고 물음에 답하세요.

첫째	둘째	셋째	넷째

09 다섯째에 알맞은 도형을 그려 보세요.

다섯째

⊂어려운 문제⊃

10 여덟째에 알맞은 도형에서 분홍색 사각형 수와 노란색 사각형의 수의 차는 몇 개일까요? ( )

① 0개 ② 1개 ③ 2개
④ 3개 ⑤ 4개

[11~12] 뺄셈식의 배열을 보고 물음에 답하세요.

순서	뺄셈식
첫째	$9876-8765=1111$
둘째	$8765-7654=1111$
셋째	$\square-6543=1111$
넷째	$6543-5432=1111$
다섯째	

11 위 표의 □ 안에 알맞은 수를 써넣으세요.

⊂서술형⊃

12 규칙에 따라 다섯째 빈칸에 알맞은 뺄셈식은 무엇인지 풀이 과정을 쓰고 답을 구해 보세요.

풀이

(1) 빼지는 수는 9876에서 시작하여 (　　　) 씩 작아지고, 빼는 수는 8765부터 시작하여 (　　　)씩 작아집니다. 계산 결과는 (　　　)로 일정합니다.

(2) 따라서 다섯째 빈칸에 알맞은 뺄셈식은 (　　　　　　　　　)입니다.

답 ____________

13 곱셈식의 규칙을 이용하여 나눗셈식을 써 보세요.

$99\times7=693$
$999\times7=6993$
$9999\times7=69993$

⬇

$\square\div\square=\square$
$\square\div\square=\square$
$\square\div\square=\square$

[14~16] 나눗셈식의 배열을 보고 물음에 답하세요.

순서	나눗셈식
첫째	$11100\div3=3700$
둘째	$22200\div6=3700$
셋째	$33300\div9=3700$
넷째	$44400\div12=3700$
다섯째	

⊂중요⊃

14 규칙에 따라 다섯째 빈칸에 알맞은 나눗셈식을 써 보세요.

계산식 ____________

⊂서술형⊃

15 규칙에 따라 나누는 수가 24가 되는 나눗셈식은 무엇인지 풀이 과정을 쓰고 답을 구해 보세요.

풀이

(1) 나누는 수가 3부터 시작하여 2배, 3배, 4배 ……가 되므로 24는 (　　　)째 나눗셈식의 나누는 수입니다.

(2) 여덟째 나눗셈식에서 나누어지는 수는 11100의 (　　　)배인 (　　　　)입니다. 계산 결과는 (　　　)으로 일정합니다.

(3) 따라서 나누는 수가 24가 되는 나눗셈식은 (　　　　　　　　　)입니다.

답 ____________

16 규칙에 따라 계산식을 1개 더 만들어 보세요.

계산식 ____________

[17~18] 하람이는 엄마와 함께 아파트 상가에 갔습니다. 물음에 답하세요.

301호	302호	303호	304호	305호	306호	307호
311호	312호	313호	314호	315호	316호	317호

17 하람이가 아파트 상가의 배열을 보고 다음과 같은 계산식을 만들었습니다. ㉠, ㉡에 알맞은 수가 바르게 짝 지어진 것은 어느 것일까요? (　　)

$302+304=303\times$ ㉠

$312+313+314=313\times$ ㉡

① ㉠−2, ㉡−2　② ㉠−2, ㉡−3
③ ㉠−3, ㉡−3　④ ㉠−4, ㉡−3
⑤ ㉠−3, ㉡−4

18 하람이와 엄마의 대화를 읽고 빈칸에 알맞은 수를 써넣으세요.

하람: 엄마, 제가 재미있는 규칙을 발견했어요.
304와 [　　]를 더한 값은 314와 305를 더한 값과 같아요.
엄마: 훌륭하구나. 같은 규칙을 이용하면 306과 317을 더한 값은 [　　]과 307을 더한 값과 같겠구나.

[19~20] 승강기 버튼에 있는 수의 배열을 보고 물음에 답하세요.

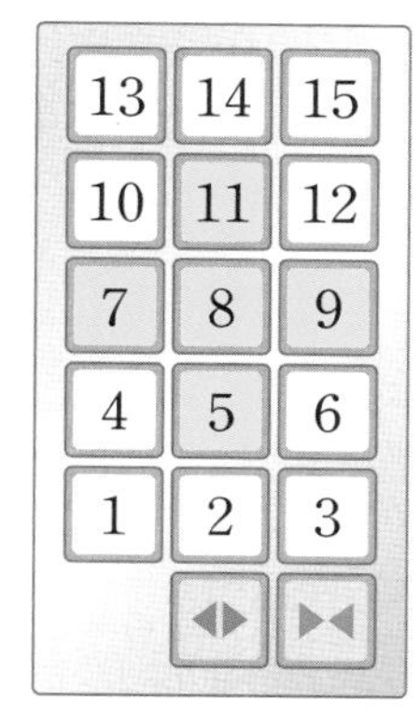

⊂어려운 문제⊃

19 민지는 승강기를 타고, 집이 있는 층 버튼을 눌렀습니다. 아래 힌트를 보고, 민지네 집이 몇 층인지 구해 보세요.

힌트
1. 민지네 집이 있는 층은 색칠된 부분에 있는 수 중의 하나입니다.
2. 색칠된 부분에 있는 수 5개를 모두 합하여 5로 나눈 몫입니다.

(　　　　　　　　)

20 승강기 버튼에서 찾은 규칙으로 잘못된 것을 찾아 기호를 써 보세요.

㉠ 세로(↓)로 3씩 작아집니다.
㉡ ↘ 방향으로 2씩 작아집니다.
㉢ 연속하는 세 수의 합은 가운데 수의 2배와 같습니다.

(　　　　　　　　)

시어핀스키 삼각형을 아시나요?

여기 정삼각형 1개가 있습니다. 정삼각형의 세 변의 한가운데에 점을 찍고 연결해 보았더니 모양이 똑같은 작은 정삼각형이 4개 생겼어요. 정삼각형 4개 중에 한가운데 있는 정삼각형을 없애면 처음 삼각형과 모양이 똑같은 정삼각형이 3개 보이네요.

이번에는 작은 정삼각형 3개에 아까와 똑같이 해볼 거예요. 작은 정삼각형의 세 변의 한가운데에 점을 찍고, 다시 연결해보았더니 작은 정삼각형 1개가 더 작은 정삼각형 4개로 나누어졌죠? 아까처럼 한가운데 있는 삼각형은 없애고, 나머지 삼각형 3개씩만 남겨둘 거예요.

이렇게 단계를 반복하면 원래 1개였던 정삼각형이 모양은 똑같지만 크기는 더 작은 정삼각형으로 무수히 많아진답니다. 이때 부분의 모양이 전체와 똑같은 것을 찾을 수 있을 거예요. 이 규칙을 통해 만들어지는 삼각형을 시어핀스키 삼각형이라고 불러요. 폴란드의 수학자 바츨라프 시어핀스키(Waclaw Sierpinski, 1882~1969)의 이름을 딴 프랙탈 도형이랍니다.

프랙탈 도형은 부분을 확대한 것이 전체와 같은 모양이 되는 도형을 말해요.

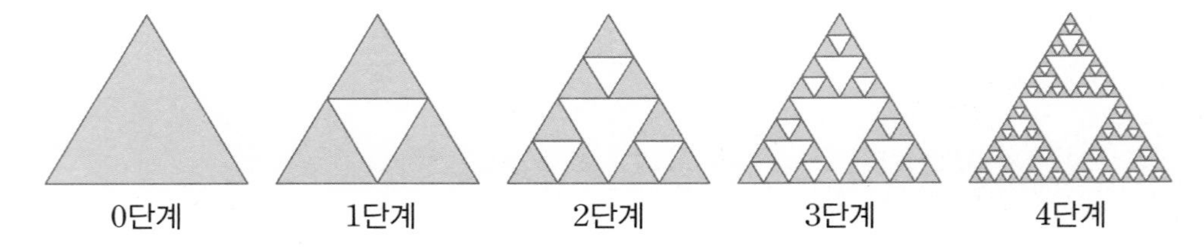

각 단계별로 색칠된 정삼각형의 수를 구해 볼까요?

(1) 색칠된 정삼각형의 수를 세어서 수의 배열로 나타내어 보세요.

(2) 수의 배열에서 찾은 규칙을 써 보세요.

( )

(3) 5단계에는 색칠된 정삼각형이 몇 개 있을까요?

( )

만점왕 수학 4-1

BOOK 2 실전책

시험 2주 전 공부

핵심을 복습하기

시험이 2주 남았네요. 이럴 땐 먼저 핵심을 복습해 보면 좋아요.

만점왕 북2 실전책을 펴 보면

각 단원별로 핵심 정리와 쪽지 시험이 있습니다.

정리된 핵심을 읽고 확인 문제를 풀어 보세요.

확인 문제가 어렵게 느껴지거나 자신 없는 부분이 있다면

북1 개념책을 찾아서 다시 읽어 보는 것도 도움이 돼요.

시험 1주 전 공부

시간을 정해 두고 연습하기

앗, 이제 시험이 일주일 밖에 남지 않았네요.

시험 직전에는 실제 시험처럼 시간을 정해 두고 문제를 푸는 연습을 하는 게 좋아요.

그러면 시험을 볼 때에 떨리는 마음이 줄어드니까요.

이때에는 **만점왕 북2의 학교 시험 만점왕과 수행 평가**를 풀어 보면 돼요.

시험 시간에 맞게 풀어 본 후 맞힌 개수를 세어 보면

자신의 실력을 알아볼 수 있답니다.

이 책의 **차례**

CONTENTS

BOOK 2 실전책

1	큰 수	4
2	각도	14
3	곱셈과 나눗셈	24
4	평면도형의 이동	34
5	막대그래프	44
6	규칙 찾기	54

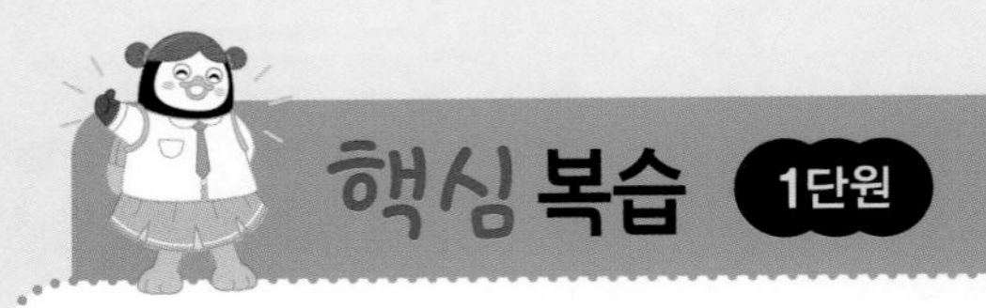

핵심 복습 1단원

● **만 알아보기**

1000이 10개인 수를 10000 또는 1만이라 쓰고, 만 또는 일만이라고 읽습니다.

● **다섯 자리 수 알아보기**

• 76825는 얼마만큼의 수인지 알아보기

만의 자리	천의 자리	백의 자리	십의 자리	일의 자리
7	6	8	2	5

⬇

7	0	0	0	0
	6	0	0	0
		8	0	0
			2	0
				5

76825＝70000＋6000＋800＋20＋5
10000이 7개, 1000이 6개, 100이 8개, 10이 2개, 1이 5개인 수를 76825라 쓰고, 칠만 육천팔백이십오라고 읽습니다.

● **십만, 백만, 천만 알아보기**

• 10000이 10개이면 100000 또는 10만이라 쓰고 십만이라고 읽습니다.
• 10000이 100개이면 1000000 또는 100만이라 쓰고 백만이라고 읽습니다.
• 10000이 1000개이면 10000000 또는 1000만이라 쓰고 천만이라고 읽습니다.
• 37460000은 얼마만큼의 수인지 알아보기

3	7	4	6	0	0	0	0
천	백	십	일	천	백	십	일
			만				일

37460000＝30000000＋7000000
＋400000＋60000

10000이 3746개이면 37460000 또는 3746만이라 쓰고, 삼천칠백사십육만이라고 읽습니다.

● **억 알아보기**

• 1000만이 10개인 수를 100000000 또는 1억이라 쓰고, 억 또는 일억이라고 읽습니다.
• 1억이 3879개이면 387900000000 또는 3879억이라 쓰고, 삼천팔백칠십구억이라고 읽습니다.

● **조 알아보기**

• 1000억이 10개인 수를 1000000000000 또는 1조라 쓰고, 조 또는 일조라고 읽습니다.
• 1조가 2357개이면 2357000000000000 또는 2357조라 쓰고, 이천삼백오십칠조라고 읽습니다.

● **뛰어 세기**

• 100000씩 뛰어 세기

➡ 100000씩 뛰어 세면 십만의 자리 수가 1씩 커집니다.

• 100조씩 뛰어 세기

➡ 100조씩 뛰어 세면 백조의 자리 수가 1씩 커집니다.

● **큰 수의 크기 비교하기**

• 자리 수가 다른 큰 수의 비교
자리 수를 비교했을 때, 자리 수가 많은 수가 더 큰 수입니다.

5862479 ＜ 10236475
(7자리 수) (8자리 수)

• 자리 수가 같은 큰 수의 비교
가장 높은 자리 수부터 차례로 비교하여 수가 큰 쪽이 더 큰 수입니다.

29584791 ＞ 26058230
9 6

쪽지 시험 1. 큰 수

정답과 해설 37쪽

01 10000원이 되도록 묶어 보세요.

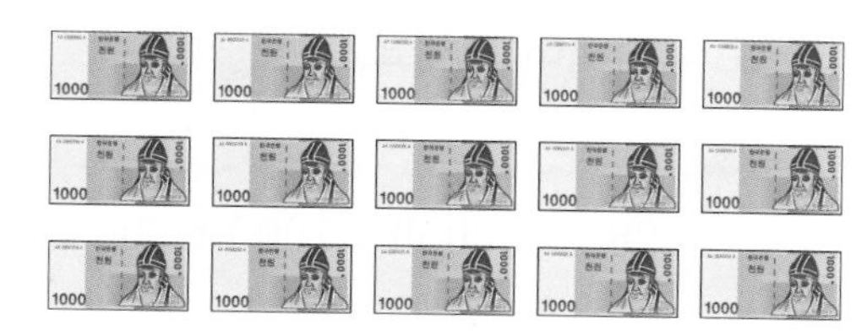

02 그림을 보고 □ 안에 알맞은 수를 써넣으세요.

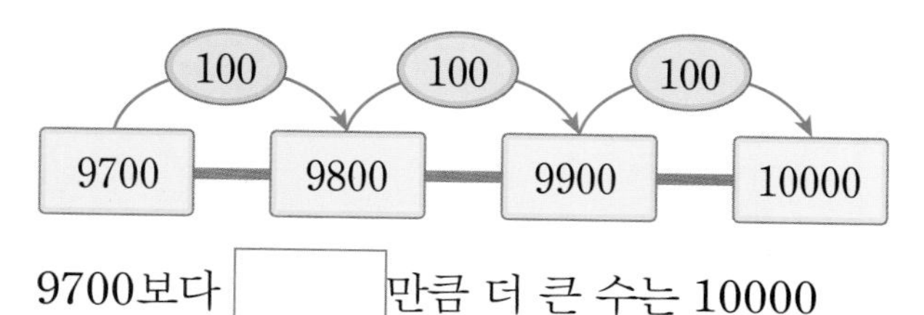

9700보다 □만큼 더 큰 수는 10000입니다.

03 □ 안에 알맞은 수를 써넣고 읽어 보세요.

10000이 6개
1000이 7개
100이 3개 이면 □
10이 9개
1이 4개

읽기 (　　　　　　　　　　)

04 □ 안에 알맞은 수를 써넣으세요.

만의 자리	천의 자리	백의 자리	십의 자리	일의 자리
9	1	2	7	6

91276=□+1000+□+□+6

05 □ 안에 알맞은 수를 써넣으세요.

(1) 10000이 10개인 수 ➡ □

(2) 10000이 100개인 수 ➡ □

(3) 10000이 1000개인 수 ➡ □

06 □ 안에 알맞은 수나 말을 써넣으세요.

1000만이 10개인 수를 □ 또는 □(이)라 쓰고, □ 또는 □(이)라고 읽습니다.

07 □ 안에 알맞은 수를 써넣으세요.

1조 ➡ 9000억보다 □만큼 더 큰 수
➡ 9900억보다 □만큼 더 큰 수
➡ 9990억보다 □만큼 더 큰 수
➡ 9999억보다 □만큼 더 큰 수

08 □ 안에 알맞은 수를 써넣으세요.

8437000000000000															
8	4	3	7	0	0	0	0	0	0	0	0	0	0	0	0
천	백	십	일	천	백	십	일	천	백	십	일	천	백	십	일
			조				억				만				일

4는 □의 자리 숫자이고 □를 나타냅니다.

09 200억씩 뛰어 세어 보세요.

132억 5000만 – □ – 532억 5000만 – 732억 5000만 – □

10 두 수의 크기를 비교하여 ○ 안에 >, =, <를 알맞게 써넣으세요.

(1) 10829637 ○ 9971365

(2) 78326415 ○ 78679124

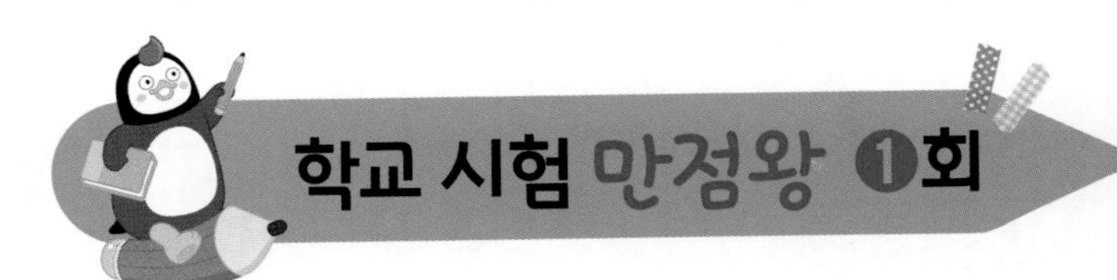

01 재윤이가 동화책의 가격에 대해 이야기하고 있습니다. □ 안에 알맞은 수를 써넣으세요.

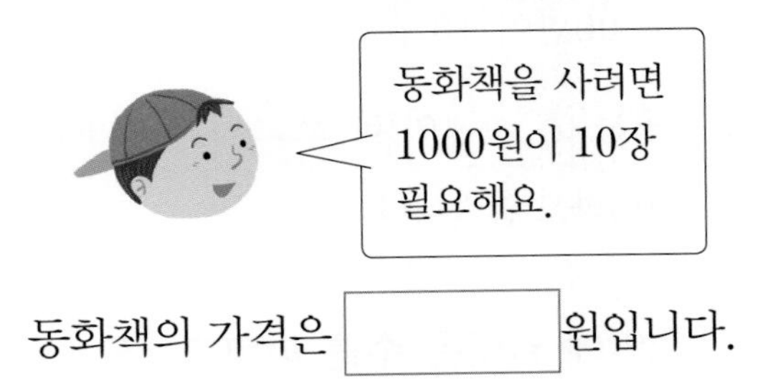

동화책의 가격은 □원입니다.

02 빈칸에 알맞은 수를 써넣으세요.

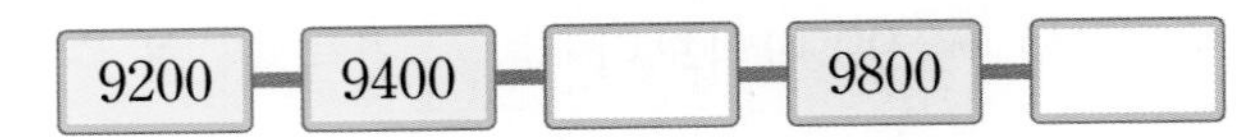

03 설명하는 수를 쓰고 읽어 보세요.

10000이 5개, 1000이 6개, 100이 1개, 10이 3개, 1이 9개인 수

쓰기 (　　　　　　)

읽기 (　　　　　　)

04 수를 잘못 읽은 것은 어느 것일까요? (　　)

① 90132 ➡ 구만 백삼십이
② 27465 ➡ 이만 칠천사백육십오
③ 34026 ➡ 삼만 사백이십육
④ 58203 ➡ 오만 팔천이백삼
⑤ 97640 ➡ 구만 칠천육백사십

05 보기 와 같이 각 자리의 숫자가 나타내는 값의 합으로 나타내어 보세요.

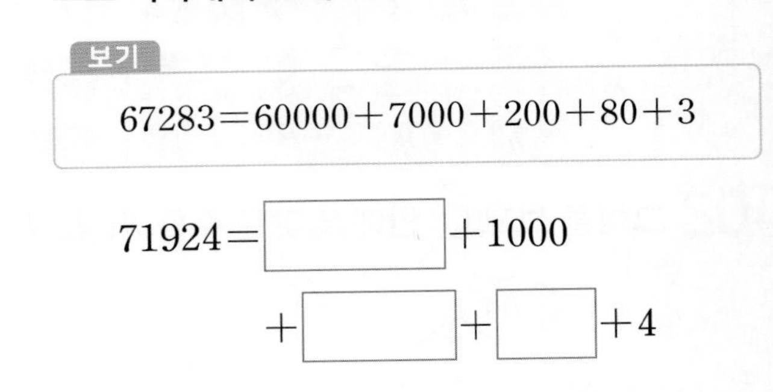

06 □ 안에 알맞은 수를 써넣으세요.

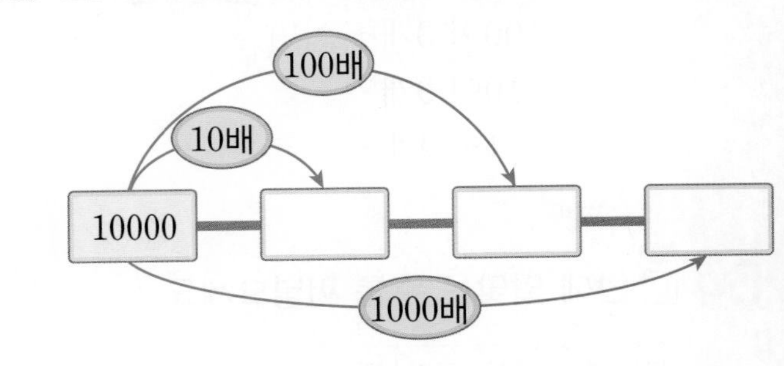

07 모인 기부금은 모두 얼마일까요?

어려운 이웃을 돕기 위해 모인 기부금은 모두 100만 원짜리 수표가 8장, 10만 원짜리 수표가 3장, 1만 원짜리 지폐가 6장이었습니다.

(　　　　　　)

08 다음을 8자리 수로 써 보세요.

오천칠십일만 사천팔백삼십육

(　　　　　　　　　　)

09 빈칸에 밑줄 친 숫자 7이 나타내는 값을 써넣으세요.

30976182	
78512438	

10 백만의 자리 숫자가 가장 작은 수를 찾아 기호를 써 보세요.

㉠ 69273148　㉡ 34528976　㉢ 18253964

(　　　　　　　　　　)

11 빈칸에 알맞은 수를 써넣으세요.

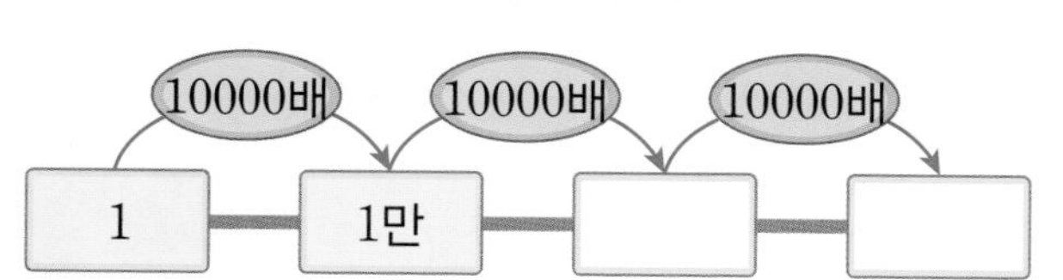

12 □ 안에 알맞은 수를 써넣으세요.

408362975128

➡ 억이 □개, 만이 □개,

일이 □개인 수

서술형 **13** ㉠~㉣에 들어갈 수로 알맞게 적힌 것을 찾아 기호를 쓰려고 합니다. 풀이 과정을 쓰고 답을 구해 보세요.

935600000000＝㉠＋㉡＋㉢＋㉣

㉠ 90000000000　㉡ 300000000000
㉢ 5000000000　㉣ 6000000000

풀이

답

14 다음 수에서 밑줄 친 숫자 8은 어느 자리 숫자이고, 얼마를 나타낼까요?

3184927500000000

(　　　　　　　　), (　　　　　　　　)

15 빈칸에 알맞은 말을 써넣으세요.

16 뛰어 세기를 하였습니다. 얼마만큼씩 뛰어 센 것일까요?

4억 3100만 — 4억 4100만 — 4억 5100만 — 4억 6100만 — 4억 7100만

( )

서술형 17 □ 안에 알맞은 수는 얼마인지 풀이 과정을 쓰고 답을 구해 보세요.

2조 3700억에서 1000억씩 □번 뛰어 세었더니 2조 7700억이 되었습니다.

풀이

답

18 두 수의 크기를 비교하여 ○ 안에 >, =, <를 알맞게 써넣으세요.

203481396 ○ 87951342

19 다음 중 가장 비싼 물건은 무엇일까요?

TV	에어컨	냉장고
1974000원	2030000원	1834000원

( )

20 큰 수부터 순서대로 기호를 써 보세요.

㉠ 오천구백팔십만
㉡ 23148790000
㉢ 297억 8000만

( )

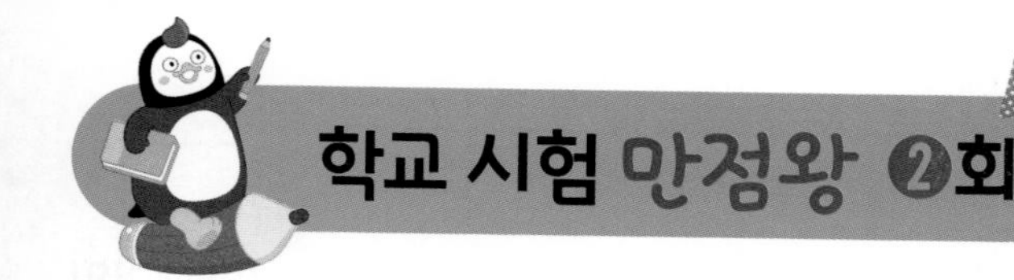

정답과 해설 38쪽

01 만에 대한 설명입니다. □ 안에 알맞은 수를 써넣으세요.

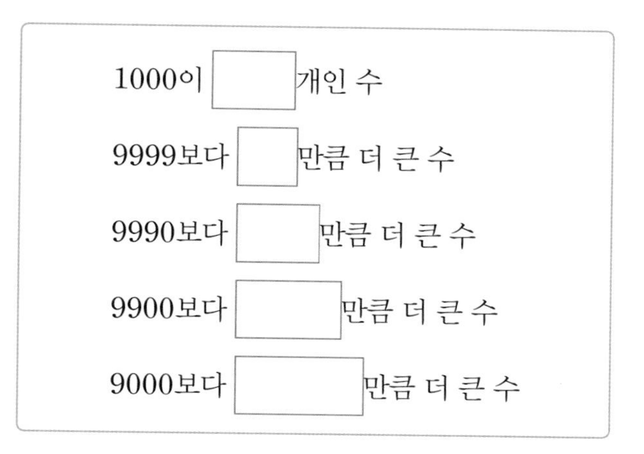

1000이 □개인 수
9999보다 □만큼 더 큰 수
9990보다 □만큼 더 큰 수
9900보다 □만큼 더 큰 수
9000보다 □만큼 더 큰 수

02 선우는 4000원을 가지고 있습니다. 10000원이 되려면 얼마가 더 필요할까요?

( )

03 돈이 모두 얼마인지 세어 보세요.

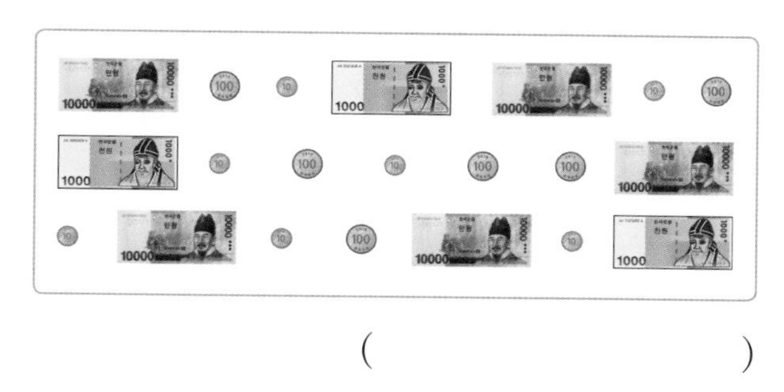

( )

04 빈칸에 알맞은 수나 말을 써넣으세요.

46529	사만 육천오백이십구
31298	
	육만 사천칠백오십삼

05 숫자 8이 나타내는 값이 80000인 수를 찾아 써 보세요.

48215　80372　74819　34280

( )

06 설명하는 수를 쓰고 읽어 보세요.

10000이 5307개인 수

쓰기 ( )

읽기 ( )

07 보기 와 같이 나타내어 보세요.

보기

$74250000 = 70000000 + 4000000 + 200000 + 50000$

$69130000 =$ ______

08 ㉠이 나타내는 값은 ㉡이 나타내는 값의 몇 배인지 구해 보세요.

38317642
(㉠: 첫째 3, ㉡: 둘째 3)

(　　　　　　)

09 빈칸에 알맞은 수를 써넣으세요.

10 다음 수에서 백억의 자리 숫자는 무엇일까요?

821379450000

(　　　　　　)

11 수를 바르게 쓴 학생의 이름을 써 보세요.

팔천육백이억 오천사백삼십칠만

인성: 860254370000
주호: 86254370000

(　　　　　　)

12 1조에 대한 설명이 바르지 않은 것은 어느 것일까요? (　　)

① 1000만이 10개인 수입니다.
② 9000억보다 1000억만큼 더 큰 수입니다.
③ 9900억보다 100억만큼 더 큰 수입니다.
④ 9990억보다 10억만큼 더 큰 수입니다.
⑤ 9999억보다 1억만큼 더 큰 수입니다.

13 □ 안에 알맞은 수를 써넣으세요.

37450823170000은 조가 □개, 억이 □개, 만이 □개인 수입니다.

14 숫자 3이 나타내는 값이 가장 큰 수에는 ○표, 가장 작은 수에는 △표 하세요.

39267018450000	1340조
9300억	5813427000000

15 2조씩 뛰어 세어 보세요.

16조 130억 — 18조 130억 — ☐ — ☐ — ☐

16 10000000씩 뛰어 센 것을 찾아 기호를 써 보세요.

㉠ 635420000—735420000—835420000—935420000

㉡ 21890000—31890000—41890000—51890000—61890000

(   )

서술형 17 ㉠에 알맞은 수는 얼마인지 풀이 과정을 쓰고 답을 구해 보세요.

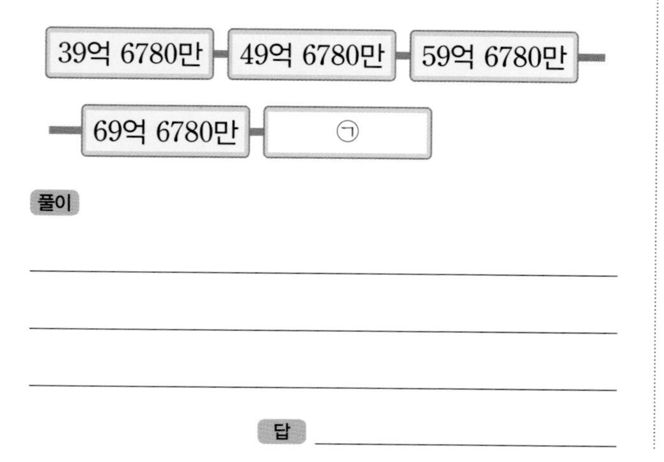

18 두 수의 크기를 비교하여 ○ 안에 $>$, $=$, $<$를 알맞게 써넣으세요.

(1) 45032 ○ 201397

(2) 팔천구백오십육만 ○ 8954만 9700

서술형 19 1부터 9까지의 수 중에서 □ 안에 들어갈 수 있는 수는 모두 몇 개인지 풀이 과정을 쓰고 답을 구해 보세요.

$451397268 < 451\square20346$

풀이

답

20 1부터 9까지의 수를 한 번씩만 사용하여 만들 수 있는 아홉 자리 수 중에서 천만의 자리 숫자가 5인 가장 큰 수를 써 보세요.

(   )

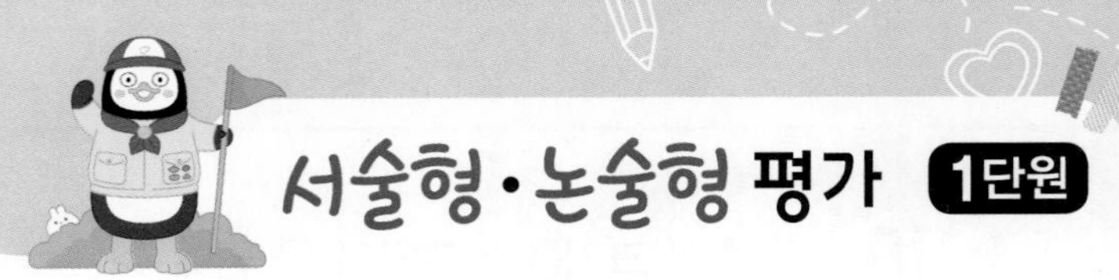

01 수 카드를 모두 한 번씩 사용하여 만들 수 있는 다섯 자리 수 중에서 가장 큰 수는 얼마인지 풀이 과정을 쓰고 답을 구해 보세요.

6	1	0	3	8

풀이

답

02 다음은 효은이가 저금한 돈입니다. 저금한 돈이 모두 284350원일 때, 10000원짜리 지폐는 몇 장인지 풀이 과정을 쓰고 답을 구해 보세요.

10000원짜리 지폐 □장
1000원짜리 지폐 4장
100원짜리 동전 3개
10원짜리 동전 5개

풀이

답

03 어느 공장에서 한 상자에 10000개씩 들어 있는 사탕을 362상자 생산했습니다. 이 공장에서 생산한 사탕은 모두 몇 개인지 풀이 과정을 쓰고 답을 구해 보세요.

풀이

답

04 조건 을 만족하는 수는 얼마인지 풀이 과정을 쓰고 답을 구해 보세요.

조건
- 여섯 자리 수입니다.
- 1부터 6까지의 숫자를 한 번씩만 사용하였습니다.
- 64만보다 크고 65만보다 작습니다.
- 일의 자리 수는 짝수입니다.
- 천의 자리 수는 백의 자리 수보다 크고, 백의 자리 수는 십의 자리 수보다 큽니다.

풀이

답

05 다음을 12자리 수로 쓸 때 0은 모두 몇 개인지 풀이 과정을 쓰고 답을 구해 보세요.

오천구십억 삼천칠백육십만

풀이

답

06 ㉠의 숫자 4가 나타내는 값은 ㉡의 숫자 4가 나타내는 값의 몇 배인지 풀이 과정을 쓰고 답을 구해 보세요.

㉠ 4287300000000
㉡ 조가 31개, 억이 5480개인 수

풀이

답

07 어느 회사의 매출은 한 달에 천만 원씩 늘어납니다. 이번 달 매출이 5억 2000만 원이었다면 다섯 달 후의 매출은 얼마인지 풀이 과정을 쓰고 답을 구해 보세요.

풀이

답

08 어떤 수에서 10억씩 3번 뛰어 세어야 하는데 잘못하여 1억씩 3번 뛰어 세었더니 386억 4900만이 되었습니다. 바르게 뛰어 센 수는 얼마인지 풀이 과정을 쓰고 답을 구해 보세요.

풀이

답

09 A 나라의 올해 교육 예산은 47392800000000원이고, B 나라의 올해 교육 예산은 사십칠조 삼천삼백육십오억 원입니다. 어느 나라의 올해 교육 예산이 더 많은지 풀이 과정을 쓰고 답을 구해 보세요.

풀이

답

10 0부터 9까지의 수 중 ㉠과 ㉡에 공통으로 들어갈 수 있는 수를 모두 구하려고 합니다. 풀이 과정을 쓰고 답을 구해 보세요.

81347596 < 813㉠0924
61㉡2014758 > 6173028450

풀이

답

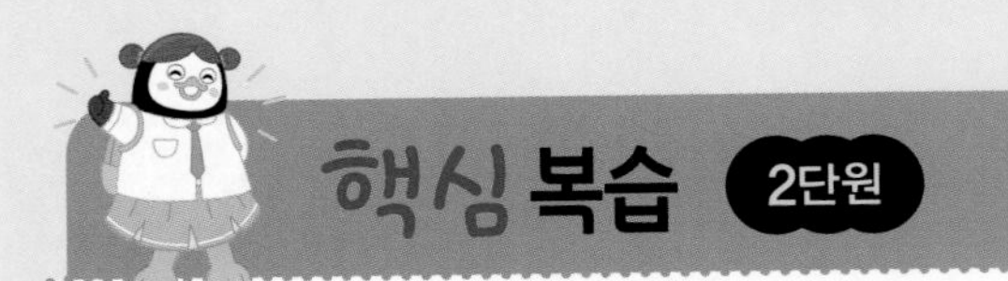

● 각의 크기 비교하기

• 투명 종이를 이용하여 각의 크기 비교하기

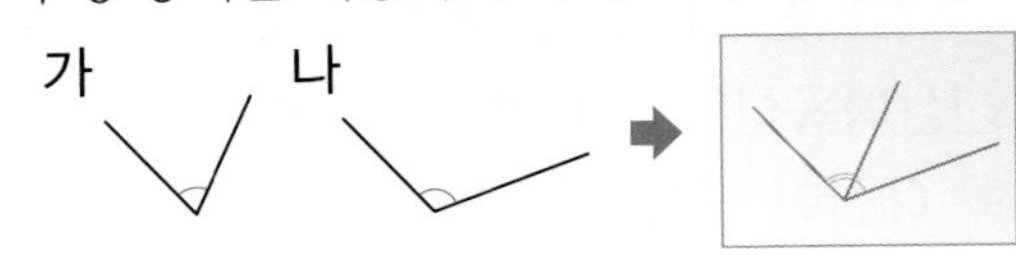

투명 종이에 가를 그대로 그려 나에 겹쳐 두 각의 크기를 비교해 보면 나의 각의 크기가 더 큽니다.

• 각의 크기는 변의 길이와 관계없이 두 변이 많이 벌어질수록 큰 각입니다.

● 각도 알아보기

• 각의 크기를 각도라고 합니다.

• 직각을 똑같이 90으로 나눈 것 중의 하나를 1도라 하고, 1°라고 씁니다.

90°
1°
1°

• 직각의 크기는 90°입니다.

● 각의 크기 재어 보기

① 각도기의 중심과 각의 꼭짓점을 맞춥니다.

② 각도기의 밑금과 각의 한 변을 맞춥니다.

③ 각도를 읽을 때는 각도기의 밑금과 각의 한 변이 만난 쪽의 눈금에서 시작하여 각의 나머지 변이 각도기의 눈금과 만나는 부분을 읽습니다.

● 각도가 70°인 각 ㄱㄴㄷ 그리기

① 자를 이용하여 각의 한 변 ㄴㄷ을 그립니다.

② 각도기의 중심과 점 ㄴ을 맞추고, 각도기의 밑금과 각의 한 변인 ㄴㄷ을 맞춥니다.

③ 각도기의 밑금에서 시작하여 각도가 70°가 되는 눈금에 점 ㄱ을 표시합니다.

④ 각도기를 떼고, 자를 이용하여 변 ㄱㄴ을 그려 각도가 70°인 각 ㄱㄴㄷ을 완성합니다.

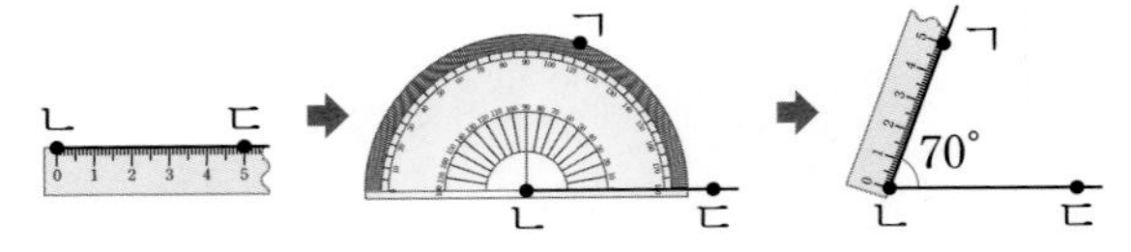

● 예각과 둔각 알아보기

• 각도가 0°보다 크고 직각보다 작은 각을 예각이라고 합니다.
└ 0°<(예각)<90°

• 각도가 직각보다 크고 180°보다 작은 각을 둔각이라고 합니다.
└ 90°<(둔각)<180°

● 각도 어림하기

• 직각 삼각자의 각과 비교하여 주어진 각을 어림해 봅니다.

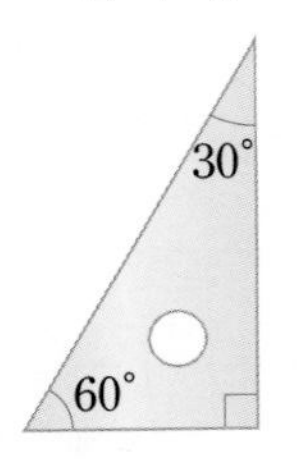

직각 삼각자의 30°의 반쯤 되는 것 같아서 15°라고 어림하였습니다.

● 각도의 합과 차 구하기

• 두 각도의 합은 각각의 각도를 더한 것과 같습니다.
예 50°+20°=70°

• 두 각도의 차는 큰 각도에서 작은 각도를 뺀 것과 같습니다. 예 50°−20°=30°

● 삼각형의 세 각의 크기의 합 알아보기

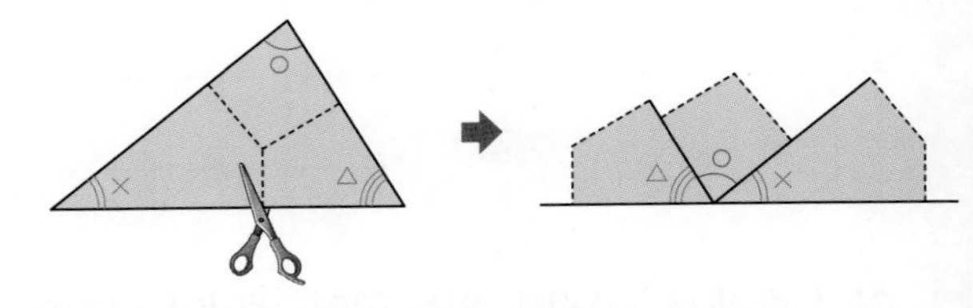

➡ 삼각형의 세 각의 크기의 합은 180°입니다.

● 사각형의 네 각의 크기의 합 알아보기

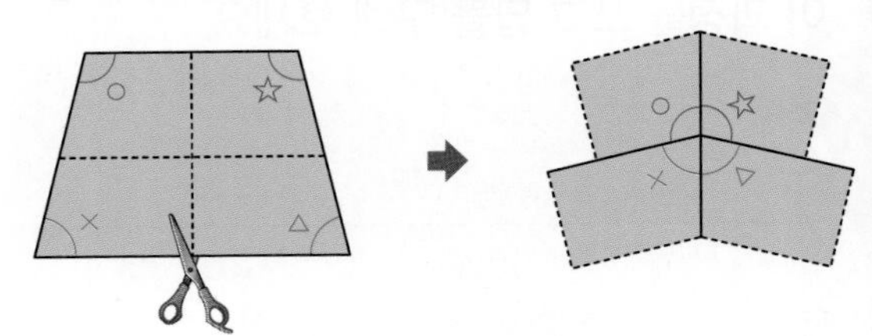

➡ 사각형의 네 각의 크기의 합은 360°입니다.

쪽지 시험 2. 각도

정답과 해설 42쪽

01 두 각의 크기를 비교하여 더 큰 각에 ○표 하세요.

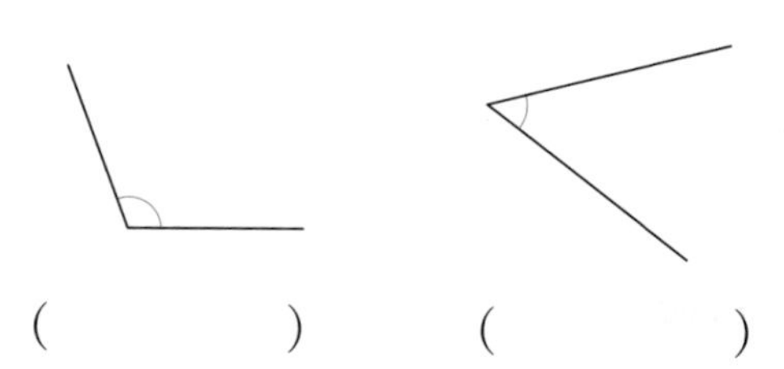

( ) ( )

02 각도를 구해 보세요.

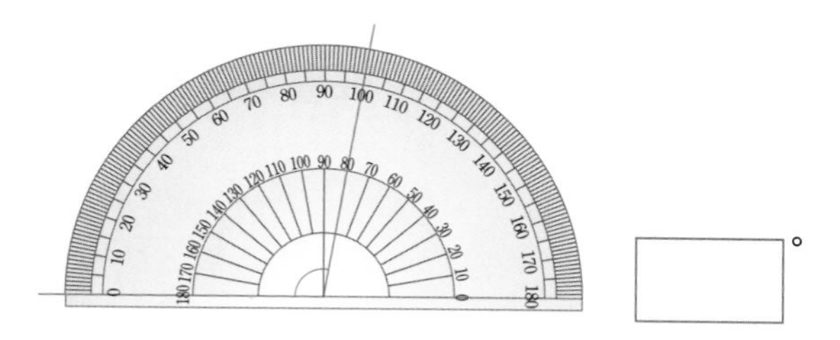

□°

03 각도기를 이용하여 각도를 재어 보세요.

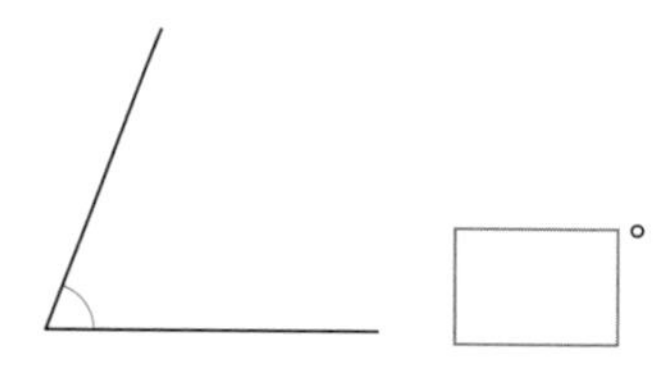

□°

04 주어진 각도의 각을 각도기 위에 그려 보세요.

130°

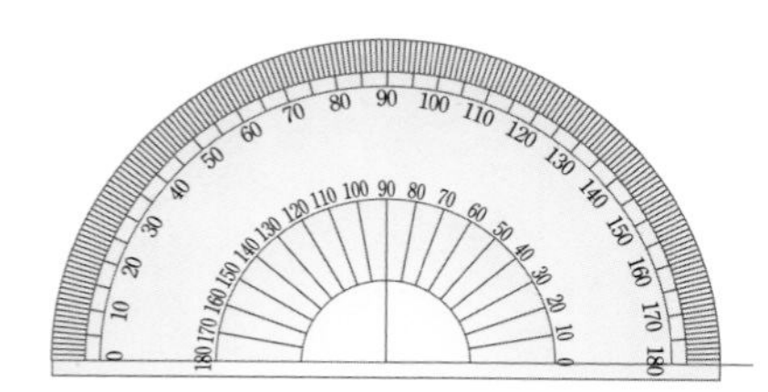

05 예각과 둔각에 대해 바르게 설명한 학생의 이름을 써 보세요.

은하: 각도가 0°보다 크고 180°보다 작은 각을 예각이라고 해.
도영: 각도가 직각보다 크고 180°보다 작은 각을 둔각이라고 해.

( )

06 둔각을 찾아 기호를 써 보세요.

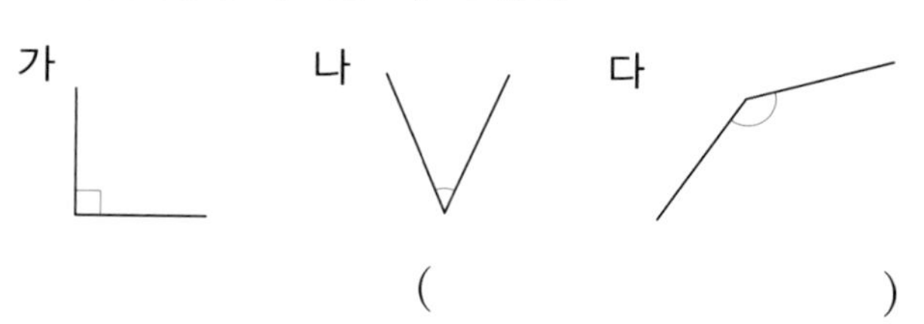

( )

07 각도를 어림하고 각도기로 재어 확인해 보세요.

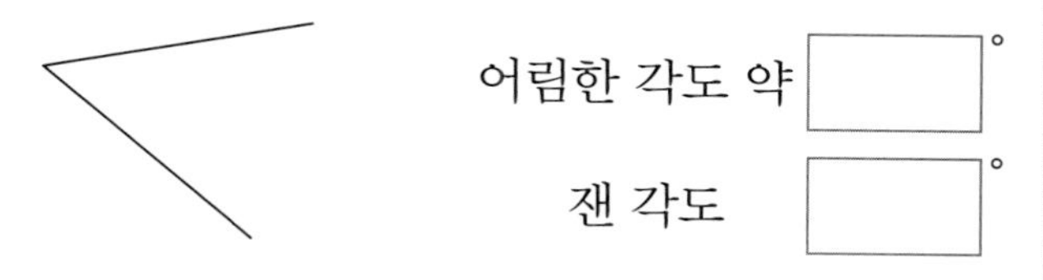

어림한 각도 약 □°

잰 각도 □°

08 두 각도의 합과 차를 구해 보세요.

95°, 50°

합 ( )

차 ( )

09 각도기로 재어 □ 안에 알맞은 수를 써넣으세요.

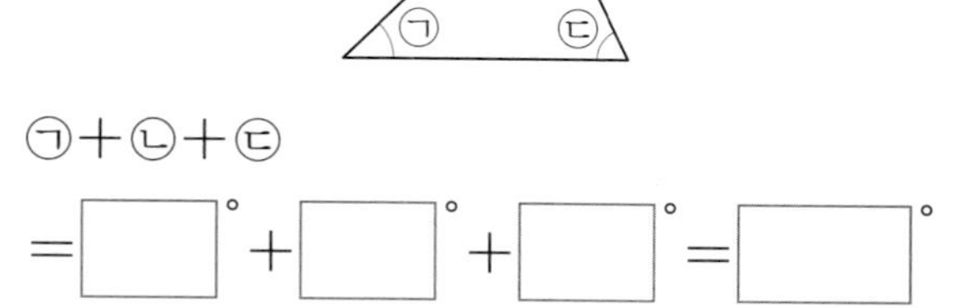

㉠+㉡+㉢

=□°+□°+□°=□°

10 다음과 같이 사각형 모양의 액자가 있습니다. 액자의 네 각의 크기의 합을 구해 보세요.

( )

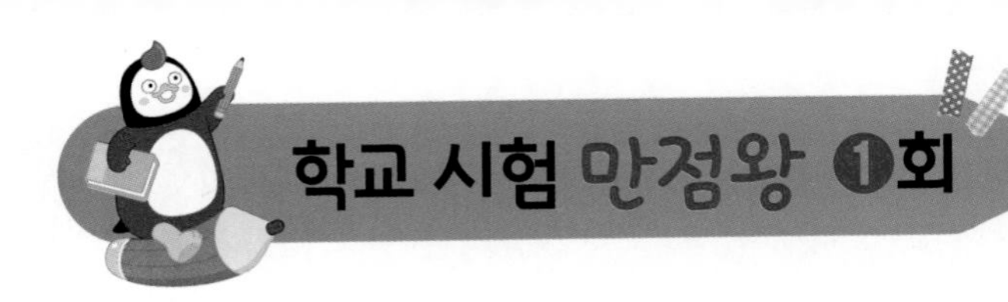

학교 시험 만점왕 ❶회

01 더 적게 벌어진 가위를 찾아 기호를 써 보세요.

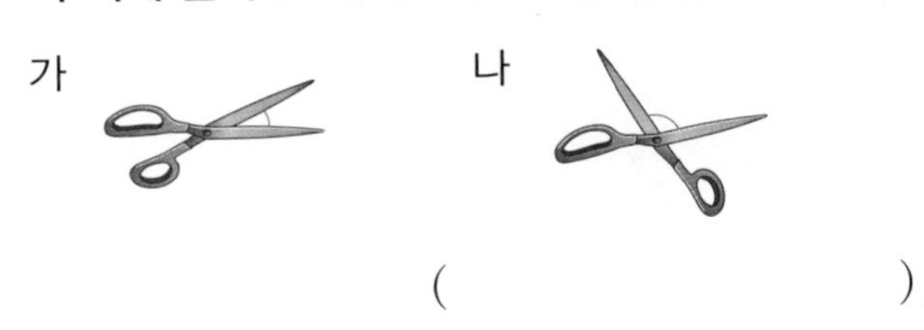

(　　　　　　　　　)

02 보기 의 각보다 더 큰 각에 ○표 하세요.

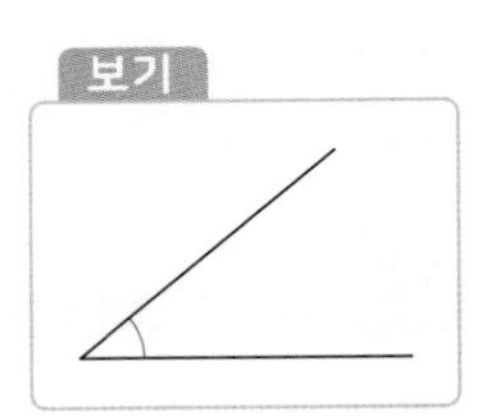

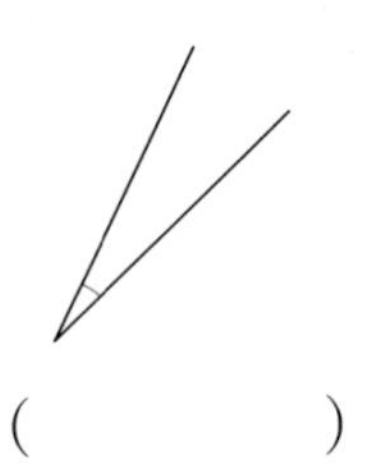

(　　　　)　　(　　　　)

03 각도를 바르게 구한 학생은 누구일까요?

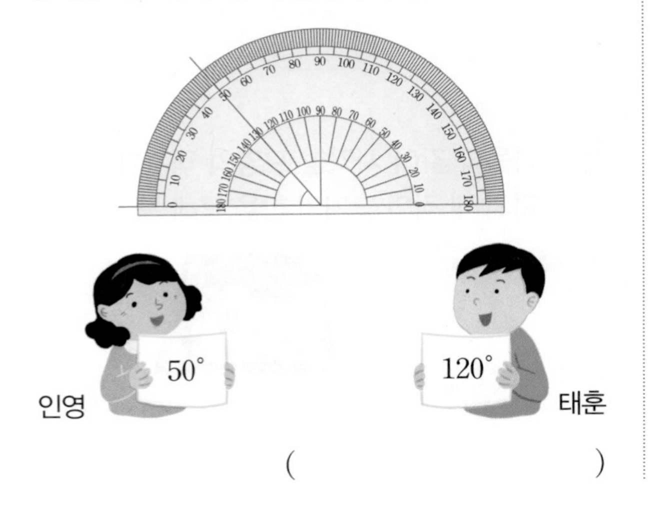

(　　　　　　　　　)

04 □ 안에 알맞은 말을 써넣으세요.

각의 크기를 잴 때는 각도기의 □과 각의 꼭짓점을 맞추고, 각도기의 □과 각의 한 변을 맞춥니다.

05 각도기를 이용하여 각도를 재어 보세요.

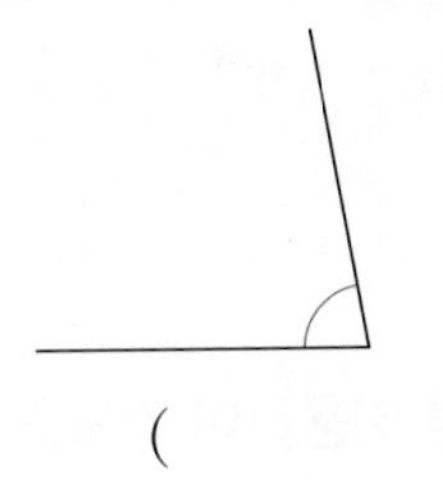

(　　　　　　　　　)

06 주어진 각도의 각을 각도기 위에 그려 보세요.

45°

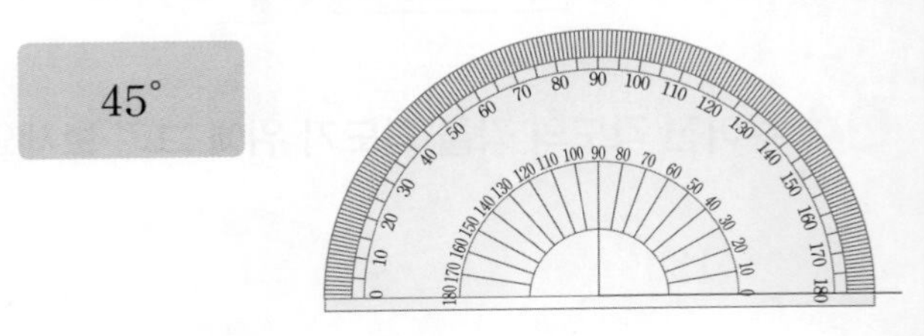

07 각도기와 자를 이용하여 각도가 110°인 각을 그려 보세요.

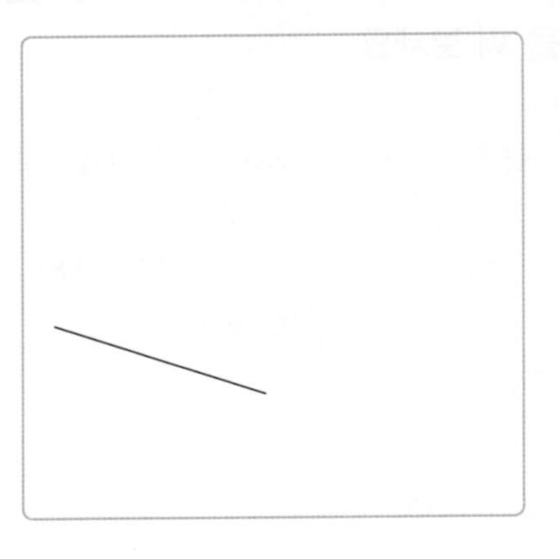

08 예각이면 '예', 둔각이면 '둔'을 써 보세요.

(1)

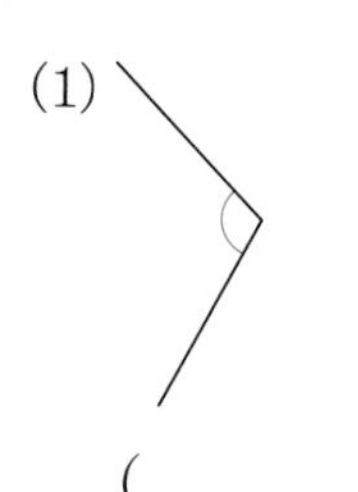

(2)

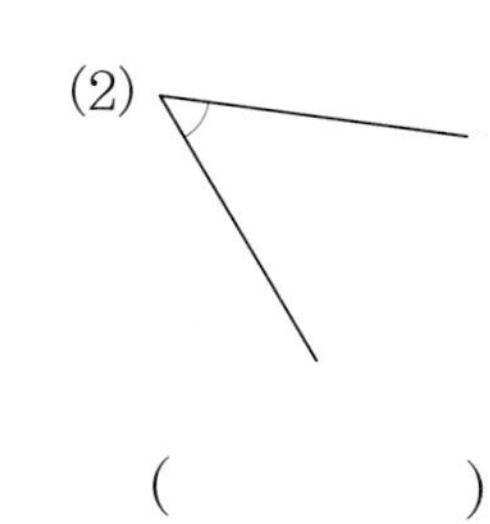

( ) ( )

09 둔각은 모두 몇 개일까요?

170°	75°	90°	120°	30°

( )

10 시계의 긴바늘과 짧은 바늘이 이루는 작은 쪽의 각을 나타낸 것입니다. 알맞게 이어 보세요.

(1)

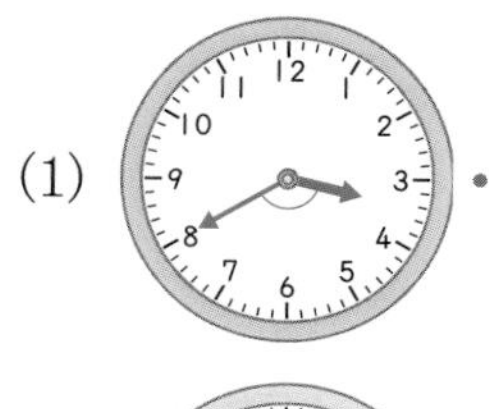

• • ㉠

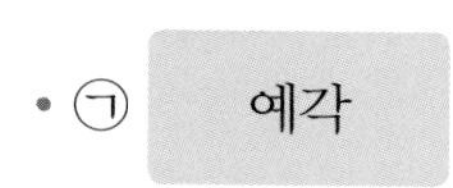

(2)

• • ㉡

11 주어진 각도를 어림하여 보세요.

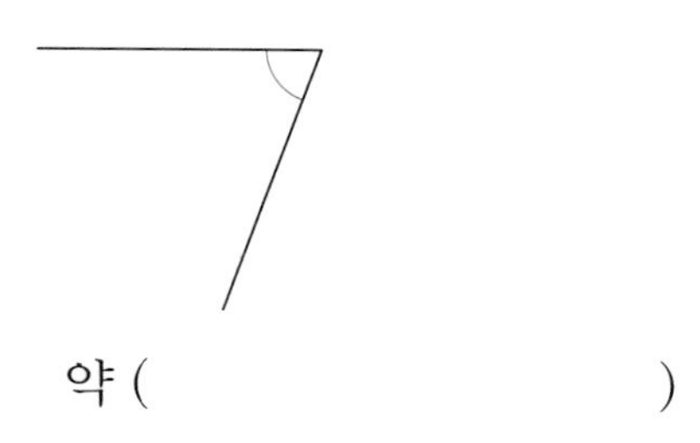

약 ( )

12 각도를 어림하고 각도기로 재어 확인해 보세요.

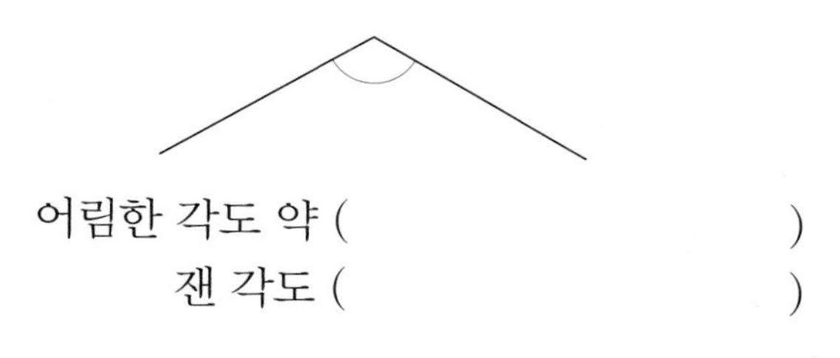

어림한 각도 약 ( )

잰 각도 ( )

13 각도의 합을 구해 보세요.

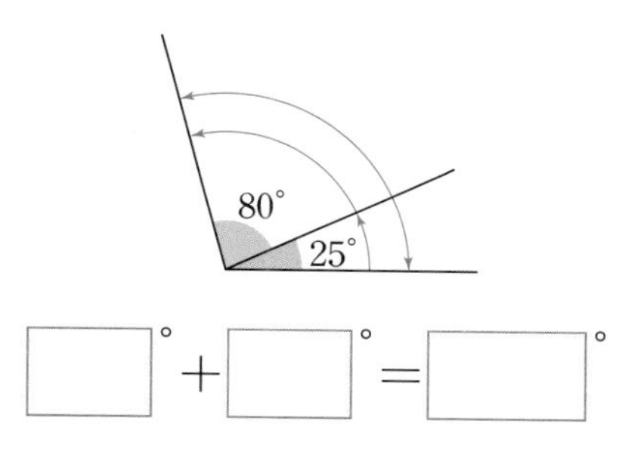

$\square^\circ + \square^\circ = \square^\circ$

14 각도의 합과 차를 구해 보세요.

(1) $74^\circ + 69^\circ = \square^\circ$

(2) $135^\circ - 98^\circ = \square^\circ$

각도기를 이용하여 가장 큰 각과 가장 작은 각의 크기를 재어 두 각도의 차를 구하려고 합니다. 풀이 과정을 쓰고 답을 구해 보세요.

풀이

답

16 삼각형의 세 각이 잘못 표시된 것의 기호를 써 보세요.

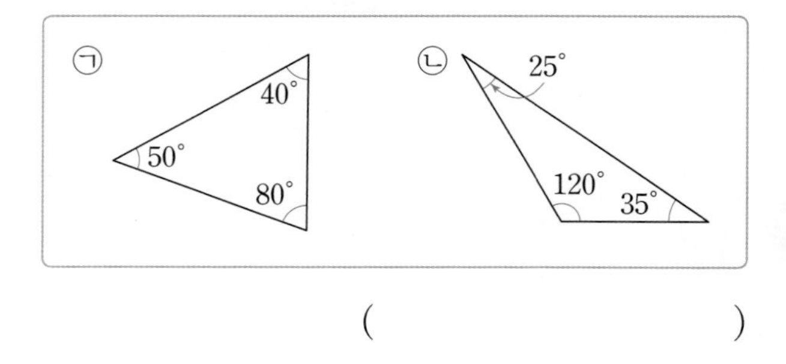

( )

17 □ 안에 알맞은 수를 써넣으세요.

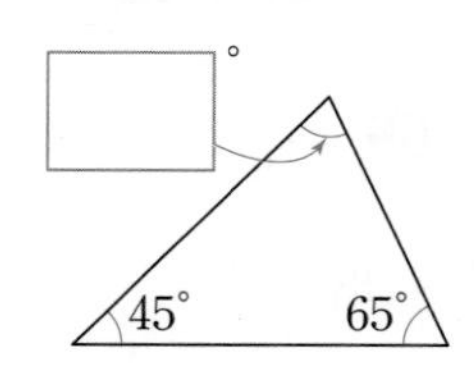

18 각도기로 재어 □ 안에 알맞은 수를 써넣으세요.

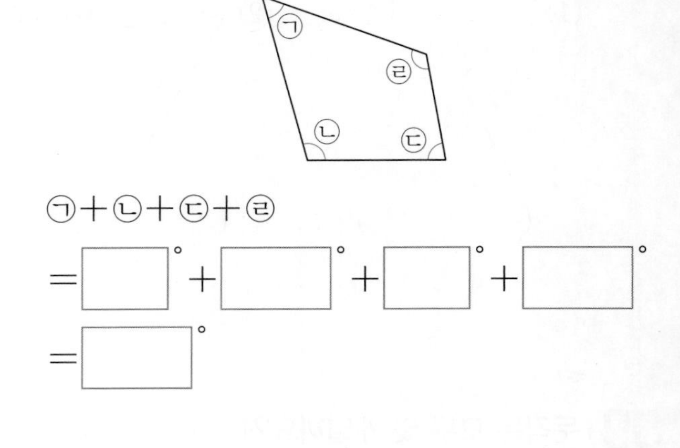

㉠+㉡+㉢+㉣

=□°+□°+□°+□°

=□°

19 ㉠과 ㉡의 각도의 합을 구해 보세요.

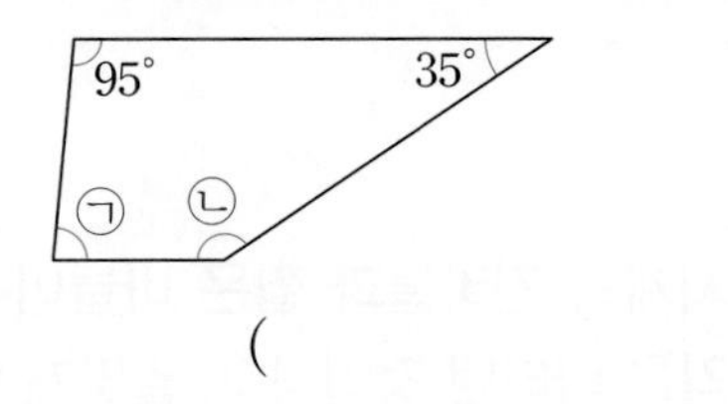

( )

서술형 **20** □ 안에 알맞은 수를 구하려고 합니다. 풀이 과정을 쓰고 답을 구해 보세요.

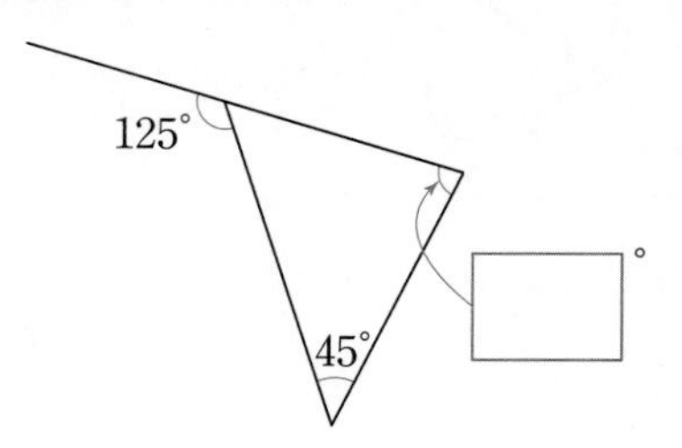

풀이

답

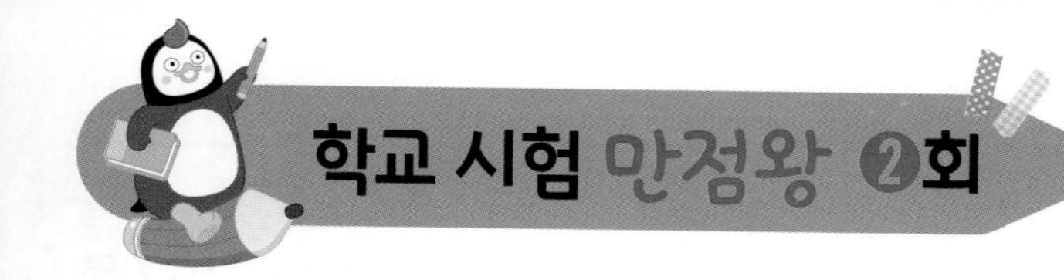

01 각의 크기가 가장 큰 각에는 ○표, 가장 작은 각에는 △표 하세요.

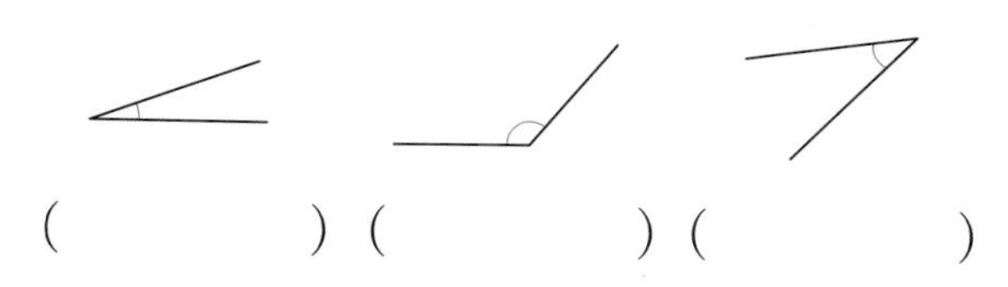

(　　　) (　　　) (　　　)

02 각의 크기가 큰 순서대로 (　　) 안에 번호를 써 보세요.

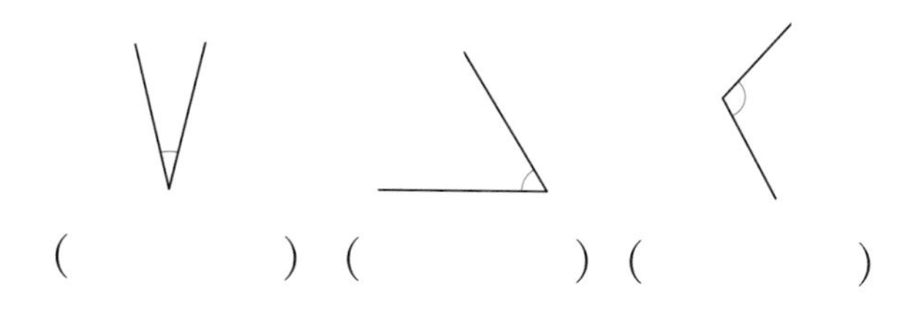

(　　　) (　　　) (　　　)

03 각도에 대한 설명으로 바르지 않은 것은 어느 것일까요? (　　)

① 각의 크기를 각도라고 합니다.
② 직각을 똑같이 180으로 나눈 것 중 하나를 1도라고 합니다.
③ 1도는 1°라고 씁니다.
④ 직각의 크기는 90°입니다.
⑤ 각도기를 이용해 각도를 잴 때는 각도기의 중심을 각의 꼭짓점에 맞춥니다.

04 각도를 구해 보세요.

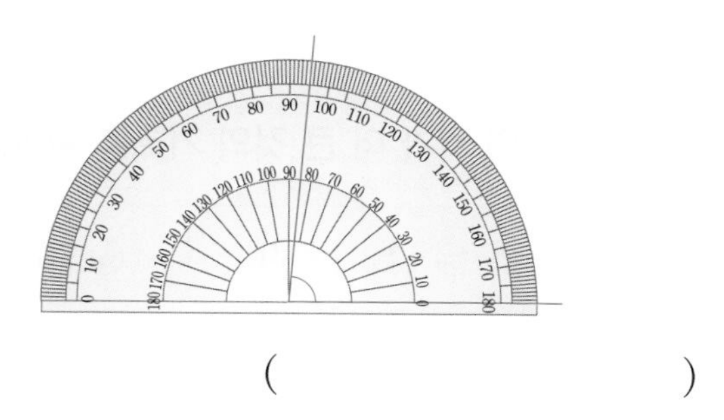

(　　　　　　)

05 각도기를 이용하여 각도를 재어 보세요.

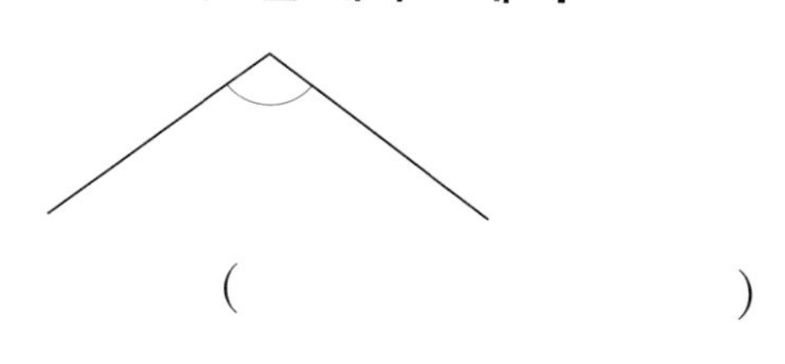

(　　　　　　)

06 각도기를 이용해 각도가 60°인 각 ㄱㄴㄷ을 그리려고 합니다. 점 ㄷ이 찍혀야 할 곳은 어디일까요?

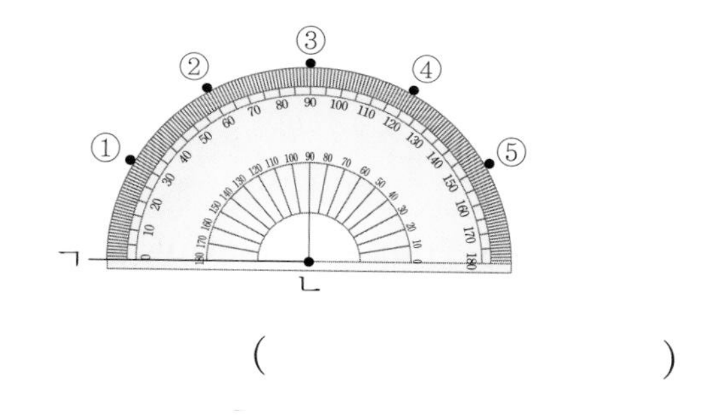

(　　　　　　)

07 각도기를 이용하여 각의 크기를 재고, 왼쪽과 크기가 같은 각을 오른쪽에 그려 보세요.

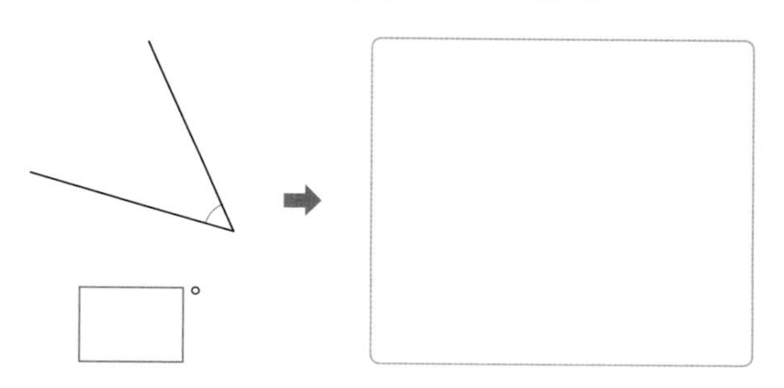

08 주어진 선분을 이용해 예각과 둔각을 하나씩 그려 보세요.

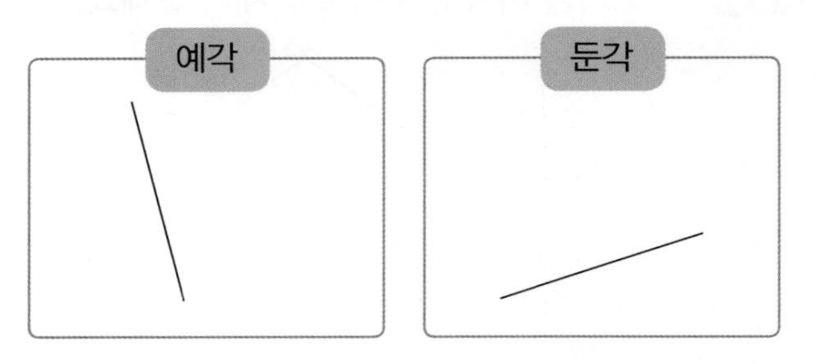

09 도형에서 찾을 수 있는 둔각은 모두 몇 개일까요?

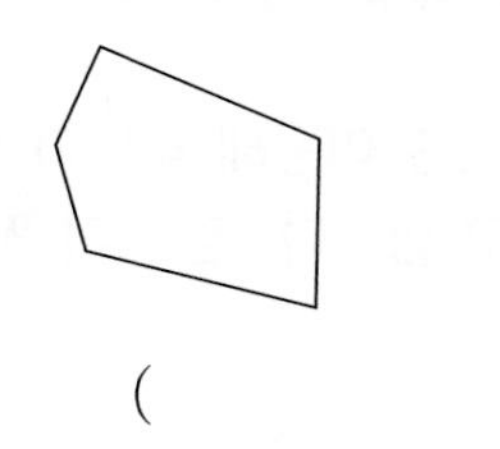

( )

10 시계의 긴바늘과 짧은바늘이 이루는 작은 쪽의 각이 예각, 직각, 둔각 중 어느 것인지 써 보세요.

( )

11 각도를 어림하고 각도기로 재어 확인해 보세요.

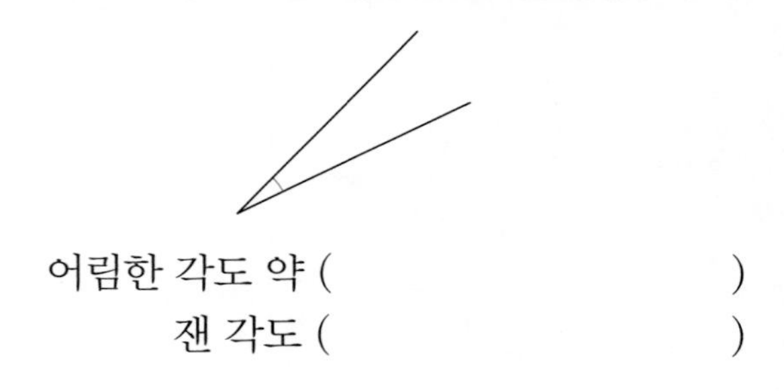

어림한 각도 약 ( )
잰 각도 ( )

12 영은이와 준수가 각도를 어림했습니다. 각도기를 이용하여 각도를 재어 보고, 누가 어림을 더 잘했는지 써 보세요.

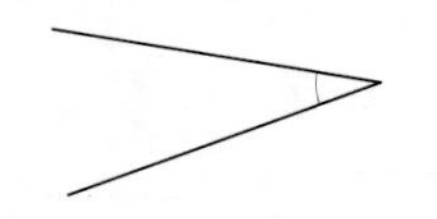

영은: 내 생각에는 50°쯤 될 것 같아.
준수: 내 생각에는 40°쯤 될 것 같아.

잰 각도 ( )
어림을 더 잘한 사람 ( )

13 각 ㄱㄴㄹ의 크기를 구해 보세요.

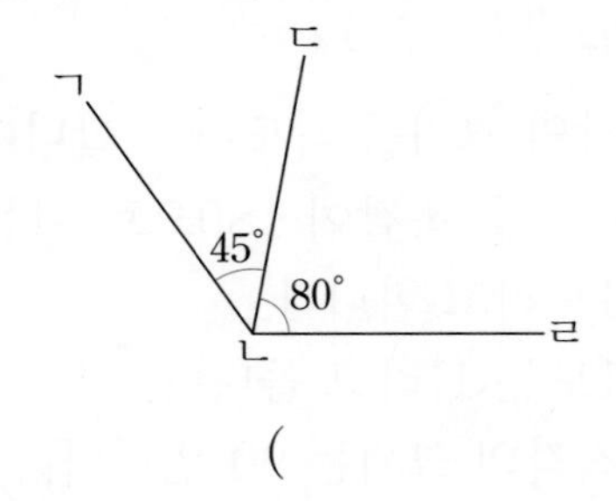

( )

14 각도의 차가 더 큰 것의 기호를 써 보세요.

㉠ $112^\circ - 59^\circ$ ㉡ $76^\circ - 18^\circ$

( )

15 관계있는 것끼리 이어 보세요.

(1)	$66° + 54°$	㉠	$75° + 62°$
(2)	$38° + 99°$	㉡	$175° - 55°$
(3)	$102° - 48°$	㉢	$163° - 109°$

16 ㉠의 각도를 구해 보세요.

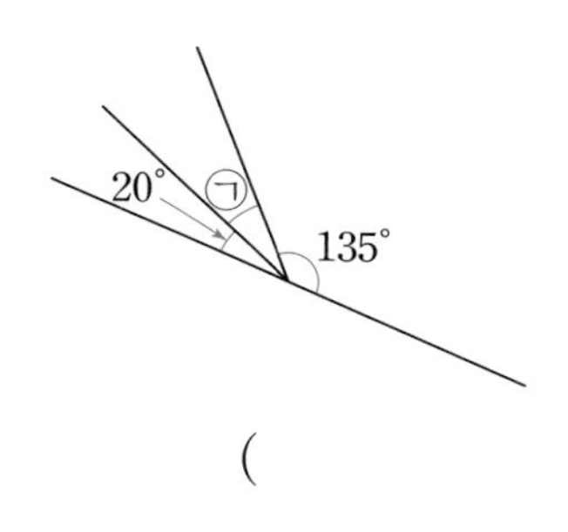

( )

17 ㉠과 ㉡의 각도의 합을 구해 보세요.

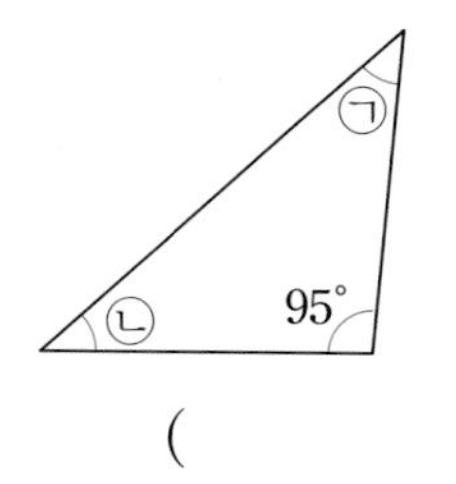

( )

서술형 18 두 직각 삼각자를 이용하여 만든 것입니다. □ 안에 알맞은 수는 얼마인지 풀이 과정을 쓰고 답을 구해 보세요.

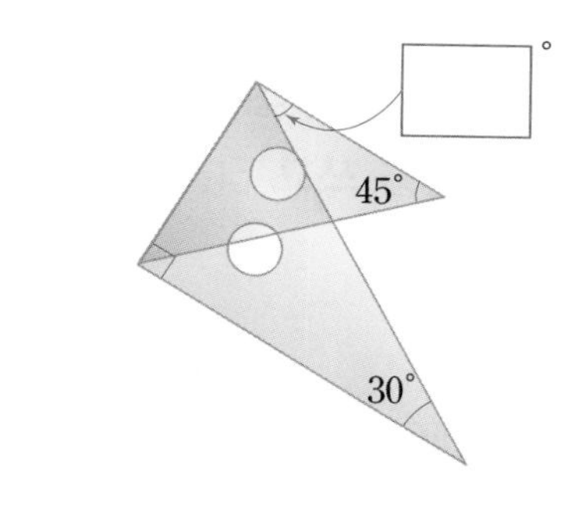

문제

답

19 □ 안에 알맞은 수를 써넣으세요.

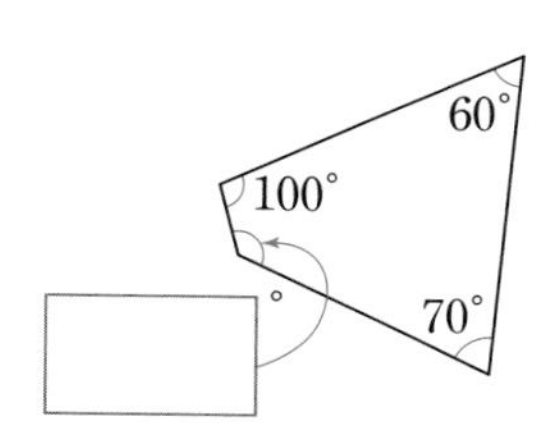

서술형 20 ㉠과 ㉡의 각도의 합을 구하려고 합니다. 풀이 과정을 쓰고 답을 구해 보세요.

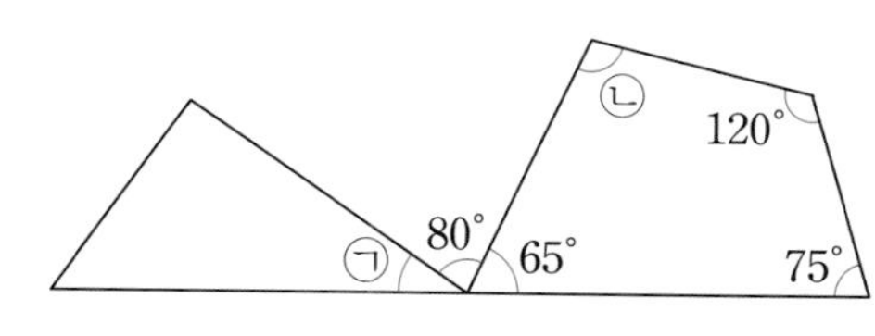

풀이

답

서술형·논술형 평가 2단원

01 보기의 부챗살이 이루는 각의 크기를 이용하여 ㉠과 ㉡ 중 더 많이 벌어진 부채를 찾으려고 합니다. 풀이 과정을 쓰고 답을 구해 보세요.

보기

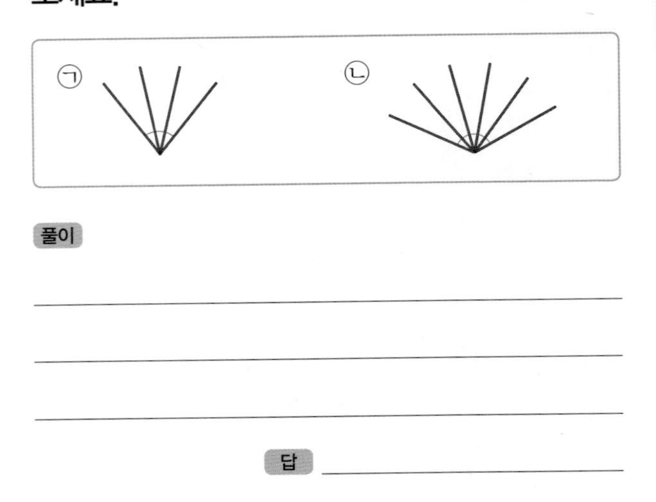

풀이

답

02 각도를 잘못 읽은 학생은 누구인지 풀이 과정을 쓰고 답을 구해 보세요.

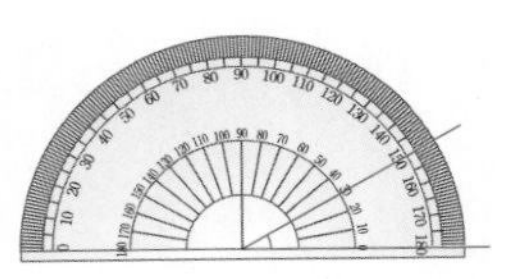

풀이

답

03 정미는 각도기를 이용하여 오른쪽과 같이 각도를 재었습니다. 잘못된 점을 설명하고, 각도를 바르게 재는 방법을 써 보세요.

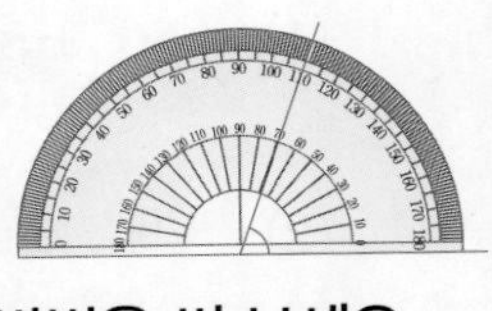

잘못된 점

바르게 재는 방법

04 다음 시각을 시계에 나타낼 때, 시계의 긴바늘과 짧은바늘이 이루는 작은 쪽의 각이 예각, 직각, 둔각 중 어느 것인지 풀이 과정을 쓰고 답을 구해 보세요.

5시 45분

풀이

답

05 세 도형 중 둔각이 가장 많은 도형의 기호를 쓰려고 합니다. 풀이 과정을 쓰고 답을 구해 보세요.

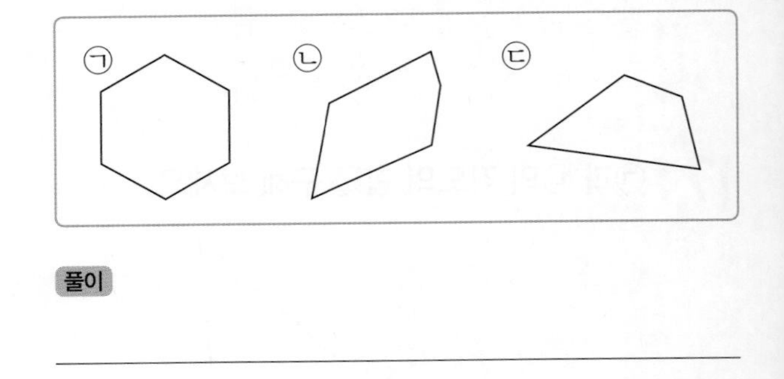

풀이

답

06 오른쪽 각도를 어림하고, 그렇게 어림한 이유를 써 보세요.

어림한 각도 ____________

이유

____

____

____

07 계산한 각도가 예각인 것을 찾아 기호를 쓰려고 합니다. 풀이 과정을 쓰고 답을 구해 보세요.

㉠ $123^\circ - 36^\circ$	㉡ $48^\circ + 57^\circ$

풀이

____

____

____

답 ____________

08 도형에서 ㉠의 각도는 몇 도인지 풀이 과정을 쓰고 답을 구해 보세요.

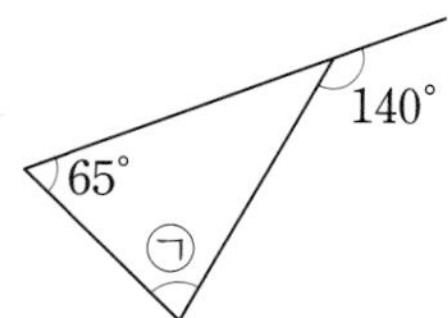

풀이

____

____

____

답 ____________

09 준영이는 사각형을 그린 후 네 각의 크기를 재어 종이에 써 놓았는데 일부분이 지워져 보이지 않습니다. 나머지 한 각의 크기는 몇 도인지 풀이 과정을 쓰고 답을 구해 보세요.

$45^\circ, 80^\circ, 100^\circ,$

풀이

____

____

____

____

답 ____________

10 도형에서 ㉠의 각도는 몇 도인지 풀이 과정을 쓰고 답을 구해 보세요.

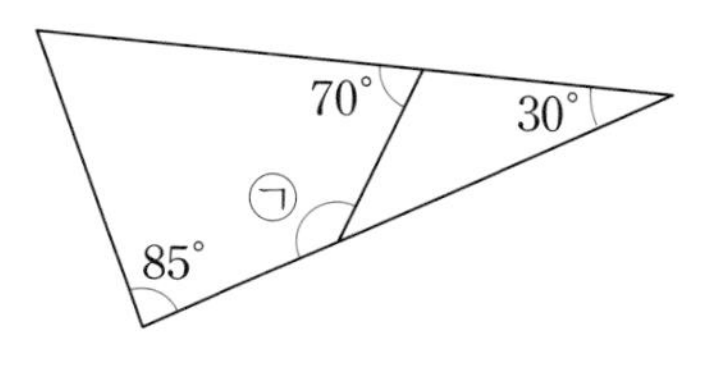

풀이

____

____

____

____

답 ____________

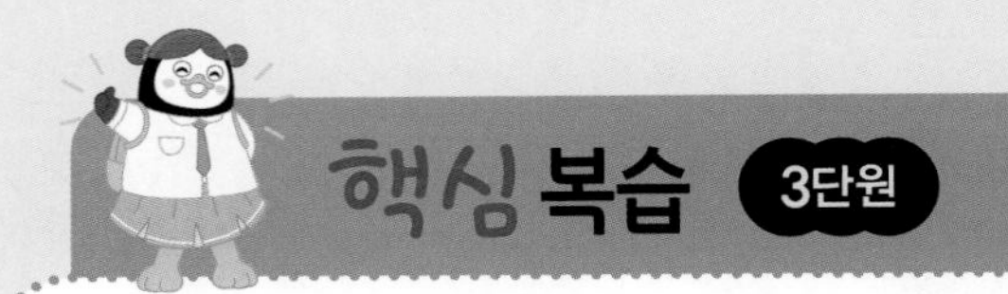

● (세 자리 수)×(몇십)

$260\times3=780$
$260\times30=7800$ (10배)

$$\begin{array}{r} 180 \\ \times\ \ 4 \\ \hline 720 \end{array} \qquad \begin{array}{r} 180 \\ \times\ 40 \\ \hline 7200 \end{array}$$

(10배)

➡ (세 자리 수)×(몇십)의 계산은 (세 자리 수)×(몇)의 값에 0을 1개 붙입니다.

● (세 자리 수)×(몇십몇)

$432\times20=8640$　　$432\times9=3888$

$432\times29=8640+3888=12528$

$$\begin{array}{rl} 432 & \\ \times\ \ 29 & \leftarrow 20+9 \\ \hline 3888 & \leftarrow 432\times9 \\ 864\ \ & \leftarrow 432\times20 \\ \hline 12528 & \end{array}$$

➡ (세 자리 수)×(몇십몇)의 계산은 (세 자리 수)×(몇십)과 (세 자리 수)×(몇)의 계산 결과를 더합니다.

● 몇십으로 나누기

• 351÷70의 계산

$70\times4=280$
$70\times5=350$
$70\times6=420$

$$\begin{array}{r} 5 \\ 70\overline{)351} \\ 350 \\ \hline 1 \end{array}$$

➡ 351÷70의 몫은 5, 나머지는 1입니다.

계산 결과 확인 $70\times5=350,\ 350+1=351$

● 몇십몇으로 나누기(1)

91÷13과 191÷23의 계산

$$\begin{array}{r} 7 \\ 13\overline{)91} \\ 91 \\ \hline 0 \end{array} \qquad \begin{array}{r} 8 \\ 23\overline{)191} \\ 184 \\ \hline 7 \end{array}$$

계산 결과 확인 $13\times7=91$

계산 결과 확인 $23\times8=184,\ 184+7=191$

● 몇십몇으로 나누기(2)

$$\begin{array}{r} 21 \\ 34\overline{)714} \\ 68\ \ \\ \hline 34 \\ 34 \\ \hline 0 \end{array}$$

계산 결과 확인 $34\times21=714$

➡ 몫의 십의 자리를 곱하여 빼고 남은 수를 34로 나눕니다.

● 몇십몇으로 나누기(3)

$$\begin{array}{r} 15 \\ 62\overline{)936} \\ 62\ \ \\ \hline 316 \\ 310 \\ \hline 6 \end{array}$$

계산 결과 확인 $62\times15=930,$
$930+6=936$

➡ 몫의 십의 자리를 곱하여 빼고 남은 수를 62로 나눕니다.

● 실생활 문제 해결하기

• 곱셈을 활용하여 실생활 문제 해결하기

빵 1개를 만드는 데 밀가루 187 g이 필요합니다. 빵 22개를 만들기 위해 필요한 밀가루는 몇 g일까요?

➡ $187\times22=4114$(g)

• 나눗셈을 활용하여 실생활 문제 해결하기

귤 504개를 한 상자에 36개씩 담아 포장하려고 합니다. 필요한 상자는 몇 개일까요?

➡ $504\div36=14$(개)

쪽지 시험 3. 곱셈과 나눗셈

정답과 해설 46쪽

01 □ 안에 알맞은 수를 써넣으세요.

$472 \times 7 = 3304$ ➡ $472 \times 70 = \square$

02 □ 안에 알맞은 수를 써넣으세요.

$800 \times 70 = \square$

03 □ 안에 알맞은 수를 써넣으세요.

$157 \times 69 = 157 \times \square + 157 \times 9$

$= \square + \square$

$= \square$

04 □ 안에 알맞은 수를 써넣으세요.

(1)

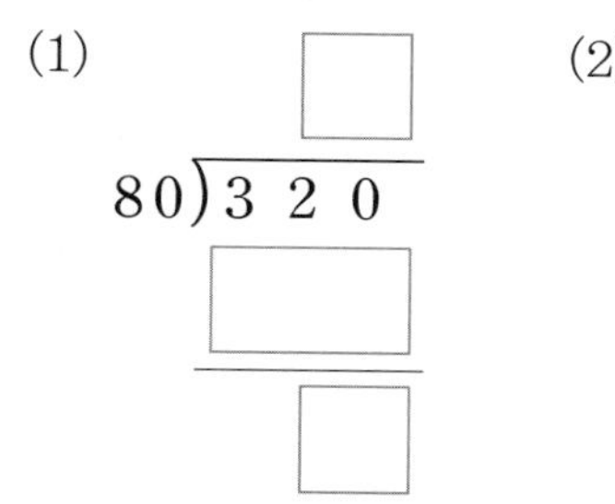

(2)

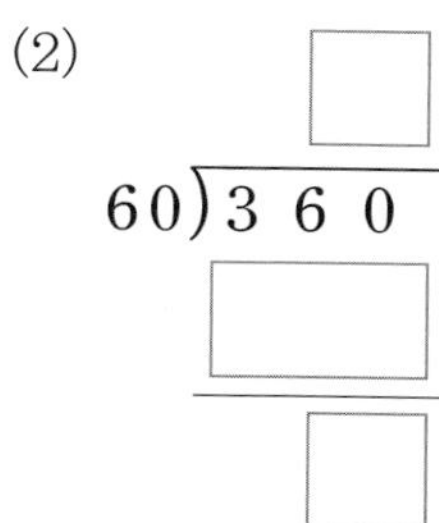

05 □ 안에 알맞은 수를 써넣으세요.

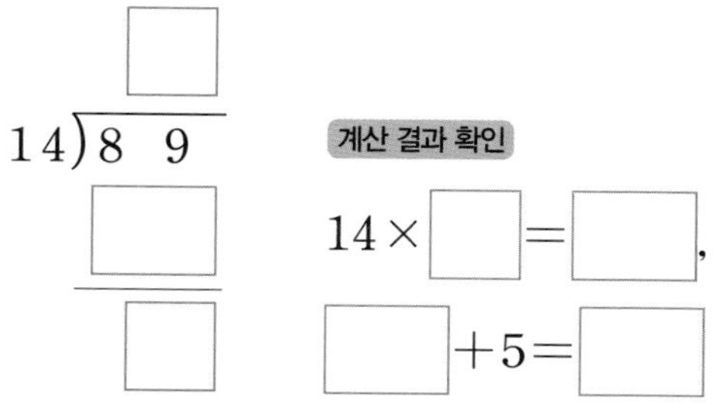

06 □ 안에 알맞은 수를 써넣으세요.

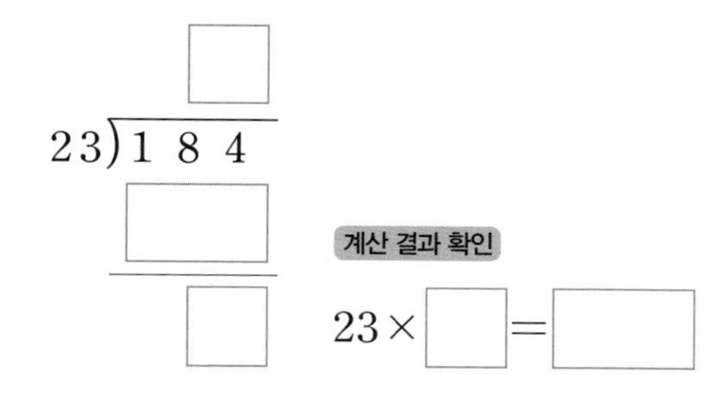

07 □ 안에 알맞은 수를 써넣으세요.

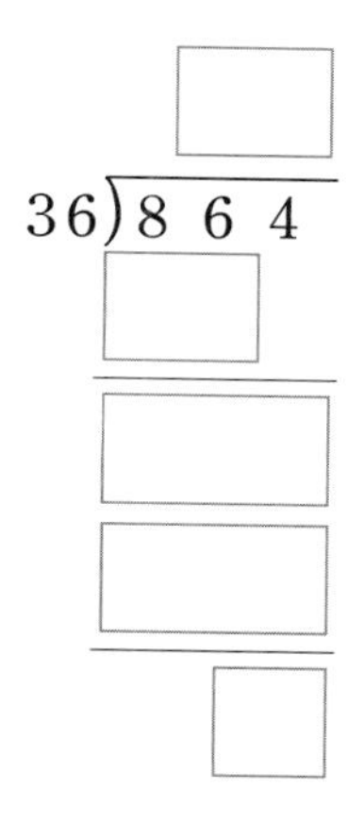

08 □ 안에 알맞은 수를 써넣으세요.

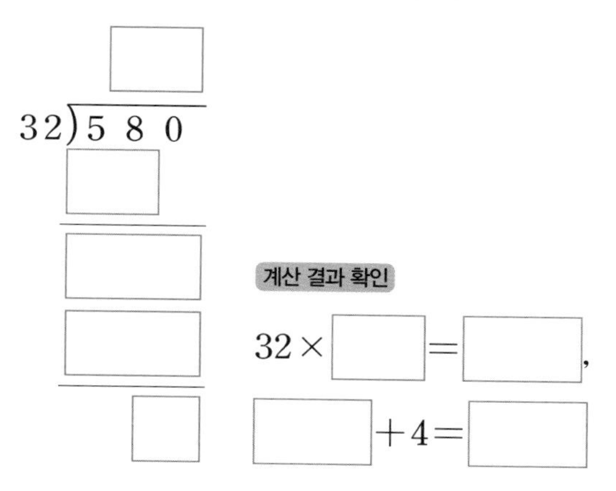

09 몫이 더 큰 쪽에 ○표 하세요.

$243 \div 13$	$186 \div 11$
(　　　)	(　　　)

10 다음 문제의 답을 구하는 알맞은 식에 ○표 하세요.

1상자에 125개씩 들어 있는 초콜릿이 있습니다. 초콜릿 20상자에 들어 있는 초콜릿은 모두 몇 개일까요?

$125 \div 20$	125×20
(　　　)	(　　　)

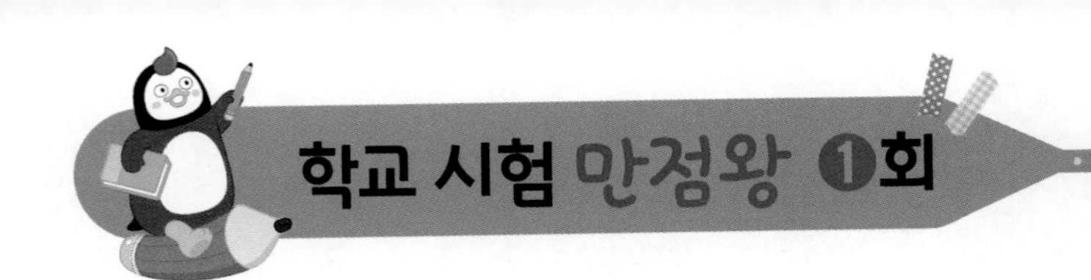

01 □ 안에 알맞은 수를 써넣으세요.

$560 \times 8 = \square$

$560 \times 80 = \square$

$$\begin{array}{r} 5\ 6\ 0 \\ \times \quad 8\ 0 \\ \hline \square \end{array}$$

02 계산 결과에 맞게 선으로 이어 보세요.

(1) 900×30 • • ㉠ 42000

(2) 700×60 • • ㉡ 27000

03 다음 곱셈식에서 ㉠에 알맞은 식에 ○표 하세요.

$$\begin{array}{r} 6\ 2\ 4 \\ \times \quad 3\ 5 \\ \hline 3\ 1\ 2\ 0 \\ 1\ 8\ 7\ 2\ \\ \hline 2\ 1\ 8\ 4\ 0 \end{array}$$

1 8 7 2 ······㉠

624×5 ( ) 624×30 ( )

04 계산해 보세요.

$$\begin{array}{r} 2\ 1\ 9 \\ \times \quad 8\ 7 \\ \hline \end{array}$$

05 동화책 한 권의 무게가 348 g입니다. 동화책 62권의 무게는 모두 몇 g일까요?

( )

06 □ 안에 알맞은 수를 써넣으세요.

$240 \div 40 = \square$

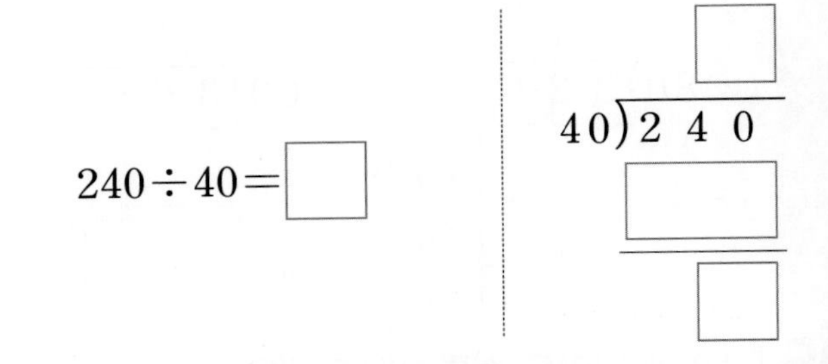

07 빈칸에 알맞은 수를 써넣으세요.

560 → $\div 70$ → □

08 나눗셈의 몫을 찾아 선으로 이어 보세요.

(1) 350÷50 • • ㉠ 7

(2) 810÷90 • • ㉡ 9

09 더 큰 수를 더 작은 수로 나눈 몫을 구해 보세요.

(　　　　　　)

10 계산해 보세요.

$$74\overline{)599}$$

11 현우가 말한 수를 83으로 나눈 몫과 나머지를 구해 보세요.

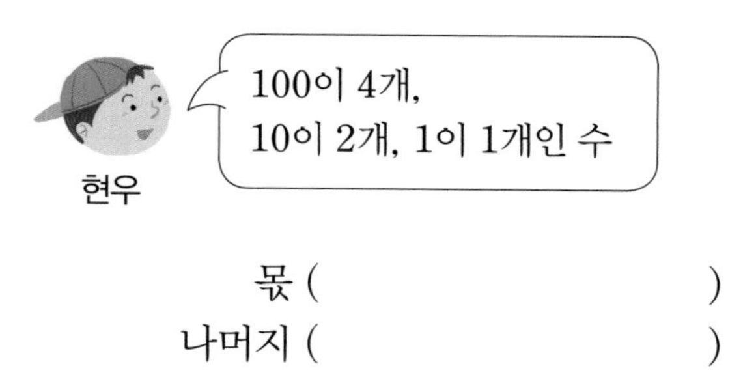

몫 (　　　　　　)

나머지 (　　　　　　)

12 몫이 큰 순서대로 번호를 써 보세요.

615÷41	876÷73	550÷25
(　　)	(　　)	(　　)

13 나눗셈을 하고 계산 결과가 맞는지 확인해 보세요.

$$19\overline{)817}$$

계산 결과 확인

14 나눗셈의 몫이 두 자리 수인 것에는 ○표, 한 자리 수인 것에는 △표 하세요.

901÷88	469÷35	248÷52
(　　)	(　　)	(　　)

15 나눗셈을 하고 계산 결과가 맞는지 확인해 보세요.

$$43\overline{)608}$$

계산 결과 확인

16 어떤 수를 28로 나누었을 때 나머지가 될 수 있는 수 중에서 가장 큰 수는 얼마일까요?

(　　　　　　)

17 A 회사에서 생산하는 공정무역 초콜릿을 1통 구매하면 876원이 기부된다고 합니다. 이 초콜릿을 34통 구매했을 때 기부되는 금액은 모두 얼마일까요?

(　　　　　　)

18 수 카드 5장을 한 번씩만 사용하여 만들 수 있는 가장 작은 세 자리 수와 가장 큰 두 자리 수의 곱을 구해 보세요.

6　3　5　2　7

(　　　　　　)

서술형 **19** 어떤 수를 38로 나누어야 하는 것을 잘못하여 더하였더니 991이 되었습니다. 바르게 계산하였을 때의 몫과 나머지는 각각 얼마인지 풀이 과정을 쓰고 답을 구해 보세요.

풀이

답 몫: 　　　　　, 나머지:

서술형 **20** 한 상자에 23개씩 들어 있는 복숭아를 18상자 사 왔습니다. 이 복숭아를 다시 12개씩 봉지에 담아 포장하려고 할 때 12개씩 몇 봉지까지 담을 수 있는지 풀이 과정을 쓰고 답을 구해 보세요.

풀이

답

학교 시험 만점왕 ❷회

정답과 해설 48쪽

01 빈칸에 두 수의 곱을 써넣으세요.

186	
30	

02 □ 안에 알맞은 수를 써넣으세요.

$800 \times \square = 56000$

03 **316×49**를 계산하려고 합니다. □ 안에 알맞은 수를 써넣으세요.

$316 \times 40 = \square$

$316 \times 9 = \square$

$316 \times 49 = \square$

04 □ 안에 알맞은 수를 써넣으세요.

		□	2	4
	×		□	5
	3	6	2	□
1	□	4	8	
1	8	□	0	0

05 두 수의 곱에서 만의 자리 숫자를 구해 보세요.

825　　67

(　　　　　　)

06 **42÷6**과 몫이 같은 것에 ○표 하세요.

420÷6	420÷60
(　　　)	(　　　)

07 계산해 보세요.

(1) $70\overline{)210}$

(2) $80\overline{)480}$

08 몫이 같은 것끼리 선으로 이어 보세요.

(1) 150÷30 •　　　　• ㉠ 640÷80

(2) 400÷50 •　　　　• ㉡ 200÷40

09 어림한 나눗셈의 몫으로 가장 적절한 것은 어느 것일까요? (　　)

82÷21

① 2　② 4　③ 8　④ 20　⑤ 40

10 계산해 보세요.

(1) $24\overline{)82}$　(2) $48\overline{)201}$

11 마스크 94개를 22명의 학생들에게 똑같이 나누어 주려고 합니다. 학생들에게 똑같이 나누어 준 뒤 남는 마스크는 몇 개일까요?

(　　　　)

12 나눗셈을 바르게 계산한 학생의 이름을 써 보세요.

현지	소정
130 52)676 52 156 156 0	13 52)676 52 156 156 0

(　　　　)

13 나눗셈을 하고 계산 결과가 맞는지 확인해 보세요.

$32\overline{)736}$

계산 결과 확인

14 나머지가 다른 나눗셈에 ○표 하세요.

665÷44　462÷38　389÷16

(　　)　(　　)　(　　)

15 □ 안에는 몫을, ○ 안에는 나머지를 써넣으세요.

941	856
49	34

÷

16 아래의 나눗셈에서 □가 세 자리 수일 때 나머지가 될 수 없는 것은 어느 것일까요? (　　)

□÷42

① 1　② 4　③ 21　④ 41　⑤ 43

서술형 **17** 예원이는 오늘부터 과학책을 아침에 15쪽, 저녁에 14쪽 읽기로 하였습니다. 500쪽짜리 과학책을 모두 다 읽으려면 며칠이 걸리는지 풀이 과정을 쓰고 답을 구하세요.

풀이

답

18 1부터 9까지의 자연수 중에서 □ 안에 들어갈 수 있는 수는 모두 몇 개일까요?

14×□<994÷13

(　　　　　)

서술형 **19** 한 개에 630원인 음료수를 28개 사고 20000원을 냈습니다. 거스름돈으로 받아야 하는 돈은 얼마인지 풀이 과정을 쓰고 답을 구해 보세요.

풀이

답

20 비행기를 타고 서울에서 베트남까지 가는 데 315분이 걸린다고 합니다. 315분은 몇 시간 몇 분일까요?

(　　　　　)

서술형·논술형 평가 3단원

01 도연이는 50일 동안 매일 줄넘기 150회를 하였습니다. 도연이가 한 줄넘기는 모두 몇 회인지 풀이 과정을 쓰고 답을 구해 보세요.

풀이

답

02 어머니께서 한 개에 612 g인 배 17개를 사 오셨습니다. 어머니께서 사 오신 배의 무게는 모두 몇 g인지 풀이 과정을 쓰고 답을 구해 보세요.

풀이

답

03 길이가 407 cm인 철사를 한 도막이 50 cm가 되도록 잘랐습니다. 50 cm짜리 철사는 몇 도막까지 만들 수 있고 남은 철사는 몇 cm인지 풀이 과정을 쓰고 답을 구하세요.

풀이

답 ,

04 어느 농장에서 생산한 달걀 88개를 10개씩 상자에 담아 포장하려고 합니다. 10개씩 포장하고 남는 달걀은 몇 개인지 풀이 과정을 쓰고 답을 구해 보세요.

풀이

답

05 쿠키 1개를 만드는 데 A 제과점에서는 밀가루 32 g을 사용하고, B 제과점에서는 밀가루 40 g을 사용합니다. 두 제과점 모두 960 g의 밀가루를 이용해 쿠키를 만들었을 때, A 제과점에서 만든 쿠키는 B 제과점에서 만든 쿠키보다 몇 개 더 많은지 풀이 과정을 쓰고 답을 구해 보세요.

풀이

답

06 거리가 612 m인 길 한쪽에 51 m의 간격으로 나무를 심으려고 합니다. 길의 처음부터 끝까지 나무를 심는다고 할 때, 필요한 나무는 몇 그루인지 풀이 과정을 쓰고 답을 구해 보세요.

풀이

답

07 어떤 수를 26으로 나누면 몫은 31이고 나머지는 3입니다. 어떤 수는 얼마인지 풀이 과정을 쓰고 답을 구해 보세요.

풀이

답

08 400보다 크고 500보다 작은 수 중에서 62로 나누었을 때 나머지가 7인 수는 얼마인지 풀이 과정을 쓰고 답을 구해 보세요.

풀이

답

09 주원이네 학교 4학년 학생 175명이 현장 체험학습을 가서 엘리베이터를 타려고 합니다. 엘리베이터는 한 번 운행할 때마다 12명씩 탈 수 있습니다. 4학년 학생들이 모두 엘리베이터를 타려면 엘리베이터는 적어도 몇 번 운행해야 하는지 풀이 과정을 쓰고 답을 구해 보세요.

풀이

답

10 ㉠+㉡+㉢은 얼마인지 풀이 과정을 쓰고 답을 구해 보세요.

- $923 \times 54 = 49$㉠42
- $507 \div 31 =$ ㉡⋯㉢

풀이

답

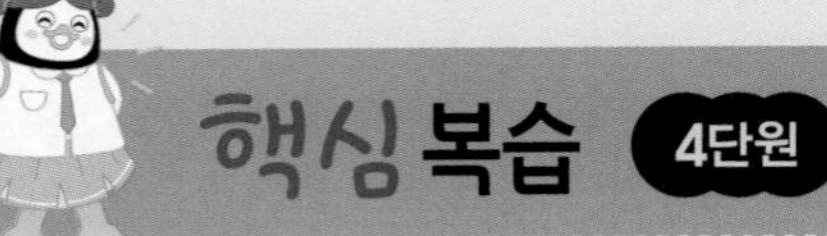

● 평면도형을 밀어 보기

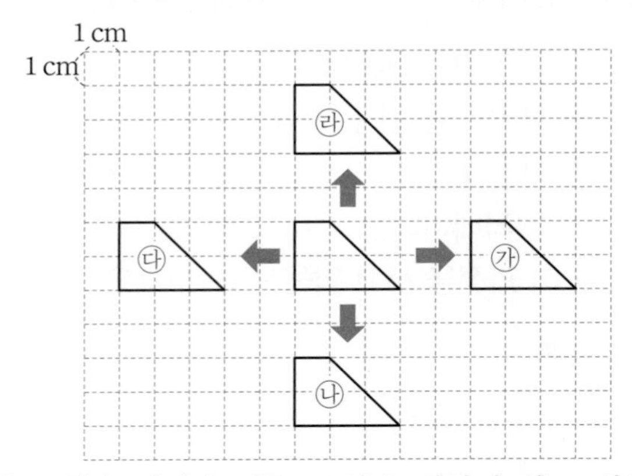

① 도형을 밀었을 때는 모양은 변하지 않고 위치만 바뀝니다.

② ㉮와 ㉰ 도형은 가운데 도형을 오른쪽과 왼쪽으로 5 cm 밀었을 때의 도형입니다.

③ ㉱와 ㉯ 도형은 가운데 도형을 위쪽과 아래쪽으로 4 cm 밀었을 때의 도형입니다.

● 평면도형을 뒤집어 보기

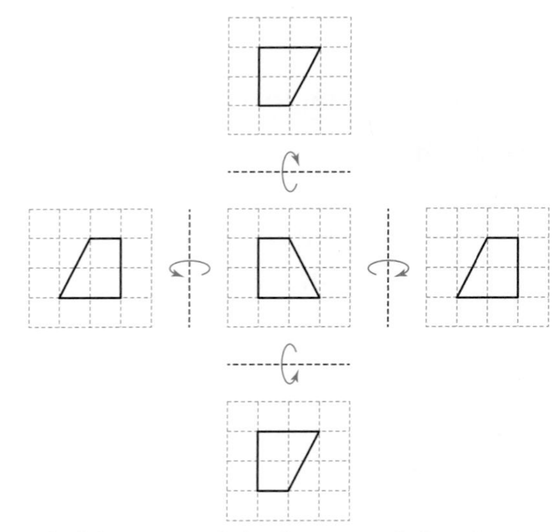

① 도형을 오른쪽이나 왼쪽으로 뒤집으면 도형의 오른쪽과 왼쪽이 서로 바뀝니다.

② 도형을 위쪽이나 아래쪽으로 뒤집으면 도형의 위쪽과 아래쪽이 서로 바뀝니다.

➡ 도형을 왼쪽으로 뒤집었을 때와 오른쪽으로 뒤집었을 때의 도형이 같고, 위쪽으로 뒤집었을 때와 아래쪽으로 뒤집었을 때의 도형이 같습니다.

● 평면도형을 돌려 보기

시계 방향으로 돌리기	시계 반대 방향으로 돌리기

① (시계 방향으로 90°만큼 돌린 도형)
=(시계 반대 방향으로 270°만큼 돌린 도형)

② (시계 방향으로 180°만큼 돌린 도형)
=(시계 반대 방향으로 180°만큼 돌린 도형)

③ (시계 방향으로 270°만큼 돌린 도형)
=(시계 반대 방향으로 90°만큼 돌린 도형)

● 평면도형을 뒤집고 돌리기

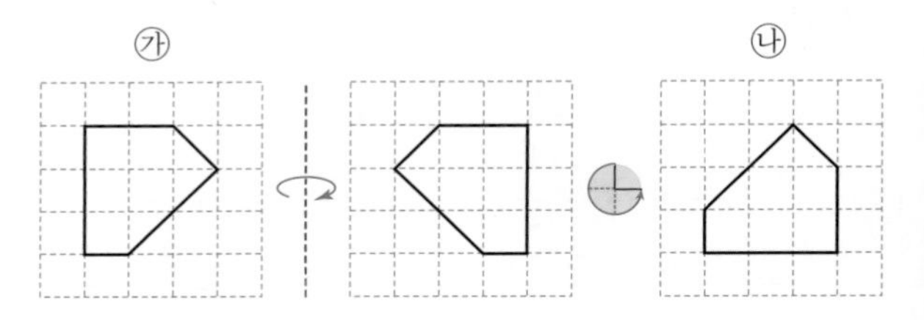

➡ ㉯ 도형은 ㉮ 도형을 오른쪽으로 뒤집고 시계 반대 방향으로 270°만큼 돌린 도형입니다.

● 무늬 꾸미기

• 밀기, 뒤집기, 돌리기를 이용하여 무늬를 꾸밀 수 있습니다.

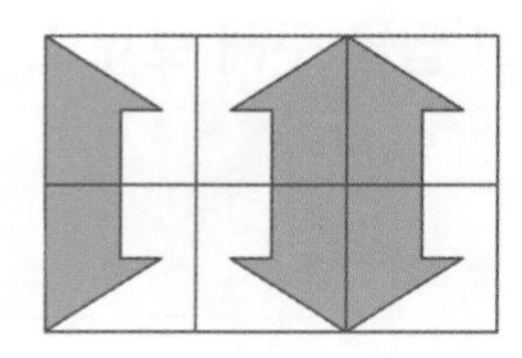

모양을 오른쪽으로 뒤집는 것을 반복해서 모양을 만들고 그 모양을 아래쪽으로 뒤집었습니다.

쪽지 시험 4. 평면도형의 이동

정답과 해설 51쪽

01 도형을 왼쪽으로 밀었을 때의 도형을 그려 보세요.

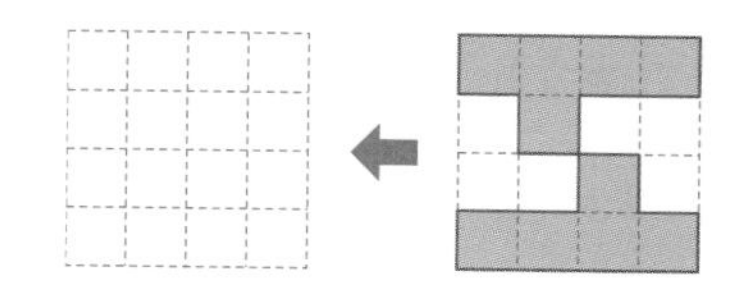

02 도형을 오른쪽으로 10 cm 밀고 아래쪽으로 1 cm 밀었을 때의 도형을 그려 보세요.

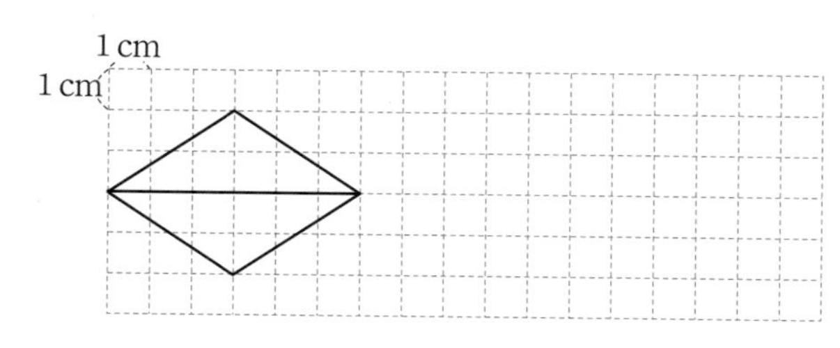

03 왼쪽 도형을 오른쪽으로 뒤집었을 때의 도형을 찾아 ○표 하세요.

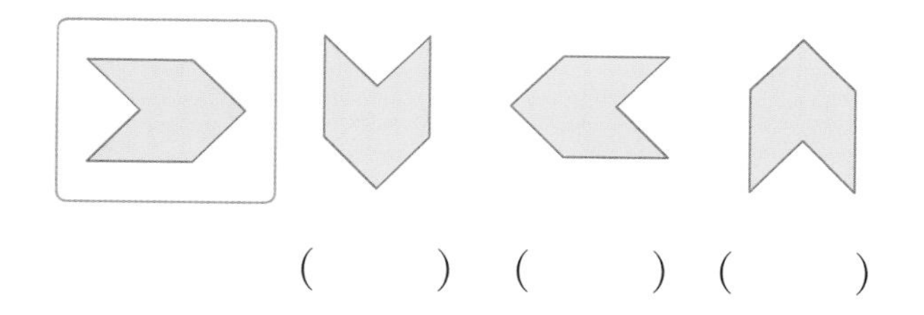

( ) ( ) ( )

04 주어진 도형을 시계 반대 방향으로 90°, 180°, 270°, 360°만큼 돌린 도형을 각각 그려 보세요.

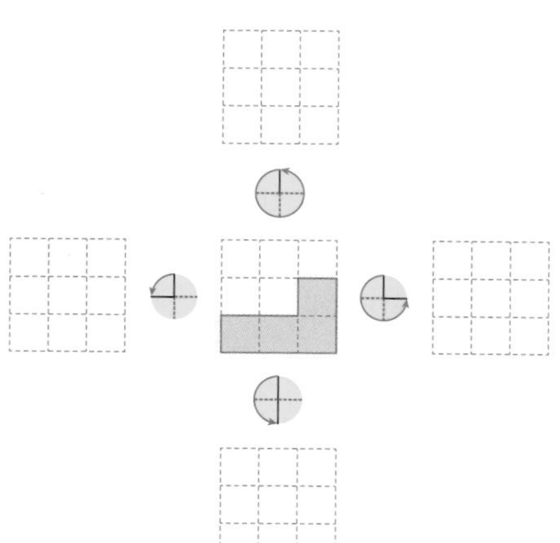

05 □ 안에 알맞은 수를 써넣으세요.

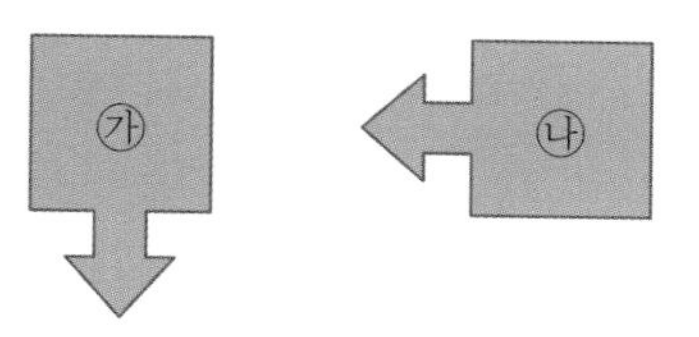

㉮ 도형은 ㉯ 도형을 시계 방향으로 □° 만큼 돌린 모양입니다.

06 오른쪽 도형을 시계 방향으로 90°만큼 돌리고 아래쪽으로 뒤집은 모양을 빈칸에 그려 보세요.

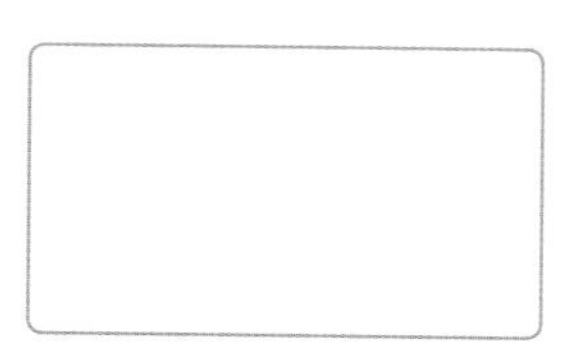

07 무늬를 보고 알맞은 말에 ○표 하세요.

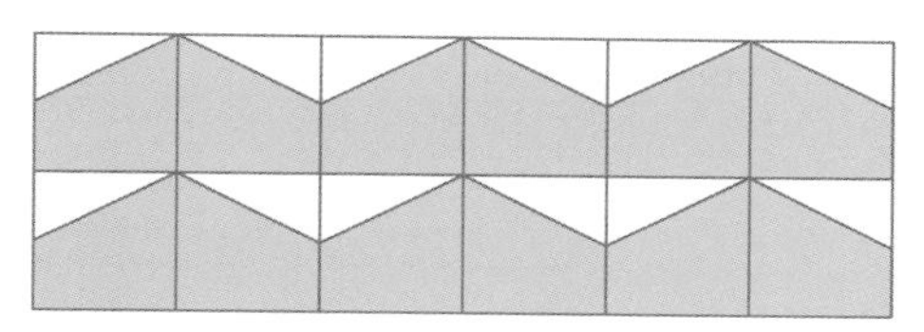

모양을 (오른쪽으로 , 아래쪽으로) 뒤집는 것을 반복해서 모양을 만들고 아래쪽으로 (밀어서 , 돌려서) 무늬를 만들었습니다.

08 모양을 이용하여 규칙적인 무늬를 만들었습니다. 무늬를 완성해 보세요.

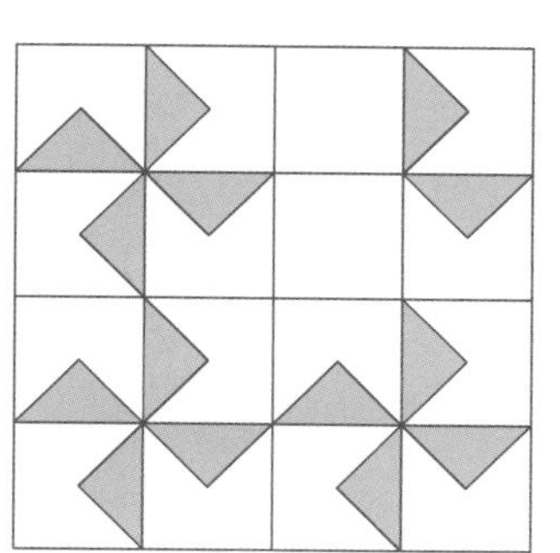

학교 시험 만점왕 ❶회

01 도형을 위쪽으로 밀었을 때의 도형을 그려 보세요.

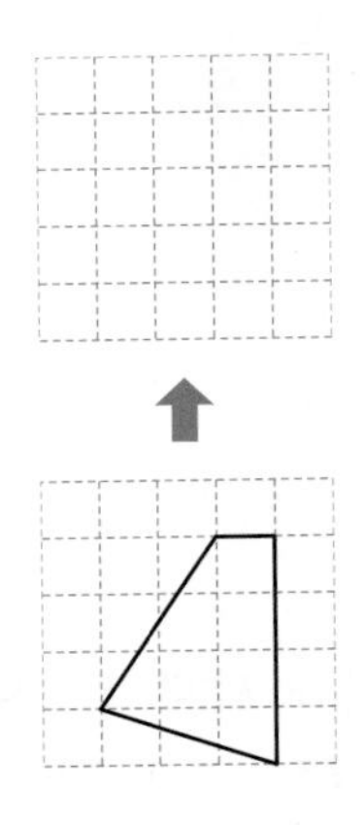

02 도형을 오른쪽으로 6 cm 밀었을 때의 도형을 그려 보세요.

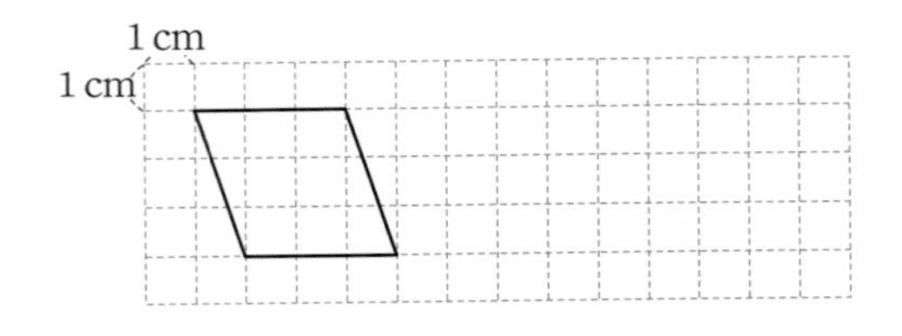

03 다음 설명에 해당하는 도형을 찾아 ○표 하세요.

도형을 밀면 모양은 안 변하고 위치만 바뀌지? 하지만 나는 어떤 방향으로 뒤집더라도 항상 모양이 같아. 심지어 뱅글뱅글 돌려도 나는 항상 모양이 같아. 나는 누구일까?

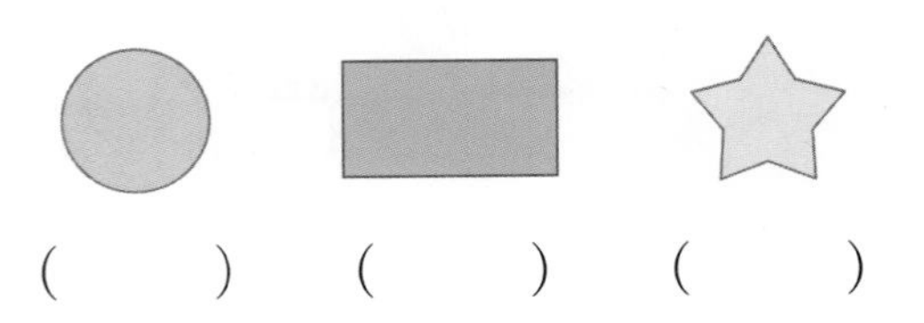

( ) ( ) ( )

04 화살표를 오른쪽과 왼쪽으로 뒤집었을 때의 모양을 각각 그려 보세요.

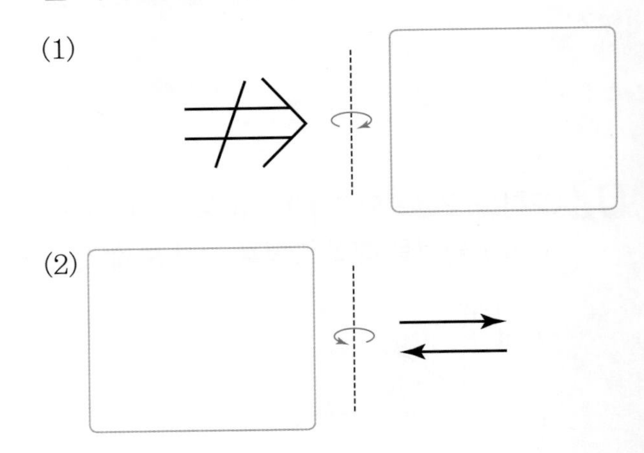

05 오른쪽으로 뒤집었을 때 처음 도형과 같아지는 도형을 그리려고 합니다. 남은 부분을 완성해 보세요.

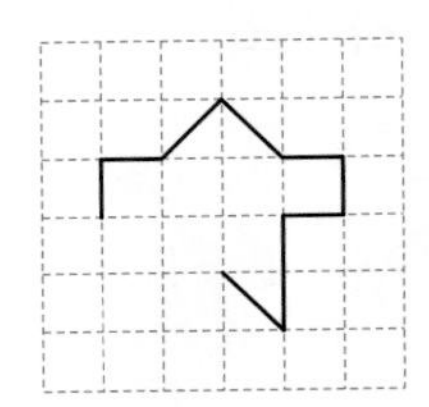

06 바르게 설명한 것을 모두 고르세요. ( )

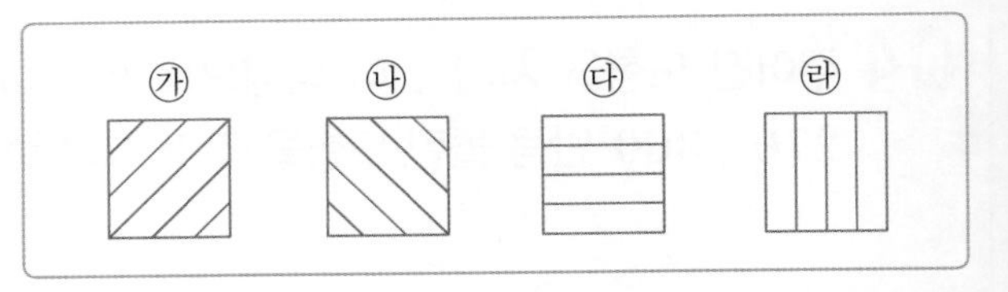

① ㉮ 도형을 시계 방향으로 90°만큼 돌리면 ㉯ 도형이 됩니다.

② ㉮ 도형을 오른쪽으로 2번 뒤집으면 ㉯ 도형이 됩니다.

③ ㉮ 도형을 왼쪽으로 밀면 ㉰ 도형이 됩니다.

④ ㉰ 도형을 시계 반대 방향으로 180°만큼 돌리면 ㉱ 도형이 됩니다.

⑤ ㉱ 도형을 시계 방향으로 90°만큼 돌리고 왼쪽으로 한 번 뒤집으면 ㉰ 도형이 됩니다.

07 도형을 시계 방향으로 주어진 각도만큼 돌렸을 때의 도형을 각각 그려 보세요.

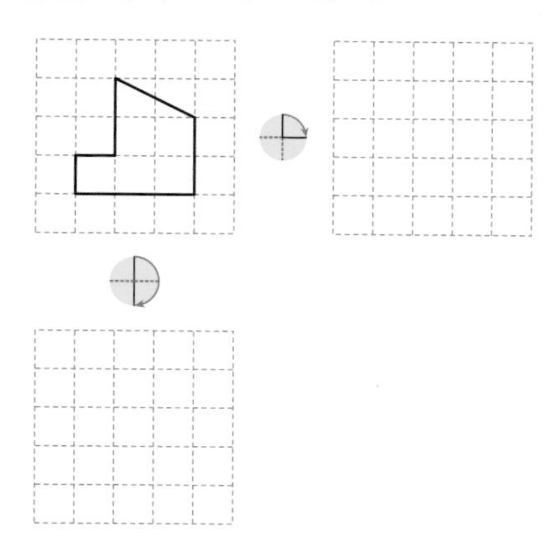

서술형 **08** ㉮ 도형이 ㉯ 도형이 되도록 뒤집은 다음 돌리는 방법을 2가지 써 보세요.

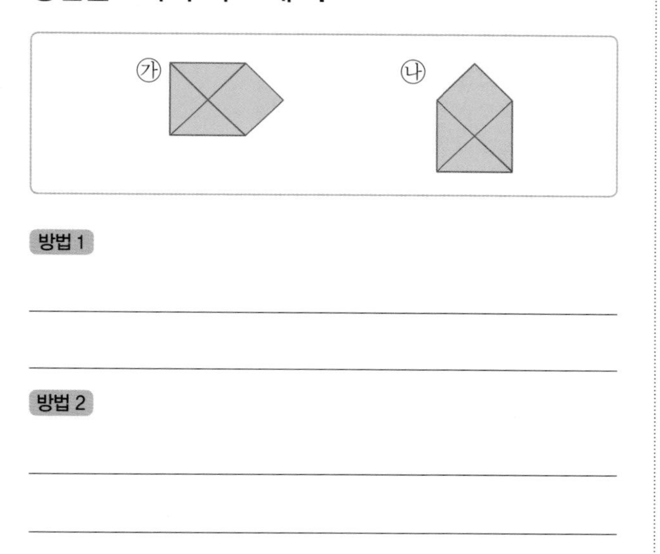

09 ㉮에 알맞은 것을 모두 고르세요.

( )

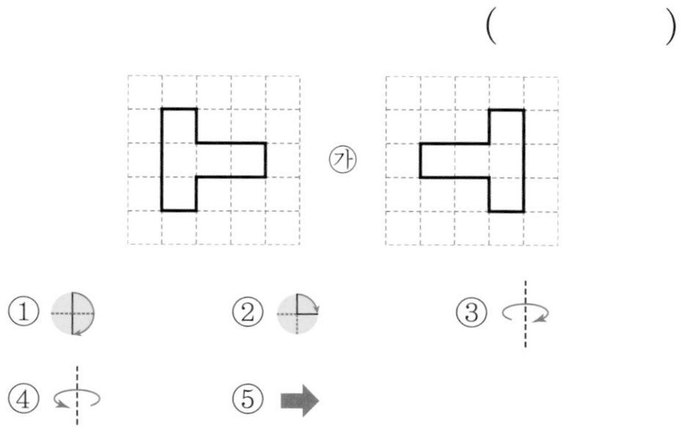

10 모양 조각을 다음과 같이 돌렸습니다. □ 안에 알맞은 수를 써넣으세요.

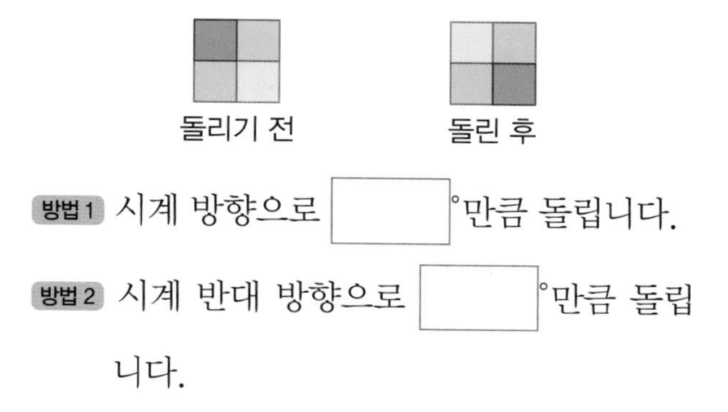

방법 1 시계 방향으로 □°만큼 돌립니다.

방법 2 시계 반대 방향으로 □°만큼 돌립니다.

11 시계 방향으로 360°만큼 돌린 모양이 처음과 같은 글자는 모두 몇 개인가요?

가 윤 김 정 박 이

( )

[12~14] 태극 문양을 여러 가지 방법으로 이동시키려고 합니다. 물음에 답하세요.

12 태극 문양을 오른쪽으로 뒤집고 시계 방향으로 90°만큼 돌렸을 때의 모양을 각각 그려 보세요.

13 태극 문양을 시계 방향으로 90°만큼 돌린 후 오른쪽으로 뒤집었을 때의 모양을 각각 그려 보세요.

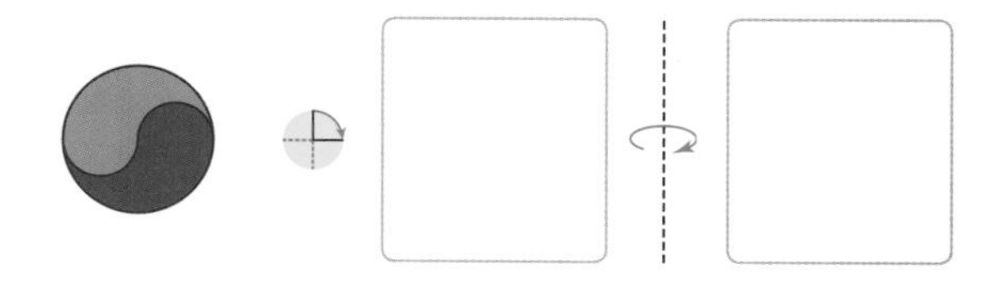

14 12와 13은 뒤집은 방향과 돌린 방향, 돌린 각도는 같지만 움직인 순서가 다릅니다. 뒤집고 돌린 모양과 돌리고 뒤집은 모양이 항상 같다고 할 수 있을까요?

( )

[15~16] 도형을 보고 물음에 답하세요.

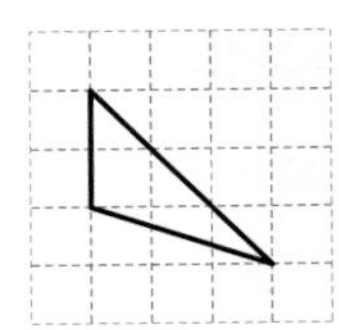

15 주어진 도형을 위쪽으로 뒤집고 시계 반대 방향으로 180°만큼 돌렸을 때의 도형을 그려 보세요.

16 주어진 도형을 시계 반대 방향으로 90°만큼 5번 돌렸을 때의 도형을 그려 보세요.

서술형 **17** 윤이는 왼쪽 작품에서 사용했던 조각을 움직여 오른쪽 작품을 만들었습니다. 주어진 조각을 어떻게 움직여 오른쪽 작품을 만들었는지 설명해 보세요.

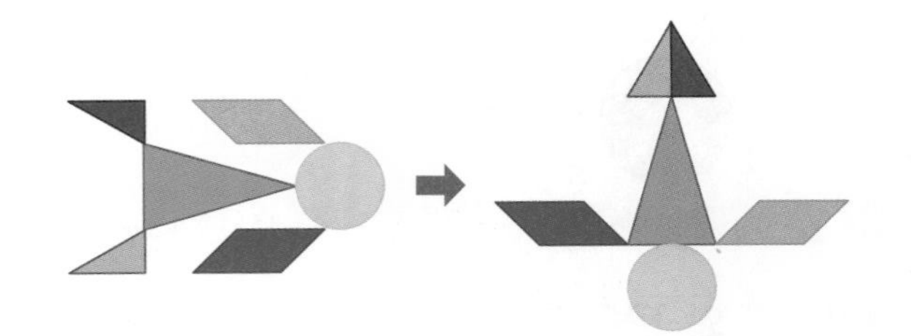

(1) ______________________

(2) ______________________

____

18 도형을 ① ➡ ② ➡ ③의 순서로 움직였습니다. 움직인 도형을 그려 보세요.

① 시계 방향으로 90°만큼 돌리기
② 위로 뒤집기
③ 왼쪽으로 뒤집기

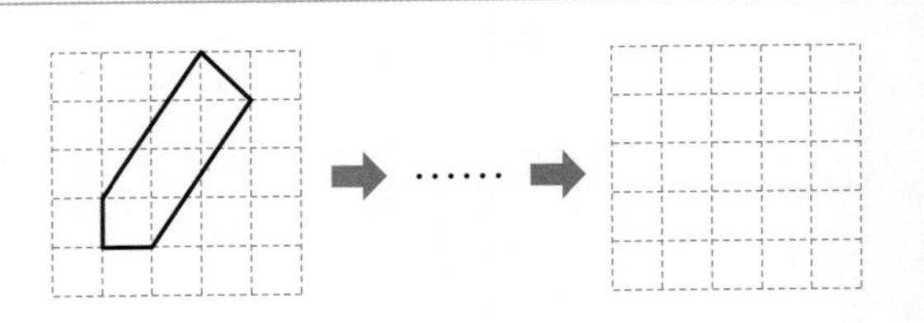

19 모양으로 뒤집기를 이용하여 규칙적인 무늬를 만들어 보세요.

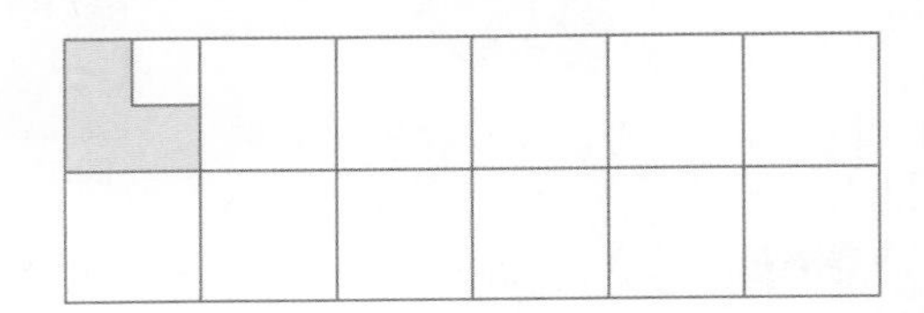

20 여원이와 예담이는 보기의 모양을 이용해 규칙적인 무늬를 만들려고 합니다. 여원이와 예담이의 방법대로 규칙적인 무늬를 완성해 보세요.

보기

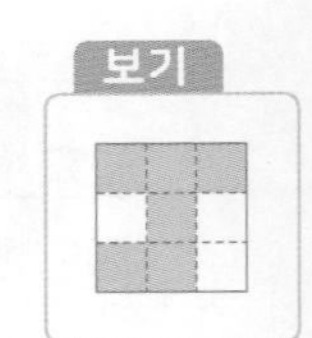

여원: 보기의 모양을 시계 방향으로 90°만큼 돌린 모양을 3번 반복해서 그려보자.
예담: 좋아. 그 다음에는 오른쪽으로 그대로 밀어 보는 거 어때?

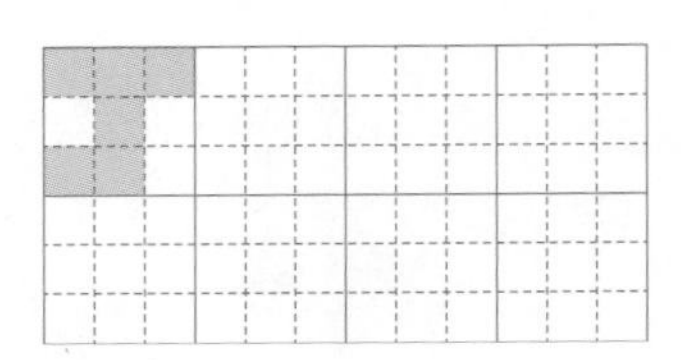

학교 시험 만점왕 ②회

정답과 해설 53쪽

01 태극기를 오른쪽으로 밀었습니다. 빠진 부분을 그려 보세요.

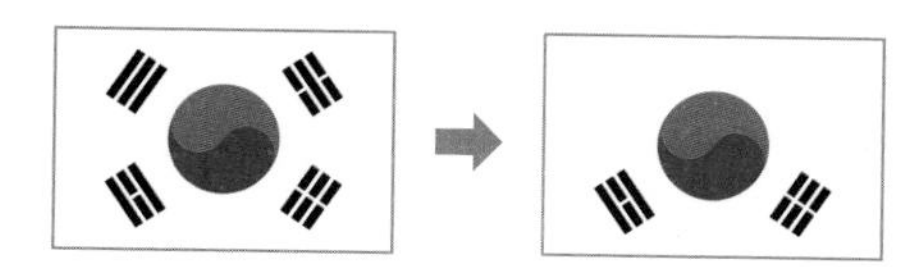

02 도형의 이동 방법을 설명한 것입니다. □ 안에 알맞은 수나 말을 써넣으세요.

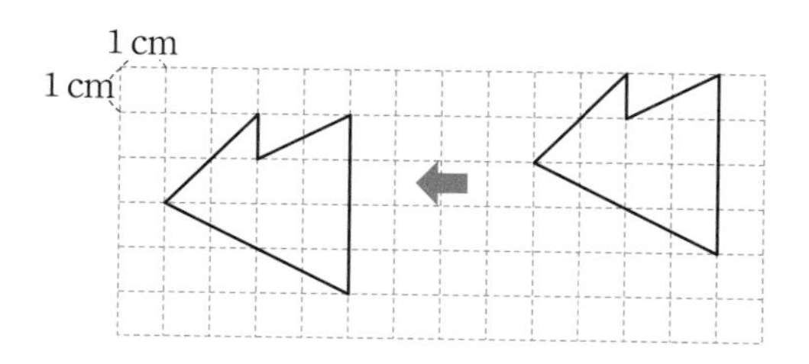

왼쪽 도형은 오른쪽 도형을 □쪽으로 1 cm 밀고 왼쪽으로 □ cm 밀어서 이동한 도형입니다.

03 알파벳 뒤집기에 대해 바르게 설명한 것은 ○표, 틀리게 설명한 것은 ×표 하세요.

(1) A를 왼쪽으로 뒤집으면 처음과 같습니다. (　　)

(2) S를 위쪽으로 뒤집으면 처음과 같습니다. (　　)

(3) 모든 알파벳은 오른쪽으로 뒤집은 것과 왼쪽으로 뒤집은 것이 서로 같습니다. (　　)

(4) E를 위쪽으로 3번 뒤집고 오른쪽으로 1번 뒤집으면 처음과 같습니다. (　　)

서술형 **04** 다음 한글의 기본 모음 중 위쪽으로 뒤집었을 때 처음과 다른 글자는 모두 몇 개인지 풀이 과정을 쓰고 답을 구해 보세요.

풀이

답

05 도형을 위쪽으로 뒤집고 오른쪽으로 뒤집었을 때의 도형을 각각 그려 보세요.

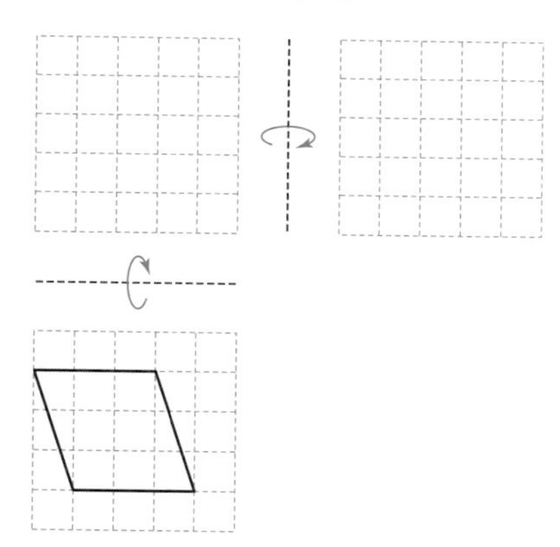

06 도형을 뒤집었을 때 모양이 서로 같은 것끼리 선으로 이어 보세요.

왼쪽으로 뒤집기 •	• 위쪽으로 뒤집기
아래쪽으로 뒤집기 •	• 오른쪽으로 뒤집기

07 도형을 시계 방향으로 270°만큼 돌렸을 때의 도형을 그려 보세요.

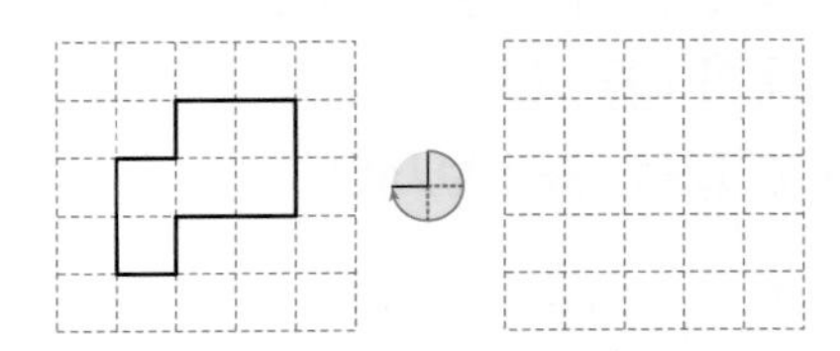

08 잘못 붙여진 자석블록을 바르게 붙이려고 합니다. 알맞은 각도에 ○표 하세요.

(1) 두 번째 자석블록을 시계 방향으로 (90° , 180°)만큼 돌려서 붙이면 B가 됩니다.

(2) 네 번째 자석블록을 시계 반대 방향으로 (90° , 180°)만큼 돌려서 붙이면 D가 됩니다.

09 □ 안에 알맞은 수를 써넣으세요.

(1) 시계 방향으로 90°만큼 돌린 도형은 시계 반대 방향으로 □°만큼 돌린 도형과 같습니다.

(2) 시계 방향으로 180°만큼 돌린 도형은 시계 반대 방향으로 □°만큼 돌린 도형과 같습니다.

10 다음 도형 중 시계 방향으로 90°만큼 돌렸을 때의 모양이 처음 모양과 같은 것을 모두 찾아 ○표 하세요.

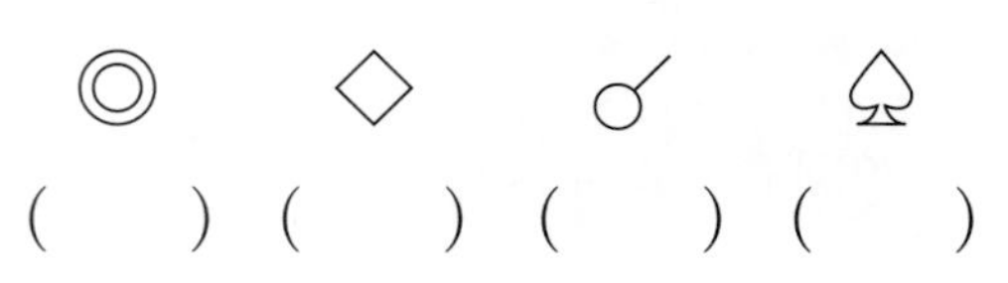

( ) ( ) ( ) ( )

[11~12] 도형을 보고 물음에 답하세요.

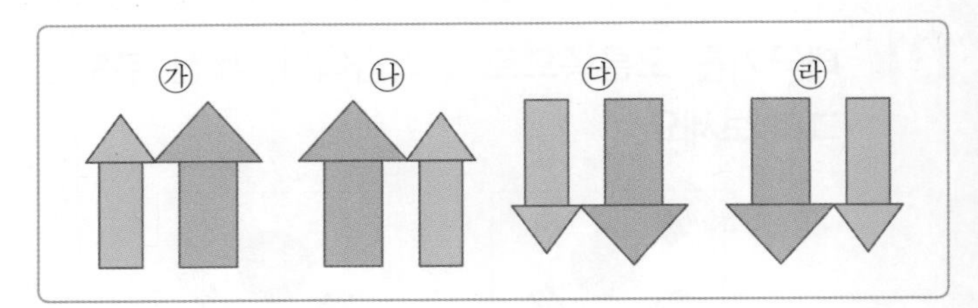

11 ㉮ 도형을 오른쪽으로 뒤집고 시계 방향으로 180°만큼 돌렸을 때의 도형을 찾아 기호를 써 보세요.

( )

12 ㉰ 도형을 위쪽으로 뒤집고 시계 방향으로 180°만큼 3번 돌렸을 때의 도형을 찾아 기호를 써 보세요.

( )

13 도형을 오른쪽으로 뒤집고 시계 반대 방향으로 270°만큼 돌렸을 때의 도형을 각각 그려 보세요.

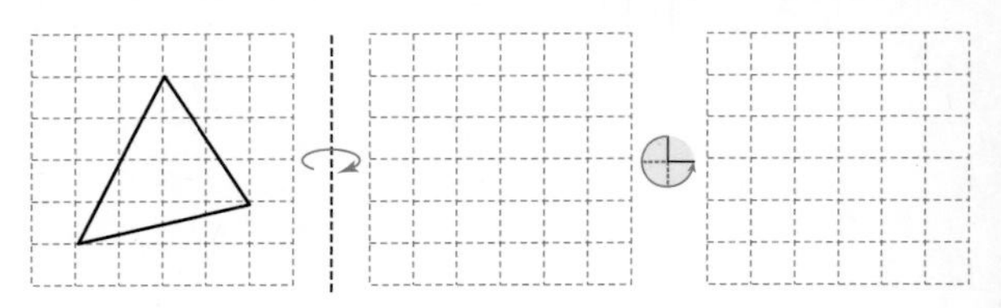

서술형 **14** 왼쪽 도형을 A 방법으로 이동한 뒤 B 방법으로 이동했습니다. 이동한 방법을 설명해 보세요.

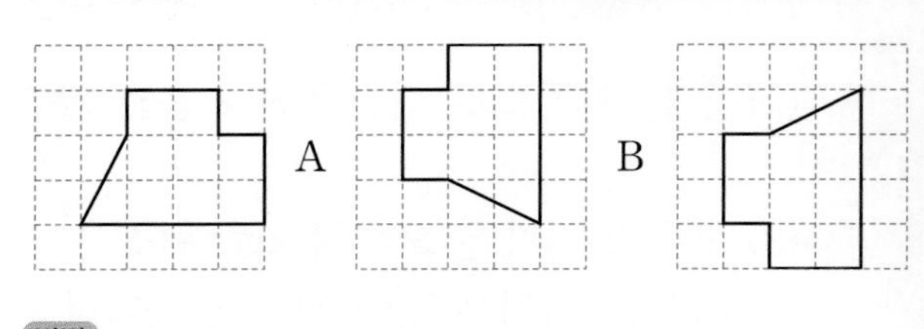

방법

15 조각들을 빈틈없이 이어 붙여 직사각형 모양을 만들려고 합니다. 오른쪽 모양의 아래에 들어갈 알맞은 조각을 찾아 기호를 써 보세요.

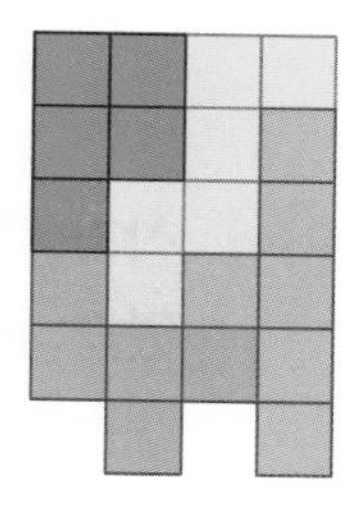

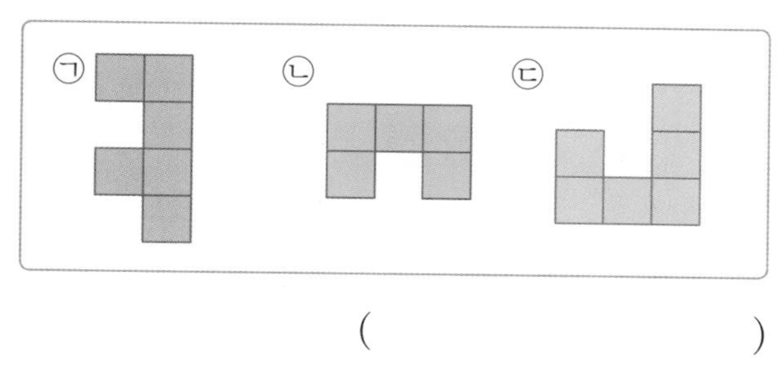

(　　　　　　　　　　)

16 다음 글자를 시계 방향으로 270° 돌린 후 위쪽으로 뒤집은 모양을 각각 그려 보세요.

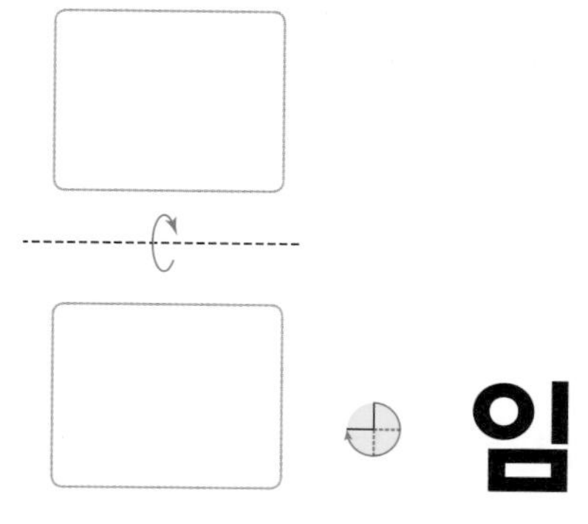

17 왼쪽 도형을 ㉮ 방법으로 이동한 뒤 ㉯ 방법으로 이동했습니다. ㉮와 ㉯에 들어갈 수 있는 이동 방법을 차례로 나타낸 것을 찾아 ○표 하세요.

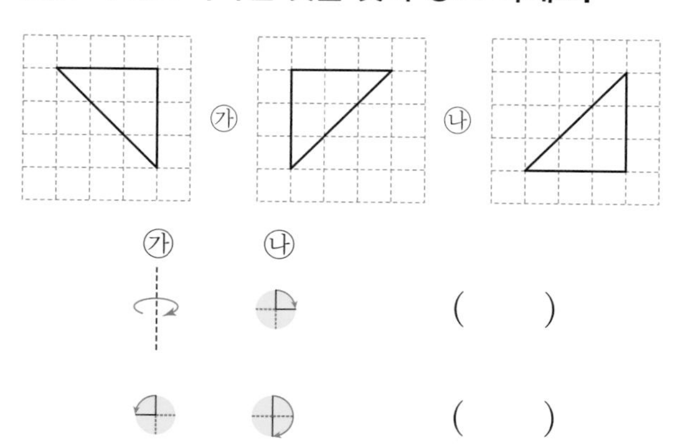

18 정사각형 4개를 이어 붙여 만들 수 있는 모양 조각을 최대한 많이 찾아 그려 보세요. (단 밀거나 뒤집거나 돌려서 같은 모양이 되면 같은 모양 조각입니다.)

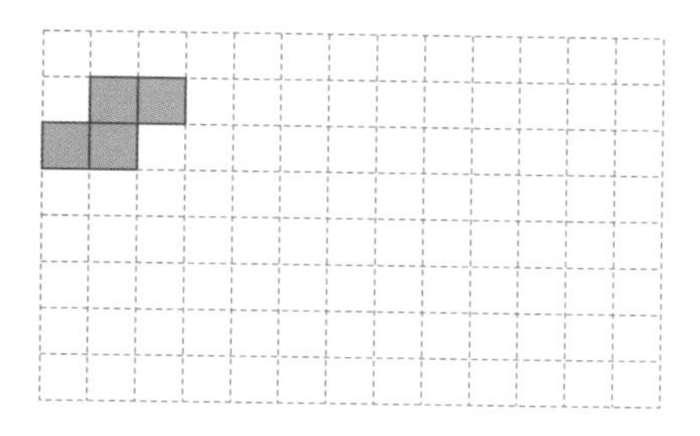

19 규칙에 따라 무늬를 만들었습니다. 빈칸에 들어갈 알맞은 모양을 찾아 기호를 써 보세요.

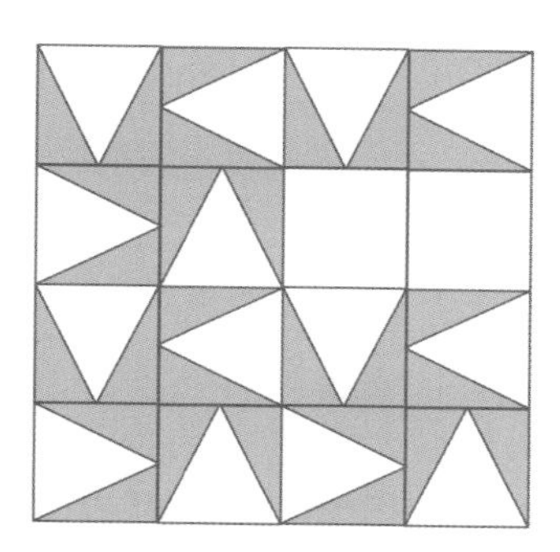

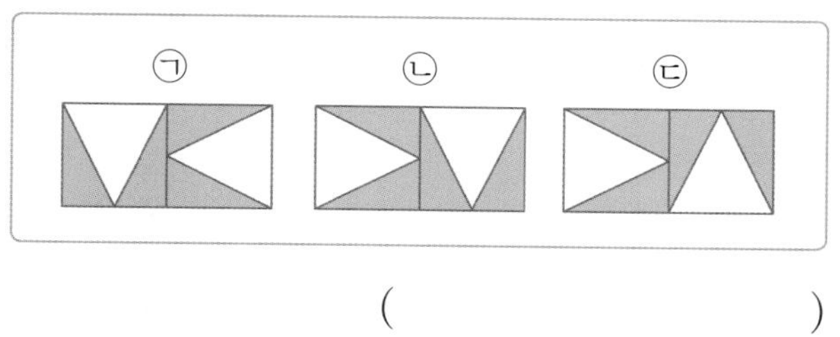

(　　　　　　　　　　)

20 ▢ 모양을 오른쪽으로 뒤집는 것을 반복해서 모양을 만들고, 그 모양을 아래쪽으로 뒤집어서 규칙적인 무늬를 만들어 보세요.

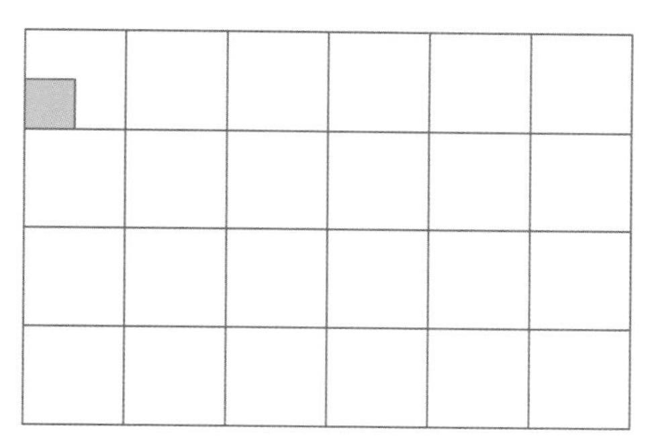

서술형·논술형 평가 4단원

01 ㉮ 도형은 ㉯ 도형을 어떻게 이동한 도형인지 설명해 보세요.

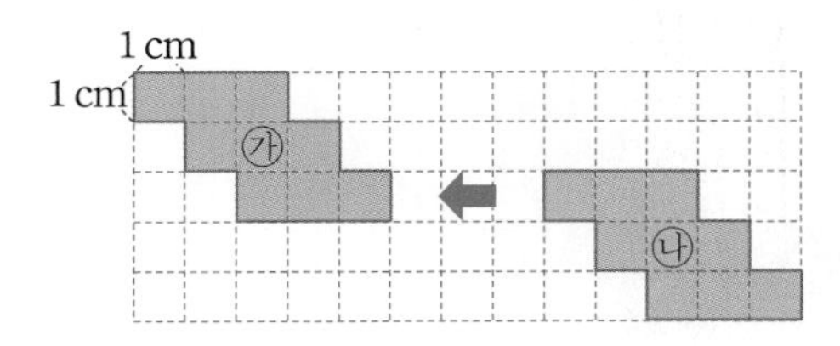

설명

02 준서는 사각형이 다음과 같이 이동했다고 잘못 생각했습니다. 준서에게 이동 방법을 바르게 설명해 보세요.

준서: ㉯ 도형은 ㉮ 도형을 오른쪽으로 4 cm 밀었을 때의 도형이야. 다음 그림에서 내가 표시해 놓은 걸 봐. 사각형 사이의 거리가 4 cm이니까 4 cm 민 거야.

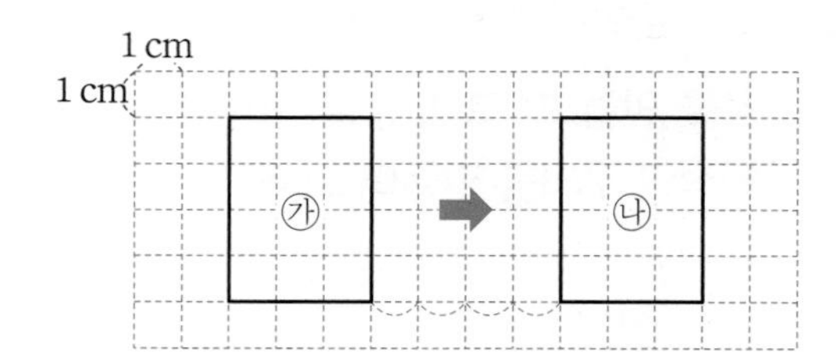

설명

03 삼각형을 다음과 같이 여러 방향으로 뒤집어 보았습니다. 도형을 뒤집었을 때 도형이 어떻게 바뀌는지 설명해 보세요.

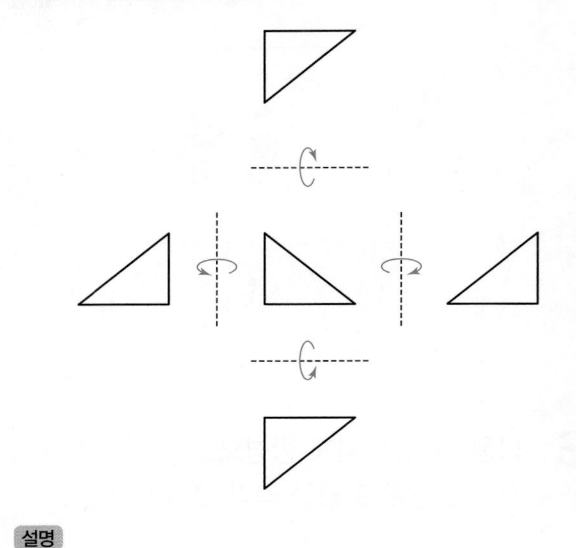

설명

04 보기의 도형을 시계 방향으로 360°만큼 돌리고 위쪽으로 3번 뒤집은 도형을 찾아 기호를 쓰려고 합니다. 풀이 과정을 쓰고 답을 구해 보세요.

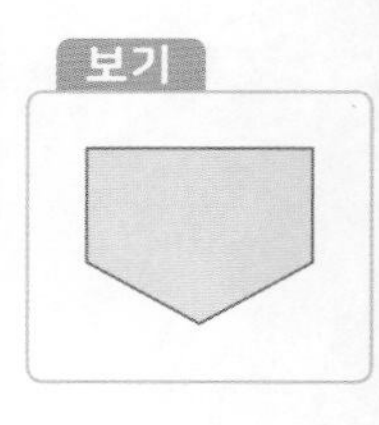

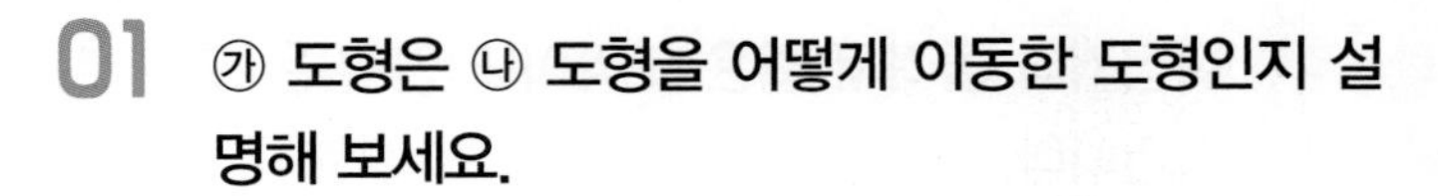

㉠ ㉡ ㉢

풀이

답

정답과 해설 54쪽

05 도형을 어떻게 뒤집었는지 설명해 보세요.

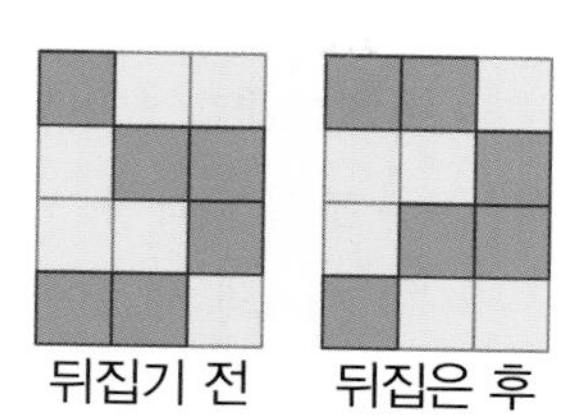

설명

---

06 다음 국기 중 아래쪽으로 뒤집은 것이 처음과 같은 국기를 모두 찾으려고 합니다. 풀이 과정을 쓰고 답을 구해 보세요.

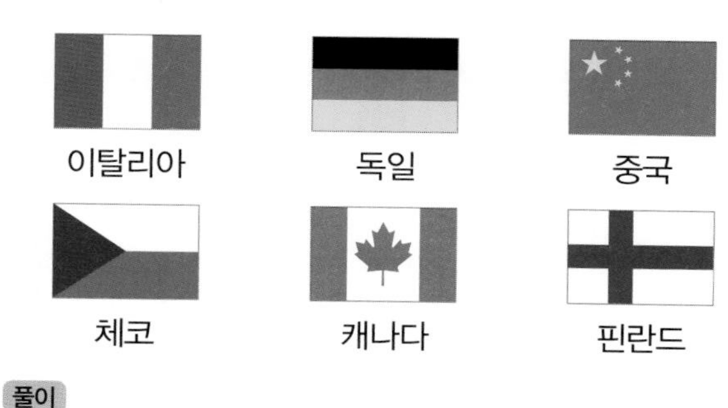

풀이

답

---

07 ㉮ 도형을 돌려서 ㉯ 도형이 되게 하려고 합니다. 가능한 방법을 두 가지 써 보세요.

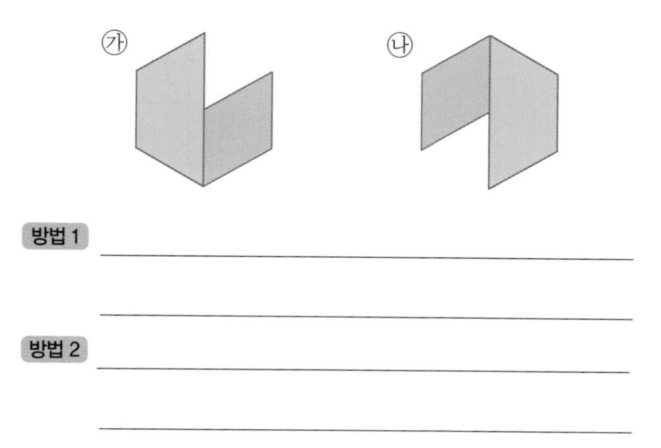

방법 1

방법 2

---

08 오른쪽 카드를 시계 반대 방향으로 90°만큼 6번 돌렸을 때 만들어지는 수와 처음 수의 합은 얼마인지 풀이 과정을 쓰고 답을 구해 보세요.

29

풀이

답

---

09 조각을 시계 방향으로 90°만큼 돌리고 아래쪽으로 뒤집은 모양이 다음과 같을 때, 처음 조각을 찾아 기호를 쓰려고 합니다. 풀이 과정을 쓰고 답을 구해 보세요.

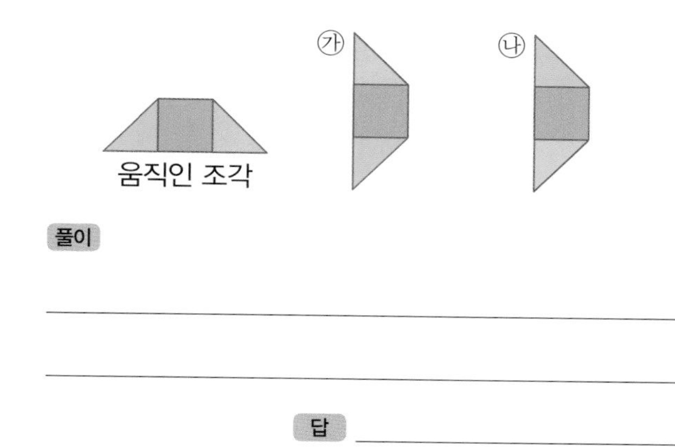

풀이

답

---

10 오른쪽은 모양을 이용해 일정한 규칙에 따라 만든 무늬입니다. 어떤 규칙으로 만든 무늬인지 설명해 보세요.

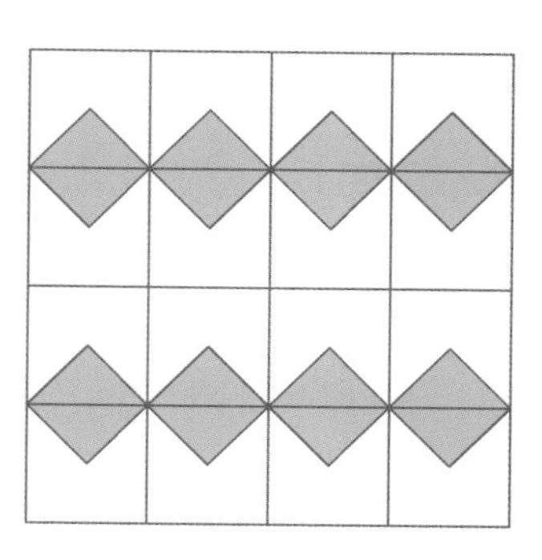

설명

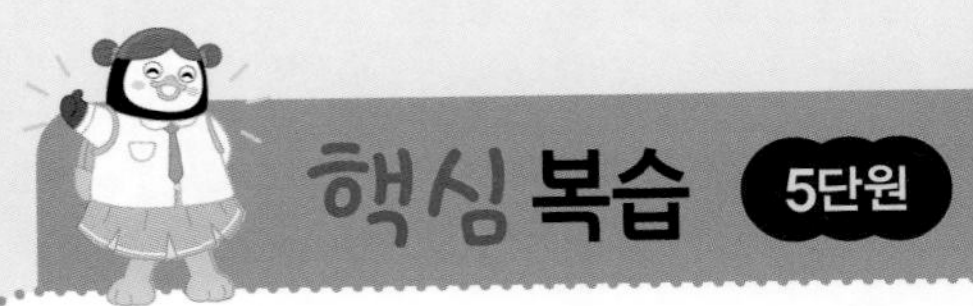

● 막대그래프 알아보기

좋아하는 과목별 학생 수

과목	국어	수학	체육	음악	합계
학생 수 (명)	4	6	8	6	24

좋아하는 과목별 학생 수

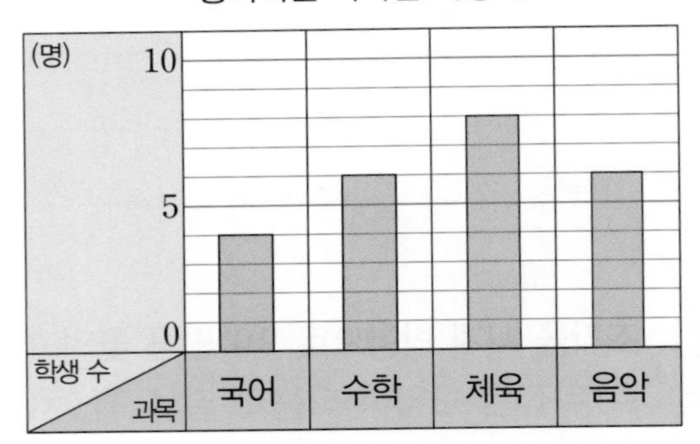

- 조사한 자료를 막대 모양으로 나타낸 그래프를 막대그래프라고 합니다.
- 표: 전체 학생 수를 알아보기에 편리합니다.
- 막대그래프: 과목별로 많고 적음을 한눈에 알아보기 편리합니다.

● 막대그래프 내용 알아보기

좋아하는 계절별 학생 수

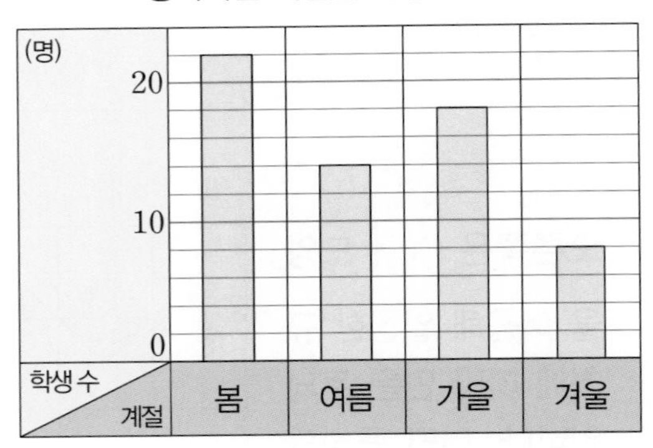

- 가로는 계절을, 세로는 학생 수를 나타냅니다.
- 세로 눈금 한 칸은 2명을 나타냅니다.
- 학생들이 가장 많이 좋아하는 계절은 봄입니다.
- 학생들이 가장 적게 좋아하는 계절은 겨울입니다.
- 조사한 전체 학생은 모두 62명입니다.

● 막대그래프로 나타내기

- 막대그래프 그리는 순서
  ① 조사한 내용을 표로 정리합니다.
  ② 가로와 세로에 무엇을 나타낼 것인지 정합니다.
  ③ 눈금 한 칸의 크기를 정합니다.
  ④ 조사한 수량 중 가장 큰 수를 나타낼 수 있도록 눈금을 표시합니다.
  ⑤ 조사한 것을 막대로 나타냅니다.
  ⑥ 그래프에 알맞은 제목을 붙입니다.
  (제목은 처음이나 마지막에 씁니다.)
- 막대그래프로 나타낼 때 눈금 한 칸의 크기에 따라 막대의 길이가 달라집니다.
- 막대그래프는 가로로도 나타낼 수 있습니다.

● 막대그래프로 이야기 만들기

- 이야기 읽고 막대그래프 완성하기

> 나는 건강을 위해 월요일부터 금요일까지 계단 오르기 운동을 했다. 월요일에는 5층, 화요일에는 4층, 수요일에는 7층, 목요일에는 5층, 금요일에는 6층까지 올랐다. 몸이 건강해지는 것 같아 기분이 좋았다. 매일 계단 오르기 운동을 해야겠다고 다짐했다.

요일별 올라간 층수

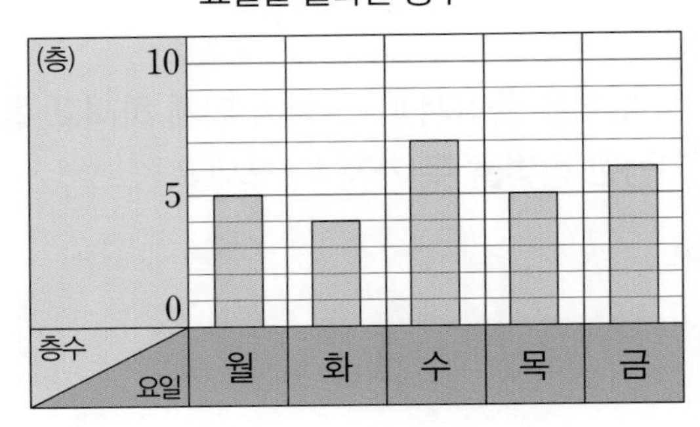

① 계단을 가장 많이 올라간 요일은 수요일입니다.
② 계단을 가장 적게 올라간 요일은 화요일입니다.
③ 월요일과 목요일에는 같은 층수만큼 계단을 올라갔습니다.

쪽지 시험 5. 막대그래프

정답과 해설 56쪽

[01~05] 동휘네 반 학생들이 기르고 싶은 반려동물을 조사하여 나타낸 표와 막대그래프입니다. 물음에 답하세요.

기르고 싶은 반려동물별 학생 수

반려동물	강아지	고슴도치	앵무새	고양이	합계
학생 수 (명)	12	2	4	7	25

기르고 싶은 반려동물별 학생 수

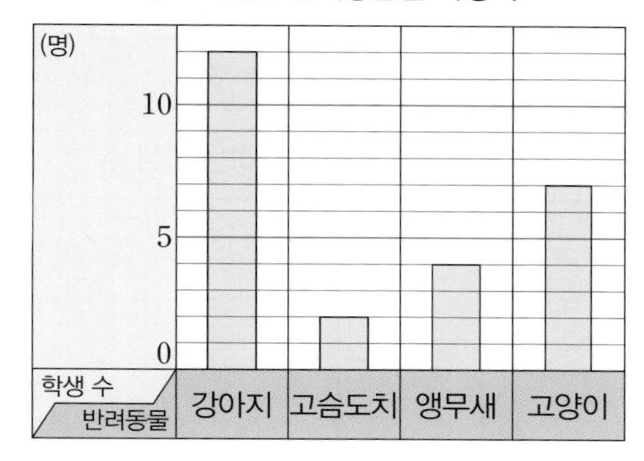

01 가로와 세로는 각각 무엇을 나타낼까요?

가로 ( ), 세로 ( )

02 막대의 길이는 무엇을 나타낼까요?

( )

03 앵무새를 기르고 싶은 학생 수는 고슴도치를 기르고 싶은 학생 수의 몇 배일까요?

( )

04 학생들이 가장 많이 기르고 싶은 동물은 무엇일까요?

( )

05 표와 막대그래프 중 전체 학생 수를 알아보기에 편리한 것은 무엇일까요?

( )

[06~10] 유한이가 5일 동안 연습한 줄넘기 기록을 표로 나타냈습니다. 물음에 답하세요.

요일별 줄넘기 기록

요일	월	화	수	목	금	합계
기록(회)	100	160	120	180	200	760

06 표를 보고 막대그래프로 나타내어 보세요.

요일별 줄넘기 기록

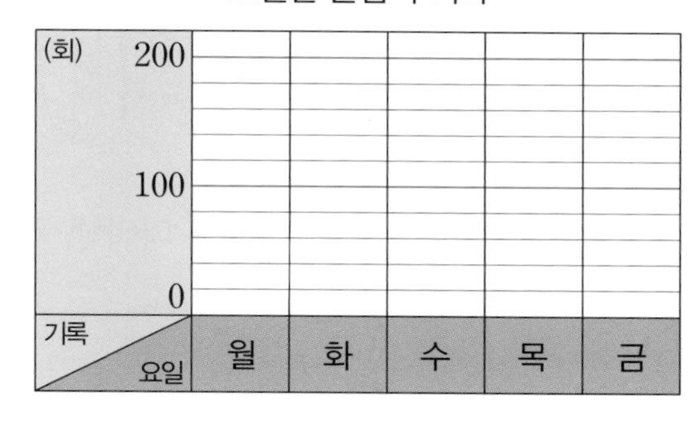

07 막대가 가로인 막대그래프로 나타내어 보세요.

요일별 줄넘기 기록

요일 \ 기록	
월	
화	
수	
목	
금	
	0 100 200 (회)

08 줄넘기 기록이 높은 요일부터 차례로 써 보세요.

( )

09 줄넘기 연습을 두 번째로 많이 한 요일은 언제일까요?

( )

10 금요일의 줄넘기 기록은 월요일의 줄넘기 기록의 몇 배일까요?

( )

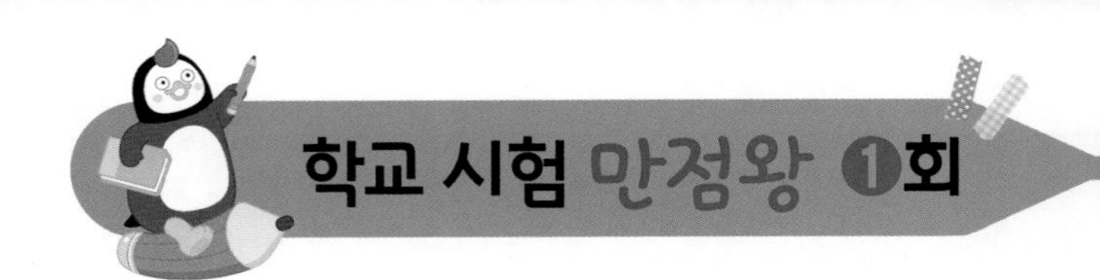

[01~04] 시현이와 친구들이 모은 구슬 수를 조사하여 나타낸 막대그래프입니다. 물음에 답하세요.

시현이와 친구들이 모은 구슬 수

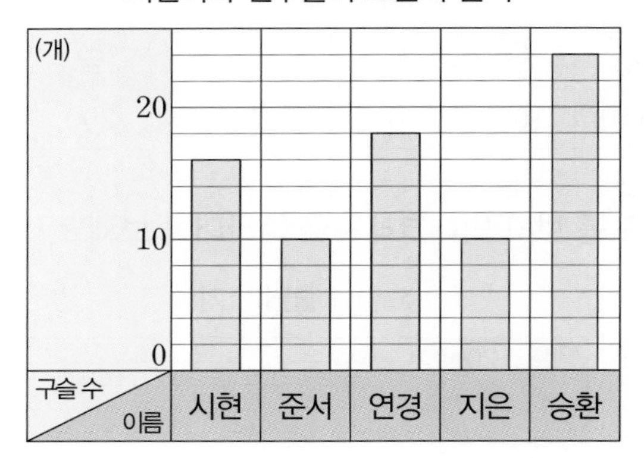

01 막대그래프의 가로와 세로에 나타낸 것을 찾아 ○표 하세요.

(1) 가로: 이름 ( ) 구슬 수 ( )

(2) 세로: 이름 ( ) 구슬 수 ( )

02 세로 눈금 한 칸은 몇 개를 나타낼까요?

( )

03 위 막대그래프를 세로 눈금 한 칸이 1개를 나타내는 막대그래프로 다시 나타낸다면 승환이가 모은 구슬 수는 몇 칸으로 나타내어야 할까요?

( )

04 시현이와 친구들이 모은 구슬은 모두 몇 개일까요?

( )

[05~07] 한울이네 학교 4학년 남학생들과 여학생들 중 핸드폰을 사용하는 학생 수를 조사하여 나타낸 막대그래프입니다. 물음에 답하세요.

남학생 중 핸드폰을 사용하는 학생 수

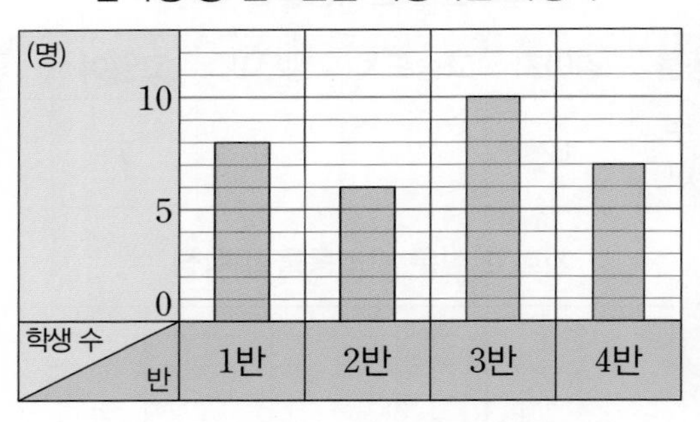

여학생 중 핸드폰을 사용하는 학생 수

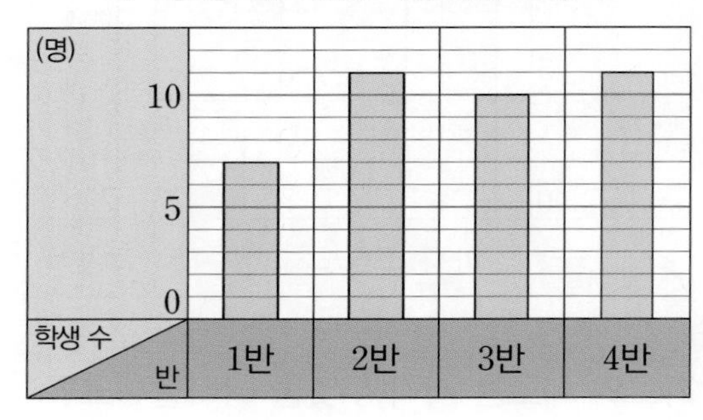

05 핸드폰을 사용하는 학생 수가 가장 많은 반은 몇 반일까요?

( )

06 핸드폰을 사용하는 남학생 수와 여학생 수가 같은 반은 몇 반일까요?

( )

07 위 막대그래프에 대한 설명 중 옳은 것을 모두 찾아 기호를 써 보세요.

㉠ 핸드폰을 사용하는 남학생 수가 가장 많은 반은 3반입니다.
㉡ 핸드폰을 사용하는 남학생 수와 여학생 수의 차이가 가장 큰 반은 4반입니다.
㉢ 핸드폰을 사용하는 여학생은 모두 39명입니다.

( )

[08~10] 나현이네 마을에서는 어린이날을 맞이해 어린이들에게 줄 선물을 준비했습니다. 준비한 인형 수는 색연필 수의 2배입니다. 표와 막대그래프를 보고 물음에 답하세요.

어린이날 선물 수

종류	인형	색연필	블록	풍선	합계
선물 수 (개)	24		20		

어린이날 선물 수

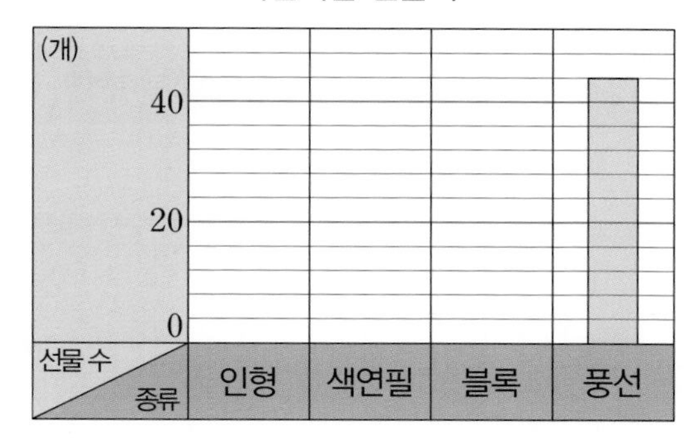

08 표와 막대그래프를 완성해 보세요.

09 세로 눈금 한 칸은 몇 개를 나타낼까요?

( )

10 가로에는 선물 수, 세로에는 종류가 나타나도록 막대가 가로인 막대그래프로 나타내어 보세요.

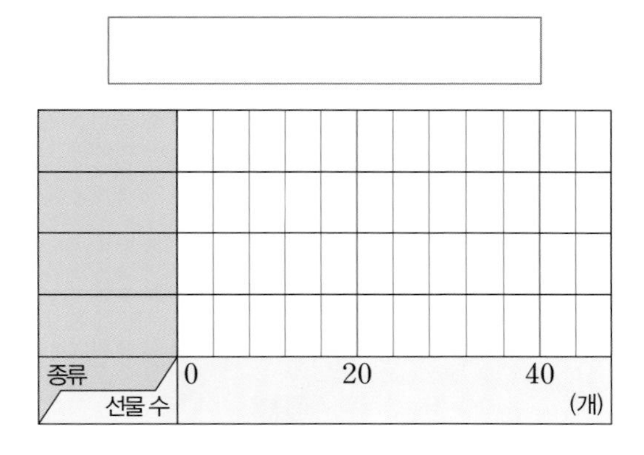

[11~14] 마을별 딸기 생산량을 조사하여 나타낸 표입니다. 물음에 답하세요.

마을별 딸기 생산량

마을	가	나	다	라	합계
생산량 (kg)	50	80	70		260

11 라 마을의 딸기 생산량은 몇 kg일까요?

( )

12 표를 보고 막대그래프로 나타내어 보세요.

(kg) 100
50
0
생산량
마을

13 생산량이 많은 마을부터 위에서 차례로 나타나도록 막대가 가로인 막대그래프로 나타내어 보세요.

마을
생산량
0
50
100
(kg)

서술형 **14** 위 막대그래프를 보고 알 수 있는 내용을 2가지 써 보세요.

[15~17] 주사위를 30번 굴려서 나온 눈의 수를 정리하여 표와 막대그래프로 나타내었습니다. 물음에 답하세요.

주사위 눈의 수별 나온 횟수

주사위 눈의 수	1	2	3	4	5	6	합계
나온 횟수 (번)	4	6	5	7	3	5	30

주사위 눈의 수별 나온 횟수

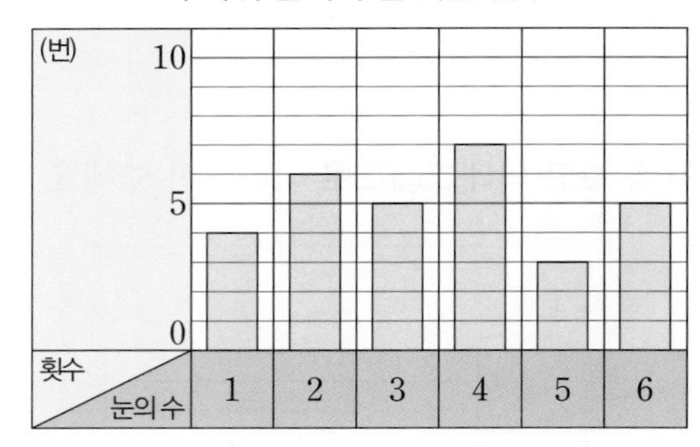

15 가장 많이 나온 눈의 수는 가장 적게 나온 눈의 수보다 몇 번 더 많이 나왔을까요?

( )

16 위 막대그래프를 보고 바르게 이야기한 사람의 이름을 써 보세요.

> 재희: 주사위 눈이 4가 나온 횟수는 2가 나온 횟수보다 적어.
> 희수: 주사위 눈이 3이 나온 횟수와 6이 나온 횟수가 같아.

( )

17 계산 결과가 가장 큰 것의 기호를 써 보세요.

> ㉠ (주사위 눈이 1이 나온 횟수) + (주사위 눈이 2가 나온 횟수)
> ㉡ (주사위 눈이 3이 나온 횟수) + (주사위 눈이 4가 나온 횟수)
> ㉢ (주사위 눈이 5가 나온 횟수) + (주사위 눈이 6이 나온 횟수)

( )

[18~20] 현빈이와 수현이는 고리 던지기 게임을 4세트 한 후 기록을 막대그래프로 나타내었습니다. 수현이의 4세트 기록은 현빈이의 기록 중 두 번째로 낮은 기록과 같을 때 물음에 답하세요.

현빈이의 기록

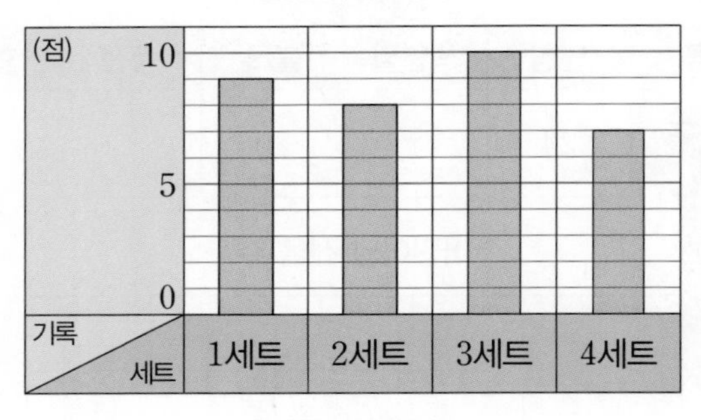

수현이의 기록

(점) 10, 5, 0 / 기록, 세트 / 1세트, 2세트, 3세트, 4세트

18 수현이의 4세트 기록은 몇 점인지 막대그래프에 나타내어 보세요.

19 현빈이와 수현이의 기록 중 점수 차가 가장 큰 세트는 몇 세트인지 써 보세요.

( )

서술형 **20** 현빈이와 수현이가 고리 던지기 게임을 마치고 얻은 점수의 차는 몇 점인지 풀이 과정을 쓰고 답을 구해 보세요.

풀이

답

[01~04] 각 마을별 학교 수를 나타낸 그래프입니다. 마을별 학교 수를 모두 합치면 40개라고 할 때, 물음에 답하세요.

마을별 학교 수

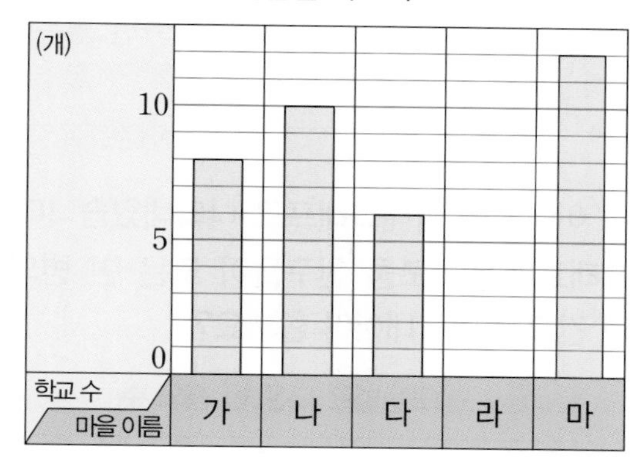

01 위와 같이 조사한 수를 막대 모양으로 나타낸 그래프를 무엇이라고 할까요?

( )

02 라 마을의 학교 수는 몇 개일까요?

( )

03 학교 수가 가장 많은 마을의 학교 수는 몇 개일까요?

( )

04 그래프의 세로 눈금 한 칸이 2개를 나타내는 막대그래프로 다시 나타낸다면 세로 눈금은 적어도 몇 칸까지 그려야 할까요?

( )

[05~08] 유진이네 반 학생들이 학예회에서 연주할 악기를 조사하여 나타낸 표와 막대그래프입니다. 물음에 답하세요.

학예회에서 연주할 악기별 학생 수

악기	피아노	리코더	오카리나	바이올린	합계
학생 수 (명)	5	10	7	3	

학예회에서 연주할 악기별 학생 수

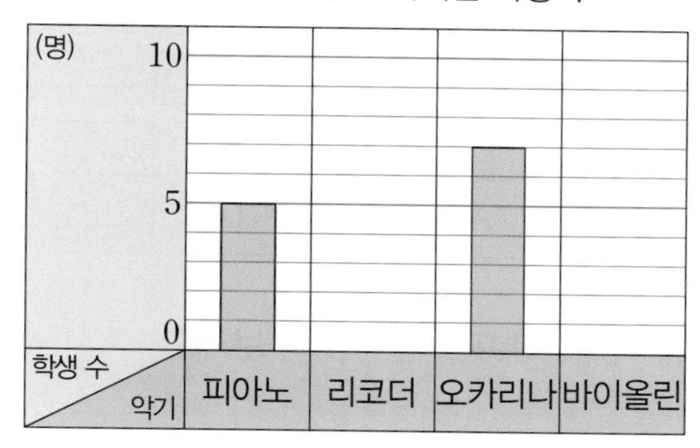

05 표와 막대그래프를 완성해 보세요.

06 막대그래프에서 가로와 세로는 각각 무엇을 나타낼까요?

가로 ( ), 세로 ( )

07 표와 막대그래프 중 악기별 학생 수의 많고 적음을 한눈에 알아보기 편리한 것은 무엇일까요?

( )

08 위 막대그래프에 대한 설명 중 옳지 않은 것의 기호를 써 보세요.

> ㉠ 유진이네 반 학생 수는 모두 25명입니다.
> ㉡ 리코더를 연주할 학생 수는 피아노를 연주할 학생 수의 2배만큼 많습니다.
> ㉢ 학예회에서 연주할 악기별 학생 수가 가장 많은 것과 가장 적은 것의 학생 수의 차는 6명입니다.

( )

[09~11] 4학년 남학생 50명, 여학생 54명의 혈액형을 조사하여 막대그래프로 나타내었습니다. 물음에 답하세요.

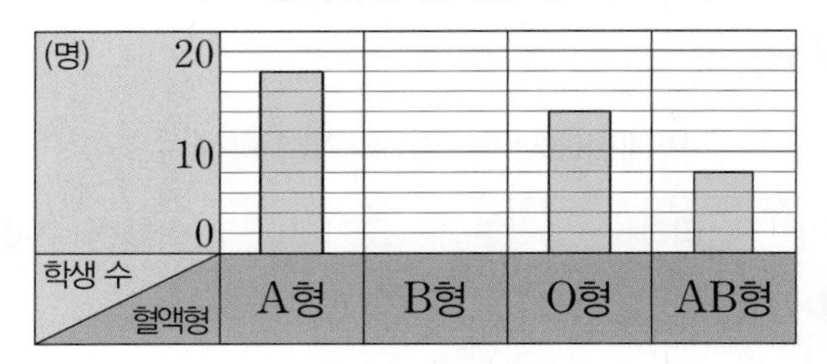

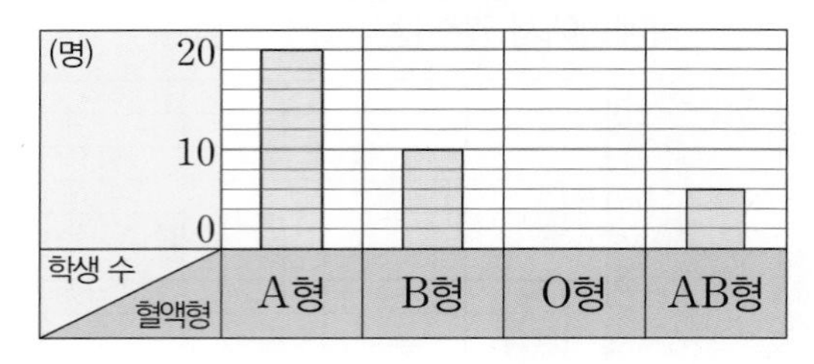

09 위 막대그래프를 완성하여 보세요.

10 A형 남학생 수와 AB형 여학생 수의 차는 몇 명인지 풀이 과정을 쓰고 답을 구해 보세요.

풀이

답

11 위 막대그래프를 남학생 수와 여학생 수를 합하여 막대그래프 하나로 나타내려고 합니다. 막대그래프를 완성해 보세요.

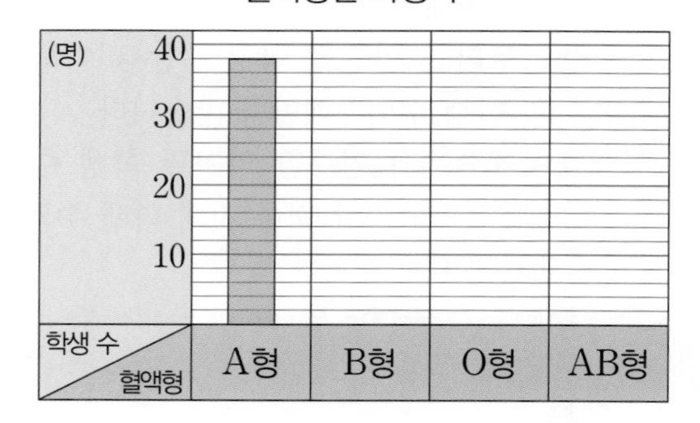

[12~14] 윤이네 반 학생들이 빈 병을 모으고 난 뒤 쓴 이야기입니다. 물음에 답하세요.

> 우리 반 친구들은 환경을 위해 빈 병 모으기를 실천했습니다. 1모둠은 8병, 2모둠은 14병, 3모둠은 12병, 4모둠은 10병을 모았습니다. 5모둠은 3모둠보다 4병 더 모았습니다. 우리 반 친구들이 모은 빈 병은 모두 ㉠ 병입니다.

12 위 이야기를 막대그래프로 나타내었습니다. 막대그래프에서 5모둠 친구들이 모은 빈 병의 수는 몇 칸으로 나타내어야 할까요?

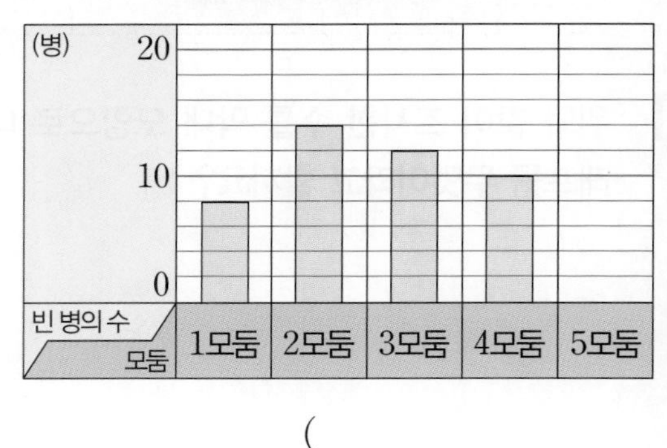

(　　　　　　)

13 ㉠에 알맞은 수를 구해 보세요.

(　　　　　　)

14 빈 병을 많이 모은 모둠부터 위에서 차례로 나타나도록 막대가 가로인 막대그래프로 나타내어 보세요.

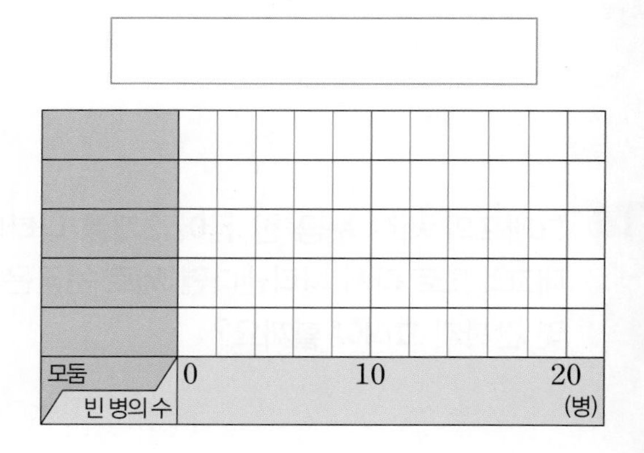

15 막대그래프로 나타내는 순서를 기호로 바르게 나열해 보세요.

㉠ 가로와 세로에 무엇을 나타낼지 정합니다.
㉡ 조사한 수량 중 가장 큰 수를 나타낼 수 있도록 눈금을 표시합니다.
㉢ 조사한 내용을 표로 정리합니다.
㉣ 눈금 한 칸의 크기를 정합니다.
㉤ 그래프에 알맞은 제목을 붙입니다.
㉥ 조사한 수량을 막대로 나타냅니다.

( )

[16~18] 어느 도시에서 일주일 동안 방문한 외국인 관광객 수를 조사하여 나타낸 막대그래프입니다. 물음에 답하세요.

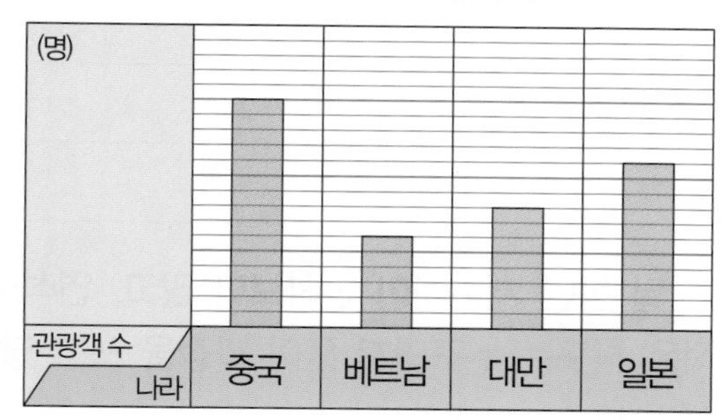

16 위 막대그래프에서 가장 많이 방문한 외국인 관광객과 가장 적게 방문한 외국인 관광객의 나라를 차례로 써 보세요.

( ), ( )

17 중국인 관광객이 300명이라면 일본인 관광객은 몇 명일까요?

( )

18 여행 안내 센터에 가이드북을 준비하려고 합니다. 어느 나라 말로 된 가이드북을 가장 많이 준비하면 좋을까요?

( )

[19~20] 서울시 자동차 등록 수를 조사하여 나타낸 막대그래프입니다. 물음에 답하세요.

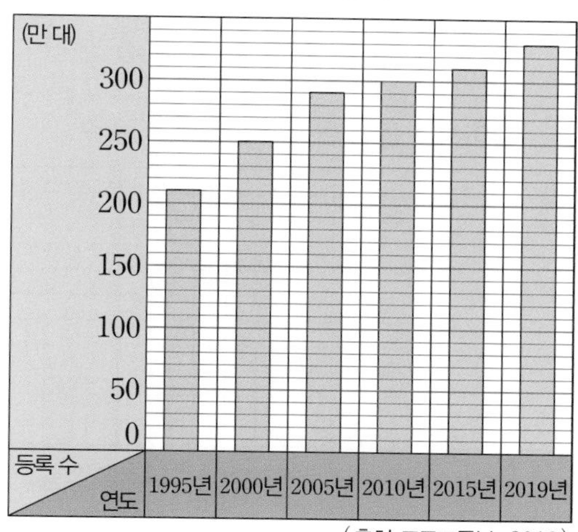

(출처: 도로교통부, 2019)

19 서울시 자동차 등록 수가 가장 많은 해는 언제일까요?

( )

서술형 20 위 막대그래프를 보고 2020년의 서울시 자동차 등록 수를 예상해 보세요. 그리고 그 이유도 써 보세요.

예상 ______

이유 ______

서술형・논술형 평가 5단원

[01~02] 우주네 반 학생들이 좋아하는 동계 올림픽 종목을 조사하여 나타낸 막대그래프입니다. 물음에 답하세요.

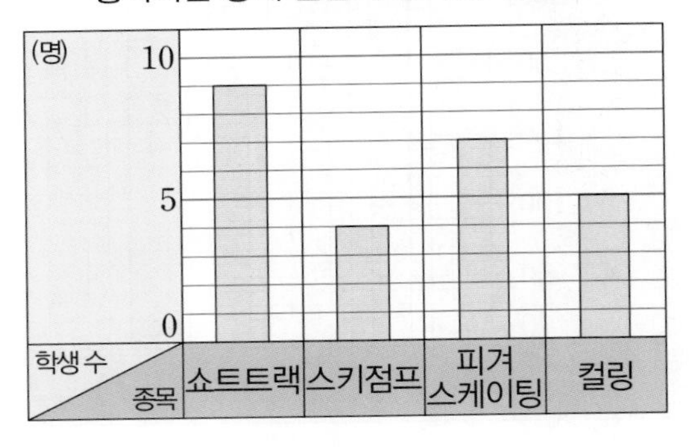

01 우주네 반 학생은 모두 몇 명인지 풀이 과정을 쓰고 답을 구해 보세요.

풀이

답

02 가장 많은 학생들이 좋아하는 동계 올림픽 종목과 가장 적은 학생들이 좋아하는 동계 올림픽 종목의 학생 수의 차는 몇 명인지 풀이 과정을 쓰고 답을 구해 보세요.

풀이

답

[03~05] 정석이네 모둠 친구들의 한 달 동안 저축액을 조사하여 나타낸 막대그래프입니다. 민하의 저축액은 송하의 저축액보다 6000원 적을 때 물음에 답하세요.

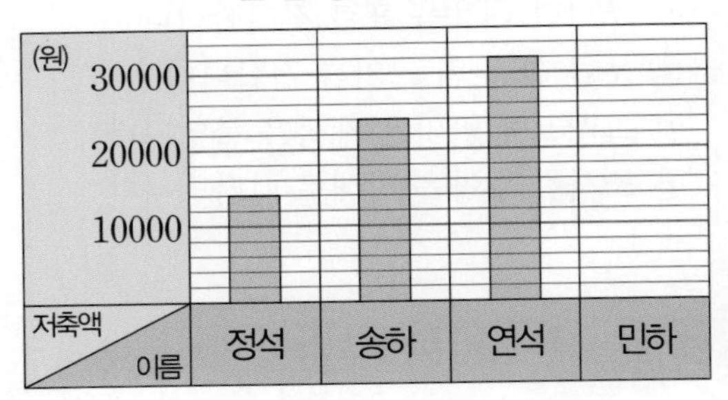

03 민하의 저축액은 얼마인지 풀이 과정을 쓰고 답을 구해 보세요.

풀이

답

04 한 달 동안 저축액이 민하보다 많고, 연석이보다 적은 친구는 누구인지 풀이 과정을 쓰고 답을 구해 보세요.

풀이

답

05 위 막대그래프를 세로 눈금 한 칸이 1000원인 막대그래프로 다시 나타낸다면 정석이의 저축액은 몇 칸으로 나타내어야 하는지 풀이 과정을 쓰고 답을 구해 보세요.

풀이

답

[06~07] 상현이네 마을 빵집에서 어제 하루 동안 판매한 빵을 종류별로 조사하여 나타낸 막대그래프입니다. 물음에 답하세요.

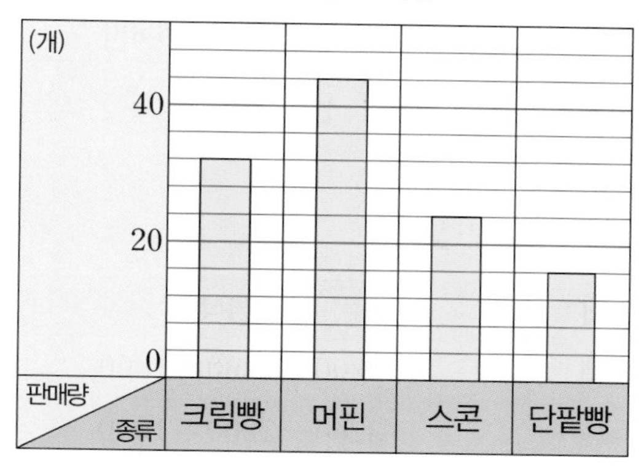

06 어제 이 빵집에서 하루 동안 판매한 빵은 모두 몇 개인지 풀이 과정을 쓰고 답을 구해 보세요.

풀이

답

07 단팥빵을 머핀과 같은 수만큼 판매하려면 몇 개를 더 팔아야 하는지 풀이 과정을 쓰고 답을 구해 보세요.

풀이

답

[08~10] 성윤이네 모둠 친구들이 6월 한 달 동안 운동한 날수를 조사하여 막대그래프로 나타냈습니다. 물음에 답하세요.

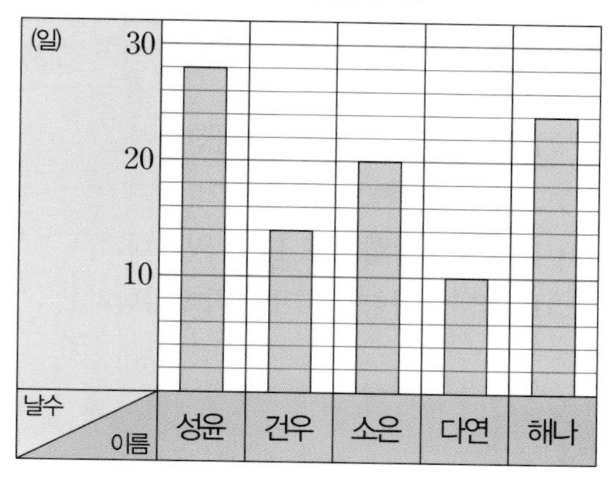

08 막대그래프를 보고 알 수 있는 사실을 2가지 써 보세요.

09 성윤이가 운동한 날수는 건우가 운동한 날수의 몇 배인지 풀이 과정을 쓰고 답을 구해 보세요.

풀이

답

10 6월 한 달 중 절반보다 더 많은 날에 운동을 한 사람은 몇 명인지 풀이 과정을 쓰고 답을 구해 보세요.

풀이

답

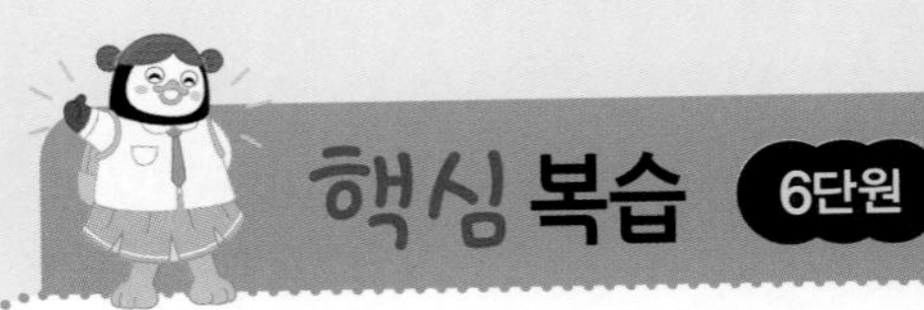

● 수의 배열에서 규칙 찾기(1)

701	702	703	704
711	712	713	714
721	722	723	724
731	732	733	734

• 701부터 오른쪽으로 1씩 커집니다.
• 702부터 아래쪽으로 10씩 커집니다.
• 701부터 ↘ 방향으로 11씩 커집니다.
• 731부터 ↗ 방향으로 9씩 작아집니다.

● 수의 배열에서 규칙 찾기(2)

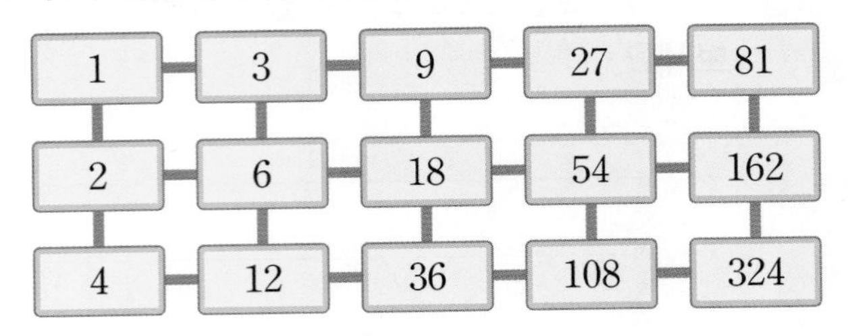

• 가로 규칙: 3씩 곱한 수가 오른쪽에 있습니다.
• 세로 규칙: 2씩 곱한 수가 아래쪽에 있습니다.

● 도형의 배열에서 규칙 찾기

첫째	둘째	셋째	넷째
●	●●●	●●●●●●	●●●●●●●●●●
1	1+2	1+2+3	1+2+3+4
1	3	6	10

• 규칙: 바둑돌의 수가 1개에서 시작하여 2개, 3개, 4개……씩 더 늘어납니다.

● 덧셈식에서 규칙 찾기

순서	덧셈식
첫째	$3250+1250=4500$
둘째	$4250+2250=6500$
셋째	$5250+3250=8500$

• 천의 자리 수가 각각 1씩 커지는 두 수의 합은 2000씩 커집니다.

● 뺄셈식에서 규칙 찾기

순서	뺄셈식
첫째	$2200-1200=1000$
둘째	$3200-2200=1000$
셋째	$4200-3200=1000$

• 같은 자리의 수가 똑같이 커지는 두 수의 차는 항상 일정합니다.

● 곱셈식에서 규칙 찾기

순서	곱셈식
첫째	$110\times2=220$
둘째	$220\times2=440$
셋째	$330\times2=660$
넷째	$440\times2=880$

• 110부터 440까지 수 중에서 곱해지는 수의 백의 자리와 십의 자리의 수가 같고 일의 자리가 0인 수에 2를 곱하면 백의 자리와 십의 자리 수가 같은 세 자리 수가 나옵니다.

● 나눗셈식에서 규칙 찾기

순서	나눗셈식
첫째	$10011\div3=3337$
둘째	$20022\div6=3337$
셋째	$30033\div9=3337$

• 나누어지는 수와 나누는 수가 각각 2배, 3배, 4배……가 되면 몫은 모두 같습니다.

쪽지 시험 6. 규칙 찾기

정답과 해설 60쪽

[01~03] 수 배열표를 보고 물음에 답하세요.

701	711	721	731
801	811		831
901	911	921	931
	1011	1021	1031

01 빈칸에 알맞은 수를 써넣으세요.

02 □ 안에 알맞은 수를 써넣으세요.

701부터 오른쪽으로 □ 씩 커집니다.

03 색칠된 칸의 규칙에 대한 설명입니다. □ 안에 알맞은 수를 써넣으세요.

701부터 ↘ 방향으로 □ 씩 커집니다.

[04~05] 수의 배열에서 규칙을 찾아 빈칸에 알맞은 수를 써넣으세요.

04

532	534	536		540

05

5	25		625	3125

[06~08] 도형의 배열을 보고 물음에 답하세요.

첫째	둘째	셋째	넷째

06 다섯째에 알맞은 도형을 그려 보세요.

다섯째

07 여섯째에 알맞은 도형의 파란색 사각형의 수는 몇 개일까요?

( )

08 파란색 사각형의 수가 15개인 것은 몇째 도형일까요?

( )

[09~10] 규칙적인 계산식을 보고 물음에 답하세요.

순서	계산식
첫째	$200+500-300=400$
둘째	$300+600-400=500$
셋째	
넷째	$500+800-600=700$

09 규칙에 따라 셋째에 알맞은 계산식을 써 보세요.

계산식 ______

10 규칙에 따라 다섯째에 알맞은 계산식을 써 보세요.

계산식 ______

학교 시험 만점왕 1회

[01~03] 수 배열표를 보고 물음에 답하세요.

600	605	610	615	620
700	705	㉠	715	720
800	805	810	㉡	820
900	905	910	915	920

01 가로줄의 규칙에 대한 설명입니다. □ 안에 알맞은 수나 말을 써넣으세요.

600부터 오른쪽으로 □씩 □.

02 조건 을 만족하는 규칙적인 수의 배열을 찾아 색칠해 보세요.

조건
- 가장 큰 수는 900입니다.
- ↓ 방향으로 다음 수는 앞의 수보다 100씩 커집니다.

03 수 배열의 규칙에 따라 ㉠과 ㉡의 차를 구해 보세요.

(　　　　　　　　)

[04~05] 수의 배열을 보고 물음에 답하세요.

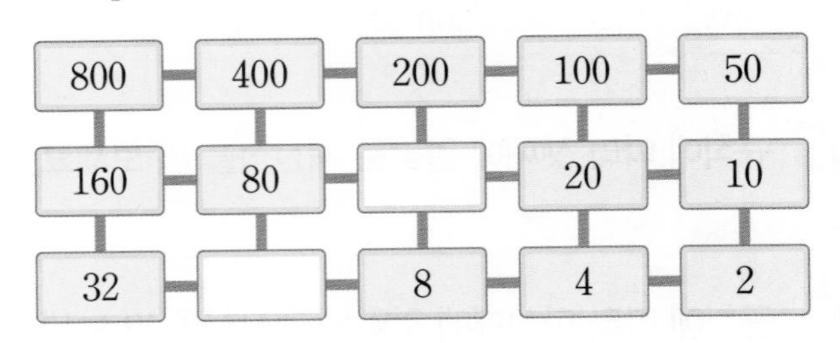

04 수 배열의 규칙에 맞게 빈칸에 알맞은 수를 써넣으세요.

05 수의 배열에서 찾은 규칙을 바르게 말한 사람은 누구일까요?

2부터 시작하여 2씩 곱한 수가 오른쪽에 있어.
성윤
100부터 시작하여 5씩 나눈 수가 아래쪽에 있어.
세은

(　　　　　　　　)

[06~07] 수 배열표를 보고 물음에 답하세요.

	501	502	503	504	505
21	1	2	3	4	5
22	2	4	6	8	0
23	3	6	9	●	5
24	4	8	2	6	◆

06 수 배열표에서 규칙을 찾아보세요.

규칙 ____________________

07 수 배열의 규칙에 따라 ●, ◆에 알맞은 수를 각각 구해 보세요.

● (　　　　　　　　)

◆ (　　　　　　　　)

[08~09] 탑 모양의 배열을 보고 물음에 답하세요.

첫째	둘째	셋째

08 넷째에 알맞은 도형을 그려 보세요.

넷째

09 아홉째에 알맞은 도형에서 사각형의 수는 몇 개일까요?

( )

[10~12] 도형의 배열을 보고 물음에 답하세요.

첫째	둘째	셋째

10 넷째에 알맞은 도형을 그려 보세요.

넷째

11 사각형의 수를 세어 수의 배열로 나타내어 보세요.

1			

12 모양 큐브로 위 도형을 만들어 보려고 합니다. 모양 큐브 22개로 몇째 모양을 만들 수 있을까요?

( )

[13~15] 계산식을 보고 물음에 답하세요.

㉠	㉡
$1215+550=1765$ $2215+650=2865$ $3215+750=3965$ $4215+850=5065$	$2300-1000=1300$ $2400-1000=1400$ $2500-1000=1500$ $2600-1000=1600$

13 설명에 맞는 계산식을 찾아 기호를 써 보세요.

> 더해지는 수의 천의 자리 수와 더하는 수의 백의 자리 수가 1씩 커지면 두 수의 합은 1100씩 커집니다.

( )

14 다음에 올 계산식이 아래와 같은 계산식은 어느 것인지 기호를 써 보세요.

> $2700-1000=1700$

( )

서술형 **15** ㉡에서 계산 결과가 2000이 되는 계산식은 몇째인지 풀이 과정을 쓰고 답을 구해 보세요.

풀이

답

[16~18] 나눗셈식을 보고 물음에 답하세요.

순서	나눗셈식
첫째	$54 \div 6 = 9$
둘째	$594 \div 6 = 99$
셋째	$5994 \div 6 = 999$
넷째	$59994 \div 6 = 9999$
다섯째	

16 규칙에 따라 다섯째 빈칸에 알맞은 나눗셈식을 써 보세요.

계산식 ______________________

17 규칙에 따라 나눗셈식의 순서에 맞는 계산 결과를 찾아 이어 보세요.

(1) 일곱째 •

(2) 여덟째 •

• ㉠ 999999

• ㉡ 9999999

• ㉢ 99999999

서술형 **18** 나누어지는 수가 **5999999994**가 되는 나눗셈식은 몇째인지 풀이 과정을 쓰고 답을 구해 보세요.

풀이

답 ______________

[19~20] 달력을 보고 물음에 답하세요.

일	월	화	수	목	금	토
1	2	3	4	5	6	7
8	9	10	11	12	13	14
15	16	17	18	19	20	21
22	23	24	25	26	27	28
29	30	31				

19 달력 안에 있는 수를 이용하여 만든 규칙적인 계산식입니다. ㉠+㉡+㉢의 값을 구해 보세요.

$11+27=19\times$㉠

$12+20=19+$㉡

$1+9+17=$㉢$\times 3$

(　　　　　　　　　)

20 달력에서 찾을 수 있는 규칙적인 계산식을 2가지 써 보세요.

계산식 ______________________

____

학교 시험 만점왕 ❷회

정답과 해설 62쪽

[01~03] 수 배열표를 보고 물음에 답하세요.

1020	1040	1060	1080	
2020	2040	2060	2080	
3020	3040	3060	3080	
4020	4040	4060	4080	
				●

01 세로(↓)에서 규칙을 찾아보세요.

규칙 ______________________

____

02 색칠된 칸의 규칙을 바르게 설명한 것을 찾아 기호를 써 보세요.

㉠ 4020부터 시작하여 980씩 작아집니다.
㉡ 1080부터 시작하여 1000씩 커집니다.

( )

03 ●에 알맞은 수를 구해 보세요.

( )

[04~05] 공연장 좌석표를 보고 물음에 답하세요.

무대

A7	A8	A9	A10	A11
B7	B8	B9	B10	▲
C7	C8	C9	C10	C11
D7	D8	D9	D10	D11
E7	■	E9	E10	E11

04 수지의 좌석은 ■, 아라의 좌석은 ▲라고 합니다. 수지와 아라의 좌석 번호를 각각 써 보세요.

수지 ( )
아라 ( )

05 친구들이 공연장 좌석표의 규칙에 대해 이야기하고 있습니다. 규칙을 잘못 말한 사람은 누구일까요?

수지: 공연장 좌석표는 알파벳과 수의 규칙이 섞여 있어. 세로줄은 알파벳이 순서대로 바뀌는데 수는 그대로잖아.
아라: 가로줄은 알파벳이 그대로이고, 수가 2씩 커져.
한초: 규칙에 따르면 수지의 뒷좌석은 F8일 거야.

( )

[06~07] 수의 배열을 보고 물음에 답하세요.

760	630	500		240

06 수의 배열에서 규칙을 찾아 빈칸에 알맞은 수를 써넣으세요.

07 채이는 아래 조건 에 따라 수의 배열을 만들었습니다. 채이가 만든 수의 배열을 써 보세요.

조건
- 06과 같은 규칙입니다.
- 가장 왼쪽에 있는 수는 590입니다.

[08~10] 바둑돌의 배열을 보고 물음에 답하세요.

첫째	둘째	셋째	넷째

08 셋째에 알맞은 모양에 ○표 하세요.

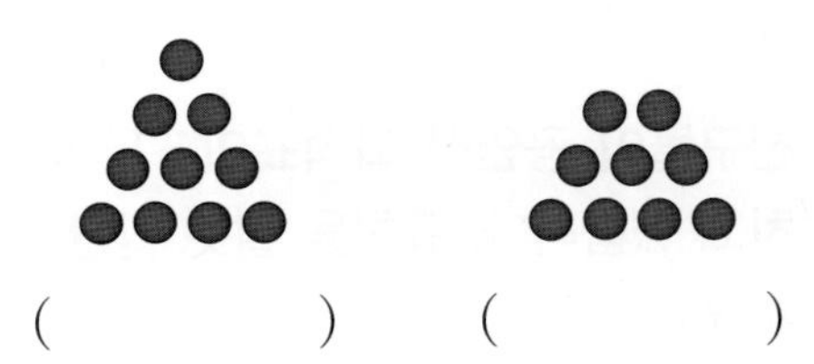

(　　　) (　　　)

09 위 모양을 만들 때 필요한 바둑돌의 수를 식으로 나타내어 구해 보세요.

순서	식	바둑돌의 수(개)
첫째	3	3
둘째	3+3	6
셋째		
넷째		

서술형 10 열째 모양을 만드는 데 필요한 바둑돌은 모두 몇 개인지 풀이 과정을 쓰고, 답을 구해 보세요.

풀이

답

[11~13] 도형의 배열을 보고 물음에 답하세요.

첫째	둘째	셋째	넷째

11 다섯째에 알맞은 도형에서 노란색 사각형 수와 파란색 사각형 수의 합은 몇 개일까요?

(　　　)

12 열째에 알맞은 도형에서 노란색 사각형과 파란색 사각형은 각각 몇 개일까요?

노란색 사각형 (　　　)

파란색 사각형 (　　　)

13 스무째에 알맞은 도형에서 노란색 사각형 수와 파란색 사각형 수의 차는 몇 개일까요?

(　　　)

[14~15] 곱셈식의 배열을 보고 물음에 답하세요.

순서	곱셈식
첫째	$109\times3=327$
둘째	$1009\times3=3027$
셋째	$10009\times3=30027$
넷째	$100009\times3=300027$
다섯째	

14 계산식의 규칙에 따라 다섯째 빈칸에 알맞은 곱셈식을 써 보세요.

계산식 ______________________

15 규칙에 따라 계산 결과가 300000000027이 되는 계산식은 몇째인지 써 보세요.

( )

[16~18] 계산식의 배열을 보고 물음에 답하세요.

순서	계산식
첫째	$9+9\times9=90$
둘째	$9+99\times9=900$
셋째	$9+\square\times9=9000$
넷째	$9+9999\times9=90000$
다섯째	

16 위 표의 □ 안에 알맞은 수를 써넣으세요.

17 규칙에 따라 다섯째 빈칸에 알맞은 곱셈식을 써 보세요.

계산식 ______________________

18 계산 결과가 9000000000이 되는 계산식은 몇째인지 풀이 과정을 쓰고 답을 구해 보세요.

풀이

____

____

____

답 ______________________

19 책 번호의 배열에서 찾은 규칙적인 계산식입니다. 빈칸에 알맞은 수를 써넣으세요.

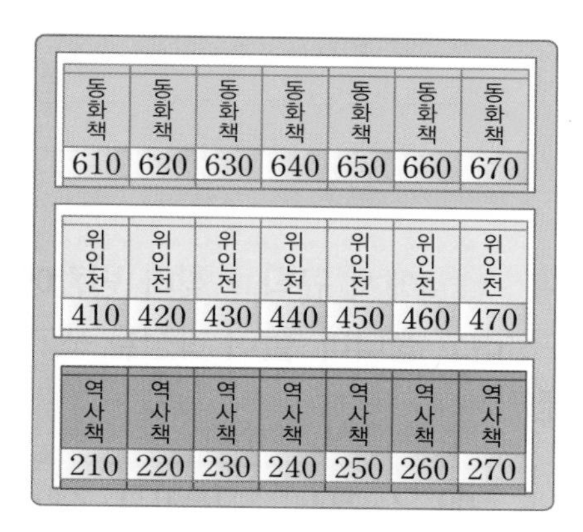

• $610+420+230=630+420+\square$

• $\square+430+240=640+430+220$

20 계산기의 버튼에서 찾은 규칙적인 계산식입니다. 잘못된 것을 찾아 기호를 써 보세요.

㉠ $1+5+9=7+5+3$
㉡ $5-2=6-3$
㉢ $7+3=5\times3$
㉣ $7+8+9=8\times3$

( )

서술형·논술형 평가 6단원

01 수 배열의 규칙에 따라 빈칸에 알맞은 수는 얼마인지 풀이 과정을 쓰고 답을 구해 보세요.

1005	1205	1405	1605
4005	4205	4405	4605
7005	7205		7605
10005	10205	10405	10605

풀이

답

02 수의 배열에서 규칙을 찾아 빈칸에 알맞은 수를 구하려고 합니다. 풀이 과정을 쓰고 답을 구해 보세요.

500	800	1400	2300	

풀이

답

03 규칙적인 수의 배열에서 ♥에 알맞은 수는 ★에 알맞은 수의 몇 배인지 풀이 과정을 쓰고 답을 구해 보세요.

♥	243	★	27	9	3

풀이

답

[04~05] 도형의 배열을 보고 물음에 답하세요.

첫째	둘째	셋째	넷째

04 다섯째에 알맞은 도형에서 하늘색 사각형은 모두 몇 개인지 풀이 과정을 쓰고 답을 구해 보세요.

풀이

답

05 여섯째에 알맞은 도형에서 하늘색 사각형은 모두 몇 개인지 풀이 과정을 쓰고 답을 구해 보세요.

풀이

답

06 도형 배열의 규칙에 따라 다음에 올 모양이 무엇인지 풀이 과정을 쓰고 답을 구해 보세요.

●	▲	★	●	▲	★

풀이

답

[07~08] 곱셈식의 배열을 보고 물음에 답하세요.

순서	곱셈식
첫째	$32\times32=1024$
둘째	$332\times332=110224$
셋째	$3332\times3332=11102224$
넷째	$33332\times33332=1111022224$
다섯째	

07 다섯째 빈칸에 알맞은 곱셈식의 계산 결과에서 1의 개수는 모두 몇 개인지 풀이 과정을 쓰고 답을 구해 보세요.

풀이

답

08 계산 결과가 1111111022222224가 되는 곱셈식은 몇째인지 풀이 과정을 쓰고 답을 구해 보세요.

풀이

답

[09~10] 계산식의 배열을 보고 물음에 답하세요.

순서	계산식
첫째	$208+146-107=247$
둘째	$408+246-207=447$
셋째	$608+346-307=647$
넷째	$808+446-407=847$
다섯째	

09 다섯째 빈칸에 알맞은 계산식을 구하려고 합니다. 풀이 과정을 쓰고 답을 구해 보세요.

풀이

답

10 계산 결과가 1647이 되는 계산식은 몇째인지 풀이 과정을 쓰고 답을 구해 보세요.

풀이

답

MEMO

아직 기초가 부족해서 차근차근 공부하고 싶어요.

조금 어려운 내용에 **도전해보고 싶어요.**

영어의 모든 것! 체계적인 영어공부를 원해요.

조금 어려운 내용에 **도전해보고 싶어요.**

학습 고민이 있나요?

초등온에는 친구들의 **고민에 맞는 다양한 강좌**가 준비되어 있답니다.

학교 진도에 맞춰 공부하고 싶어요.

초등ON 이란?

EBS가 직접 제작하고 분야별 전문 교육업체가 개발한 다양한 콘텐츠를 바탕으로,

대표강좌

초등 목표달성을 위한 <**초등온**>**서비스**를 제공합니다.

BOOK 3

해설책

BOOK 3 해설책으로
틀린 문제의 해설도 확인해 보세요!

EBS

인터넷·모바일·TV
무료 강의 제공

초 | 등 | 부 | 터 EBS

예습, 복습, 숙제까지 해결되는

교과서 완전 학습서

만점왕

BOOK 3
해설책

수학 4-1

EBS 당신의 문해력
어휘가 문해력이다
초등 5학년 1학기
쓰기가 문해력이다
5단계
ERI 독해가 문해력이다
배경지식이 문해력이다
디지털독해가 문해력이다
어휘
쓰기
ERI 독해
배경지식
디지털독해

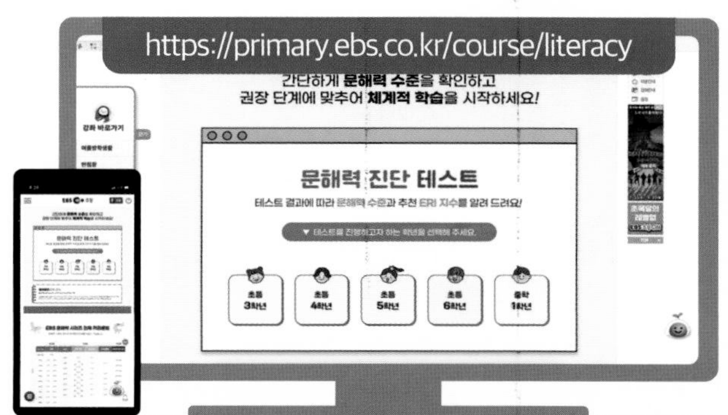
https://primary.ebs.co.kr/course/literacy
간단하게 문해력 수준을 확인하고
권장 단계에 맞추어 체계적 학습을 시작하세요!
문해력 진단 테스트
초등 3학년
초등 4학년
초등 5학년
초등 6학년
중학 1학년

NEW
EBS
내 문해력은 상위 몇 %일까?
문해력 등급 평가

BOOK 3
해설책
만점왕
수학
4-1

1 단원 큰 수

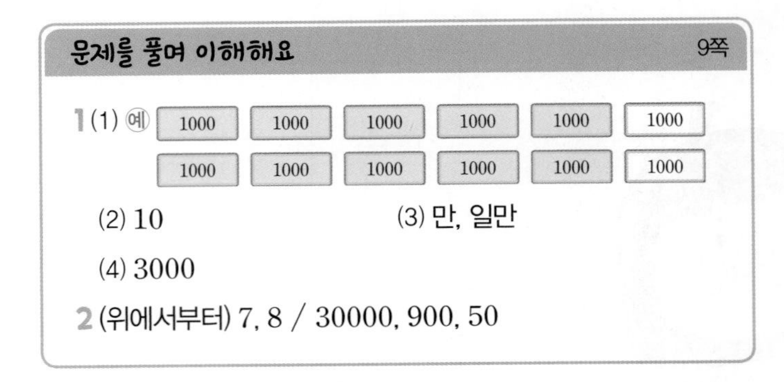

문제를 풀며 이해해요

9쪽

1 (1) 예 1000 1000 1000 1000 1000 1000 / 1000 1000 1000 1000 1000 1000

(2) 10 (3) 만, 일만

(4) 3000

2 (위에서부터) 7, 8 / 30000, 900, 50

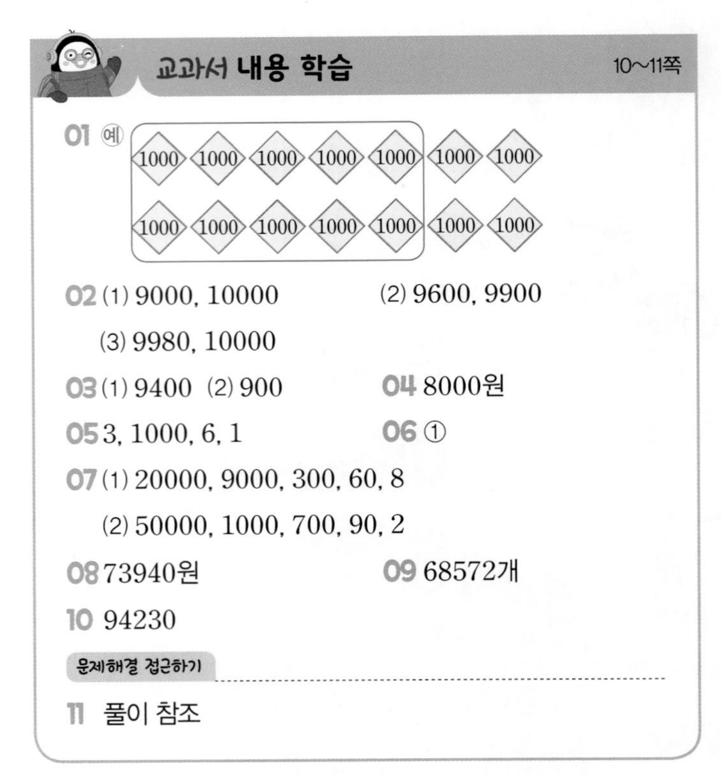

교과서 내용 학습

10~11쪽

01 예 1000 1000 1000 1000 1000 1000 1000 / 1000 1000 1000 1000 1000 1000 1000

02 (1) 9000, 10000 (2) 9600, 9900

(3) 9980, 10000

03 (1) 9400 (2) 900

04 8000원

05 3, 1000, 6, 1

06 ①

07 (1) 20000, 9000, 300, 60, 8

(2) 50000, 1000, 700, 90, 2

08 73940원

09 68572개

10 94230

문제해결 접근하기

11 풀이 참조

01 10000은 1000이 10개인 수입니다.

02 (1) 1000씩 커지는 규칙입니다.

(2) 100씩 커지는 규칙입니다.

(3) 10씩 커지는 규칙입니다.

03 (1) 수직선의 눈금 한 칸이 300을 나타내므로 ★에 알맞은 수는 9400입니다.

(2) 10000에서 9100까지는 왼쪽으로 수직선 세 칸만큼 움직여야 하므로 900만큼 더 작은 수입니다.

04 민영이와 수호가 가지고 있는 돈을 더하면 10000원이고, 2000보다 8000만큼 더 큰 수는 10000이므로 수호가 가지고 있는 돈은 8000원입니다.

05 35769는 10000이 3개, 1000이 5개, 100이 7개, 10이 6개, 1이 9개인 수입니다.

06 ② 9138은 구천백삼십팔이라고 읽습니다.

③ 25806은 이만 오천팔백육이라고 읽습니다.

④ 54110은 오만 사천백십이라고 읽습니다.

⑤ 33917은 삼만 삼천구백십칠이라고 읽습니다.

07 (1) $29368=20000+9000+300+60+8$

(2) $51792=50000+1000+700+90+2$

08 만 원짜리 지폐가 7장이면 70000원, 천 원짜리 지폐가 3장이면 3000원, 백 원짜리 동전이 9개이면 900원, 십 원짜리 동전이 4개이면 40원이므로 수지가 저금통에 넣은 돈은 모두 73940원입니다.

09 10000개씩 6상자에 담긴 구슬은 60000개, 1000개씩 8상자에 담긴 구슬은 8000개, 100개씩 5상자에 담긴 구슬은 500개, 10개씩 7상자에 담긴 구슬은 70개, 낱개 구슬은 2개이므로 구슬은 모두 68572개입니다.

10 십의 자리 숫자가 3인 다섯 자리 수를 □□□3□라 하고 3을 제외한 4개의 수를 가장 큰 수부터 차례로 넣으면 94230입니다.

문제해결 접근하기

11 **이해하기** | 예 해수욕장을 방문한 관람객 수

계획 세우기 | 예 다섯 자리 수를 □□□□□라 하고 조건에 맞게 각 자리에 2, 3, 4, 5, 6을 넣어서 문제를 해결해 보겠습니다.

해결하기 | 예 3만보다 크고 4만보다 작은 다섯 자리 수를 3□□□□라고 하면 천의 자리 수는 홀수이고 남

은 수 2, 4, 5, 6 중 홀수는 5이므로 35□□□가 됩니다. 일의 자리 수 > 십의 자리 수 > 백의 자리 수이고, 6 > 4 > 2이므로 조건에 알맞은 수는 35246입니다. 따라서 해수욕장을 방문한 관람객 수는 35246명입니다.

되돌아보기 | ㉮ 3만보다 크고 4만보다 작은 다섯 자리 수를 3□□□□라 하고 나머지 4개의 수 2, 4, 5, 6을 조건에 맞게 넣습니다.

문제를 풀며 이해해요 13쪽

1 (1) 100000, 10만, 십만
(2) 1000000, 100만, 백만
(3) 10000000, 1000만, 천만

2 (1) 천만, 50000000 (2) 백만, 7000000
(3) 50000000, 7000000, 오천칠백삼십일만

교과서 내용 학습 14~15쪽

01 (위에서부터) 1000000, 1000만, 십만

02 (   ) (○)

03 5079, 4218 읽기 오천칠십구만 사천이백십팔

04 ③, ④

05 3427, 5896

06 ㉠

07 20000000(또는 2000만), 2000000(또는 200만), 20000(또는 2만), 200000(또는 20만)

08 26590000원 (또는 2659만 원)

09 ㉣

10 ㉮ 13467890, 90876431

문제해결 접근하기

11 풀이 참조

01 10000이 100개인 수 ➡ 1000000 ➡ 100만 ➡ 백만
10000이 1000개인 수 ➡ 10000000 ➡ 1000만 ➡ 천만
10000이 10개인 수 ➡ 100000 ➡ 10만 ➡ 십만

02 13650000에서 1은 천만의 자리 숫자, 3은 백만의 자리 숫자, 6은 십만의 자리 숫자, 5는 만의 자리 숫자입니다.

03 50794218을 읽을 때는 일의 자리에서부터 시작하여 네 자리씩 끊어서 읽습니다. 자리의 숫자가 0일 때는 그 자리를 읽지 않습니다.

04 ③ 70603000은 칠천육십만 삼천이라고 읽습니다.
④ 99800000은 구천구백팔십만이라고 읽습니다.

05 수를 일의 자리에서부터 시작하여 네 자리씩 끊은 뒤, 앞에서부터 '만', '일'의 단위를 사용합니다. 따라서 34275896은 만이 3427개, 일이 5896개입니다.

06 ㉠ 50910000에서 숫자 5는 천만의 자리 숫자이므로 50000000을 나타냅니다.
㉡ 73580000에서 숫자 5는 십만의 자리 숫자이므로 500000을 나타냅니다.

07
- 21349768에서 숫자 2는 천만의 자리 숫자이므로 20000000을 나타냅니다.
- 42076193에서 숫자 2는 백만의 자리 숫자이므로 2000000을 나타냅니다.
- 90325841에서 숫자 2는 만의 자리 숫자이므로 20000을 나타냅니다.
- 65297148에서 숫자 2는 십만의 자리 숫자이므로 200000을 나타냅니다.

08 100만 원짜리 26장이면 26000000원, 10만 원짜리 5장이면 500000원, 만 원짜리 9장이면 90000원입니다. 따라서 예금된 금액은 모두 26590000원(또는 2659만 원)입니다.

09 ㉠ 구백팔십삼만 ➡ 9830000
㉡ 이천오백만 사천칠십 ➡ 25004070
㉢ 이십일만 구천칠백삼십 ➡ 219730
㉣ 천삼만 육천 ➡ 10036000
따라서 0의 개수가 가장 많은 수의 기호는 ㉣입니다.

10 수 카드를 한 번씩만 사용하여 만들 수 있는 여덟 자리 수는 13467890, 90876431, 46789031, 34678910 등이 있습니다.

문제해결 접근하기

11 **이해하기** | 예 ㉠이 나타내는 값은 ㉡이 나타내는 값의 몇 배인지 구하기

계획 세우기 | 예 ㉠과 ㉡이 각각 어느 자리 숫자이고 얼마를 나타내는지 구한 다음 비교해 보겠습니다.

해결하기 | (1) 백만, 9000000(또는 900만)

(2) 십만, 900000(또는 90만)

(3) 10

되돌아보기 | 예 ㉡이 나타내는 값은 900000이고, ㉡이 나타내는 값의 10배인 수가 9000000이므로 ㉡이 나타내는 값의 100배인 수는 90000000(또는 9000만)입니다.

[참고] 어떤 수의 100배는 어떤 수에 0을 두 개 더 붙인 것과 같습니다.

문제를 풀어 이해해요 17쪽

1 (1) 100만 (2) 2000만
(3) 10 (4) 1억

2 (1) 5, 1, 6, 3
(2) 300000000(또는 3억)

3 (1) 9, 2, 7, 4 (2) 구천이백칠십사조
(3) 200000000000000, 70000000000000

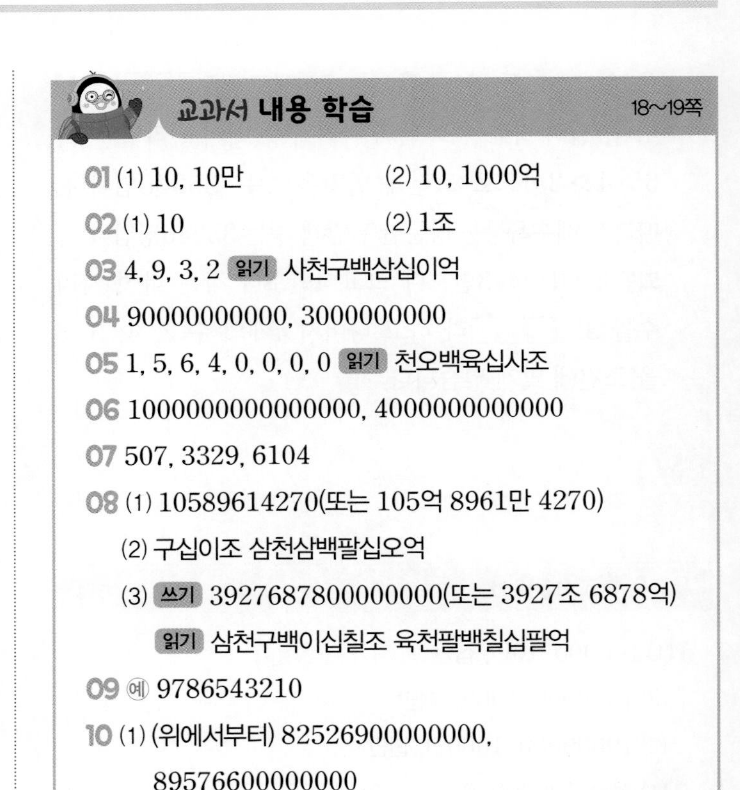

교과서 내용 학습 18~19쪽

01 (1) 10, 10만 (2) 10, 1000억

02 (1) 10 (2) 1조

03 4, 9, 3, 2 읽기 사천구백삼십이억

04 90000000000, 3000000000

05 1, 5, 6, 4, 0, 0, 0, 0 읽기 천오백육십사조

06 1000000000000000, 4000000000000

07 507, 3329, 6104

08 (1) 10589614270(또는 105억 8961만 4270)
(2) 구십이조 삼천삼백팔십오억
(3) 쓰기 3927687800000000(또는 3927조 6878억)
읽기 삼천구백이십칠조 육천팔백칠십팔억

09 예 9786543210

10 (1) (위에서부터) 82526900000000, 89576600000000
(2) 9000000000000(또는 9조)

문제해결 접근하기

11 풀이 참조

01 (1) 1억 ➡ 1000만이 10개인 수
➡ 9000만보다 1000만만큼 더 큰 수
➡ 9900만보다 100만만큼 더 큰 수
➡ 9990만보다 10만만큼 더 큰 수
➡ 9999만보다 1만만큼 더 큰 수

(2) 1조 ➡ 1000억이 10개인 수
➡ 9000억보다 1000억만큼 더 큰 수
➡ 9900억보다 100억만큼 더 큰 수
➡ 9990억보다 10억만큼 더 큰 수
➡ 9999억보다 1억만큼 더 큰 수

02 (1) 1억은 1000만의 10배입니다.
(2) 1억의 10배는 10억, 100배는 100억, 1000배는 1000억입니다. 따라서 1억의 10000배는 1조입니다.

03 1억이 4932개인 수를 493200000000이라 쓰고, 사천구백삼십이억이라고 읽습니다.

04 493200000000에서

숫자 9는 백억의 자리 숫자이고, 90000000000을 나타냅니다.

숫자 3은 십억의 자리 숫자이고, 3000000000을 나타냅니다.

05 1조가 1564개인 수를 1564000000000000라 쓰고, 천오백육십사조라고 읽습니다.

06 1564000000000000에서

숫자 1은 천조의 자리 숫자이고, 1000000000000000를 나타냅니다.

숫자 4는 조의 자리 숫자이고, 4000000000000를 나타냅니다.

07 507|3329|6104

➡ 507억 3329만 6104

➡ 억이 507개, 만이 3329개, 일이 6104개인 수

08 (1) 백오억 팔천구백육십일만 사천이백칠십
105 8961 4270

➡ 10589614270

(2) 큰 수를 읽을 때는 일의 자리에서부터 시작하여 네 자리씩 끊고, 앞에서부터 '조', '억', '만', '일'의 단위를 사용하여 읽습니다.

92	3385	0000	0000
조	억	만	일

➡ 구십이조 삼천삼백팔십오억

(3) 조가 3927개, 억이 6878개인 수

➡ 3927조 6878억

➡ 3927687800000000

➡ 삼천구백이십칠조 육천팔백칠십팔억

09 수 카드를 모두 한 번씩 사용하여 만들 수 있는 수를 다음과 같이 나타내어 봅니다.

십	일	천	백	십	일	천	백	십	일
	억				만				일

천만의 자리 숫자가 8이므로 천만의 자리에 8을 넣으면 다음과 같습니다.

		8							
십	일	천	백	십	일	천	백	십	일
	억				만				일

50억보다 큰 수를 만들어야 하므로 십억의 자리에 들어갈 수 있는 수는 5, 6, 7, 9입니다. 따라서 조건에 맞는 수는 9786543210, 5687943210 등이 있습니다.

10 (1) 82조 5269억 ➡ 82526900000000

89조 5766억 ➡ 89576600000000

(2) 2021년의 금액은 89조 5766억이고, 숫자 9는 조의 자리 숫자이므로 9000000000000를 나타냅니다.

문제해결 접근하기

11 **이해하기** | 예 12자리 수로 쓸 때 0의 개수가 더 많은 수의 기호 쓰기

계획 세우기 | 예 ㉠과 ㉡을 12자리 수로 쓴 다음 각 수의 0의 개수를 세어 보겠습니다.

해결하기 | (1) 935078020000

(2) 499030050000

(3) 6, 7, ㉡

되돌아보기 | 607045000000, 8

문제를 풀며 이해해요 21쪽

1 (1) 10000(또는 1만) (2) 10만(또는 100000)
(3) 1000억(또는 100000000000)

2 (1) > (2) <
(3) < (4) >

교과서 내용 학습 22~23쪽

01 (왼쪽에서부터) 2230000, 4230000

02 (위에서부터) 300억 7691만, 350억 7691만

03 지훈

04 53480000 / 10000000(또는 1000만)

05 10

06 (1) < (2) >

(3) <

07 ① 같습니다에 ○표 ② 백만에 ○표 ③ 큽니다에 ○표

08 (1) 2720만(또는 27200000) (2) <

09 ㉡, ㉠, ㉢ **10** 678590000

문제해결 접근하기

11 풀이 참조

01 1000000씩 뛰어 세면 백만의 자리 수가 1씩 커집니다.

02 50억씩 뛰어 세면 십억의 자리 수가 5씩 커집니다.

03 • 첫 번째 세로줄에서 1000만씩 뛰어 세었으므로 ㉠에 알맞은 수는 35억 6259만입니다.
• 가로줄에서 1억씩 뛰어 세었으므로 ㉡에 알맞은 수는 36억 7259만입니다.
• 두 번째 세로줄에서 10만씩 뛰어 세었으므로 ㉢에 알맞은 수는 37억 7269만입니다.
따라서 빈칸에 들어갈 수를 바르게 이야기한 학생은 지훈이입니다.

04 천만의 자리 수가 1씩 커지므로 10000000씩 뛰어 센 것입니다. 따라서 빈칸에 알맞은 수는 53480000입니다.

05 매달 30만 원씩 300만 원을 모아야 하므로 30만씩 뛰어 세어 봅니다. 30만−60만−90만−120만−150만−180만−210만−240만−270만−300만이므로 여행에 필요한 돈을 다 모으려면 10달이 걸립니다.

06 (1) 89976(5자리 수)<1032547(7자리 수)
(2) 36억 4800만 ➡ 3648000000이므로
3648000000>3647900000입니다.
(3) 1조 3000억 ➡ 1300000000000이므로
169000000000<1300000000000입니다.

07 ① 49813766과 46975031은 모두 8자리 수입니다.
② 수의 크기를 비교할 때, 자리 수가 같으면 가장 높은 자리 수부터 차례로 비교합니다. 가장 높은 천만의 자리 수가 4로 같으므로 다음으로 높은 자리인 백만의 자리 수를 비교해야 합니다.
③ 49813766의 백만의 자리 수는 9이고,
46975031의 백만의 자리 수는 6이므로
49813766이 더 큽니다.

08 (1) 수직선에서 눈금 한 칸이 10만을 나타내므로 ㉠에 들어갈 수는 27200000입니다.
(2) 27200000<27800000
2<8

09 ㉠, ㉡, ㉢을 수로 쓰면 다음과 같습니다.
㉠ 87654321
㉡ 566490000
㉢ 39780000
9자리 수인 ㉡이 가장 크고, 8자리 수인 ㉠과 ㉢의 가장 높은 자리인 천만의 자리를 비교하였을 때 8>3이므로 ㉠이 ㉢보다 큽니다. 따라서 큰 수부터 순서대로 기호를 쓰면 ㉡, ㉠, ㉢입니다.

10 지민이가 찾으려는 수를 □□□□□0000이라고 하면 678000000보다는 크고 679000000보다는 작으므로 678□□0000입니다. 십만의 자리 수가 만의 자리 수보다 작고, 남은 수가 5와 9이므로 지민이가 찾은 수는 678590000입니다.

문제해결 접근하기

11 **이해하기** | 예 • 두 수는 모두 12자리 수입니다.
• 두 수의 천억의 자리 수는 6으로 같습니다.
• 오른쪽의 수가 왼쪽의 수보다 커야 합니다. 등
계획 세우기 | 예 두 수의 자리 수가 같고, 가장 높은 자리의 수인 천억의 자리 수가 같으므로 백억의 자리 수를 비교하여 문제를 해결해 보겠습니다.
해결하기 | 예 백억의 자리 수를 비교해 보았을 때, 왼쪽은 7, 오른쪽은 □입니다. 십억의 자리 수를 비교해 보면 □ 안에 들어갈 수 있는 수는 8, 9입니다. 따라서 □ 안에 들어갈 수 있는 수의 합은 8+9=17입니다.

되돌아보기 | 예 6□1249830000을 6□4249830000으로 바꾸면 673581290000 < 6□4249830000이므로 □ 안에 들어갈 수 있는 수는 7, 8, 9입니다. 따라서 □ 안에 들어갈 수 있는 수의 합은 7+8+9=24입니다.

단원 확인 평가 24~27쪽

01 10000
02 1000, 100, 10, 1
03 (1) 4000, 10000 (2) 9000, 9500
04 50000, 2000, 600, 80, 4
05 (1) 48213 (2) 60307
(3) 52378 (4) 90152
06 52463
07 (위에서부터) 50380000, 육천구백이만
08 (1) 3000000 (2) 30000000
09 59670000(또는 5967만)
10 ④
11 (1) 100 (2) 10
12 ③
13 ㉡
14 (1) 십억, 6000000000(또는 60억)
(2) 백만, 6000000(또는 600만)
(3) 1000 / 1000배
15 (1) (위에서부터) 1540000, 9540000
(2) (위에서부터) 칠천억, 조(또는 일조)
16 3040억 7740만 / 10억(또는 1000000000)
17 3조 4700억(또는 3470000000000)
18 26억, 구천만 사천팔백삼십, 33829761
19 (1) 9(또는 아홉) (2) 억, 천만, 백만 (3) 1, 2, 2 / 2
20 서우, 채빈

01 1000이 10개인 수는 10000입니다.

02 10000 ➡ 9000보다 1000만큼 더 큰 수
➡ 9900보다 100만큼 더 큰 수
➡ 9990보다 10만큼 더 큰 수
➡ 9999보다 1만큼 더 큰 수

03 (1) 오른쪽으로 갈수록 2000씩 커지고 있습니다.
(2) 오른쪽으로 갈수록 500씩 커지고 있습니다.

04 52684는 10000이 5개, 1000이 2개, 100이 6개, 10이 8개, 1이 4개인 수입니다.

05 (1) 사만 팔천이백십삼은 48213이라고 씁니다.
(2) 육만 삼백칠은 60307이라고 씁니다.
(3) 10000이 5개, 1000이 2개, 100이 3개, 10이 7개, 1이 8개인 수는 52378입니다.
(4) 10000이 9개, 100이 1개, 10이 5개, 1이 2개인 수는 90152입니다.

06 5만보다 크고 6만보다 작은 다섯 자리 수를 5□□□□라고 하면 일의 자리 수는 홀수이고 남은 수 2, 3, 4, 6 중 홀수는 3이므로 5□□□3입니다.
십의 자리 수 > 백의 자리 수 > 천의 자리 수이고, 6 > 4 > 2이므로 조건을 만족하는 수는 52463입니다.

07 오천삼십팔만은 50380000이라고 씁니다.
69020000은 육천구백이만이라고 읽습니다.

08 (1) 63910000에서 숫자 3은 백만의 자리 숫자이고, 3000000을 나타냅니다.
(2) 37450000에서 숫자 3은 천만의 자리 숫자이고, 30000000을 나타냅니다.

09 100만이 59개인 수는 5900만이므로 1000만이 5개, 100만이 9개입니다.
따라서 설명하는 수는 1000만이 5개, 100만이 9개, 10만이 6개, 만이 7개인 수인 59670000입니다.

10 ① 80716432의 십만의 자리 숫자는 7입니다.
② 9982154의 십만의 자리 숫자는 9입니다.
③ 31496178의 십만의 자리 숫자는 4입니다.
④ 26180193의 십만의 자리 숫자는 1입니다.

⑤ 8893675의 십만의 자리 숫자는 8입니다.
따라서 십만의 자리 숫자가 가장 작은 수는 ④입니다.

11 (1) 1억은 1000만이 10개인 수입니다. 따라서 1억은 100만이 100개인 수입니다.
(2) 1조는 1000억이 10개인 수입니다.

12 ③ 9900만보다 100만만큼 더 큰 수는 1억입니다.

13 ㉠ 316|8022|9597
➡ 삼백십육억 팔천이십이만 구천오백구십칠

14 2061 | 8683 | 5972
억 만 일

(1) ㉠은 십억의 자리 숫자이고, 6000000000을 나타냅니다.
(2) ㉡은 백만의 자리 숫자이고, 6000000을 나타냅니다.
(3) 따라서 ㉠이 나타내는 값은 6000000000, ㉡이 나타내는 값은 6000000이므로 ㉠이 나타내는 값은 ㉡이 나타내는 값의 1000배입니다.

채점 기준

㉠의 자리 숫자와 자릿값을 정확하게 나타낸 경우	30 %
㉡의 자리 숫자와 자릿값을 정확하게 나타낸 경우	30 %
㉠이 나타내는 값은 ㉡이 나타내는 값의 몇 배인지 정확히 계산한 경우	40 %

15 (1) 2000000씩 뛰어 세면 백만의 자리 수가 2씩 커집니다.
(2) 천억씩 뛰어 세면 천억의 자리 수가 1씩 커집니다.

16 10억씩 뛰어 세면 십억의 자리 수가 1씩 커집니다.

17 어떤 수를 구하려면 3조 8700억에서부터 시작하여 1000억씩 4번 거꾸로 뛰어 세어야 합니다. 따라서 어떤 수는 3조 4700억입니다.

18 33829761 (8자리 수)
26억 ➡ 2600000000 (10자리 수)
구천만 사천팔백삼십 ➡ 90004830 (8자리 수)
따라서 큰 수부터 순서대로 쓰면 26억, 구천만 사천팔백삼십, 33829761입니다.

19 (1) 두 수는 모두 9자리 수입니다.
(2) 두 수의 자리 수가 같으므로 가장 높은 자리 수부터 차례로 비교합니다. 억의 자리 수는 2, 천만의 자리 수는 1로 같으므로 백만의 자리 수를 비교해야 합니다.
(3) 십만의 자리 수를 비교해 보면 0<8이므로 □ 안에는 1, 2가 들어갈 수 있고, 그중 가장 큰 수는 2입니다.

채점 기준

두 수가 몇 자리 수인지 바르게 구한 경우	30 %
두 수를 비교하기 위해서 어느 자리를 살펴봐야 하는지 바르게 구한 경우	30 %
□ 안에 들어갈 수 있는 가장 큰 수를 구한 경우	40 %

20 현서: 874700000000
정호: 천사백삼십구억 ➡ 143900000000
서우: 1조 3000억 ➡ 1300000000000
채빈: 9999만 ➡ 99990000
따라서 가장 큰 수를 만든 학생은 서우, 가장 작은 수를 만든 학생은 채빈이입니다.

수학으로 세상보기 28~29쪽

1 쓰기 82000000(또는 8200만)
읽기 팔천이백만
쓰기 1348000000(또는 13억 4800만)
읽기 십삼억 사천팔백만
2 150000000
3 100000, 100000000000000

2 단원 각도

문제를 풀며 이해해요 33쪽

1 (1) 나, 나 (2) 가, 가
2 (1) 40 (2) 75
(3) 120 (4) 135

교과서 내용 학습 34~35쪽

01 나
02 (○)
( )
03 나, 가, 다
04 나, 다
05 수정
06 (1) 40 (2) 115
07 나
08 (1) 50 (2) 140
09 (왼쪽에서부터) 45, 135
10 (1) 130 (2) 180

문제해결 접근하기

11 풀이 참조

01 나의 조각 케이크가 벌어진 정도가 더 작으므로 나의 각이 더 작습니다.

02 각의 크기는 변의 길이와 관계없이 두 변이 많이 벌어질수록 큰 각입니다. 가가 나보다 더 많이 벌어져 있으므로 가의 각의 크기가 더 큽니다.

03 각의 크기는 변의 길이와 관계없이 두 변이 많이 벌어질수록 큰 각입니다. 따라서 각의 크기가 작은 것부터 순서대로 쓰면 나, 가, 다입니다.

04 가장 큰 각은 가장 많이 벌어진 각이므로 나이고 가장 작은 각은 가장 적게 벌어진 각이므로 다입니다.

05 선호가 펼친 부채의 각의 크기가 가장 크고, 소희가 펼친 부채의 각의 크기가 가장 작습니다. 세 사람이 펼친 부채가 벌어진 정도는 다 다르므로 세 사람이 펼친 부채의 각의 크기는 모두 다릅니다. 따라서 각의 크기를 바르게 비교한 사람은 수정이입니다.

06 (1) 각의 한 변이 안쪽 눈금 0에 맞춰져 있으므로 안쪽 눈금 40을 읽으면 40°입니다.
(2) 각의 한 변이 바깥쪽 눈금 0에 맞춰져 있으므로 바깥쪽 눈금 115를 읽으면 115°입니다.

07 각의 한 변이 안쪽 눈금 0에서 시작하는지, 바깥쪽 눈금 0에서 시작하는지 확인합니다.
나 각은 각의 한 변이 안쪽 눈금 0에 맞춰져 있으므로 안쪽 눈금 150을 읽으면 150°입니다.

08 (1) 각도기의 중심과 밑금을 맞춘 후 눈금 50을 읽으면 50°입니다.
(2) 각도기의 중심과 밑금을 맞춘 후 눈금 140을 읽으면 140°입니다.

09 각도기의 중심과 밑금을 맞춘 후 눈금을 읽어 보면 각각 45°, 135°입니다.

10 (1) 각도기의 중심과 밑금을 맞춘 후 눈금 130을 읽어 보면 130°입니다.
(2) 각도기의 중심과 밑금을 맞춘 후 눈금 180을 읽어 보면 180°입니다.

문제해결 접근하기

11 **이해하기** | 예 3시와 5시 중 긴바늘과 짧은바늘이 이루는 작은 쪽의 각의 크기가 더 큰 시각

계획 세우기 | 예 3시와 5시를 시계에 그려 보고, 각의 크기를 비교해 보겠습니다.

해결하기 | (1) 가

나

(2) 5시

되돌아보기 |

긴바늘과 짧은바늘이 이루는 작은 쪽의 각의 크기를 비교해 보았을 때, 각의 크기가 더 작은 시각은 1시입니다.

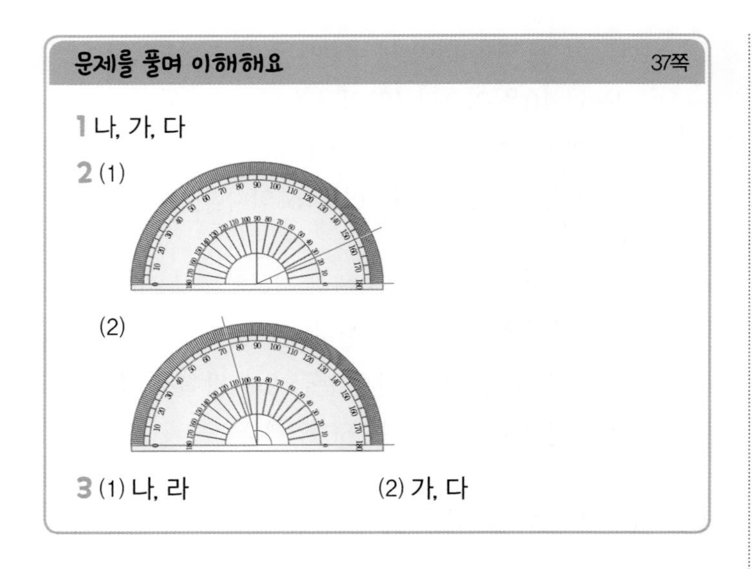

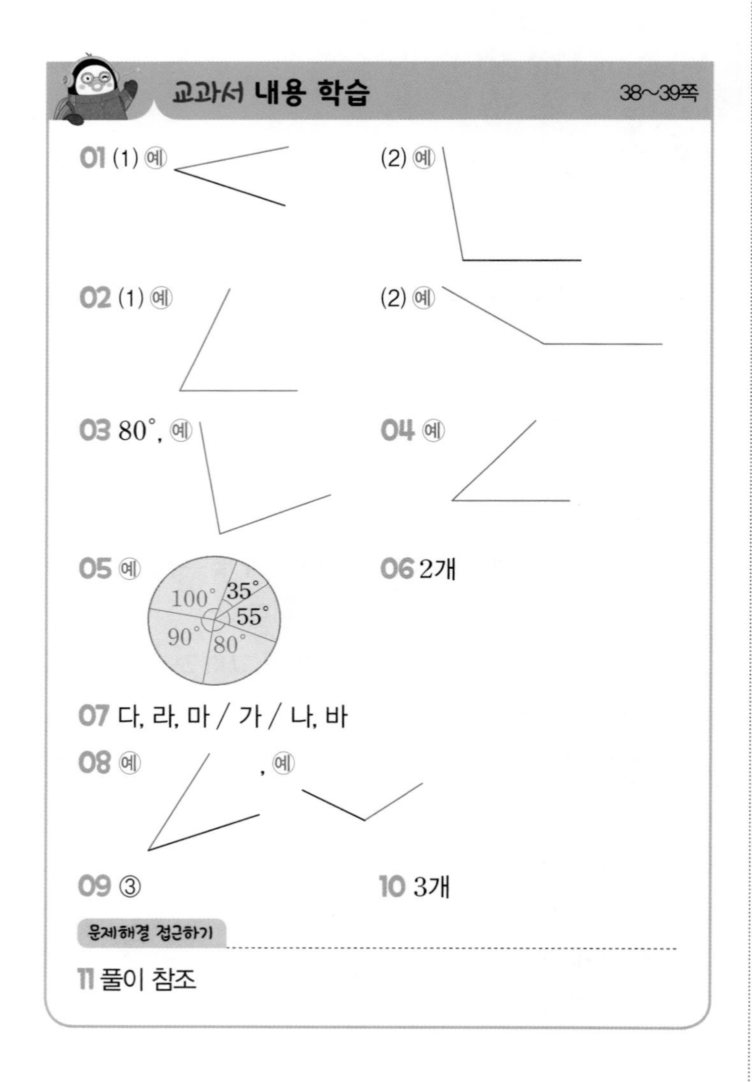

교과서 내용 학습
38~39쪽
01 (1) 예
(2) 예
02 (1) 예
(2) 예
03 80°, 예
04 예
05 예
100°
35°
55°
90°
80°
06 2개
07 다, 라, 마 / 가 / 나, 바
08 예
, 예
09 ③
10 3개
문제해결 접근하기
11 풀이 참조

01 주어진 선의 한쪽 끝과 각도기의 중심을 맞추고, 주어진 선과 각도기의 밑금을 맞추어 각을 그립니다.

02 자를 이용하여 각의 한 변을 그은 뒤 그린 변의 한쪽 끝과 각도기의 중심을 맞추고, 그린 변과 각도기의 밑금을 맞추어 각을 그립니다.

03 왼쪽 각의 크기를 재어 보면 80°입니다. 자를 이용하여 각의 한 변을 그은 다음 그린 변의 한쪽 끝과 각도기의 중심을 맞추고, 그린 변과 각도기의 밑금을 맞추어 각을 그립니다.

04 색종이를 점선을 따라 접었을 때 생기는 각의 종류는 45°, 90°의 두 가지입니다.

05 주어진 각을 그릴 때, 그리는 각의 순서는 상관없습니다.

06 예각은 각도가 0°보다 크고 직각보다 작은 각입니다.

07 예각은 각도가 0°보다 크고 직각보다 작은 각이므로 다, 라, 마입니다.
직각은 각의 크기가 90°인 각이므로 가입니다.
둔각은 각도가 직각보다 크고 180°보다 작은 각이므로 나, 바입니다.

08 〈예각 그리기〉 주어진 선분을 한 변으로 하여 각도가 0°보다 크고 직각보다 작은 각을 그려 봅니다.
〈둔각 그리기〉 주어진 선분을 한 변으로 하여 각도가 직각보다 크고 180°보다 작은 각을 그려 봅니다.

09 점 ㄴ과 점 ①, ②를 이으면 예각, 점 ③을 이으면 직각, 점 ④, ⑤를 이으면 둔각이 됩니다.
따라서 예각 또는 둔각이 되지 않는 점은 ③입니다.

10 둔각은 각도가 직각보다 크고 180°보다 작은 각입니다. 따라서 표시된 부분의 각 중 둔각은 3개입니다.

문제해결 접근하기

11 **이해하기** | 예 □ 안에 들어갈 수 있는 수의 합
계획 세우기 | 예 □ 안에 1부터 9까지의 수를 넣어 만들어지는 시각을 시계에 나타내어 본 다음 둔각이 되는 시각을 찾아보겠습니다.
해결하기 | 90, 180, 1, 2, 9, 12
되돌아보기 | 예 시각에 맞게 시계를 그립니다.

   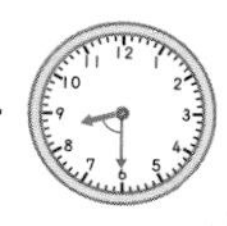 …… 

둔각 둔각 예각 예각 둔각

1시 30분, 2시 30분, 9시 30분일 때 둔각이 만들어지므로 □ 안에 들어갈 수 있는 수를 모두 더하면 $1+2+9=12$입니다.

문제를 풀며 이해해요 41쪽

1 (1) 예 30 / 20 (2) 예 50 / 40
(3) 예 120 / 120

2 130, 30

교과서 내용 학습 42~43쪽

01 예 60
02 (1) 예 80 / 90 (2) 예 150 / 170
03 예 20 / 25
04 예 70 / 75
05 병훈
06 110, 20, 130
07 135°, 45°
08 ②
09 15°
10 10°

문제해결 접근하기

11 풀이 참조

01 직각 삼각자의 세 각 30°, 60°, 90°와 비교하여 각도를 어림해 봅니다.

02 어림하기가 어려울 때는 직각을 기준으로 각도를 어림하여 봅니다.

03 오른쪽 각이 더 작으므로 오른쪽 각의 크기를 어림하고 각도기로 재어 확인해 봅니다.

04 어림하기가 어려울 때는 직각을 기준으로 각도를 어림하여 보고, 각도기로 재어 확인해 봅니다.

05 각도기로 잰 각도는 70°입니다.
나현: $90°-70°=20°$
병훈: $80°-70°=10°$
각도를 더 잘 어림한 학생은 어림한 각도와 각도기로 잰 각도의 차가 더 작은 병훈이입니다.

06 각도의 합은 자연수의 덧셈과 같은 방법으로 계산합니다.
$110+20=130$이므로 $110°+20°=130°$입니다.

07 각도의 합과 차는 자연수의 덧셈, 뺄셈과 같은 방법으로 계산합니다.
(두 각도의 합)$=90°+45°=135°$
(두 각도의 차)$=90°-45°=45°$

08 ② $147°+26°=173°$

09 일직선이 이루는 각의 크기는 180°이므로
$75°+90°+㉠=180°$, $㉠=180°-75°-90°=15°$입니다.

10 가볍게 뛸 때의 각도는 15°이고, 걸을 때의 각도는 25°입니다. 따라서 걸을 때는 가볍게 뛸 때보다 각도를 $25°-15°=10°$ 더 높였습니다.

문제해결 접근하기

11 **이해하기** | 예 두 직각 삼각자를 겹치지 않게 이어 붙여서 만들 수 있는 각도 중 가장 큰 각도와 가장 작은 각도의 차

계획 세우기 | 예 두 직각 삼각자에서 가장 큰 각끼리 겹치지 않게 이어 붙여 가장 큰 각도를 만들고, 가장 작은 각끼리 겹치지 않게 이어 붙여 가장 작은 각도를 만들어 두 각도의 차를 구해 보겠습니다.

해결하기 | 90, 90, 180, 45, 30, 75, 180, 75, 105

되돌아보기 | 예 두 직각 삼각자에서 가장 큰 각인 90°와 90°를 겹치지 않게 이어 붙이면 가장 큰 각도인 180°를 만들 수 있고, 두 직각 삼각자에서 가장 작은 각인 45°와 30°를 겹치지 않게 이어 붙이면 가장 작은 각도인 75°를 만들 수 있습니다. 따라서 두 각도의 차는 $180°-75°=105°$입니다.

문제를 풀며 이해해요 45쪽

1 (1) 80, 60, 40, 80, 60, 180
(2) 100, 50, 30, 100, 50, 180

2 (1) 90, 50, 130, 90, 90, 50, 130, 360
(2) 115, 80, 120, 45, 115, 80, 120, 360

교과서 내용 학습 46~47쪽

01 $40°$ 02 80, 65, 35, 180
03 (1) 35 (2) 50 04 $120°$
05 민영 06 $15°$
07 (1) 110 (2) 90 08 (1) $180°$ (2) $200°$
09 $130°$ 10 $120°$, $50°$

문제해결 접근하기

11 풀이 참조

01 삼각형을 잘라서 세 꼭짓점이 한 점에 모이도록 겹치지 않게 이어 붙이면 $180°$가 됩니다.
따라서 ㉠$=180°-25°-115°=40°$입니다.

02 삼각형의 세 각의 크기의 합은 $180°$입니다.

03 삼각형의 세 각의 크기의 합은 $180°$입니다.
(1) $\square°=180°-75°-70°=35°$
(2) $\square°=180°-45°-85°=50°$

04 ㉠$+$㉡$+60°=180°$이므로
㉠$+$㉡$=180°-60°=120°$입니다.

05 삼각형의 세 각의 크기의 합은 $180°$이므로 삼각형의 나머지 한 각의 크기는 $180°-50°-55°=75°$입니다. 일직선이 이루는 각은 $180°$이므로
㉠$=180°-75°=105°$입니다.
따라서 ㉠의 각도를 바르게 구한 학생은 민영이입니다.

06 직각 삼각자의 세 각의 크기의 합은 $180°$이므로
(각 ㄷㄹㄴ)$=180°-90°-45°=45°$,
(각 ㄱㄹㄴ)$=180°-60°-90°=30°$입니다.
따라서 ㉠$=$(각 ㄷㄹㄴ)$-$(각 ㄱㄹㄴ)
$=45°-30°=15°$입니다.

07 사각형의 네 각의 크기의 합은 $360°$입니다.
(1) $\square°=360°-85°-100°-65°=110°$
(2) $\square°=360°-80°-60°-130°=90°$

08 (1) ㉠$+$㉡$+125°+55°=360°$이므로
㉠$+$㉡$=360°-125°-55°=180°$입니다.
(2) ㉠$+$㉡$+110°+50°=360°$이므로
㉠$+$㉡$=360°-110°-50°=200°$입니다.

09 사각형의 네 각의 크기의 합은 $360°$입니다.
따라서 나머지 한 각의 크기는
$360°-115°-65°-50°=130°$입니다.

10 ㉡의 각도와 $130°$가 이루는 각은 $180°$이므로
㉡$=180°-130°=50°$입니다.
사각형의 네 각의 크기의 합은 $360°$이므로
㉠$=360°-110°-80°-50°=120°$입니다.

문제해결 접근하기

11 **이해하기** | 예 ㉠과 ㉡의 각도의 합
계획 세우기 | 예 삼각형의 세 각의 크기의 합이 $180°$임을 이용하여 ㉠의 각도를 구하고, 사각형의 네 각의 크기의 합이 $360°$임을 이용하여 ㉡의 각도를 구한 다음 두 각도의 합을 구해 보겠습니다.
해결하기 | 180, 85, 360, 70, 85, 70, 155
되돌아보기 | 예 삼각형의 세 각의 크기의 합은 $180°$이므로 ㉠$=180°-20°-75°=85°$입니다.
또한 사각형의 네 각의 크기의 합은 $360°$이므로
㉡$=360°-105°-100°-85°=70°$입니다.
따라서 ㉠$+$㉡$=85°+70°=155°$입니다.

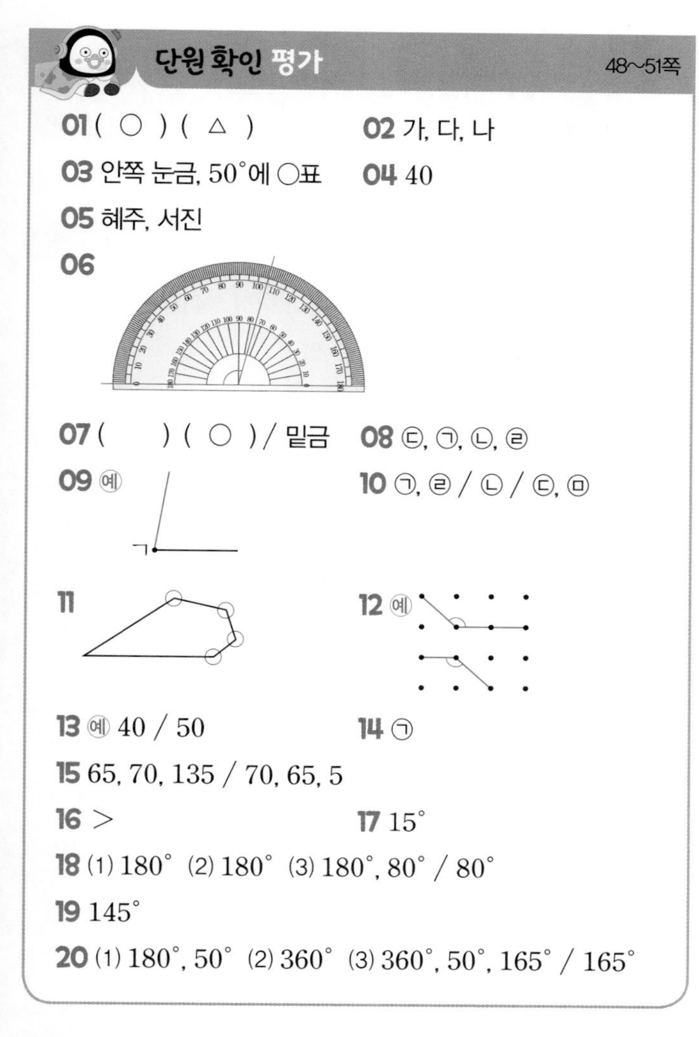

단원 확인 평가 48~51쪽

01 (○) (△)
02 가, 다, 나
03 안쪽 눈금, 50°에 ○표
04 40
05 혜주, 서진
06
07 (   ) (○) / 밑금
08 ㉢, ㉠, ㉡, ㉣
09 예
10 ㉠, ㉣ / ㉡ / ㉢, ㉤
11
12 예
13 예 40 / 50
14 ㉠
15 65, 70, 135 / 70, 65, 5
16 >
17 15°
18 (1) 180° (2) 180° (3) 180°, 80° / 80°
19 145°
20 (1) 180°, 50° (2) 360° (3) 360°, 50°, 165° / 165°

01 각의 크기는 두 변이 벌어진 정도로 알 수 있습니다.

02 각의 크기는 변의 길이와 관계없이 두 변이 많이 벌어질수록 큰 각입니다.

03 각도를 읽을 때는 각의 한 변이 각도기 안쪽 눈금 0에 맞춰져 있는지, 바깥쪽 눈금 0에 맞춰져 있는지 확인해 읽습니다.

04 각의 꼭짓점에 각도기의 중심을 맞추고, 각의 한 변에 각도기의 밑금을 맞추어 각도를 읽습니다.

05 ㉠은 90°보다 크고, ㉡은 90°보다 작으므로 바르게 말한 학생은 혜주, 서진이입니다.

07 각도기를 이용하여 각도를 잴 때는 각의 꼭짓점에 각도기의 중심을 맞추고, 각의 한 변에 각도기의 밑금을 맞춥니다.

08 〈각도기를 이용하여 각도가 30°인 각 ㄱㄴㄷ을 그리는 순서〉

㉢ 각의 한 변인 변 ㄴㄷ을 그립니다.

㉠ 각도기의 중심과 점 ㄴ을, 각도기의 밑금과 변 ㄴㄷ을 맞춥니다.

㉡ 각도기의 밑금에서 시작하여 각도가 30°가 되는 눈금에 점 ㄱ을 표시합니다.

㉣ 각도기를 떼고, 변 ㄱㄴ을 그어 각을 완성합니다.

09 점 ㄱ이 각의 꼭짓점이므로 점 ㄱ에 각도기의 중심을 맞추고, 주어진 선에 각도기의 밑금을 맞춘 후 각의 크기가 80°인 각을 그립니다.

10 예각은 각도가 0°보다 크고 직각보다 작은 각입니다.
직각은 각의 크기가 90°인 각입니다.
둔각은 각도가 직각보다 크고 180°보다 작은 각입니다.

11 각도가 직각보다 크고 180°보다 작은 각을 찾아봅니다.

12 둔각은 각도가 직각보다 크고 180°보다 작은 각입니다.

13 직각 삼각자의 각(30°, 45°, 60°, 90°)과 비교하여 각의 크기를 어림하여 봅니다.

14 어림한 각도와 각도기로 재어 확인한 각도의 차가 더 적게 나면 각도를 더 가깝게 어림한 것입니다.

15 각도의 합과 차는 자연수의 덧셈, 뺄셈과 같은 방법으로 계산합니다.
(두 각도의 합)$=65^\circ+70^\circ=135^\circ$
(두 각도의 차)$=70^\circ-65^\circ=5^\circ$

16 $85^\circ+25^\circ=110^\circ$, $145^\circ-50^\circ=95^\circ$이므로 $85^\circ+25^\circ$가 더 큽니다.

17 삼각형의 세 각의 크기의 합은 180°이므로
㉡$=180^\circ-90^\circ-60^\circ=30^\circ$입니다.
일직선이 이루는 각은 180°이므로
㉠$+30^\circ+45^\circ+90^\circ=180^\circ$,
㉠$=180^\circ-90^\circ-45^\circ-30^\circ=15^\circ$입니다.
따라서 ㉡$-$㉠$=30^\circ-15^\circ=15^\circ$입니다.

18 채점 기준

삼각형의 세 각의 크기의 합이 180°임을 알고 있는 경우	30 %
삼각형의 세 각의 크기의 합을 구하는 식을 바르게 적은 경우	30 %
㉠과 ㉡의 각도의 합을 바르게 구한 경우	40 %

19

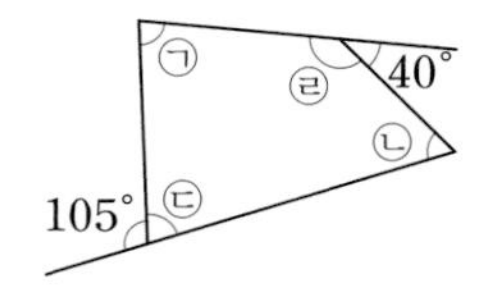

일직선이 이루는 각은 180°이므로

105°+㉢=180°에서 ㉢=180°−105°=75°,

40°+㉣=180°에서 ㉣=180°−40°=140°입니다.

사각형의 네 각의 크기의 합은 360°이므로

㉠+㉡+75°+140°=360°에서

㉠+㉡=360°−140°−75°=145°입니다.

20 채점 기준

일직선이 이루는 각을 이용해 ㉡을 바르게 구한 경우	30 %
사각형의 네 각의 크기의 합이 360°임을 알고 있는 경우	30 %
□ 안에 알맞은 각도를 바르게 구한 경우	40 %

3 단원 곱셈과 나눗셈

문제를 풀며 이해해요 57쪽

1 (1) 풀이 참조, 6900 (2) 풀이 참조, 7410

2 (왼쪽에서부터) 2212, 10, 22120

3 (1) 16980 (2) 63000

1 (1)

	천의 자리	백의 자리	십의 자리	일의 자리		결과
138×5		6	9	0	➡	690
138×50	6	9	0	0	➡	6900

(2)

	천의 자리	백의 자리	십의 자리	일의 자리		결과
247×3		7	4	1	➡	741
247×30	7	4	1	0	➡	7410

교과서 내용 학습 58~59쪽

01 (왼쪽에서부터) 840, 8400 / 8400

02 (1) 20880 (2) 32680

03 50720

04 46000

05 (1) ㉢ (2) ㉠ (3) ㉡

06 혜선

07 (○) ( )

08 ㉢, ㉠, ㉡, ㉣

09 4140회

10 7220 g

문제해결 접근하기

11 풀이 참조

03 $634 \times 80 = 50720$

04 $920 \times 50 = 46000$

05 (1) $500 \times 80 = 40000$

(2) $900 \times 60 = 54000$

(3) $430 \times 30 = 12900$

06 민호: $600 \times 60 = 36000$

예나: $400 \times 90 = 36000$

혜선: $900 \times 30 = 27000$

따라서 계산 결과가 나머지와 다른 곱셈식을 들고 있는 학생은 혜선이입니다.

07 $700 \times 80 = 56000$, $600 \times 90 = 54000$

08 ㉠ $500 \times 90 = 45000$, ㉡ $600 \times 70 = 42000$, ㉢ $800 \times 60 = 48000$, ㉣ $900 \times 40 = 36000$

09 (채은이가 30일 동안 할 수 있는 줄넘기 횟수) $= 138 \times 30 = 4140$(회)

10 (1명당 필요한 클레이의 양) $= 125 + 236 = 361$(g)

따라서 정훈이네 반 학생 20명에게 필요한 클레이의 양은 모두 $361 \times 20 = 7220$(g)입니다.

문제해결 접근하기

11 **이해하기** | 예 조건에 맞게 만든 세 자리 수와 두 자리 수의 곱

계획 세우기 | 예 0, 2, 3, 5, 6을 나열한 다음 조건 1에 맞게 세 개의 수를 골라 세 자리 수를 만들고, 조건 2에 맞게 두 개의 수를 골라 두 자리 수를 만들어 곱해 보겠습니다.

해결하기 |

$$\begin{array}{r} 365 \\ \times \quad 20 \\ \hline 7300 \end{array}$$

되돌아보기 | 예 위에서 만든 세 자리 수는 365이므로 $365 \times 40 = 14600$입니다.

문제를 풀며 이해해요 61쪽

1 (위에서부터) 7240, 1448 / 7240, 1448, 8688

2 (왼쪽에서부터) 16110, 3222 / 3222, 16110, 19332

3 (1)

$$\begin{array}{rl} 464 & \\ \times \quad 25 & \leftarrow 20+5 \\ \hline 2320 & \leftarrow 464 \times 5 \\ 9280 & \leftarrow 464 \times 20 \\ \hline 11600 & \end{array}$$

(2)

$$\begin{array}{rl} 675 & \\ \times \quad 19 & \leftarrow 10+9 \\ \hline 6075 & \leftarrow 675 \times 9 \\ 6750 & \leftarrow 675 \times 10 \\ \hline 12825 & \end{array}$$

교과서 내용 학습 62~63쪽

01 (왼쪽에서부터) 7770, 518 / 518, 7770, 8288

02 (위에서부터) 13120, 328, 13448 / 328, 13120, 13448

03 (1) 55610 (2) 53885

04

$$\begin{array}{r} 385 \\ \times \quad 42 \\ \hline 770 \\ 1540 \\ \hline 16170 \end{array}$$

05 39748

06 ㉡,

$$\begin{array}{r} 439 \\ \times \quad 56 \\ \hline 2634 \\ 2195 \\ \hline 24584 \end{array}$$

07 ( ) (○) ( )

08 38180

09 700, 20, 14000

10 345, 76, 345, 76, 26220

문제해결 접근하기

11 풀이 참조

01 259×32는 259×30과 259×2의 합으로 구합니다.

02 328×41은 328×40과 328×1의 합으로 구합니다.

05 $523 \times 76 = 39748$

07 $352 \times 28 = 9856$, $631 \times 17 = 10727$, $274 \times 39 = 10686$이므로 곱이 가장 큰 것은 631×17입니다.

08 가장 큰 수는 415, 가장 작은 수는 92이므로 $415 \times 92 = 38180$입니다.

09 704는 700보다 크고, 22는 20보다 크므로 계산 결과는 $700 \times 20 = 14000$보다 클 것입니다.

10 가장 작은 세 자리 수는 345, 가장 큰 두 자리 수는 76이므로 $345 \times 76 = 26220$입니다.

문제해결 접근하기

11 **이해하기** | 예 ㉠, ㉡, ㉢에 알맞은 수의 합

계획 세우기 | 예 $416 \times$ ㉠ $= 1248$임을 이용하여 ㉠을 구한 다음 $416 \times 50 = 20$㉡00임을 이용하여 ㉡, ㉢을

차례로 구해 보겠습니다.

해결하기 | 3, 20800, 8, 2 / 13

되돌아보기 | ㉮ $6\times3=18$, $6\times8=48$에서

$416\times3=1248$이므로 ㉠$=3$,

$416\times50=20800$이므로 ㉡$=8$,

$416\times53=22048$이므로 ㉢$=2$입니다.

따라서 ㉠+㉡+㉢$=3+8+2=13$입니다.

문제를 풀여 이해해요 65쪽

1 (1) 7 (2) 5

2 (1) (위에서부터) 4, 120, 15 / 4, 15

(2) (위에서부터) 7, 280, 17 / 7, 17

교과서 내용 학습 66~67쪽

01 270, 360, 450 / 3

02 (1) 풀이 참조 (2) 풀이 참조

03 ⑤

04 (위에서부터) 5, 200, 21 / 5, 21

05 (1)-㉡ (2)-㉠

06 (1)-㉠ (2)-㉡

07 (위에서부터) 7, 23 / 7, 490, 490, 23, 513

08 6, 27

09 4개

10 6묶음, 8자루

문제해결 접근하기

11 풀이 참조

02 (1)
$$\begin{array}{r} 8 \\ 70\overline{)560} \\ 560 \\ \hline 0 \end{array}$$

(2)
$$\begin{array}{r} 7 \\ 60\overline{)440} \\ 420 \\ \hline 20 \end{array}$$

03 ① $240\div30$ ➡ 8　② $810\div90$ ➡ 9

③ $490\div70$ ➡ 7　④ $420\div60$ ➡ 7

05 (1) $172\div50=3\cdots22$　(2) $207\div30=6\cdots27$

㉠ $529\div80=6\cdots49$　㉡ $316\div90=3\cdots46$

06 (1) $362\div40=9\cdots2$　(2) $199\div20=9\cdots19$

㉠ $252\div50=5\cdots2$　㉡ $499\div60=8\cdots19$

07
$$\begin{array}{r} 7 \\ 70\overline{)513} \\ 490 \\ \hline 23 \end{array}$$

08 10이 50개이고 1이 7개인 수는 507입니다.

➡ $507\div80=6\cdots27$

09 (필요한 상자 수)$=360\div90=4$(개)

10 $128\div20=6\cdots8$이므로 색연필을 6묶음까지 묶을 수 있고, 남는 색연필은 8자루입니다.

문제해결 접근하기

11 **이해하기** | ㉮ 학생 50명에게 남는 공책이 없이 똑같이 나누어 주려고 할 때 필요한 최소한의 공책의 수

계획 세우기 | ㉮ 공책이 남지 않으려면 나머지가 없어야 하므로 $312\div50$을 계산한 후 나머지를 살펴보면서 문제를 해결하겠습니다.

해결하기 | 6, 12, 6, 12, 12, 38

되돌아보기 | ㉮ 학생 50명에게 연필 254자루를 똑같이 나누어 준다면 $254\div50=5\cdots4$이므로 한 명에게 연필을 5자루까지 줄 수 있고 남는 연필은 4자루입니다.

문제를 풀여 이해해요 69쪽

1 (1) (위에서부터) 26, 13, 39, 0 / 풀이 참조

(2) 68, 15 / 풀이 참조

2 (1) 풀이 참조 / 7, 322, 322, 23, 345

(2) 풀이 참조 / 8, 496, 496, 41, 537

1 (1)
$$\begin{array}{r} 3 \\ 13\overline{)39} \\ 39 \\ \hline 0 \end{array}$$

(2)
$$\begin{array}{r} 4 \\ 17\overline{)83} \\ 68 \\ \hline 15 \end{array}$$

2 (1)
$$\begin{array}{r} 7 \\ 46\overline{)345} \\ 322 \\ \hline 23 \end{array}$$

(2)
$$\begin{array}{r} 8 \\ 62\overline{)537} \\ 496 \\ \hline 41 \end{array}$$

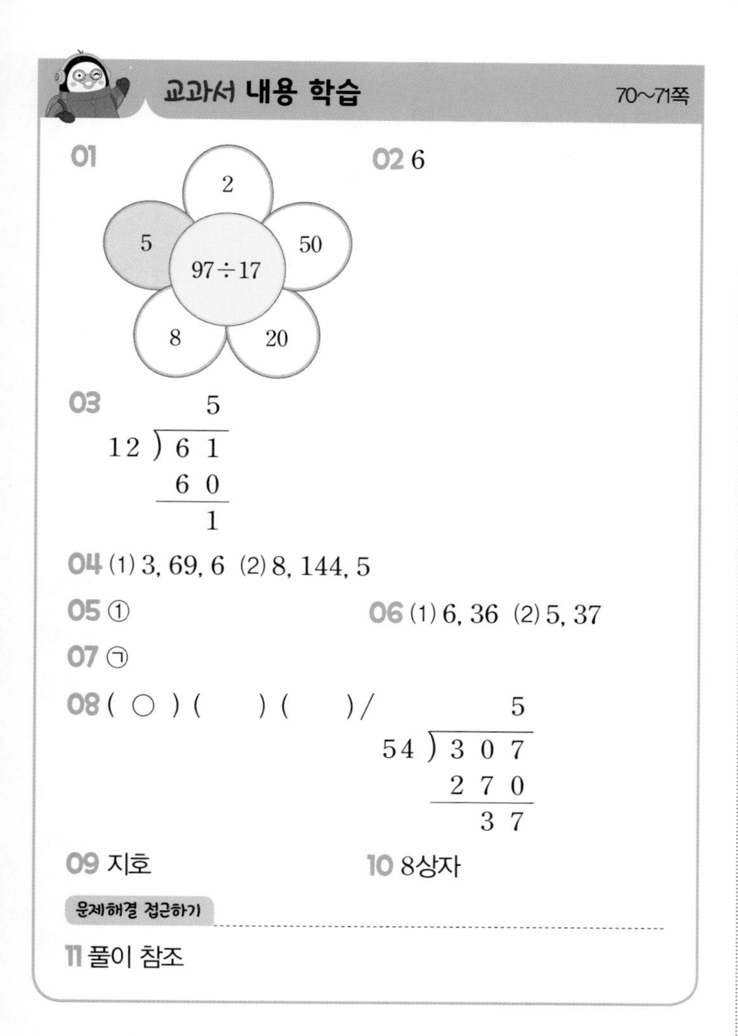

교과서 내용 학습 70~71쪽

01 97÷17 (2, 50, 20, 8, 5)

02 6

03 12)61 → 몫 5, 60, 나머지 1

04 (1) 3, 69, 6 (2) 8, 144, 5

05 ①

06 (1) 6, 36 (2) 5, 37

07 ㉠

08 (○) ( ) ( ) / 54)307 → 몫 5, 270, 나머지 37

09 지호

10 8상자

문제해결 접근하기

11 풀이 참조

01 97을 100으로, 17을 20으로 생각하여 97÷17의 몫을 100÷20=5로 어림합니다.

02 78÷13=6

05 나눗셈의 나머지는 항상 나누는 수보다 작아야 합니다.

06 47)318 → 몫 6, 282, 나머지 36 / 85)462 → 몫 5, 425, 나머지 37

07 187÷76=2⋯35, 105÷29=3⋯18
35>18이므로 나머지가 더 큰 식은 ㉠입니다.

08 나눗셈의 나머지는 항상 나누는 수보다 작아야 합니다.

09 41)198 → 몫 4, 164, 나머지 34

198을 200으로, 41을 40으로 생각하여 200÷40=5로 어림할 수 있습니다. 따라서 지호가 더 가깝게 어림했습니다.

10 133÷15=8⋯13이므로 8상자까지 포장할 수 있습니다.

문제해결 접근하기

11 **이해하기** | ㉮ 250보다 크고 300보다 작은 수 중에서 55로 나누었을 때 나머지가 가장 큰 수

계획 세우기 | ㉮ 가장 먼저 55로 나누어떨어지는 수는 어떤 것이 있는지 살펴보고, 어떤 수를 55로 나누었을 때 나머지가 될 수 있는 수 중 가장 큰 수는 어떤 수인지를 알아내어 문제를 해결해 보겠습니다.

해결하기 | 220, 275, 330, 54, 54, 109, 54, 164, 54, 219, 54, 274, 274

되돌아보기 | ㉮ 55로 나누어떨어지는 수는 55를 1배, 2배, 3배⋯⋯ 한 것과 같고, 어떤 수를 55로 나누었을 때 나머지가 될 수 있는 수 중 가장 큰 수는 54입니다. 55×4=220, 55×5=275이고 이 수에 나머지인 54를 더하면 220+54=274, 275+54=329이므로 답은 274입니다.

문제를 풀며 이해해요 73쪽

1 (1) 10, 20
(2) 360, 540, 720, 900 / 20, 30

2 (1) 24)744 → 몫 31
720 ← 24×30
24 ← 744−720
24 ← 24×1
0 ← 24−24

(2) 32)672 → 몫 21
640 ← 32×20
32 ← 672−640
32 ← 32×1
0 ← 32−32

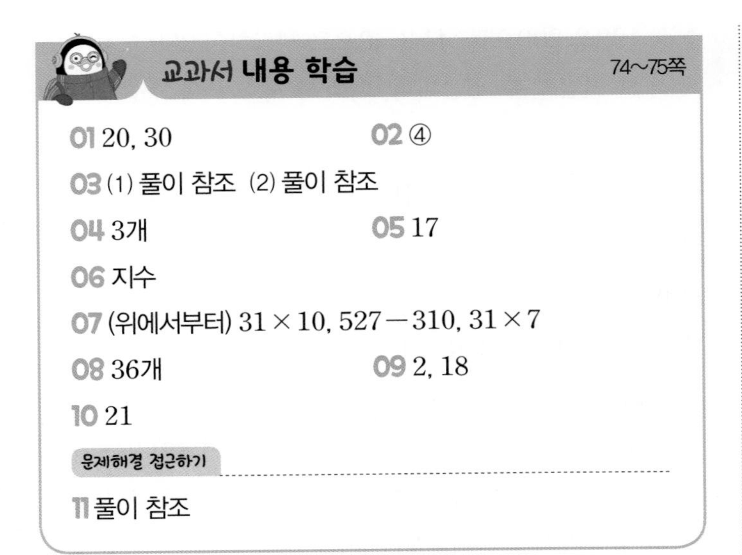

교과서 내용 학습 74~75쪽

01 20, 30　　02 ④
03 (1) 풀이 참조 (2) 풀이 참조
04 3개　　05 17
06 지수
07 (위에서부터) 31×10, $527-310$, 31×7
08 36개　　09 2, 18
10 21

문제해결 접근하기

11 풀이 참조

01 $33\times20=660$, $33\times30=990$입니다. 나누어지는 수인 868은 660과 990 사이에 있으므로 $868\div33$의 몫은 20보다 크고 30보다 작습니다.

02
```
        2 3
27 ) 6 2 1
     5 4 0  ← 27×20
       8 1  ← 621−540
       8 1  ← 27×3
         0  ← 81−81
```

03 (1)
```
        2 7
18 ) 4 8 6
     3 6
     1 2 6
     1 2 6
         0
```
(2)
```
        1 7
52 ) 8 8 4
     5 2
     3 6 4
     3 6 4
         0
```
십의 자리의 몫을 구할 때 곱셈 부분의 결과에서 0을 생략하여 계산할 수 있습니다.

04 나누어지는 세 자리 수의 왼쪽 두 자리 수가 나누는 수보다 크면 몫이 두 자리 수입니다.
$693\div77$ ➡ $69<77$이므로 몫이 한 자리 수입니다.
$299\div23$ ➡ $29>23$이므로 몫이 두 자리 수입니다.
$855\div45$ ➡ $85>45$이므로 몫이 두 자리 수입니다.
$576\div16$ ➡ $57>16$이므로 몫이 두 자리 수입니다.

05 가장 큰 수는 986, 가장 작은 수는 58이므로 $986\div58=17$입니다.

06 하영: $551\div19=29$
지수: $968\div88=11$
다원: $651\div21=31$

07
```
        1 7
31 ) 5 2 7
     3 1 0  ← 31×10
     2 1 7  ← 527−310
     2 1 7  ← 31×7
         0
```

08 (432분 동안 만들어지는 의자 수)
$=432\div12=36$(개)

09 나눗셈에서 나머지는 항상 나누는 수보다 작아야 합니다. 나머지가 나누는 수보다 큰 경우에는 나머지를 나누는 수로 더 나눌 수 있고, 나누어지는 횟수만큼 몫을 크게 해줍니다.

10 (어떤 수)$\div42=12$이므로 (어떤 수)$=12\times42=504$입니다. 따라서 바르게 계산하면 $504\div24=21$입니다.

문제해결 접근하기

11 **이해하기** | 예 나눗셈을 나누어떨어지게 하는 ㉠과 ㉡의 곱
계획 세우기 | 예 나누어지는 수와 나누는 수의 크기를 비교하여 몫의 십의 자리인 ㉠을 구한 다음 나누는 수와 몫을 이용하여 ㉡을 구해 보겠습니다.
해결하기 | 430, 860, 1, 15, 645, 4, 4
되돌아보기 | 예 $43\times10=430$, $43\times20=860$이므로 몫의 십의 자리 숫자 ㉠은 1입니다.
주어진 나눗셈은 나누어떨어지므로 6㉡5$=43\times15$, $43\times15=645$이므로 ㉡$=4$입니다. 따라서 ㉠과 ㉡의 곱은 $1\times4=4$입니다.

문제를 풀며 이해해요 77쪽

1 (1) 32, 6　　(2) 16, 14

2 (1)
```
       1 5
31 ) 4 8 9
     3 1
     1 7 9
     1 5 5
       2 4
```
/ (위에서부터) 15, 465, 465, 24, 489

(2) 43)576 → 몫 13
43
146
129
17
/ (위에서부터) 13, 559, 559, 17, 576

교과서 내용 학습 78~79쪽

01 20, 26, 11

02 38)559 → 몫 14
38
179 ← 559−380
152 ← 38×4
27 ← 179−152

03 (1) 풀이 참조 (2) 풀이 참조

04 ( ) (○)

05 재준

06 ㉣, ㉢, ㉡, ㉠

07 25

08 243

09 16개, 6 cm

10 20개

운제해결 접근하기

11 풀이 참조

01 몫의 십의 자리를 곱하여 빼고 남은 수를 나누는 수로 나누지 못할 때에는 몫의 일의 자리에 0을 씁니다.

03 (1) 26)672 → 몫 25
52
152
130
22

(2) 48)923 → 몫 19
48
443
432
11

05 재준: $466 \div 31 = 15 \cdots 1$
은하: $678 \div 53 = 12 \cdots 42$
효섭: $807 \div 62 = 13 \cdots 1$
따라서 나눗셈의 몫이 가장 큰 깃발을 들고 있는 학생은 재준이입니다.

06 ㉠ $548 \div 24 = 22 \cdots 20$
㉡ $811 \div 66 = 12 \cdots 19$
㉢ $297 \div 18 = 16 \cdots 9$
㉣ $964 \div 87 = 11 \cdots 7$
따라서 나머지가 작은 순서대로 기호를 쓰면 ㉣, ㉢, ㉡, ㉠입니다.

07 • 어떤 수를 43으로 나누었을 때 나머지가 될 수 있는 수 중 가장 큰 수는 42이므로 ㉠에 알맞은 수는 42입니다.
• $383 \div 22 = 17 \cdots 9$이므로 ㉡에 알맞은 수는 17입니다.
따라서 ㉠과 ㉡에 알맞은 수의 차는 $42 - 17 = 25$입니다.

08 $240 \div 12 = 20$
240보다 크고 250보다 작은 수 중에서 12로 나누었을 때 나머지가 3이 되는 수는 12로 나누었을 때 몫이 20이고 나머지가 3인 수입니다. 따라서 설명하는 수는 240보다 3 큰 수인 243입니다.

09 $742 \div 46 = 16 \cdots 6$이므로 만들 수 있는 철사 도막은 16개이고, 남는 철사의 길이는 6 cm입니다.

10 $215 \div 14 = 15 \cdots 5$이므로 나은이와 친구들은 방울토마토를 모두 15개씩 똑같이 나누어 가지게 되고, 5개의 방울토마토가 남습니다. 남는 방울토마토는 나은이가 가지므로 나은이가 갖게 되는 방울토마토는 $15 + 5 = 20$(개)입니다.

운제해결 접근하기

11 **이해하기** | 예 재현이와 승연이 중 누가 며칠 먼저 책을 다 읽게 되는지 구하기
계획 세우기 | 예 나눗셈을 이용하여 재현이와 승연이가 책을 다 읽는 데 걸리는 날수를 각각 구한 다음 비교해 보겠습니다.
해결하기 | 17, 14, 18, 13, 8, 14, 승연, 4
되돌아보기 | 예 승연이가 385쪽짜리 책을 하루에 35쪽씩 읽으므로 책을 다 읽는 데 $385 \div 35 = 11$(일)이 걸립니다.

문제를 풀며 이해해요 81쪽

1 (1) 예 신비가 12일 동안 뛴 거리
(2) $300\times12=3600$, 3600 m

2 (1) 예 필요한 상자의 수
(2) $876\div12=73$, 73개

3 (1) 예 그릇에 부은 밀가루의 양
(2) $185\times29=5365$, 5365 g

4 (1) 예 필요한 통의 수
(2) $504\div72=7$, 7개

교과서 내용 학습 82~83쪽

01 (1) 500, 13, 6500 (2) 800, 20, 16000
02 $796\times15=11940$, 11940원
03 $412\times20=8240$, 8240 kg
04 3262원　05 5670원
06 2408원　07 $640\div80=8$, 8개
08 $728\div26=28$, 28일
09 $839\div31=27\cdots2$, 27상자
10 16회

문제해결 접근하기

11 풀이 참조

01 (1) (어린이 13명의 입장료)
$=$(어린이 1명의 입장료)$\times$(어린이 수)
$=500\times13=6500$(원)
(2) (어른 20명의 입장료)
$=$(어른 1명의 입장료)$\times$(어른 수)
$=800\times20=16000$(원)

02 (호박 15개의 금액)$=$(호박 1개의 금액)$\times$(호박의 수)
$=796\times15=11940$(원)

03 (기부한 쌀의 무게)
$=$(쌀 1포대의 무게)$\times$(쌀 포대의 수)
$=20\times412=8240$(kg)

04 (지불해야 하는 요금(㉠))
$=$(A 나라로 국제 전화를 걸 때의 1분당 통화 요금)
$\times$(통화 시간)
$=233\times14=3262$(원)

05 (지불해야 하는 요금(㉡))
$=$(B 나라로 국제 전화를 걸 때의 1분당 통화 요금)
$\times$(통화 시간)
$=189\times30=5670$(원)

06 ㉠과 ㉡의 차: $5670-3262=2408$(원)

07 (만들 수 있는 인형의 수)
$=$(전체 솜의 무게)
$\div$(인형 1개를 만드는 데 필요한 솜의 무게)
$=640\div80=8$(개)

08 (기계가 움직인 날수)
$=$(기계가 출발점으로부터 움직인 거리)
$\div$(기계가 하루 동안 움직이는 거리)
$=728\div26=28$(일)

09 (포장할 수 있는 상자의 수)
$=$(전체 옥수수의 수)
$\div$(한 상자에 담는 옥수수의 수)
$=839\div31=27\cdots2$
따라서 27상자까지 포장할 수 있습니다.

10 (놀이 기구의 운행 횟수)
$=$(관광객의 수)
$\div$(한 번에 놀이 기구에 탈 수 있는 사람 수)
$=318\div20=15\cdots18$
모든 관광객이 놀이 기구를 타야 하므로 나머지 18명을 위해서 놀이 기구는 한 번 더 운행해야 합니다.
따라서 놀이 기구는 적어도 16회 운행해야 합니다.

문제해결 접근하기

11 **이해하기** | 예 공책을 상자에 넣어 학생들에게 나누어주려고 할 때 필요한 상자의 수
계획 세우기 | 예 먼저 22권씩 묶여 있는 공책 36묶음이 모두 몇 권인지 구한 다음 이 공책을 24권씩 넣는 데 필

요한 상자의 수를 구해 보겠습니다.

해결하기 | 22, 36, 792, 792, 24, 792, 24, 33

되돌아보기 | ㉮ 공책을 24권씩 담은 상자는 모두 33개입니다. 이 상자들의 무게가 모두 99 kg이므로 상자 하나의 무게는 $99 \div 33 = 3$(kg)입니다.

단원 확인 평가

84~87쪽

01 2233, 22330　　**02** (1) 13860 (2) 63000

03 26445

04 803×49에 ○표, 286×97에 △표

05 30100원

06 (1) 431 (2) 56 (3) 431, 56, 24136 / 24136

07 2개　　**08** 3

09 (1)-㉡ (2)-㉢ (3)-㉠

10 (1) 풀이 참조 (2) 풀이 참조

11 ②　　**12** 풀이 참조

13 $<$

14 (위에서부터) 10, 470, 3, 141

15 (1) 270, 450, 540 (2) 292, 472, 562 (3) 562 / 562

16 ③　　**17** 75, 9

18 32일　　**19** 14봉지, 28개

20 (1) 525, 14, 511 (2) 511, 36, 7 (3) 36, 7 / 36, 7

03 $615 \times 43 = 26445$

04 $581 \times 54 = 31374$, $972 \times 31 = 30132$, $803 \times 49 = 39347$, $286 \times 97 = 27742$

05 (전체 사과의 값)$= 860 \times 35 = 30100$(원)

06 채점 기준

채점 기준	배점
조건에 맞는 세 자리 수를 알맞게 구한 경우	20 %
조건에 맞는 두 자리 수를 알맞게 구한 경우	20 %
두 수의 곱을 알맞게 구한 경우	60 %

07 $61 \times \square = 442$라고 하면 $\square = 442 \div 61 = 7 \cdots 15$이므로 $\square > 7$입니다. 따라서 1부터 9까지의 자연수 중에서 □ 안에 들어갈 수 있는 수는 8, 9로 2개입니다.

08 91을 90으로, 29를 30으로 어림할 수 있습니다.

09 (1) $120 \div 30 = 4$ (2) $250 \div 50 = 5$ (3) $480 \div 60 = 8$

10 (1)

```
      4
17 ) 6 8
     6 8
     ---
       0
```

(2)

```
      4
22 ) 9 9
     8 8
     ---
     1 1
```

11 $76 \div 37 = 2 \cdots 2$이므로 나머지는 2입니다.

① $48 \div 15 = 3 \cdots 3$ ➡ 나머지 3

② $89 \div 29 = 3 \cdots 2$ ➡ 나머지 2

③ $55 \div 49 = 1 \cdots 6$ ➡ 나머지 6

④ $72 \div 12 = 6$ ➡ 나머지 0

⑤ $98 \div 30 = 3 \cdots 8$ ➡ 나머지 8

12

```
        3
60 ) 1 9 2
     1 8 0
     -----
       1 2
```

13 $741 \div 39 = 19$, $912 \div 38 = 24$ ➡ $19 < 24$

14

```
       1 3
47 ) 6 5 5
     4 7 0  ← 47×10
     -----
     1 8 5  ← 655−470
     1 4 1  ← 47×3
     -----
       4 4  ← 185−141
```

15 채점 기준

채점 기준	배점
90으로 나누어떨어지는 수를 알맞게 구한 경우	30 %
90으로 나누었을 때 나머지가 22인 수를 알맞게 구한 경우	40 %
500보다 큰 수 중에서 가장 작은 수를 알맞게 구한 경우	30 %

16 나누어지는 세 자리 수의 왼쪽 두 자리 수가 나누는 수보다 크면 몫이 두 자리 수입니다.

$787 \div 41$ ➡ $78 > 41$이므로 몫이 두 자리 수입니다.

$502 \div 36$ ➡ $50 > 36$이므로 몫이 두 자리 수입니다.

$199 \div 23$ ➡ $19 < 23$이므로 몫이 한 자리 수입니다.

$640 \div 55$ ➡ $64 > 55$이므로 몫이 두 자리 수입니다.

$296 \div 18$ ➡ $29 > 18$이므로 몫이 두 자리 수입니다.

17 몫이 가장 크려면 나누어지는 수는 크게, 나누는 수는 작게 만들어야 합니다.
가장 큰 세 자리 수: 984
가장 작은 두 자리 수: 13
➡ $984 \div 13 = 75 \cdots 9$

18 $378 \div 12 = 31 \cdots 6$이므로 책을 다 읽는 데는 32일이 걸립니다.

19 고구마는 모두 $26 \times 28 = 728$(개)입니다.
1봉지에 50개씩 들어가도록 다시 포장하므로 $728 \div 50 = 14 \cdots 28$입니다.
따라서 14봉지까지 포장할 수 있고, 28개의 고구마가 남습니다.

20 채점 기준

채점 기준	배점
어떤 수를 알맞게 구한 경우	30 %
나눗셈을 바르게 계산한 경우	40 %
나눗셈의 몫과 나머지를 바르게 적은 경우	30 %

수학으로 세상보기 88~89쪽

1 (1) (위에서부터) 136, 272 / 68, 136, 272, 476
(2) (위에서부터) 8 / 52, 416 / 52, 104, 416, 572
2 (1) 8초 (2) 8 (3) $455 \div 8 = 56 \cdots 7$, 보라색

2 (3) $455 \div 8 = 56 \cdots 7$이므로 8가지 색이 56번 반복되어 켜지고 빨간색, 주황색, 노란색, 초록색, 파란색, 갈색, 보라색이 켜지므로 455초 후에는 보라색이 켜집니다.

4단원 평면도형의 이동

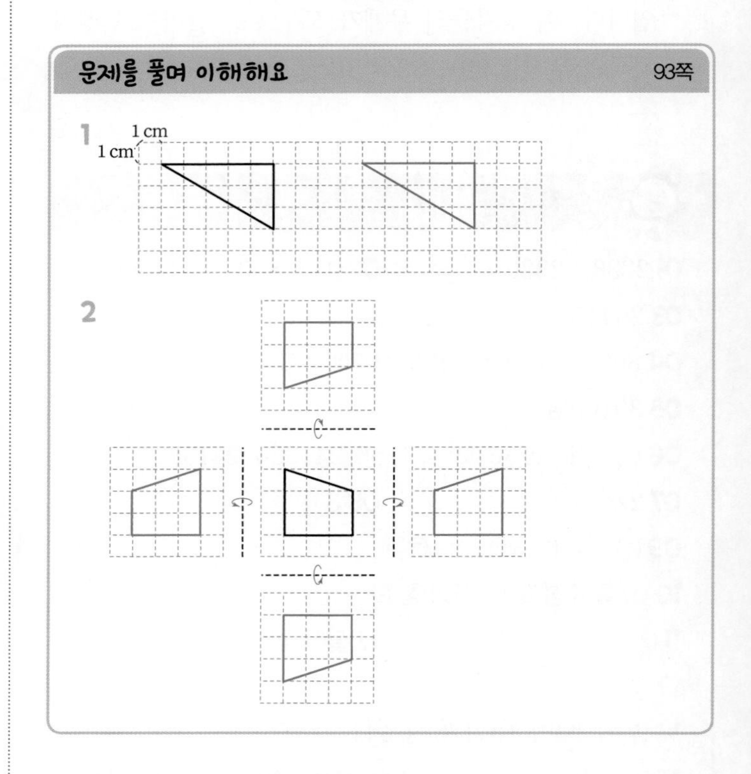

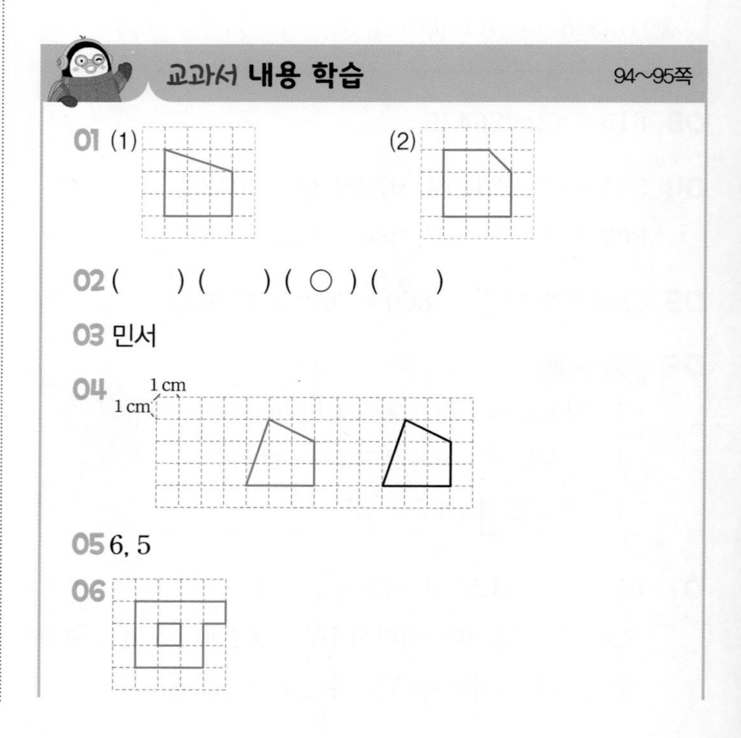

교과서 내용 학습
94~95쪽
01 (1)
(2)
02 ( ) ( ) (○) ( )
03 민서
04
1 cm
1 cm
05 6, 5
06

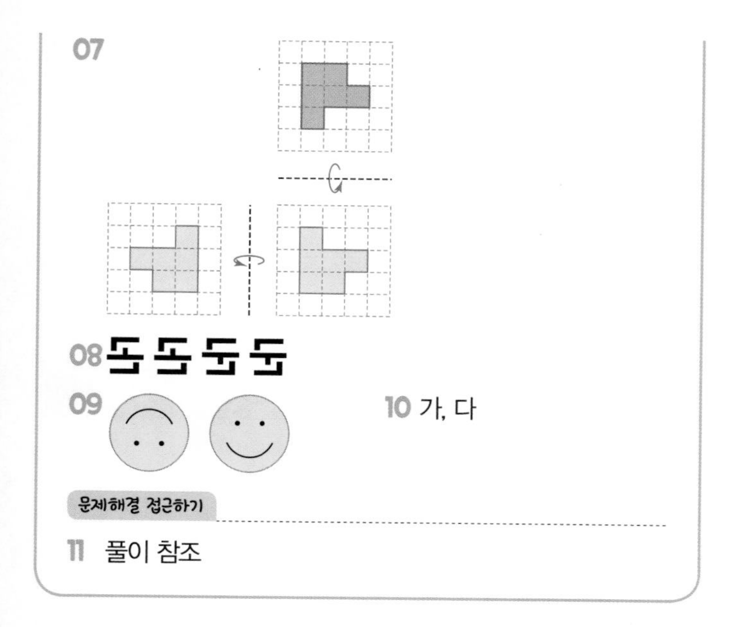

02 모양을 위쪽으로 밀면 모양과 크기가 변하지 않습니다.

03 도형을 밀면 도형의 모양과 크기는 변하지 않습니다.

04 주어진 도형을 왼쪽으로 6칸 이동합니다.

05 주어진 도형의 한 변 또는 한 꼭짓점을 기준으로 도형이 어떤 방향으로 몇 칸 이동했는지 확인해 봅니다.

06 주어진 도형을 반대로 뒤집기 하면 뒤집기 전의 도형을 그릴 수 있습니다. 따라서 왼쪽으로 뒤집었을 때의 도형을 그립니다.

09 위쪽, 아래쪽으로 뒤집은 모양은 이고, 오른쪽, 왼쪽으로 뒤집은 모양은 입니다.

10 같은 방향으로 짝수 번 뒤집으면 처음으로 돌아오므로 오른쪽으로 5번 뒤집은 것은 오른쪽으로 1번 뒤집은 것과 같습니다. 오른쪽으로 1번 뒤집었을 때 가, 나, 다, 라는 각각 이 됩니다. 위쪽으로 4번 뒤집으면 모든 도형이 처음으로 돌아오므로 처음과 같은 도형은 가, 다입니다.

문제해결 접근하기

11 **이해하기** | ㉮ 시계가 나타내는 시각

계획 세우기 | ㉮ 시계의 왼쪽에 놓인 거울에 비친 모습은 시계를 왼쪽으로 뒤집었을 때의 모습과 같으므로 오른쪽으로 뒤집어 시계가 나타내는 시각을 구해 보겠습니다.

해결하기 |

뒤집어진 모습을 생각해서 빈칸을 알맞게 색칠하면 과 같음을 알 수 있습니다.

되돌아보기 | ㉮ 왼쪽으로 뒤집은 모습이  이므로 반대로 오른쪽으로 뒤집어 시계가 나타내는 시각을 구하면 입니다.

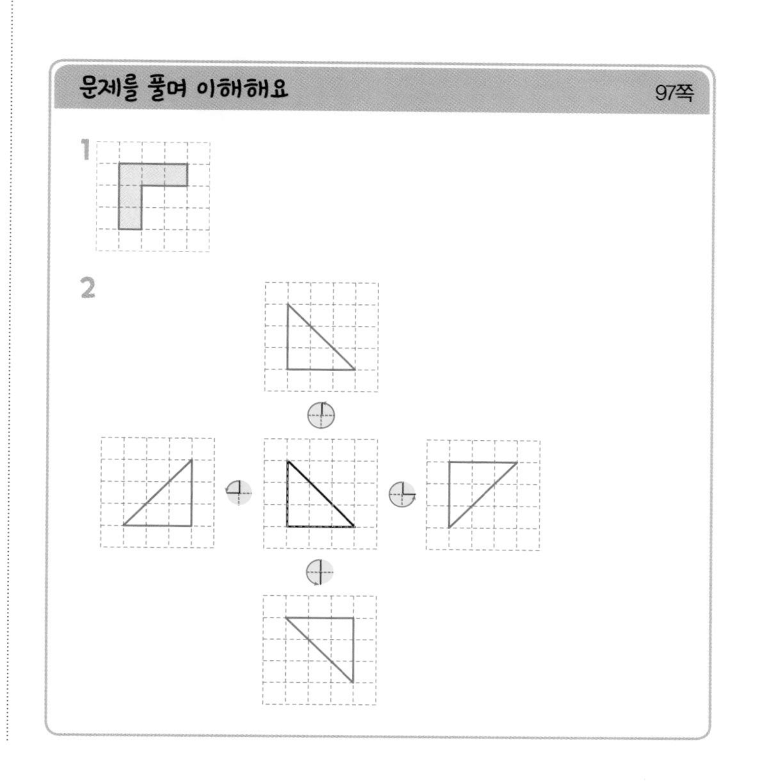

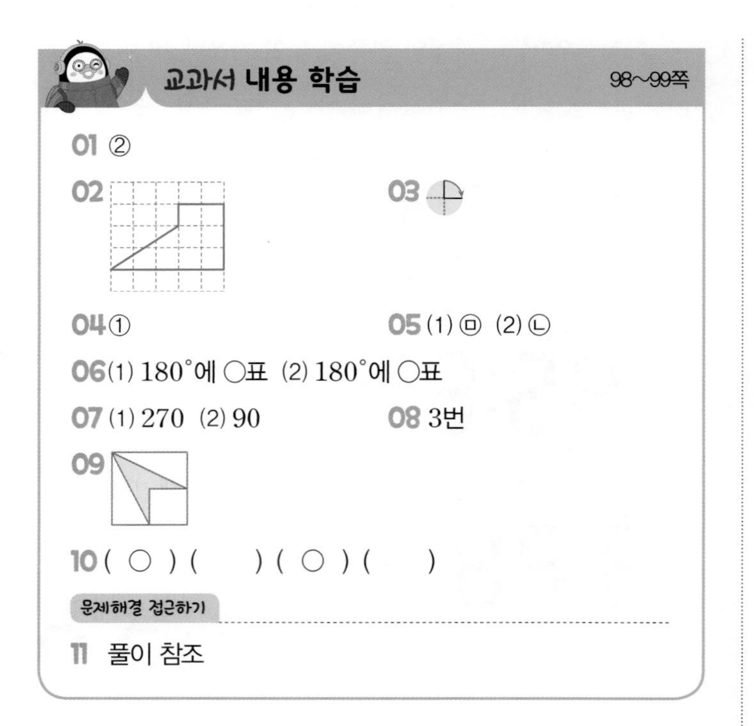

교과서 내용 학습
98~99쪽
01 ②
02
03
04 ①
05 (1) ㉤ (2) ㉡
06 (1) 180°에 ○표 (2) 180°에 ○표
07 (1) 270 (2) 90
08 3번
09
10 (○) ( ) (○) ( )
문제해결 접근하기
11 풀이 참조

03 도형을 시계 방향으로 90°만큼 돌리면 왼쪽에 있던 변이 위쪽으로 이동하고, 위쪽에 있던 변이 오른쪽으로 이동합니다.

04 시계 방향으로 180°만큼 돌리면 위쪽 부분이 아래쪽으로 이동하고, 시계 반대 방향으로 180°만큼 돌려도 위쪽 부분이 아래쪽으로 이동합니다.

08 를 시계 반대 방향으로 90°만큼 1번 돌리면 , 2번 돌리면 , 3번 돌리면 입니다.

09 시계 방향으로 90°만큼 3번 돌린 것은 시계 방향으로 270°만큼 돌린 것과 같습니다. 돌리기 전의 도형을 알려면 돌린 도형을 반대로 돌리기 하면 되므로 돌린 후의 도형을 시계 반대 방향으로 270°만큼 돌리면 돌리기 전의 도형을 알 수 있습니다.

10 9와 3은 시계 반대 방향으로 180°만큼 돌리면 각각 6과 E이 됩니다.

문제해결 접근하기

11 **이해하기** | ㉮ 라윤이의 자리에서 보이는 $\frac{7}{12}$의 모습

계획 세우기 | ㉮ 라윤이의 자리에서 분자 7과 분모 12가 어떤 모양으로 보이는지 그려 보겠습니다.

해결하기 | 12 7

되돌아보기 | ㉮ 시계 방향으로 90°만큼(또는 시계 반대 방향으로 270°만큼) 돌린 모습과 같습니다.

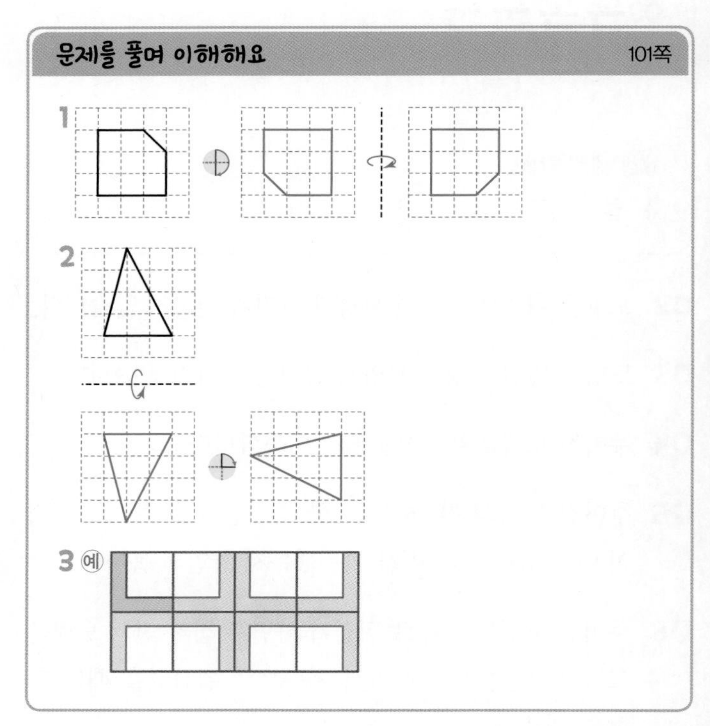

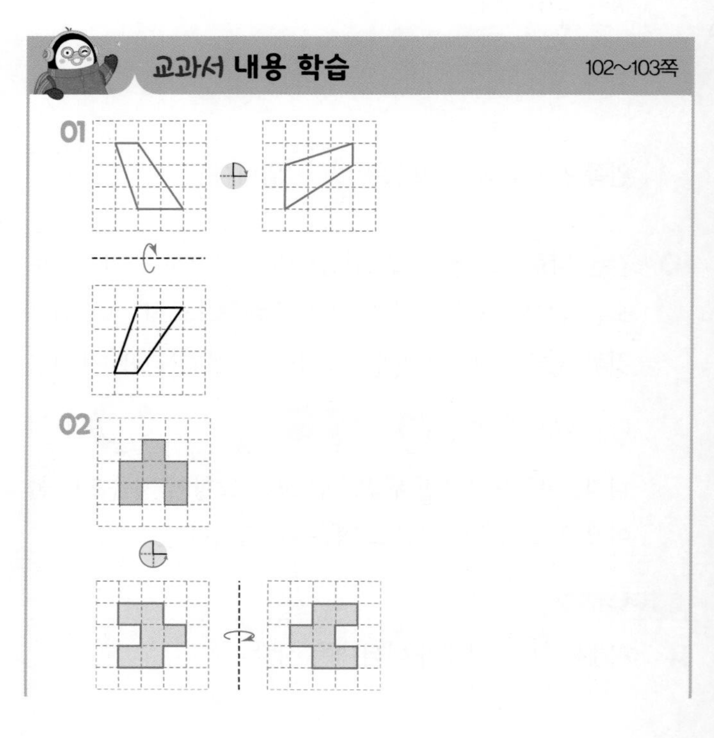

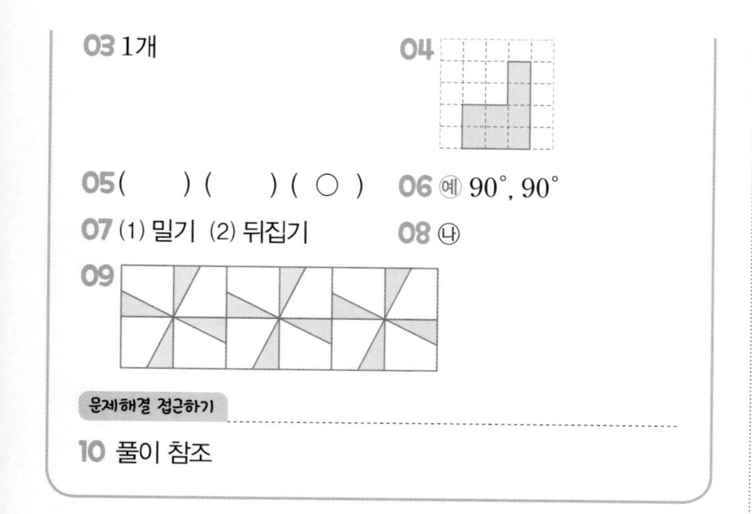
03 1개　04

05 (　) (　) (○)　06 예 90°, 90°

07 (1) 밀기 (2) 뒤집기　08 ㉯

09

문제해결 접근하기

10 풀이 참조

03 주어진 네 개의 도형을 오른쪽으로 뒤집었을 때의 도형은 다음과 같습니다.

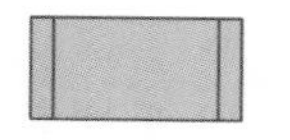  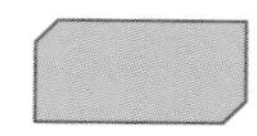 

위 도형을 다시 시계 반대 방향으로 180°만큼 돌리면 다음과 같습니다.

 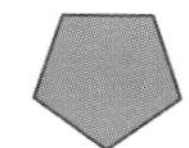  

따라서 처음 도형과 같은 것은 ▭으로 1개입니다.

04 180°만큼 3번 돌린 것은 180°만큼 1번 돌린 것과 같고, 오른쪽으로 3번 뒤집은 것은 오른쪽으로 1번 뒤집은 것과 같습니다.

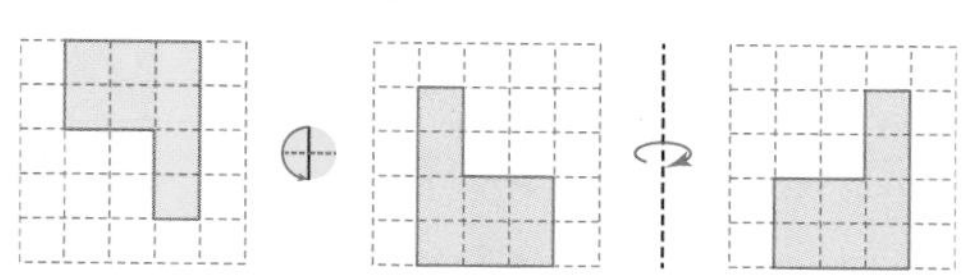

05 주어진 모양 조각을 아래쪽으로 뒤집으면 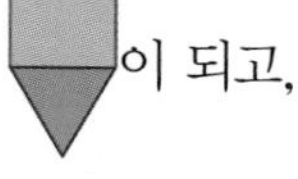이 되고, 이를 다시 시계 반대 방향으로 90°만큼 돌리면 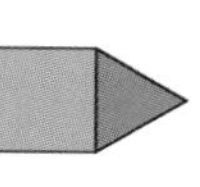이 됩니다.

08 ㉮는 뒤집기, ㉰는 밀기를 이용해 만든 것입니다.

09 ◺을 시계 방향으로 90°만큼 돌리는 것을 반복해서 모양을 만들고 그 모양을 오른쪽으로 밀어서 무늬를 완성해 봅니다.

문제해결 접근하기

10 **이해하기** | 예 ㅑ를 시계 방향으로 돌려서 ㅕ, ㅛ, ㅠ가 되게 하는 방법

계획 세우기 | 예 종이에 ㅑ를 적은 다음 시계 방향으로 90°만큼 돌려 보며 보이는 모습을 확인해 보겠습니다.

해결하기 | (1) 180° (2) 270° (3) 90°

ㅑ를 시계 방향으로 90°만큼 돌리면 ㅠ, 또 시계 방향으로 90°만큼 돌리면 ㅕ, 또 시계 방향으로 90°만큼 돌리면 ㅛ가 됩니다.

되돌아보기 |

ㅕ		ㅛ
ㅕ		ㅑ
ㅕ		ㅠ

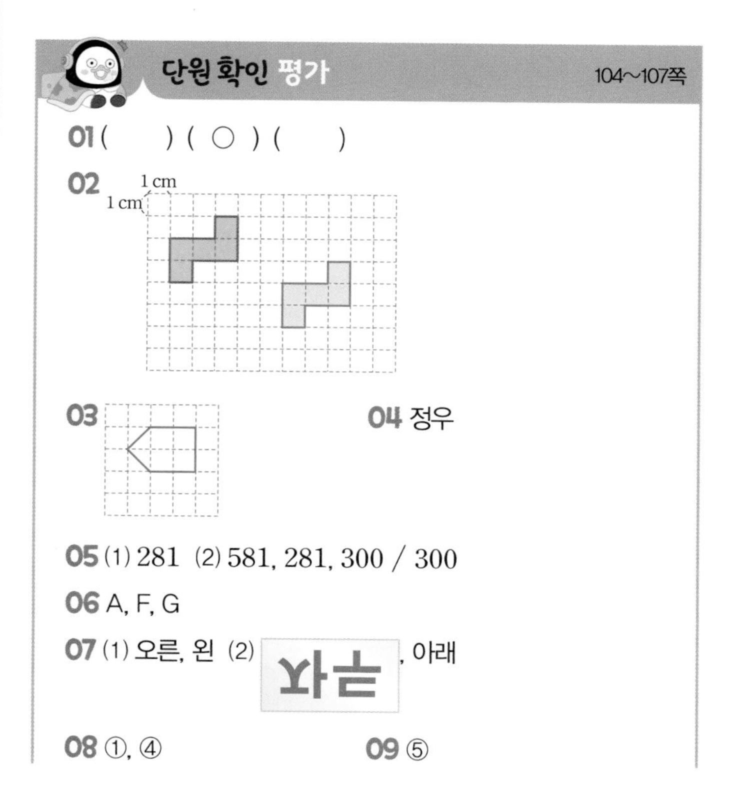
단원 확인 평가　104~107쪽

01 (　) (○) (　)

02

03　04 정우

05 (1) 281 (2) 581, 281, 300 / 300

06 A, F, G

07 (1) 오른, 왼 (2) , 아래

08 ①, ④　09 ⑤

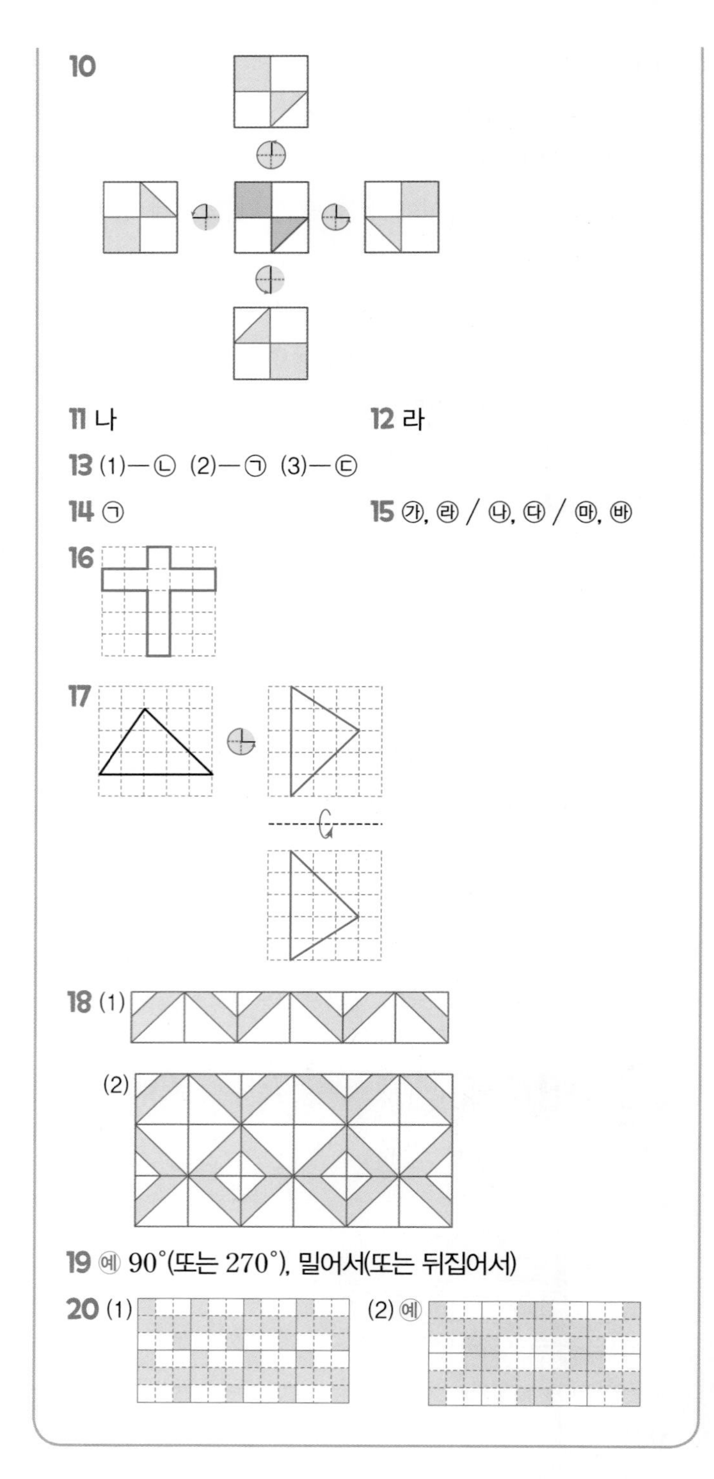

10
11 나
12 라
13 (1)—㉡ (2)—㉠ (3)—㉢
14 ㉠
15 ㉮, ㉱ / ㉯, ㉰ / ㉲, ㉳
16
17
18 (1)
(2)
19 예 90°(또는 270°), 밀어서(또는 뒤집어서)
20 (1)
(2) 예

01 도형을 밀면 모양과 크기는 변하지 않습니다.

02 도형의 한 꼭짓점을 오른쪽으로 5칸 밀고 아래쪽으로 2칸 밀어서 이동시킨 도형을 그립니다.

03 도형을 왼쪽으로 뒤집으면 도형의 오른쪽과 왼쪽이 서로 바뀝니다.

04 ☆을 위쪽으로 뒤집으면 ☆이 되므로 민철이의 말은 틀렸습니다.
☆을 위쪽으로 뒤집었다가 오른쪽으로 뒤집으면 ☆이 되므로 지후의 말도 틀렸습니다.

05 채점 기준

아래쪽으로 뒤집었을 때 만들어지는 수를 바르게 구한 경우	50 %
만들어지는 수와 처음 수의 차를 바르게 구한 경우	50 %

06 모든 글자는 오른쪽으로 4번 뒤집고 아래쪽으로 2번 뒤집어도 모양이 그대로입니다. 따라서 아래쪽으로 한 번 뒤집었을 때 모양이 달라지는 알파벳을 찾으면 A, F, G입니다.

11 시계 반대 방향으로 270°만큼 돌린 것은 시계 방향으로 90°만큼 돌린 것과 같으므로 나입니다.

12 시계 방향으로 90°만큼 돌리고 시계 반대 방향으로 180°만큼 돌리는 것은 시계 반대 방향으로 90°만큼 돌리는 것과 같습니다.

16 시계 반대 방향으로 90°만큼 5번 돌린 것은 시계 반대 방향으로 90°만큼 한 번 돌린 것과 같으므로 처음 도형을 시계 반대 방향으로 90°만큼 한 번 돌려서 오른쪽 도형이 되었다고 할 수 있습니다. 따라서 돌리기 전의 도형을 알려면 오른쪽 도형을 시계 방향으로 90°만큼 돌려 보면 됩니다.

19 채점 기준

돌려야 하는 각도를 바르게 찾은 경우	50 %
밀기(또는 뒤집기)를 바르게 찾은 경우	50 %

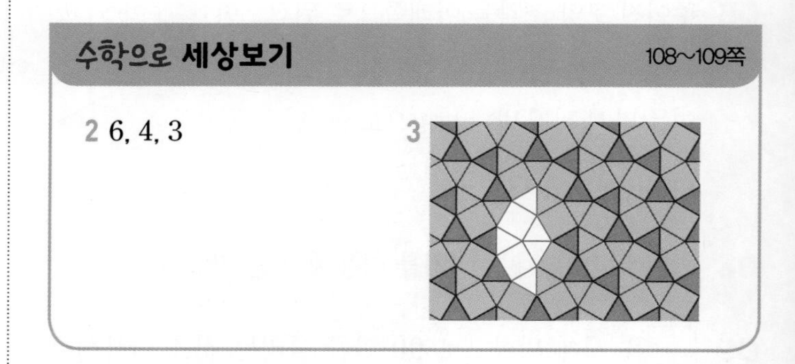

수학으로 세상보기
108~109쪽
2 6, 4, 3
3

5 단원

막대그래프

문제를 풀어 이해해요

113쪽

1 (1) 막대그래프 (2) 1명
(3) 수박 (4) 표
(5) 막대그래프

교과서 내용 학습

114~115쪽

01 색깔, 학생 수
02 좋아하는 색깔별 학생 수
03 1명
04 3명
05 2반, 1반, 5반, 3반, 4반
06 33명
07 5반
08 민수, 서윤
09 37명, 37명
10 7명

문제해결 접근하기

11 풀이 참조

03 세로 눈금 5칸이 5명을 나타내므로 세로 눈금 한 칸은 1명을 나타냅니다.

04 막대의 길이가 가장 긴 것은 초록색이고, 세 번째로 긴 것은 분홍색입니다. 세로 눈금 한 칸은 1명을 나타내므로 초록색을 좋아하는 학생은 9명, 분홍색을 좋아하는 학생은 6명입니다. 따라서 초록색을 좋아하는 학생 수는 분홍색을 좋아하는 학생 수보다 $9-6=3$(명) 더 많습니다.

05 막대의 길이가 길수록 참가한 학생 수가 많습니다.

06 미술 대회에 참가한 학생 수는 1반이 8명, 2반이 10명, 3반이 5명, 4반이 4명, 5반이 6명입니다.
따라서 미술 대회에 참가한 학생은 모두
$8+10+5+4+6=33$(명)입니다.

07 미술 대회에 참가한 학생 수는 1반이 8명, 3반이 5명입니다. 따라서 미술 대회에 참가한 학생 수가 5명보다 많고 8명보다 적은 반은 5반입니다.

08 병은이네 반에서 가장 적게 기르는 반려동물은 햄스터입니다.

09 (한초네 반 학생 수)$=12+6+5+7+7=37$(명)
(병은이네 반 학생 수)$=9+10+7+6+5=37$(명)

10 한초네 반에서는 강아지를 기르는 학생이 12명으로 가장 많고, 병은이네 반에서는 햄스터를 기르는 학생이 5명으로 가장 적습니다. 따라서 $12-5=7$(명) 더 많습니다.

문제해결 접근하기

11 **이해하기** | 예 세로 눈금 한 칸이 나타내는 관람객 수와 3월과 4월의 관람객 수를 알 수 있습니다.

계획 세우기 | 예 3월의 관람객 수를 이용하여 5월의 관람객 수를 구한 다음 나머지 얼룩진 부분의 관람객 수도 구해 보겠습니다. 얼룩진 부분의 관람객 수를 모두 구하면 관람객 수가 가장 많은 달과 가장 적은 달의 관람객 수의 차를 알 수 있습니다.

해결하기 | 예 5월의 관람객 수는 3월의 관람객 수의 2배이므로 $80\times2=160$(명)입니다.
전체 관람객 수가 500명이므로 6월의 관람객 수는 $500-80-120-160=140$(명)입니다.
관람객이 가장 많은 달은 5월이고, 가장 적은 달은 3월이므로 차를 구하면 $160-80=80$(명)입니다.

되돌아보기 | 예 관람객이 가장 많은 달은 5월로 160명이고, 두 번째로 많은 달은 6월로 140명이므로 차는 $160-140=20$(명)입니다.

문제를 풀며 이해해요 117쪽

1 (1) 22　　(2) 책의 수

(3) 6　　(4) 채은

2 예 학생별 읽은 책의 수

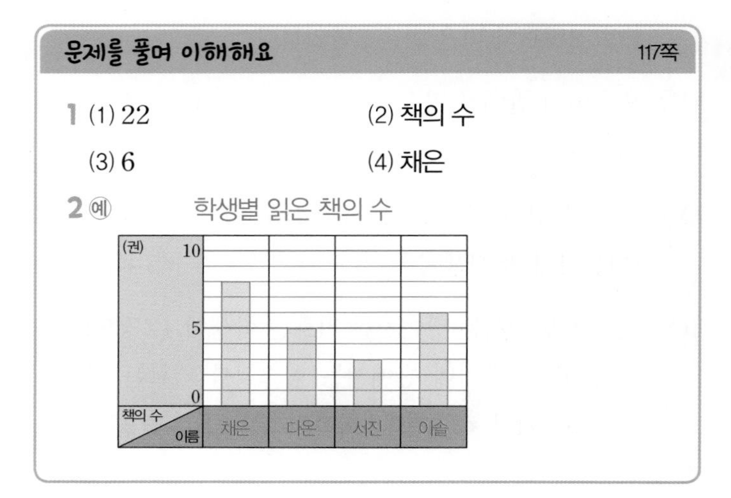

교과서 내용 학습 118~119쪽

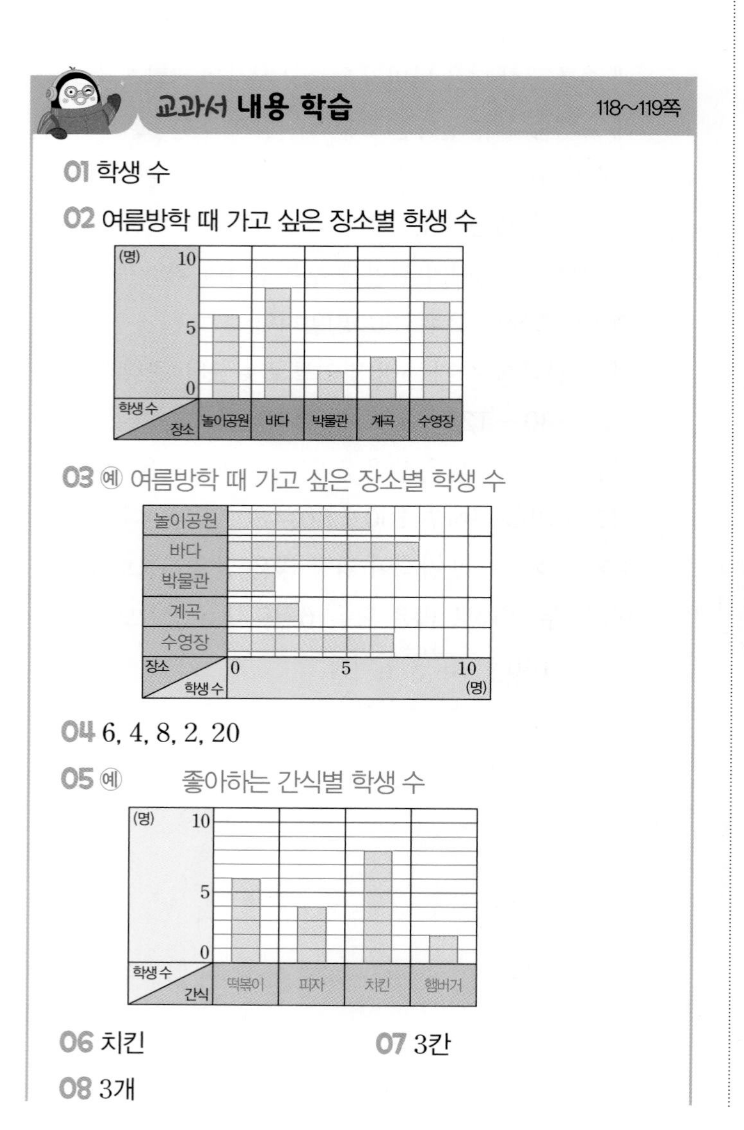

01 학생 수

02 여름방학 때 가고 싶은 장소별 학생 수

03 예 여름방학 때 가고 싶은 장소별 학생 수

04 6, 4, 8, 2, 20

05 예 좋아하는 간식별 학생 수

06 치킨　　07 3칸

08 3개

09 나라별 획득한 금메달 수

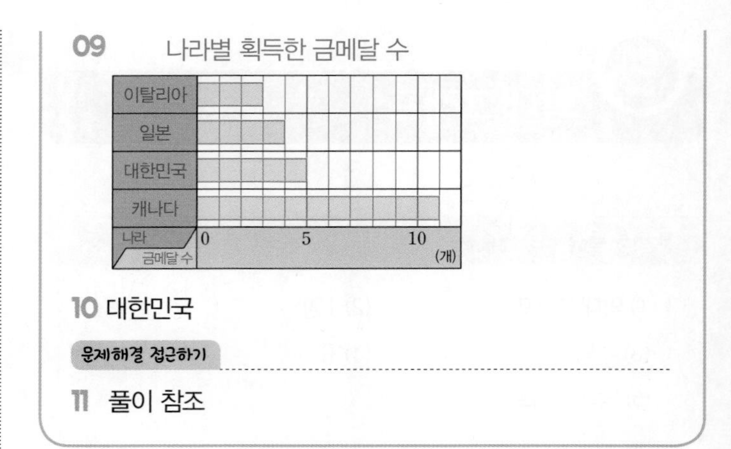

10 대한민국

문제해결 접근하기

11 풀이 참조

04 빠지거나 겹치는 것이 없도록 세어 봅니다.

06 막대의 길이가 가장 긴 간식은 치킨이므로 학생들이 가장 좋아하는 간식은 치킨입니다.

07 떡볶이를 좋아하는 학생은 6명이므로 세로 눈금 한 칸이 2명인 막대그래프로 다시 나타낸다면 떡볶이를 좋아하는 학생 수는 $6 \div 2 = 3$(칸)으로 나타내어야 합니다.

08 (이탈리아가 획득한 금메달 수)
$= 23 - 5 - 11 - 4 = 3$(개)

10 이탈리아보다 2개 더 많은 금메달 수는 $3 + 2 = 5$(개)입니다. 따라서 금메달 수가 이탈리아보다 2개 더 많은 나라는 대한민국입니다.

문제해결 접근하기

11 **이해하기** | 예 희수와 한나가 모은 붙임 딱지 수와 지나네 모둠 학생들이 모은 전체 붙임 딱지 수를 알 수 있습니다.

계획 세우기 | 예 지나의 붙임 딱지 수가 혜원이의 붙임 딱지 수의 2배인 것을 활용하여 지나와 혜원이의 붙임 딱지 수를 각각 구한 다음 막대그래프로 나타내어 보겠습니다.

해결하기 | 학생별 모은 붙임 딱지 수

이름	지나	혜원	희수	한나	합계
붙임 딱지 수(장)	8	4	6	7	25

㉠예 학생별 모은 붙임 딱지 수

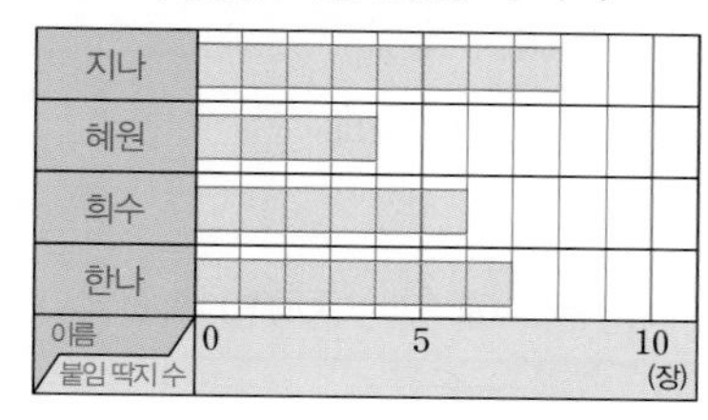

되돌아보기 | ㉠예 지나와 혜원이의 붙임 딱지 수의 합은 $25-6-7=12$(장)입니다.

혜원이의 붙임 딱지 수를 □장이라고 하면 지나의 붙임 딱지 수는 (□+□)장입니다. 지나와 혜원이의 붙임 딱지 수의 합은 □+□+□=12이므로 □=4입니다. 따라서 지나는 8장, 혜원이는 4장의 붙임 딱지를 모았습니다.

막대그래프의 가로 눈금 한 칸이 1장을 나타내므로 모은 붙임 딱지 수만큼 막대로 나타냅니다.

문제를 풀며 이해해요 121쪽

1 ㉠예 50 m 달리기 기록

(초) 10, 5, 0 / 기록, 이름 / 로희, 호준, 지호, 예주

2 (1) ○ (2) ×

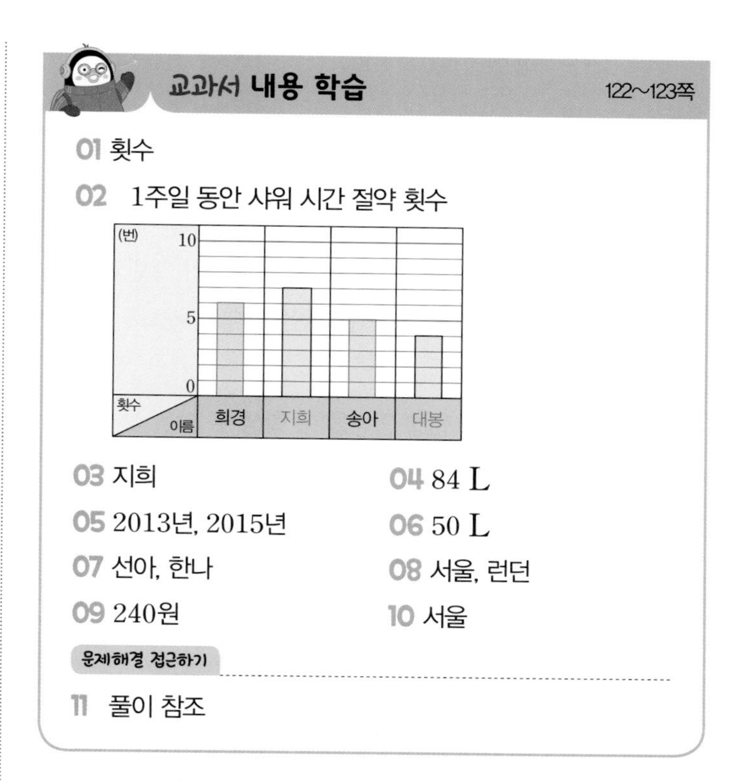

교과서 내용 학습 122~123쪽

01 횟수

02 1주일 동안 샤워 시간 절약 횟수

03 지희

04 84 L

05 2013년, 2015년

06 50 L

07 선아, 한나

08 서울, 런던

09 240원

10 서울

문제해결 접근하기

11 풀이 참조

03 막대의 길이가 가장 긴 학생은 지희입니다.

04 샤워 시간 절약을 가장 많이 실천한 학생은 지희입니다. 지희는 1주일 동안 7번 샤워 시간 절약을 실천했으므로 모두 $12\times7=84$(L) 절약하였습니다.

05 2013년과 2015년은 160 L로 1인당 하루 평균 물 사용량이 같습니다.

06 1인당 하루 평균 물 사용량이 가장 많은 해는 2019년이고, 가장 적은 해는 2013년(2015년)입니다. 따라서 1인당 하루 평균 물 사용량이 가장 많은 해는 가장 적은 해보다 $210-160=50$(L) 더 사용했습니다.

07 해가 갈수록 1인당 하루 평균 물 사용량이 늘어나고 있습니다. 따라서 해가 갈수록 물 절약을 실천하고 있다는 철민이의 이야기는 옳지 않습니다.

08 도시별 1인당 하루 평균 물 사용량을 나타낸 막대그래프에서 막대가 가장 긴 것과 가장 짧은 것을 찾아봅니다.

09 막대그래프의 세로 눈금을 확인합니다.

10 서울은 1인당 하루 평균 물 사용량이 가장 많지만 1인당 하루 평균 물 사용 금액은 가장 적습니다. 따라서 같

은 양을 사용했을 때 물 사용 금액이 가장 적습니다.

문제해결 접근하기

11 **이해하기** | 예 반별 안경을 쓴 학생 수를 막대그래프로 나타내기

계획 세우기 | 예 4반부터 시작하여 3반, 2반, 1반의 안경을 쓴 학생 수를 차례로 구한 다음 막대그래프로 나타내어 보겠습니다.

해결하기 | 예

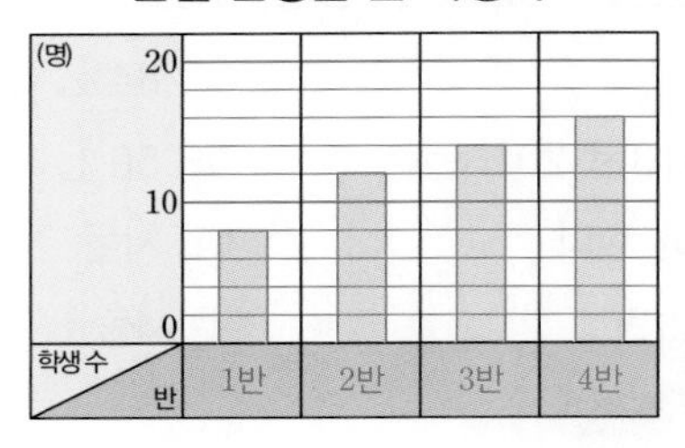

되돌아보기 | 예 4반은 16명이 안경을 썼으므로 3반은 $16-2=14$(명), 2반은 $14-2=12$(명), 1반은 $12-4=8$(명)이 안경을 썼습니다.

단원 확인 평가

124~127쪽

01 28명 **02** 2배

03 막대그래프

04 30, 16, 76 / 학급 문고에 있는 종류별 책의 수

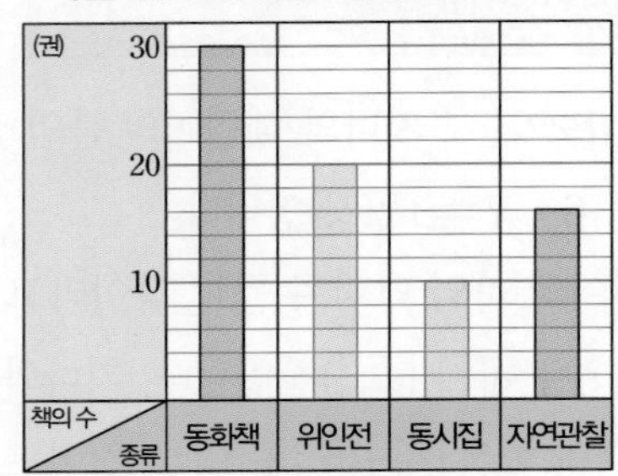

05 4권 **06** 예 동시집

07 핸드폰 **08** 2명

09 4명 **10** 1개, 2개

11 (1) 33 (2) 58 (3) 58, 33, 25 / 25개

12 7, 2, 5, 6, 20

13 예

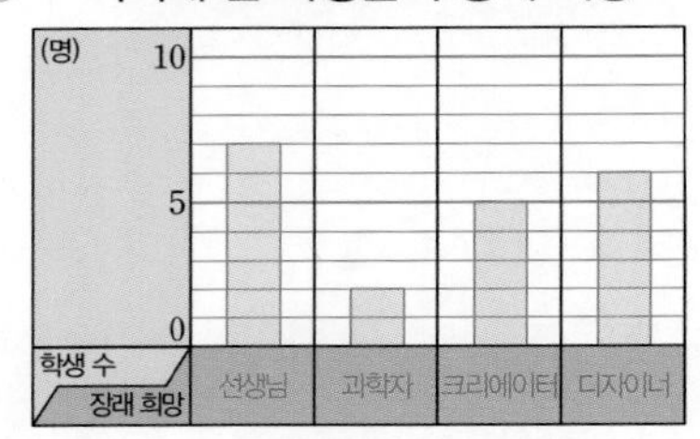

14 예

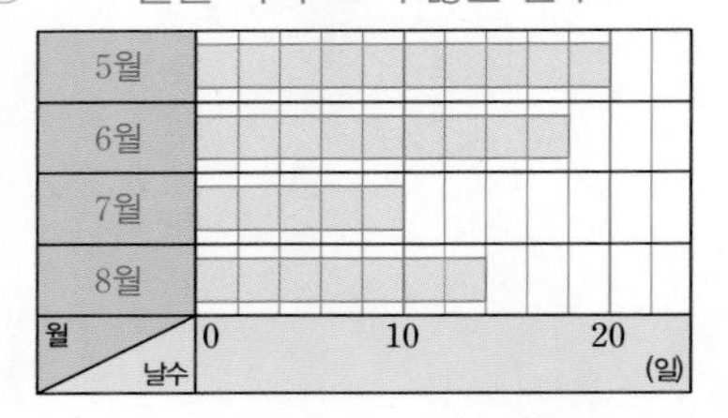

15 14칸 **16** 예 5월

17 11칸

18

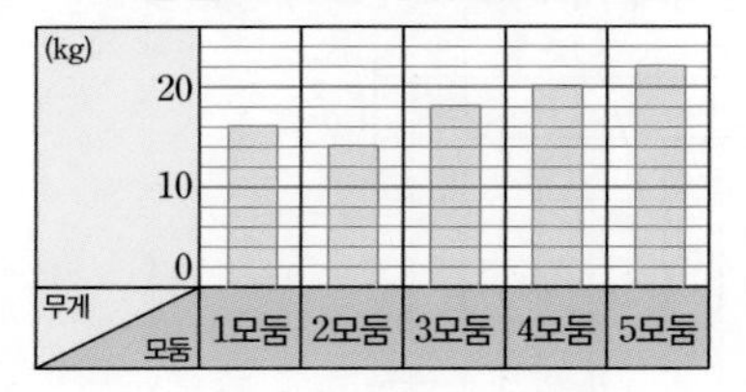

19 20대, 40대

20 (1) 150, 15, 10 (2) 14, 140 / 140분

01 (유하네 반 학생 수)$=5+10+6+7=28$(명)

02 피구를 좋아하는 학생은 10명이고, 축구를 좋아하는 학생은 5명이므로 피구를 좋아하는 학생 수는 축구를 좋아하는 학생 수의 2배입니다.

03 표는 전체 학생 수를 알아보기 편리하고, 막대그래프는 가장 많은 학생들이 좋아하는 운동을 한눈에 알아보기 쉽습니다.

05 위인전은 20권, 자연관찰은 16권이므로 $20-16=4$(권) 더 많습니다.

06 진욱이네 학급 문고 중 동시집의 수가 10권으로 가장 적습니다. 따라서 동시집을 더 보충하면 좋을 것 같습니다.

07 남학생과 여학생 모두 막대그래프에서 막대의 길이가 가장 긴 것은 핸드폰입니다.

08 핸드폰을 받고 싶은 남학생은 20명, 핸드폰을 받고 싶은 여학생은 18명이므로 $20-18=2$(명)입니다.

09 여학생이 두 번째로 많이 받고 싶은 생일 선물은 인형입니다. 남학생 중 인형을 받고 싶은 학생은 4명입니다.

10
- 햇님 가게: 세로 눈금 5칸이 5개를 나타내므로 세로 눈금 한 칸은 1개를 나타냅니다.
- 달님 가게: 세로 눈금 5칸이 10개를 나타내므로 세로 눈금 한 칸은 2개를 나타냅니다.

11 채점 기준

채점 기준	
햇님 가게에서 어제 판매한 아이스크림 수를 바르게 구한 경우	40 %
달님 가게에서 어제 판매한 아이스크림 수를 바르게 구한 경우	40 %
햇님 가게와 달님 가게에서 어제 판매한 아이스크림 수의 차를 바르게 구한 경우	20 %

14 가로 눈금 한 칸이 2일인 막대그래프로 나타냅니다.

15 가로 눈금 한 칸이 1일이므로 비가 오지 않은 날이 14일인 8월은 14칸으로 나타내어야 합니다.

16 비가 오지 않은 날이 가장 많은 달은 5월입니다. 따라서 캠핑을 가려면 5월에 가는 것이 좋을 것 같습니다.

17 우유갑을 가장 많이 모은 5모둠까지 나타내려면 22 kg까지 나타낼 수 있어야 합니다. 세로 눈금 한 칸이 2 kg을 나타내므로 22 kg은 $22\div2=11$(칸)으로 나타낼 수 있습니다. 따라서 세로 눈금은 적어도 11칸까지 그려야 합니다.

18 세로 눈금 1칸은 2 kg을 나타냅니다.

19 막대그래프의 길이가 가장 긴 것과 가장 짧은 것을 찾아봅니다.

20 채점 기준

채점 기준	
세로 눈금 한 칸의 크기를 바르게 구한 경우	50 %
10대의 스마트폰 주당 사용 시간을 바르게 구한 경우	50 %

6 단원 규칙 찾기

문제를 풀여 이해해요 133쪽

1 (1) 1
(2) 100
(3) 99, 작아집니다에 ○표
(4) 101, 커집니다에 ○표

2 560

교과서 내용 학습 134~135쪽

01 채이
02 989
03 9045
04 1705
05 C4
06

10010	10110	10210	10310
30010	30110	30210	30310
50010	●	50210	50310
70010	70110	70210	70310

07 50110
08 예 두 수의 곱셈의 결과에서 일의 자리 숫자를 씁니다.
09 (1)—㉠ (2)—㉡
10 64

문제해결 접근하기

11 풀이 참조

01 5045부터 왼쪽으로 11씩 작아집니다.

02 8012는 9001보다 989 작은 수입니다.

03 9001부터 오른쪽으로 11씩 커지고 있으므로 ♥에 알맞은 수는 9034보다 11 큰 수인 9045입니다.

04 1505부터 오른쪽으로 100씩 커지므로 빈칸에 알맞은 수는 1605보다 100 큰 수인 1705입니다.

05 극장 좌석표는 알파벳과 수의 두 가지 규칙이 섞여 있습니다. 세로 규칙은 알파벳이 순서대로 바뀌고, 수는 그대로입니다. 가로 규칙은 알파벳이 그대로이고, 수가 1씩 커집니다. 따라서 ■는 C4입니다.

07 50010부터 오른쪽으로 100씩 커지므로 ●에 알맞은 수는 50010보다 100 큰 수인 50110입니다.

09 두 수의 곱셈의 결과에서 일의 자리 숫자를 쓰는 규칙이 있으므로 ▲에 알맞은 수는 $302 \times 15 = 4530$으로 0이고, ★에 알맞은 수는 $303 \times 14 = 4242$로 2입니다.

10 4부터 시작하여 왼쪽으로 4씩 곱하므로 빈칸에 알맞은 수는 $16 \times 4 = 64$입니다.

문제해결 접근하기

11 **이해하기** | 예 선물이 들어 있는 물품 보관함 번호
계획 세우기 | 예 수의 배열의 규칙을 살펴보고, 수 배열의 규칙에 따라 선물이 들어 있는 물품 보관함을 찾아보겠습니다.
해결하기 | 예 선물이 있는 칸의 수의 배열에서 가장 큰 수는 750이고, ↖ 방향으로 다음 수는 앞의 수보다 110씩 작아지므로 조건에 맞는 수의 배열을 찾아보면 750－640－530－420입니다.
530 다음 칸에 선물을 넣었으므로 서영이가 시아의 선물을 넣은 물품 보관함 번호는 420입니다.
되돌아보기 | 예 • ↓ 방향으로 100씩 커집니다.
• 420부터 시작하여 아래쪽으로 100씩 커집니다. 등

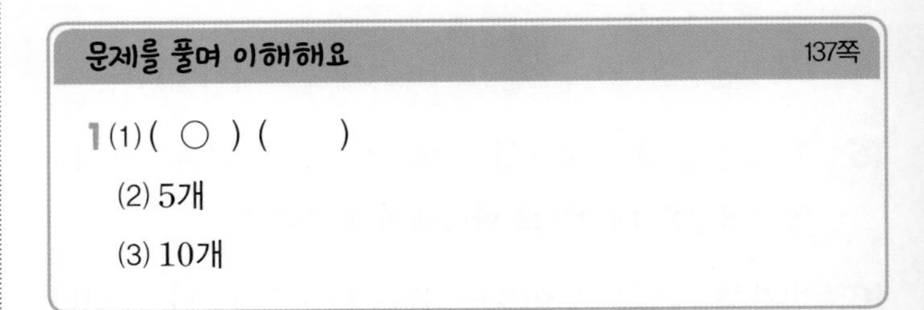
문제를 풀여 이해해요 137쪽

1 (1) (○) (   )
(2) 5개
(3) 10개

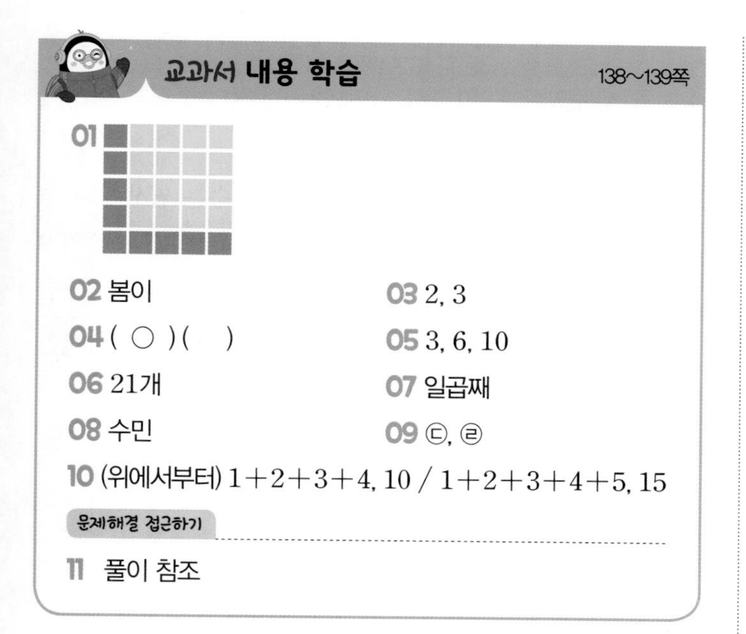

교과서 내용 학습 138~139쪽

01

02 봄이
03 2, 3
04 (○)(　)
05 3, 6, 10
06 21개
07 일곱째
08 수민
09 ㉢, ㉣
10 (위에서부터) $1+2+3+4$, 10 / $1+2+3+4+5$, 15

문제해결 접근하기

11 풀이 참조

02 파란색 도형은 위쪽과 오른쪽으로 각각 1개씩 늘어나는 규칙입니다.

03 노란색 도형은 가로와 세로가 각각 1개씩 늘어나며 정사각형 모양이 됩니다.

04 바둑돌이 한 줄씩 늘어나고 있습니다. 홀수 번째 줄은 검은색부터 시작하고, 짝수 번째 줄은 흰색부터 시작하여 검은색 바둑돌과 흰색 바둑돌이 번갈아 나옵니다.

05 각 배열에 해당하는 바둑돌의 수를 세어 보면 1개, 3개, 6개, 10개입니다.

06 바둑돌의 수가 1개에서 시작하여 3개, 6개, 10개……로 2개, 3개, 4개……씩 더 늘어나는 규칙입니다.
따라서 다섯째는 $10+5=15$(개)이고, 여섯째는 $15+6=21$(개)입니다.

07 바둑돌의 수가 2개, 3개, 4개……씩 더 늘어나는 규칙입니다. 여섯째는 21개, 일곱째는 $21+7=28$(개)……이므로 일곱째입니다.

08 왼쪽 줄부터 세로로 파란색과 분홍색이 반복되어 나타납니다.

09 ㉢ 넷째 도형에서 파란색 사각형은 6개입니다.
㉣ 다섯째에 알맞은 도형에서 분홍색 사각형은 6개입니다.

10 1부터 시작하여 둘째는 2까지, 셋째는 3까지 더하는 규칙이 있습니다. 따라서 넷째는 1부터 4까지, 다섯째는 1부터 5까지 더하여 나타냅니다.

문제해결 접근하기

11 **이해하기** | ㉠ 열째에 알맞은 모양

계획 세우기 | ㉠ 바둑돌이 배열된 규칙을 먼저 찾아본 다음 단순화하기 전략을 사용하여 열째의 모양과 같은 도형을 찾아보겠습니다.

해결하기 | 

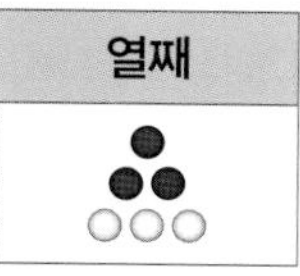

되돌아보기 | ㉠ 검은색 바둑돌 3개가 시계 방향으로 움직이며 배열되는 규칙입니다. 이때 3번마다 규칙이 반복되므로 열째에 알맞은 모양은 첫째 모양과 같습니다. 따라서 첫째 모양과 똑같이 그려 줍니다.

문제를 풀며 이해해요 141쪽

1 ㉡
2 ㉢
3 ㉠

교과서 내용 학습 142~143쪽

01 110
02 $550+220=770$
03 유진
04 $60+500-70=490$
05 $90+800-100=790$
06 열째
07 (1) ○ (2) ×
08 $100003\times5=500015$
09 11개
10 여덟째

문제해결 접근하기

11 풀이 참조

02 더해지는 수의 백의 자리와 십의 자리 수는 덧셈식의 순서와 같고, 계산 결과의 백의 자리와 십의 자리 수는 덧셈식의 순서보다 2 큽니다.

03 여섯째: $660+220=880$
일곱째: $770+220=990$
여덟째: $880+220=1100$

05 계산 결과가 100씩 커지므로 계산 결과가 790이 되는 것은 여덟째 계산식입니다.
따라서 계산 결과가 790이 되는 계산식은
$90+800-100=790$입니다.

06 계산 결과가 100씩 커지므로 계산 결과가 990이 되는 계산식은 열째입니다.

07 계산 결과의 1 앞의 0의 개수는 곱셈식의 순서보다 1개 더 적습니다.

08 곱해지는 수의 1과 3 사이 0의 개수는 곱셈식의 순서와 같으므로 4개, 계산 결과의 1 앞의 0의 개수는 곱셈식의 순서보다 1개 더 적으므로 3개입니다. 따라서 넷째 빈칸의 계산식은 $100003 \times 5=500015$입니다.

09 곱해지는 수의 1과 3 사이 0의 개수는 곱셈식의 순서와 같으므로 6개, 계산 결과의 1 앞의 0의 개수는 곱셈식의 순서보다 1개 더 적으므로 5개입니다. 따라서 여섯째 곱셈식의 0의 개수는 $6+5=11$(개)입니다.

10 계산 결과의 1 앞의 0의 개수는 7개이므로 곱셈식의 순서는 이보다 1 큰 여덟째입니다.

문제해결 접근하기

11 **이해하기** | ㉠ 곱하는 수는 5이고, 곱해지는 수와 계산 결과가 한 자리씩 늘어납니다.
계획 세우기 | ㉠ 규칙에 따라 계산 결과가 49999999999995가 나오는 계산식의 순서를 알아보겠습니다.
해결하기 | ㉠ 곱셈식에서 계산 결과는 한 자리씩 늘어나고 4와 5 사이의 9의 개수는 곱셈식의 순서보다 1개 더 적습니다. 계산 결과가 49999999999995이므로 9의 개수는 12개이고, 계산식의 순서는 이보다 1 큰 열셋째입니다. 따라서 이 계산식을 적어야 하는 학생의 번호는 13번입니다.
되돌아보기 | ㉠ 곱해지는 수의 9의 개수는 곱셈식의 순서와 같으므로 10개이고, 계산 결과의 4와 5 사이의 9의 개수는 곱셈식의 순서보다 1개 더 적으므로 9개입니다. 따라서 10번 학생이 칠판에 써야 할 계산식은 $9999999999 \times 5=49999999995$입니다.

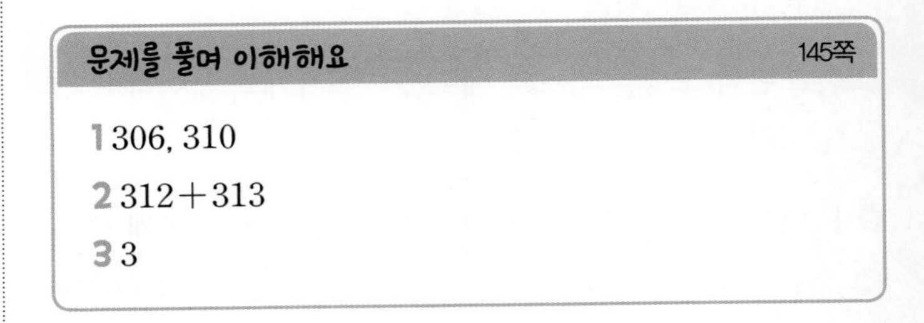

문제를 풀어 이해해요 145쪽

1 306, 310
2 $312+313$
3 3

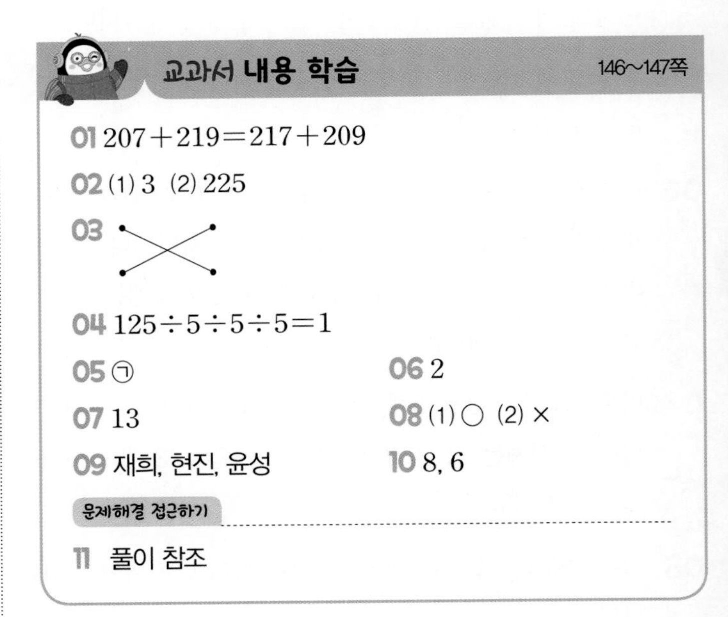

교과서 내용 학습 146~147쪽

01 $207+219=217+209$
02 (1) 3 (2) 225
03
04 $125 \div 5 \div 5 \div 5=1$
05 ㉠
06 2
07 13
08 (1) ○ (2) ×
09 재희, 현진, 윤성
10 8, 6

문제해결 접근하기

11 풀이 참조

01 ↘ 방향의 두 수의 합은 ↗ 방향의 두 수의 합과 같습니다.

02 연속한 세 홀수의 합은 가운데 수의 3배와 같습니다.

03 ↘ 방향의 세 수의 합은 ↙ 방향의 세 수의 합과 같습니다.

04 5로 3번 나누었을 때 몫이 1이 되는 나눗셈식을 써 봅니다.

05 ㉠ 오른쪽으로 1씩 커집니다.

06 ↘ 방향으로 연결된 세 수에서 양 끝 두 수의 합은 가운데 수의 2배와 같습니다.

07 색칠된 부분에 있는 9개의 수를 모두 더한 후 9로 나눈 몫은 가운데 수인 13과 같습니다.

08 $15+11+7=11\times3$

10 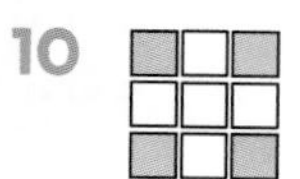

분홍색 부분의 두 수의 합과 파란색 부분의 두 수의 합은 서로 같습니다.

문제해결 접근하기

11 **이해하기** | ㉠ 철민, 현지, 희진이의 생일 날짜

계획 세우기 | ㉠ 첫 번째 조건을 이용해 희진이의 생일 날짜를 구한 다음 두 번째 조건을 이용하여 현지와 철민이의 생일 날짜를 구해 보겠습니다.

해결하기 | ㉠ ↘ 방향으로 연결된 세 수에서 양 끝의 두 수의 합은 가운데 수의 2배와 같습니다. 따라서 철민이와 현지의 생일 날짜의 합이 희진이의 생일 날짜의 2배와 같다고 했으므로 가운데 날짜인 7월 20일은 희진이의 생일입니다.

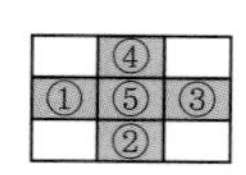

주황색 부분과 같이 달력에서 ①부터 ⑤까지 5개의 합을 구한 뒤 5로 나누면 가운데 수인 ⑤의 수가 몫이 됩니다. 따라서 현지의 생일은 7월 12일입니다.
희진이의 생일과 현지의 생일을 구했으므로 나머지 날짜인 7월 28일이 철민이의 생일입니다.

되돌아보기 | ㉠ ↘ 방향으로 연결된 세 수의 합은 가운데 수의 3배와 같습니다. 따라서 색칠된 세 수의 합은 가운데 수인 20의 3배와 같습니다.

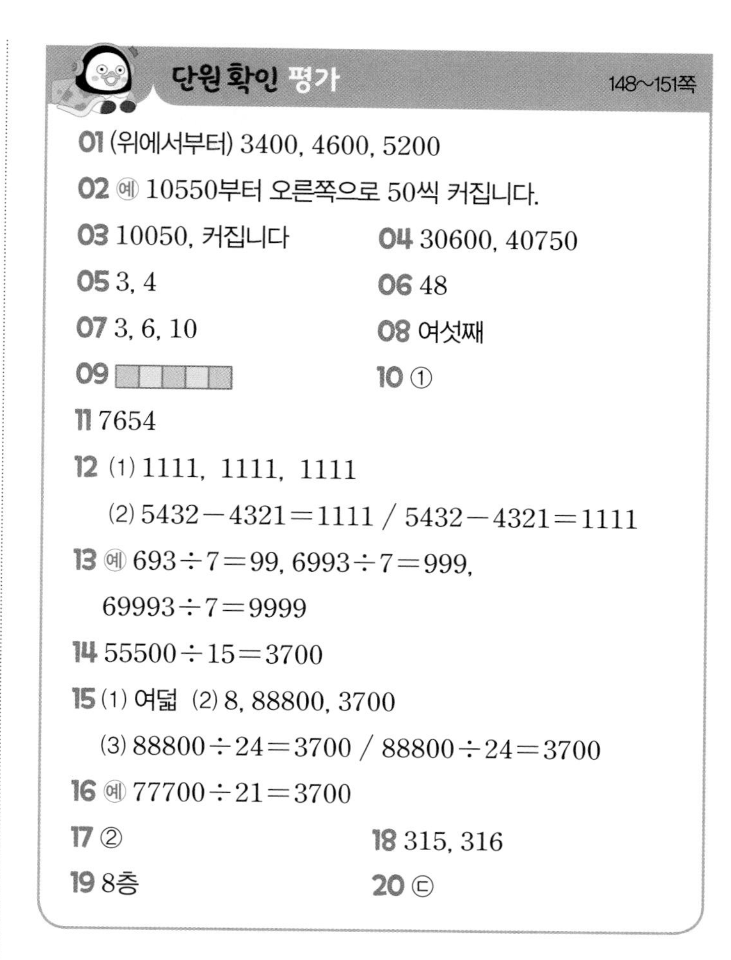

단원 확인 평가 148~151쪽

01 (위에서부터) 3400, 4600, 5200
02 ㉠ 10550부터 오른쪽으로 50씩 커집니다.
03 10050, 커집니다
04 30600, 40750
05 3, 4
06 48
07 3, 6, 10
08 여섯째
09 (그림)
10 ①
11 7654
12 (1) 1111, 1111, 1111
(2) $5432-4321=1111$ / $5432-4321=1111$
13 ㉠ $693\div7=99$, $6993\div7=999$, $69993\div7=9999$
14 $55500\div15=3700$
15 (1) 여덟 (2) 8, 88800, 3700
(3) $88800\div24=3700$ / $88800\div24=3700$
16 ㉠ $77700\div21=3700$
17 ②
18 315, 316
19 8층
20 ㉢

01 가로는 오른쪽으로 200씩 커지고, 세로는 아래쪽으로 1000씩 커집니다.

04 가로는 오른쪽으로 50씩 커지고, 세로는 아래쪽으로 10000씩 커집니다.
따라서 ♥에 알맞은 수는 $30550+50=30600$이고, ★에 알맞은 수는 $30750+10000=40750$입니다.

05 소은이는 가로(→)의 규칙을, 건우는 세로(↓)의 규칙을 설명하고 있습니다.

06 가로(→)로 3씩 곱하므로 ●에 알맞은 수는 $16\times3=48$입니다.

07 각 배열에 해당하는 사각형의 수를 세어 보면 1개, 3개, 6개, 10개입니다.

08 사각형의 수가 1개에서 시작하여 3개, 6개, 10개…… 로 2개, 3개, 4개……씩 늘어나는 규칙입니다.
따라서 다섯째는 $10+5=15$(개)이고,

여섯째는 15+6=21(개)입니다.

09 단계가 올라갈수록 사각형의 수가 한 개씩 늘어나고, 사각형의 색깔은 분홍색, 노란색이 반복됩니다.

10 둘째, 넷째 등 짝수 번째 도형에서 분홍색, 노란색 사각형의 수는 서로 같습니다. 따라서 여덟째에 알맞은 도형에서 분홍색 사각형 수와 노란색 사각형 수의 차는 0개입니다.

11 단계가 올라갈 때마다 빼지는 수와 빼는 수의 각 자리의 수는 1씩 작아집니다.

12 채점 기준

계산식의 규칙을 바르게 쓴 경우	50 %
다섯째 빈칸에 알맞은 뺄셈식을 바르게 구한 경우	50 %

13 693÷99=7, 6993÷999=7, 69993÷9999=7의 나눗셈식도 만들 수 있습니다.

14 나누어지는 수와 나누는 수가 각각 2배, 3배, 4배……가 되면 몫은 모두 같습니다. 따라서 다섯째의 나누어지는 수는 11100의 5배인 55500이고, 나누는 수는 3의 5배인 15입니다.

15 채점 기준

24가 몇째 계산식의 나누는 수인지 바르게 구한 경우	40 %
여덟째 계산식의 나누어지는 수와 몫을 바르게 구한 경우	40 %
나누는 수가 24가 되는 나눗셈식을 바르게 구한 경우	20 %

17 연속하는 세 수에서 양 끝의 두 수의 합은 가운데 수의 2배와 같습니다. 또, 연속하는 세 수의 합은 가운데 수의 3배와 같습니다.

18 304+315=314+305,
306+317=316+307

19 색칠된 부분에 있는 수 5개를 모두 합하여 5로 나눈 몫은 가운데 있는 8입니다. 따라서 민지네 집은 8층입니다.

20 ㉢ 연속하는 세 수의 합은 가운데 수의 3배와 같습니다.

수학으로 세상보기 152쪽

(1) 1, 3, 9, 27, 81
(2) 예 1에서 시작하여 3씩 곱한 수가 오른쪽에 있습니다.
(3) 243개

(3) 4단계의 색칠된 정삼각형의 수는 81개이므로 여기에 3을 곱하면 됩니다. 따라서 5단계의 색칠된 정삼각형은 81×3=243(개)입니다.

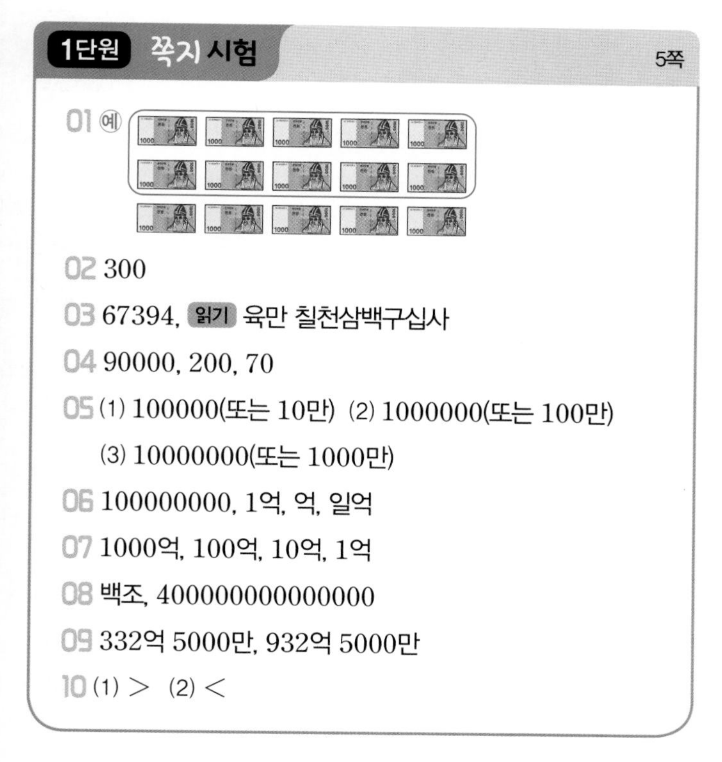

1단원 쪽지 시험 5쪽

01 예

02 300

03 67394, 읽기 육만 칠천삼백구십사

04 90000, 200, 70

05 (1) 100000(또는 10만) (2) 1000000(또는 100만)
(3) 10000000(또는 1000만)

06 100000000, 1억, 억, 일억

07 1000억, 100억, 10억, 1억

08 백조, 400000000000000

09 332억 5000만, 932억 5000만

10 (1) > (2) <

02 9700에서 100씩 3번 커지면 10000입니다.

04 91276에서
9는 만의 자리 숫자이고, 90000을 나타냅니다.
2는 백의 자리 숫자이고, 200을 나타냅니다.
7은 십의 자리 숫자이고, 70을 나타냅니다.

07 1조
➡ 1000억이 10개인 수
➡ 9000억보다 1000억만큼 더 큰 수
➡ 9900억보다 100억만큼 더 큰 수
➡ 9990억보다 10억만큼 더 큰 수
➡ 9999억보다 1억만큼 더 큰 수

08 8437|0000|0000|0000에서
4는 백조의 자리 숫자이고, 400000000000000를 나타냅니다.

09 200억씩 뛰어 세면 백억의 자리 수가 2씩 커집니다.

10 (1) 10829637 > 9971365
(8자리 수) (7자리 수)

(2) 78326415 < 78679124
3<6

6~8쪽

학교 시험 만점왕 1회 1. 큰 수

01 10000	02 9600, 10000
03 쓰기 56139, 읽기 오만 육천백삼십구	
04 ③	05 70000, 900, 20
06 100000, 1000000, 10000000	
07 8360000원(또는 836만 원)	
08 50714836	
09 70000(또는 7만), 70000000(또는 7000만)	
10 ㉡	11 1억, 1조
12 4083, 6297, 5128	13 풀이 참조, ㉢
14 십조, 80000000000000(또는 80조)	
15 삼천조, 육천조	16 1000만(또는 10000000)
17 풀이 참조, 4	18 >
19 에어컨	20 ㉢, ㉡, ㉠

01 1000이 10개인 수는 10000입니다.

02 200씩 커지는 규칙입니다.

04 34026은 삼만 사천이십육이라고 읽습니다.

05 71924는 10000이 7개, 1000이 1개, 100이 9개, 10이 2개, 1이 4개인 수입니다.

07 1000000원짜리 수표가 8장이면 8000000원,
100000원짜리 수표가 3장이면 300000원,
10000원짜리 지폐가 6장이면 60000원입니다.
따라서 모인 기부금은 모두
8000000+300000+60000=8360000(원)입니다.

08 오천칠십일만 사천팔백삼십육은 만이 5071개, 일이 4836개인 수입니다.

09 30976182에서 7은 만의 자리 숫자이고, 70000을 나타냅니다.
78512438에서 7은 천만의 자리 숫자이고, 70000000을 나타냅니다.

10 ㉠ 69273148의 백만의 자리 숫자는 9입니다.
㉡ 34528976의 백만의 자리 숫자는 4입니다.
㉢ 18253964의 백만의 자리 숫자는 8입니다.

12 일의 자리에서부터 시작하여 네 자리씩 끊어 봅니다.
4083|6297|5128
➡ 억이 4083개, 만이 6297개, 일이 5128개인 수

13 예 9356|0000|0000에서 9는 천억의 자리 숫자이고, 900000000000을 나타냅니다. 3은 백억의 자리 숫자이고, 30000000000을 나타냅니다. 5는 십억의 자리 숫자이고, 5000000000을 나타냅니다. 6은 억의 자리 숫자이고, 600000000을 나타냅니다. 따라서 알맞게 적힌 것의 기호는 ㉢입니다.

채점 기준

935600000000의 각 자리의 숫자가 나타내는 값을 바르게 나타낸 경우	70 %
㉠~㉣에 들어갈 수로 알맞게 적힌 것의 기호를 바르게 쓴 경우	30 %

14 일의 자리에서부터 시작하여 네 자리씩 끊어 봅니다.
3184|9275|0000|0000이므로 8은 십조의 자리 숫자이고, 80000000000000를 나타냅니다.

15 천조의 자리 수가 1씩 커지므로 1000조씩 뛰어 세어 읽습니다.

16 천만의 자리 수가 1씩 커지므로 1000만씩 뛰어 센 것입니다.

17 예 2조 7700억은 2조 3700억보다 천억의 자리 수가 4 더 큰 수이므로 1000억씩 4번 뛰어 센 것입니다. 따라서 □ 안에 알맞은 수는 4입니다.

채점 기준

2조 7700억은 2조 3700억보다 어느 자리의 수가 얼마만큼 더 큰지 바르게 이해한 경우	50 %
뛰어 세기를 활용하여 □ 안에 들어갈 수를 알맞게 구한 경우	50 %

18 203481396 $>$ 87951342
(9자리 수) (8자리 수)

19 TV, 에어컨, 냉장고 모두 7자리 수이므로 가장 높은 자리인 백만의 자리 수부터 차례로 비교하면 에어컨이 가장 비쌉니다.

20 ㉠ 오천구백팔십만 ➡ 59800000 (8자리 수)
㉡ 23148790000 (11자리 수)
㉢ 297억 8000만 ➡ 29780000000 (11자리 수)
따라서 8자리 수인 ㉠이 가장 작고,
11자리 수인 ㉡과 ㉢은 백억의 자리 수가 모두 2로 같고 십억의 자리 수를 비교하면 3 $<$ 9이므로 ㉢이 ㉡보다 큽니다. 따라서 큰 수부터 순서대로 기호를 쓰면 ㉢, ㉡, ㉠입니다.

9~11쪽

학교 시험 만점왕 ②회 1. 큰 수

01 10, 1, 10, 100, 1000
02 6000원
03 53670원
04 (위에서부터) 삼만 천이백구십팔, 64753
05 80372
06 쓰기 53070000(또는 5307만) 읽기 오천삼백칠만
07 60000000 + 9000000 + 100000 + 30000
08 100배
09 1억(또는 100000000)
10 2
11 인성
12 ①
13 37, 4508, 2317
14 1340조에 ○표, 5813427000000에 △표
15 20조 130억, 22조 130억, 24조 130억
16 ㉡
17 풀이 참조, 79억 6780만
18 (1) $<$ (2) $>$
19 풀이 참조, 6개
20 958764321

02 10000은 4000보다 6000만큼 더 큰 수입니다.

03 10000원짜리 지폐가 5장이면 50000원, 1000원짜리 지폐가 3장이면 3000원, 100원짜리 동전이 6개이면 600원, 10원짜리 동전이 7개이면 70원이므로 50000+3000+600+70=53670(원)입니다.

04 31298은 삼만 천이백구십팔이라고 읽습니다.
육만 사천칠백오십삼은 64753이라고 씁니다.

05 48215에서 8은 천의 자리 숫자이고, 8000을 나타냅니다.
80372에서 8은 만의 자리 숫자이고, 80000을 나타냅니다.
74819에서 8은 백의 자리 숫자이고, 800을 나타냅니다.
34280에서 8은 십의 자리 숫자이고, 80을 나타냅니다.

06 10000이 5307개이면 53070000 또는 5307만이라 쓰고, 오천삼백칠만이라고 읽습니다.

07 6913¦0000에서
6은 천만의 자리 숫자이고, 60000000을 나타냅니다.
9는 백만의 자리 숫자이고, 9000000을 나타냅니다.
1은 십만의 자리 숫자이고, 100000을 나타냅니다.
3은 만의 자리 숫자이고, 30000을 나타냅니다.
➡ 69130000=60000000+9000000
+100000+30000

08 38317642에서
(㉠: 첫 번째 3, ㉡: 두 번째 3)
㉠은 천만의 자리 숫자이고, 30000000을 나타냅니다.
㉡은 십만의 자리 숫자이고, 300000을 나타냅니다.
따라서 ㉠이 나타내는 값은 ㉡이 나타내는 값의 100배입니다.

09 9000만보다 1000만만큼 더 큰 수는 1억입니다.

10 일의 자리에서부터 시작하여 네 자리씩 끊어 봅니다.
8213¦7945¦0000이므로 백억의 자리 숫자는 2입니다.

11 팔천육백이억 오천사백삼십칠만을 수로 쓰면 860254370000입니다. 따라서 수를 바르게 쓴 학생은 인성이입니다.

12 ① 1000만이 10개인 수는 1억입니다.

13 일의 자리에서부터 시작하여 네 자리씩 끊어 봅니다.
37¦4508¦2317¦0000이므로
37450823170000은 조가 37개, 억이 4508개, 만이 2317개인 수입니다.

14
- 39¦2670¦1845¦0000
  3은 십조의 자리 숫자이고, 30000000000000를 나타냅니다.
- 1340조 ➡ 1340¦0000¦0000¦0000
  3은 백조의 자리 숫자이고, 300000000000000를 나타냅니다.
- 9300억 ➡ 9300¦0000¦0000
  3은 백억의 자리 숫자이고, 30000000000을 나타냅니다.
- 5¦8134¦2700¦0000
  3은 십억의 자리 숫자이고, 3000000000을 나타냅니다.

따라서 숫자 3이 나타내는 값이 가장 큰 수는 1340조, 가장 작은 수는 5813427000000입니다.

15 2조씩 뛰어 세면 조의 자리 수가 2씩 커집니다.

16 ㉠ 억의 자리 수가 1씩 커지므로 1억씩 뛰어 세었습니다.
㉡ 천만의 자리 수가 1씩 커지므로 1000만씩 뛰어 세었습니다.

17 예 십억의 자리 수가 1씩 커지므로 10억씩 뛰어 세었습니다.
39억 6780만 — 49억 6780만 — 59억 6780만 — 69억 6780만 — 79억 6780만이므로 ㉠에 알맞은 수는 79억 6780만입니다.

채점 기준	
얼마씩 뛰어 세었는지 바르게 구한 경우	50 %
㉠에 알맞은 수를 바르게 구한 경우	50 %

18 (1) 45032 < 201397
(5자리 수) (6자리 수)

(2) 팔천구백오십육만 > 8954만 9700
89560000　89549700
6 > 4

19 예 451397268 < 451□20346에서
억의 자리, 천만의 자리, 백만의 자리 수는 모두 같고 만의 자리 수는 9 > 2이므로 □ 안에는 3보다 큰 수인 4, 5, 6, 7, 8, 9가 들어갈 수 있습니다. 따라서 □ 안에 들어갈 수 있는 수는 모두 6개입니다.

채점 기준	
큰 수의 크기를 비교하는 방법을 이해하여 □ 안에 들어갈 수 있는 수를 모두 구한 경우	50 %
□ 안에 들어갈 수 있는 수는 모두 몇 개인지 바르게 구한 경우	50 %

20 천만의 자리 숫자가 5인 아홉 자리 수는
□5□□□□□□□입니다.
가장 큰 수를 만들어야 하므로 가장 높은 자리 숫자부터 9, 8, 7……을 넣으면 958764321입니다.

1단원 서술형·논술형 평가 12~13쪽

01 풀이 참조, 86310　**02** 풀이 참조, 28장
03 풀이 참조, 3620000개　**04** 풀이 참조, 645312
05 풀이 참조, 7개　**06** 풀이 참조, 100배
07 풀이 참조, 5억 7000만 원
08 풀이 참조, 413억 4900만
09 풀이 참조, A 나라　**10** 풀이 참조, 8, 9

01 예 가장 큰 다섯 자리 수를 만들기 위해서는 만의 자리부터 큰 수를 차례로 놓으면 됩니다. 따라서 수 카드를 한 번씩만 사용하여 만들 수 있는 가장 큰 수는 86310입니다.

채점 기준	
가장 큰 다섯 자리 수를 만들기 위해서는 만의 자리부터 큰 수를 차례로 놓으면 된다는 것을 이해한 경우	50 %
가장 큰 다섯 자리 수를 만든 경우	50 %

02 예 284350을 일의 자리에서부터 시작하여 네 자리씩 끊고, 앞에서부터 '만', '일'의 단위를 사용하여 쓰면 28만 4350입니다.
284350은 만이 28개, 일이 4350개인 수이므로 10000원짜리 지폐는 28장입니다.

채점 기준	
284350은 만이 28개, 일이 4350개인 수라는 것을 이해한 경우	50 %
10000원짜리 지폐가 몇 장인지 바르게 구한 경우	50 %

03 예 10000이 362개인 수는 3620000입니다. 따라서 공장에서 생산한 사탕의 개수는 3620000개입니다.

채점 기준	
10000이 362개인 수는 얼마인지 바르게 구한 경우	50 %
공장에서 생산한 사탕의 개수를 바르게 구한 경우	50 %

04 예 64만보다 크고 65만보다 작은 여섯 자리 수를 64□□□□라고 하면 일의 자리 수가 짝수이므로 남은 짝수인 2를 일의 자리에 넣어 64□□□2가 됩니다. 천의 자리 수 > 백의 자리 수 > 십의 자리 수이고 5 > 3 > 1이므로 조건을 만족하는 수는 645312입니다.

채점 기준	
주어진 조건을 만족하는 수를 구하는 방법을 이해한 경우	50 %
조건을 만족하는 수를 바르게 구한 경우	50 %

05 예 오천구십억 삼천칠백육십만은 억이 5090개, 만이 3760개인 수이므로 509037600000로 쓸 수 있습니다. 따라서 0은 모두 7개입니다.

채점 기준

오천구십억 삼천칠백육십만을 수로 바르게 나타낸 경우	70 %
0의 개수를 바르게 구한 경우	30 %

06 예 ㉠ 4|2873|0000|0000에서 숫자 4는 조의 자리 숫자이고 4000000000000를 나타냅니다.

㉡ 조가 31개, 억이 5480개인 수는 31548000000000입니다.

31|5480|0000|0000에서 숫자 4는 백억의 자리 숫자이고 40000000000을 나타냅니다.

따라서 ㉠의 숫자 4가 나타내는 값은 ㉡의 숫자 4가 나타내는 값의 100배입니다.

채점 기준

㉠의 숫자 4가 나타내는 값과 ㉡의 숫자 4가 나타내는 값을 바르게 구한 경우	50 %
㉠은 ㉡의 몇 배인지를 바르게 구한 경우	50 %

07 예 다섯 달 후의 매출은 5억 2000만 원에서 천만 원씩 다섯 번 늘어난 금액입니다. 5억 2000만에서 천만씩 다섯 번 뛰어 세면 5억 7000만이므로 다섯 달 후의 매출은 5억 7000만 원입니다.

채점 기준

다섯 달 후의 매출을 구하는 방법을 바르게 이해한 경우	50 %
뛰어 세기를 활용하여 다섯 달 후의 매출을 바르게 구한 경우	50 %

08 예 어떤 수는 386억 4900만에서 1억씩 3번 거꾸로 뛰어 센 수이므로 어떤 수는 383억 4900만입니다. 바르게 뛰어 세면 10억씩 3번 뛰어 세어야 하므로 십억의 자리 수가 3 커진 413억 4900만이 됩니다.

채점 기준

어떤 수를 바르게 구한 경우	50 %
바르게 뛰어 센 수를 구한 경우	50 %

09 예 사십칠조 삼천삼백육십오억을 수로 쓰면 47336500000000이므로 B 나라의 올해 교육 예산은 47336500000000원입니다.

모두 14자리 수이므로 가장 높은 자리 수부터 비교합니다. 십조와 조, 천억의 자리 수는 모두 같으므로 백억의 자리 수를 비교해 보면 $9>3$입니다.

따라서 A 나라의 올해 교육 예산이 더 많습니다.

채점 기준

두 수를 바르게 비교한 경우	70 %
올해 교육 예산이 더 많은 나라를 바르게 구한 경우	30 %

10 예 81347596 < 813㉠0924에서 두 수는 모두 8자리 수이므로 가장 높은 자리 수부터 비교합니다. 천만과 백만, 십만의 자리 수는 모두 같고 만의 자리 수는 4 < ㉠, 천의 자리 수는 $7>0$이므로 ㉠에 들어갈 수 있는 수는 4보다 큰 수인 5, 6, 7, 8, 9입니다.

61㉡2014758 > 6173028450에서 두 수는 모두 10자리 수이므로 가장 높은 자리 수부터 비교합니다. 십억과 억의 자리 수는 모두 같고 천만의 자리 수는 ㉡ > 7, 백만의 자리 수는 $2<3$이므로 ㉡에 들어갈 수 있는 수는 7보다 큰 수인 8, 9입니다.

따라서 ㉠과 ㉡에 공통으로 들어갈 수 있는 수는 8, 9입니다.

채점 기준

㉠과 ㉡에 각각 들어갈 수 있는 수를 바르게 구한 경우	70 %
㉠과 ㉡에 공통으로 들어갈 수 있는 수를 바르게 구한 경우	30 %

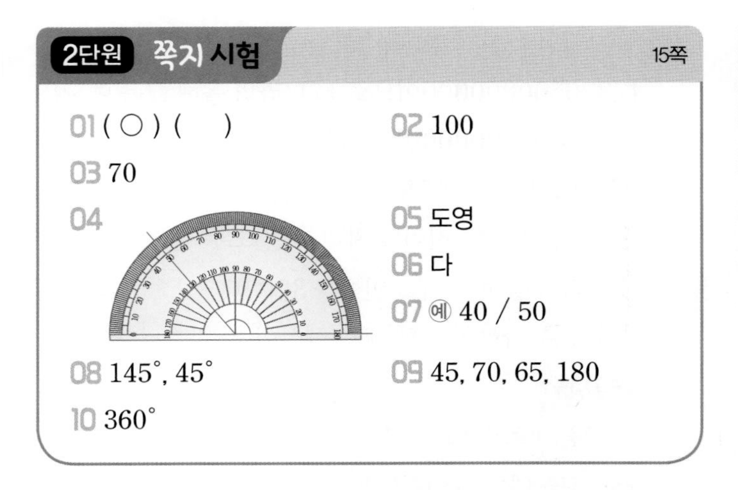

2단원 쪽지 시험 15쪽

01 (○) ( )
02 100
03 70
04
05 도영
06 다
07 예 40 / 50
08 145°, 45°
09 45, 70, 65, 180
10 360°

01 각의 크기는 변의 길이와 관계없이 두 변이 많이 벌어질수록 큰 각입니다.

02 각의 한 변이 각도기 안쪽 눈금 0에 맞춰져 있는지, 바깥쪽 눈금 0에 맞춰져 있는지 확인해 읽습니다.

03 각도기를 이용하여 각도를 잴 때는 각도기의 중심과 각의 꼭짓점을, 각도기의 밑금과 각의 한 변을 맞춥니다.

04 각도기의 밑금에서 시작해 주어진 각도가 되는 눈금에 점을 표시하고, 선으로 연결합니다.

05 예각: 각도가 0°보다 크고 직각보다 작은 각
둔각: 각도가 직각보다 크고 180°보다 작은 각

07 직각 삼각자의 각도(30°, 45°, 60°, 90°)를 이용하면 각도기로 잰 각도에 더 가깝게 어림할 수 있습니다.

08 각도의 합과 차는 자연수의 덧셈, 뺄셈과 같은 방법으로 계산합니다.
합: $95° + 50° = 145°$
차: $95° - 50° = 45°$

09 삼각형의 세 각의 크기의 합은 180°입니다.

10 사각형의 네 각의 크기의 합은 360°입니다.

16~18쪽

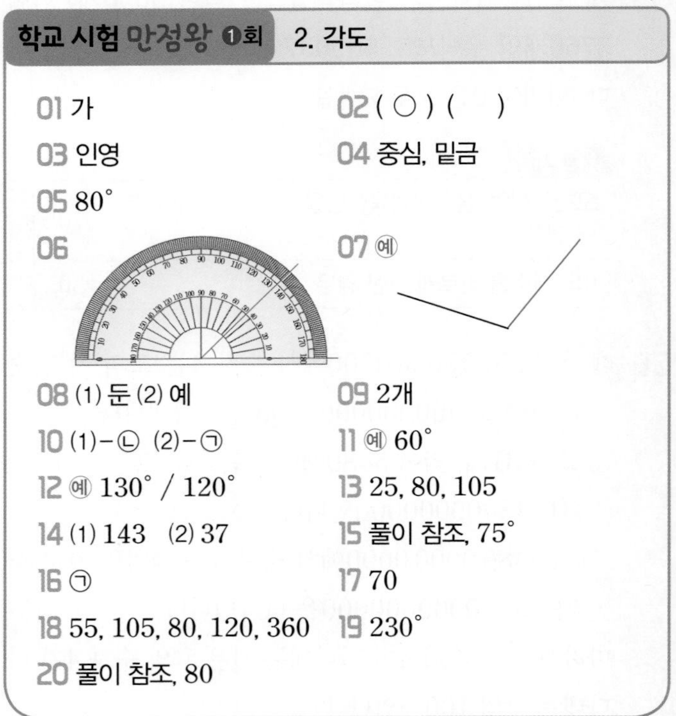

학교 시험 만점왕 1회 2. 각도

01 가
02 (○) ( )
03 인영
04 중심, 밑금
05 80°
06
07 예
08 (1) 둔 (2) 예
09 2개
10 (1)-㉡ (2)-㉠
11 예 60°
12 예 130° / 120°
13 25, 80, 105
14 (1) 143 (2) 37
15 풀이 참조, 75°
16 ㉠
17 70
18 55, 105, 80, 120, 360
19 230°
20 풀이 참조, 80

02 변의 길이와 관계없이 두 변이 많이 벌어질수록 더 큰 각입니다.

03 각의 한 변이 각도기 바깥쪽 눈금 0에 맞춰져 있으므로 각의 나머지 변과 만나는 바깥쪽 눈금을 읽으면 50°입니다. 따라서 각도를 바르게 구한 학생은 인영이입니다.

05 각도기의 중심과 각의 꼭짓점을, 각도기의 밑금과 각의 한 변을 맞추어 각도를 재어 봅니다.

06 각도기 안쪽 눈금 0에서 시작해 45°가 되는 곳에 점을 표시하여 각을 그립니다.

08 (1) 각도가 직각보다 크고 180°보다 작으므로 둔각입니다.
(2) 각도가 0°보다 크고 직각보다 작으므로 예각입니다.

09 둔각은 각도가 직각보다 크고 180°보다 작은 각입니다. 따라서 둔각은 170°, 120°로 모두 2개입니다.

10 예각은 각도가 0°보다 크고 직각보다 작은 각입니다.
둔각은 각도가 직각보다 크고 180°보다 작은 각입니다.

11 직각 삼각자의 각도(30°, 45°, 60°, 90°)를 이용하면 각도기로 잰 각도에 더 가깝게 어림할 수 있습니다.

13 두 각도의 합은 자연수의 덧셈과 같은 방법으로 계산합니다. ➡ 25°+80°=105°

14 각도의 합과 차는 자연수의 덧셈, 뺄셈과 같은 방법으로 계산합니다.
(1) 74°+69°=143°
(2) 135°−98°=37°

15 예 각도기를 이용하여 세 각의 크기를 각각 재어 보면 왼쪽부터 100°, 60°, 25°입니다. 가장 큰 각이 100°이고 가장 작은 각이 25°이므로 두 각도의 차는 100°−25°=75°입니다.

채점 기준

가장 큰 각과 가장 작은 각의 크기를 바르게 구한 경우	70 %
가장 큰 각과 가장 작은 각의 각도의 차를 바르게 구한 경우	30 %

16 삼각형의 세 각의 크기의 합은 180°입니다.
㉠ 50°+40°+80°=170°
㉡ 25°+120°+35°=180°
따라서 삼각형의 세 각이 잘못 표시된 것의 기호는 ㉠입니다.

17 45°+65°+□°=180°
➡ □°=180°−45°−65°=70°

18 사각형의 네 각의 크기의 합은 360°입니다.

19 사각형의 네 각의 크기의 합은 360°이므로
㉠+㉡+95°+35°=360°입니다.
따라서 ㉠+㉡=360°−95°−35°=230°입니다.

20 예
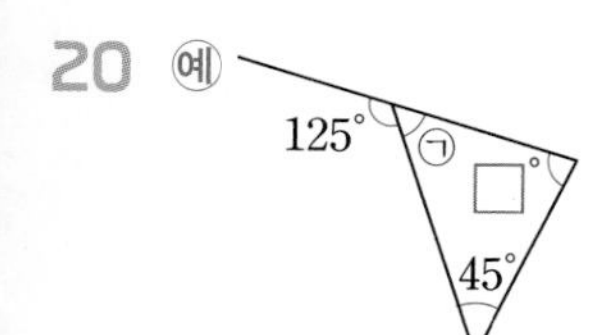

일직선이 이루는 각은 180°이므로 125°+㉠=180°,
㉠=180°−125°=55°입니다.
삼각형의 세 각의 크기의 합은 180°이므로
55°+45°+□°=180°,
□°=180°−55°−45°=80°입니다.

채점 기준

일직선이 이루는 각은 180°임을 이용하여 삼각형의 나머지 한 각(㉠)의 크기를 바르게 구한 경우	50 %
삼각형의 세 각의 크기의 합을 이용하여 □ 안에 알맞은 수를 바르게 구한 경우	50 %

19~21쪽

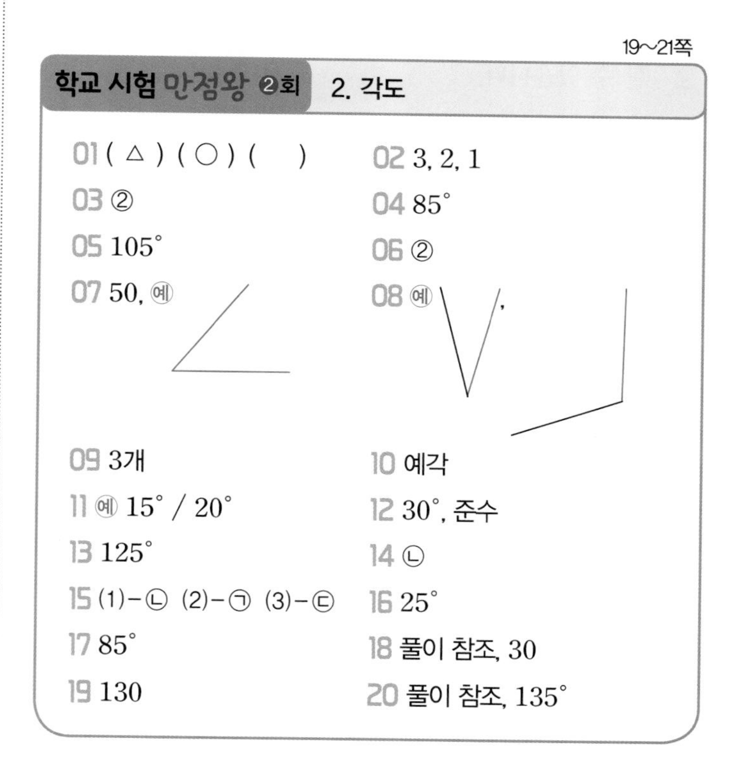

학교 시험 만점왕 ❷회 2. 각도

01 (△) (○) (   )
02 3, 2, 1
03 ②
04 85°
05 105°
06 ②
07 50, 예
08 예
09 3개
10 예각
11 예 15° / 20°
12 30°, 준수
13 125°
14 ㉡
15 (1)-㉡ (2)-㉠ (3)-㉢
16 25°
17 85°
18 풀이 참조, 30
19 130
20 풀이 참조, 135°

01 각의 크기는 변의 길이와 관계없이 두 변이 많이 벌어질수록 큰 각입니다.

03 ② 직각을 똑같이 90으로 나눈 것 중 하나를 1도라고 합니다.

04 각의 한 변이 각도기 안쪽 눈금 0에 맞춰져 있으므로 각의 나머지 변과 만나는 안쪽 눈금을 읽으면 85°입니다.

05 각도기의 중심과 각의 꼭짓점을, 각도기의 밑금과 각의 한 변을 맞추어 각도를 재어 봅니다.

06 각의 한 변이 각도기 바깥쪽 눈금 0에 맞춰져 있으므로 각도가 60°인 각 ㄱㄴㄷ을 그리려면 ②번에 찍어야 합니다.

09 둔각은 각도가 직각보다 크고 180°보다 작은 각입니다.

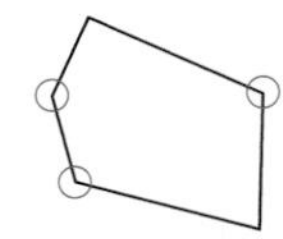

따라서 도형에서 찾을 수 있는 둔각은 모두 3개입니다.

10 시계의 긴바늘과 짧은바늘이 이루는 작은 쪽의 각이 0°보다 크고 직각보다 작으므로 예각입니다.

11 각도를 어림할 때, 직각 삼각자의 각도(30°, 45°, 60°, 90°)를 이용하면 각도기로 잰 각도에 더 가깝게 어림할 수 있습니다.

12 각도기를 이용하여 잰 각도와 어림한 각도의 차가 작을수록 어림을 더 가깝게 한 것이므로 준수가 어림을 더 잘하였습니다.

13 (각 ㄱㄴㄹ)=(각 ㄱㄴㄷ)+(각 ㄷㄴㄹ)
$=45^\circ+80^\circ=125^\circ$

14 ㉠ $112^\circ-59^\circ=53^\circ$
㉡ $76^\circ-18^\circ=58^\circ$
$53^\circ<58^\circ$이므로 ㉡의 각도가 더 큽니다.

15 (1) $66^\circ+54^\circ=120^\circ$ (2) $38^\circ+99^\circ=137^\circ$
(3) $102^\circ-48^\circ=54^\circ$
㉠ $75^\circ+62^\circ=137^\circ$ ㉡ $175^\circ-55^\circ=120^\circ$
㉢ $163^\circ-109^\circ=54^\circ$

16 일직선이 이루는 각은 180°이므로
$20^\circ+$㉠$+135^\circ=180^\circ$에서
㉠$=180^\circ-20^\circ-135^\circ=25^\circ$입니다.

17 삼각형의 세 각의 크기의 합은 180°이므로
㉠+㉡$+95^\circ=180^\circ$에서
㉠+㉡$=180^\circ-95^\circ=85^\circ$입니다.

18 ㉧ 위쪽의 직각 삼각자의 세 각의 크기는 오른쪽과 같고,
아래쪽의 직각 삼각자의 세 각의 크기는 오른쪽과 같습니다.
위쪽 직각 삼각자의 90°에서 아래쪽 직각 삼각자의 60°를 빼면 $90^\circ-60^\circ$$=30^\circ$이므로 □ 안에 알맞은 수는 30입니다.

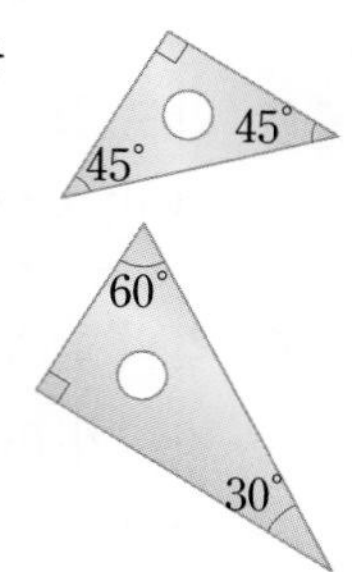

채점 기준

□ 안에 알맞은 수를 구하는 방법을 바르게 이해한 경우	70 %
□ 안에 알맞은 수를 바르게 구한 경우	30 %

19 사각형의 네 각의 크기의 합은 360°이므로
$100^\circ+\square^\circ+70^\circ+60^\circ=360^\circ$에서
$\square^\circ=360^\circ-100^\circ-70^\circ-60^\circ=130^\circ$입니다.

20 ㉧ 일직선이 이루는 각은 180°이므로
㉠$+80^\circ+65^\circ=180^\circ$에서
㉠$=180^\circ-80^\circ-65^\circ=35^\circ$입니다.
사각형의 네 각의 크기의 합은 360°이므로
㉡$+65^\circ+75^\circ+120^\circ=360^\circ$에서
㉡$=360^\circ-65^\circ-75^\circ-120^\circ=100^\circ$입니다.
따라서 ㉠과 ㉡의 각도의 합은 $35^\circ+100^\circ=135^\circ$입니다.

채점 기준

㉠과 ㉡의 각도를 각각 바르게 구한 경우	70 %
㉠과 ㉡의 각도의 합을 바르게 구한 경우	30 %

2단원 서술형·논술형 평가 22~23쪽

01 풀이 참조, ㉡ **02** 풀이 참조, 현민
03 ㉧ 정미는 각도기의 밑금과 각의 한 변을 맞추지 않았습니다. / ㉧ 각도기의 밑금을 각의 한 변에 맞춥니다.
04 풀이 참조, 둔각 **05** 풀이 참조, ㉠
06 ㉧ 약 120° / 직각 삼각자의 각인 60°의 두 배쯤 되는 것 같아서 약 120°라고 어림하였습니다. 직각인 90°보다 조금 더 큰 것 같아서 약 120°라고 어림하였습니다. 등
07 풀이 참조, ㉠
08 풀이 참조, 75° **09** 풀이 참조, 135°
10 풀이 참조, 140°

01 예 ㉠에는 보기 의 부챗살이 이루는 각이 3개 있고, ㉡에는 5개 있습니다. 따라서 ㉡이 더 많이 벌어진 부채입니다.

채점 기준

부챗살이 이루는 각의 수를 각각 바르게 구한 경우	70 %
㉠과 ㉡ 중 더 많이 벌어진 부채를 바르게 찾은 경우	30 %

02 예 각의 한 변이 안쪽 눈금 0에 맞춰져 있으므로 각의 나머지 변과 만나는 안쪽 눈금을 읽으면 30도(또는 30°)입니다. 따라서 각도를 잘못 읽은 학생은 현민이입니다.

채점 기준

각도를 읽는 방법을 알고 각도를 바르게 읽은 경우	70 %
각도를 잘못 읽은 학생의 이름을 바르게 적은 경우	30 %

03

채점 기준

그림에서 잘못된 부분을 바르게 설명한 경우	50 %
각도를 바르게 재는 방법을 알맞게 설명한 경우	50 %

04 예 주어진 시각을 시계에 나타내면 오른쪽과 같습니다.
시계의 긴바늘과 짧은바늘이 이루는 작은 쪽의 각의 크기가 직각보다 크고 180°보다 작으므로 둔각입니다.

채점 기준

5시 45분이 이루는 각을 바르게 이해한 경우	50 %
시계의 긴바늘과 짧은바늘이 이루는 작은 쪽의 각이 둔각임을 바르게 적은 경우	50 %

05 예 둔각은 각도가 직각보다 크고 180°보다 작은 각입니다.

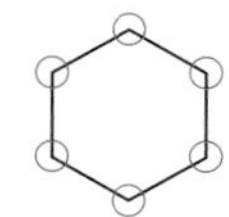
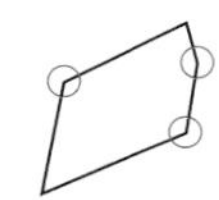
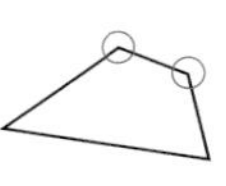

㉠에서 찾을 수 있는 둔각은 6개,
㉡에서 찾을 수 있는 둔각은 3개,
㉢에서 찾을 수 있는 둔각은 2개이므로
둔각이 가장 많은 도형의 기호는 ㉠입니다.

채점 기준

세 도형에서 찾을 수 있는 둔각의 수를 바르게 구한 경우	70 %
세 도형 중 둔각이 가장 많은 도형의 기호를 바르게 쓴 경우	30 %

06

채점 기준

각도를 어림한 경우	30 %
어림한 이유를 바르게 설명한 경우	70 %

07 예 각도의 합과 차는 자연수의 덧셈, 뺄셈과 같은 방법으로 계산합니다.
㉠ $123^\circ-36^\circ=87^\circ$, ㉡ $48^\circ+57^\circ=105^\circ$이고
예각은 각도가 0°보다 크고 직각보다 작은 각이므로 계산한 각도가 예각인 것은 ㉠입니다.

채점 기준

각도의 합과 차를 바르게 구한 경우	50 %
계산한 각도가 예각인 것의 기호를 바르게 구한 경우	50 %

08 예 일직선이 이루는 각은 180°이므로 $140^\circ+$㉡$=180^\circ$에서
㉡$=180^\circ-140^\circ=40^\circ$입니다.
삼각형의 세 각의 크기의 합은 180°이므로
$65^\circ+$㉠$+40^\circ=180^\circ$에서
㉠$=180^\circ-65^\circ-40^\circ=75^\circ$입니다.

채점 기준

삼각형의 나머지 한 각(㉡)의 크기를 바르게 구한 경우	50 %
㉠의 각도를 바르게 구한 경우	50 %

09 예 나머지 한 각의 크기를 □라고 하면
사각형의 네 각의 크기의 합은 360°이므로
$45^\circ+80^\circ+100^\circ+\square=360^\circ$입니다.
따라서 $\square=360^\circ-45^\circ-80^\circ-100^\circ=135^\circ$입니다.

채점 기준

사각형의 네 각의 크기의 합이 360°임을 알고 있는 경우	50 %
나머지 한 각의 크기를 바르게 구한 경우	50 %

10 예 삼각형의 세 각의 크기의 합은 180°이므로

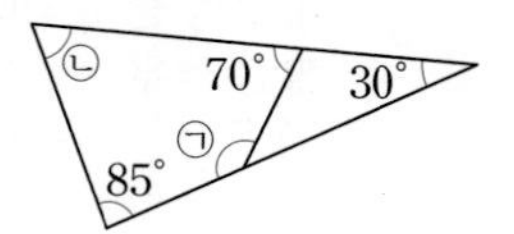

㉡$+85°+30°=180°$에서

㉡$=180°-30°-85°=65°$입니다.

사각형의 네 각의 크기의 합은 360°이므로

$65°+85°+$㉠$+70°=360°$에서

㉠$=360°-65°-85°-70°=140°$입니다.

채점 기준

삼각형의 나머지 한 각(㉡)의 크기를 바르게 구한 경우	50 %
㉠의 각도를 바르게 구한 경우	50 %

3단원 쪽지 시험 25쪽

01 33040　02 56000

03 60, 9420, 1413, 10833

04 (1) (위에서부터) 4, 320, 0 (2) (위에서부터) 6, 360, 0

05 (위에서부터) 6, 84, 5 / 6, 84, 84, 89

06 (위에서부터) 8, 184, 0 / 8, 184

07 (위에서부터) 24, 72, 144, 144, 0

08 (위에서부터) 18, 32, 260, 256, 4 / 18, 576, 576, 580

09 (○) (　)　10 (　) (○)

01 472×70의 계산은 472×7의 값에 0은 1개 붙입니다.

02 (몇백)$\times$(몇십)의 계산은 (몇)$\times$(몇)의 값에 곱하는 두 수의 0의 개수만큼 0을 붙입니다.

03 157×69는 157×60과 157×9의 합으로 나타낼 수 있습니다.

04 (1)
$$\begin{array}{r} 4 \\ 80\overline{)320} \\ 320 \\ \hline 0 \end{array}$$
(2)
$$\begin{array}{r} 6 \\ 60\overline{)360} \\ 360 \\ \hline 0 \end{array}$$

05
$$\begin{array}{r} 6 \\ 14\overline{)89} \\ 84 \\ \hline 5 \end{array}$$
계산 결과 확인 $14\times6=84,\ 84+5=89$

06
$$\begin{array}{r} 8 \\ 23\overline{)184} \\ 184 \\ \hline 0 \end{array}$$
계산 결과 확인 $23\times8=184$

07
$$\begin{array}{r} 24 \\ 36\overline{)864} \\ 72 \\ \hline 144 \\ 144 \\ \hline 0 \end{array}$$

08

```
      18
32)580
    32
   260
   256
     4
```

계산 결과 확인 $32\times18=576$, $576+4=580$

09 $243\div13=18\cdots9$, $186\div11=16\cdots10$이고 $18>16$이므로 $243\div13$의 몫이 더 큽니다.

10 초콜릿 20상자에 들어 있는 초콜릿의 수를 구하는 식은 125×20입니다.

26~28쪽

학교 시험 만점왕 ❶회 3. 곱셈과 나눗셈

01 (왼쪽에서부터) 4480, 44800 / 44800
02 (1)-ⓛ (2)-㉠
03 ( ) (○)
04 19053
05 21576 g
06 (왼쪽에서부터) 6 / 6, 240, 0
07 8
08 (1)-㉠ (2)-ⓛ
09 6
10 풀이 참조
11 5, 6
12 2, 3, 1
13 풀이 참조 / $19\times43=817$
14 (○) (○) (△)
15 풀이 참조 / $43\times14=602$, $602+6=608$
16 27
17 29784원
18 17860
19 풀이 참조, 25, 3
20 풀이 참조, 34봉지

01 560×80의 계산은 560×8의 값에 0을 1개 붙입니다.

02 (몇백)×(몇십)의 계산은 (몇)×(몇)의 값에 곱하는 두 수의 0의 개수만큼 0을 붙입니다.

03 $624\times35=\underbrace{624\times30}_{18720}+\underbrace{624\times5}_{3120}$
$=21840$

04

```
      2 1 9
   ×    8 7
   ---------
    1 5 3 3
  1 7 5 2
  ---------
  1 9 0 5 3
```

05 (동화책 62권의 무게)
=(동화책 한 권의 무게)×(동화책의 수)
$=348\times62=21576$(g)

06 $240\div40=6$

```
       6
40)240
   240
     0
```

07

```
       8
70)560
   560
     0
```

08 (1)

```
       7
50)350
   350
     0
```

(2)

```
       9
90)810
   810
     0
```

09 78과 13의 크기를 비교하면 더 큰 수는 78이고 더 작은 수는 13입니다.

```
      6
13)78
   78
    0
```

10

```
       8
74)599
   592
     7
```

11 100이 4개, 10이 2개, 1이 1개인 수는 421입니다. $421\div83=5\cdots6$이므로 몫은 5, 나머지는 6입니다.

12

```
      15          12          22
41)615     73)876     25)550
   41          73          50
   205         146          50
   205         146          50
     0           0           0
```

몫이 큰 순서대로 번호를 쓰면 2, 3, 1입니다.

13
```
      4 3
19)8 1 7
    7 6
    ────
      5 7
      5 7
    ────
        0
```

14 나누어지는 세 자리 수의 왼쪽 두 자리 수가 나누는 수보다 크면 몫이 두 자리 수입니다.

901÷88 ➡ 90＞88이므로 몫이 두 자리 수입니다.

469÷35 ➡ 46＞35이므로 몫이 두 자리 수입니다.

248÷52 ➡ 24＜52이므로 몫이 한 자리 수입니다.

15
```
      1 4
43)6 0 8
    4 3
    ─────
    1 7 8
    1 7 2
    ─────
        6
```

16 나눗셈에서 나머지는 항상 나누는 수보다 작아야 합니다. 따라서 나머지가 될 수 있는 수 중에서 가장 큰 수는 28보다 1 작은 27입니다.

17 (총 기부되는 금액)

＝(초콜릿 1통당 기부되는 금액)×(통의 수)

＝876×34＝29784(원)

18 수 카드 5장을 한 번씩만 사용하여 만들 수 있는 가장 작은 세 자리 수는 235이고, 가장 큰 두 자리 수는 76이므로 235×76＝17860입니다.

19 예 어떤 수를 □라고 하면 □＋38＝991이므로 □＝991－38＝953입니다.

953÷38＝25…3이므로

바르게 계산하였을 때의 몫은 25, 나머지는 3입니다.

채점 기준	
어떤 수를 바르게 구한 경우	50 %
바르게 계산하였을 때의 몫과 나머지를 구한 경우	50 %

20 예 복숭아는 모두 23×18＝414(개)이고

복숭아를 12개씩 봉지에 담으면

414÷12＝34…6이므로 12개씩 34봉지까지 담을 수 있습니다.

채점 기준	
복숭아는 모두 몇 개인지 바르게 구한 경우	50 %
복숭아를 12개씩 몇 봉지까지 담을 수 있는지 바르게 구한 경우	50 %

29~31쪽

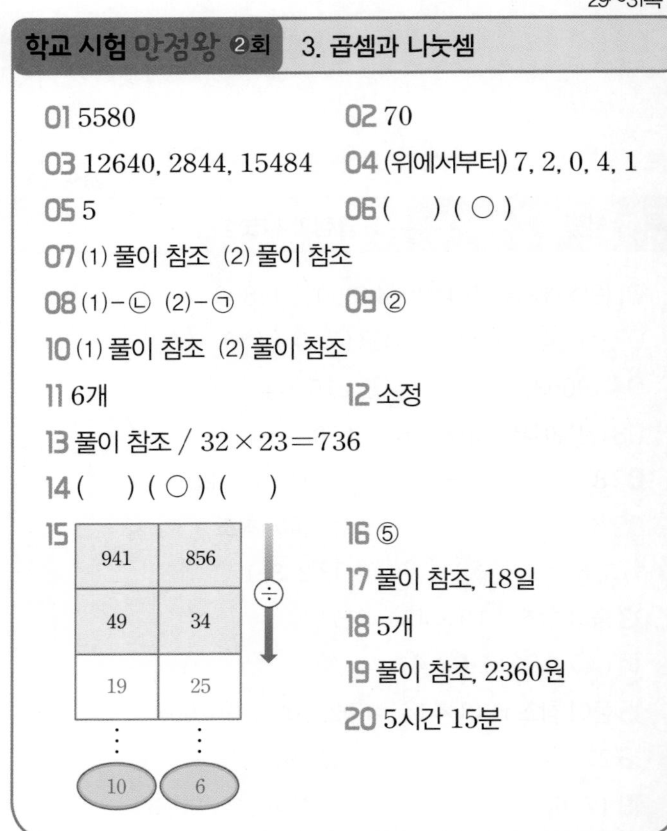

학교 시험 만점왕 2회 3. 곱셈과 나눗셈

01 5580　02 70

03 12640, 2844, 15484　04 (위에서부터) 7, 2, 0, 4, 1

05 5　06 (　) (○)

07 (1) 풀이 참조 (2) 풀이 참조

08 (1)-㉡ (2)-㉠　09 ②

10 (1) 풀이 참조 (2) 풀이 참조

11 6개　12 소정

13 풀이 참조 / 32×23＝736

14 (　) (○) (　)

15

16 ⑤

17 풀이 참조, 18일

18 5개

19 풀이 참조, 2360원

20 5시간 15분

01 186×30＝5580

02 (몇백)×(몇십)의 계산은 (몇)×(몇)의 값에 곱하는 두 수의 0의 개수만큼 0을 붙입니다.

800은 0이 2개이고, 56000은 0이 3개이므로 □는 0이 1개인 수이고, 8×7＝56이므로 □ 안에 알맞은 수는 70입니다.

03 316×49는 316×40과 316×9의 합으로 나타낼 수 있습니다.

04 • $4\times5=20$이므로 ㉢$=0$입니다.
• ㉠$\times5+1=36$이므로 ㉠$=7$입니다.
$724\times2=1448$이므로
㉡$=2$, ㉣$=4$입니다.
• $724\times25=18100$이므로 ㉤$=1$입니다.

$$\begin{array}{r} ㉠\,2\,4 \\ \times\quad ㉡\,5 \\ \hline 3\,6\,2\,㉢ \\ 1\,㉣\,4\,8\, \\ \hline 1\,8\,㉤\,0\,0 \end{array}$$

05 $825\times67=55275$이므로 만의 자리 숫자는 5입니다.

06 $42\div6$의 몫은 7이고 $420\div6$의 몫은 70, $420\div60$의 몫은 7이므로 $42\div6$의 몫과 몫이 같은 것은 $420\div60$입니다.

07 (1)
$$\begin{array}{r} 3 \\ 70\overline{)210} \\ 210 \\ \hline 0 \end{array}$$
(2)
$$\begin{array}{r} 6 \\ 80\overline{)480} \\ 480 \\ \hline 0 \end{array}$$

08 (1) $150\div30=5$ (2) $400\div50=8$
㉠ $640\div80=8$ ㉡ $200\div40=5$

09 82를 80으로, 21을 20으로 어림하여 $80\div20$을 계산하면 몫을 4로 어림할 수 있습니다.

10 (1)
$$\begin{array}{r} 3 \\ 24\overline{)82} \\ 72 \\ \hline 10 \end{array}$$
(2)
$$\begin{array}{r} 4 \\ 48\overline{)201} \\ 192 \\ \hline 9 \end{array}$$

11 $94\div22=4\cdots6$이므로 학생들에게 마스크를 똑같이 나누어 준 뒤 남는 마스크는 6개입니다.

12 $676\div52$의 몫은 13이므로 나누어지는 수의 십의 자리 위에 1, 일의 자리 위에 3을 적어야 합니다.

13
$$\begin{array}{r} 23 \\ 32\overline{)736} \\ 64 \\ \hline 96 \\ 96 \\ \hline 0 \end{array}$$

14 $665\div44=15\cdots5$, $462\div38=12\cdots6$, $389\div16=24\cdots5$이므로 나머지가 다른 나눗셈은 $462\div38$입니다.

16 나눗셈에서 나머지는 항상 나누는 수보다 작아야 합니다.

17 예 (예원이가 하루 동안 읽는 책의 쪽수)
$=15+14=29$(쪽)
500쪽짜리 과학책을 하루에 29쪽씩 읽으므로
$500\div29=17\cdots7$입니다.
29쪽씩 17일 동안 읽을 수 있고, 마지막에 7쪽이 남으므로 과학책을 모두 다 읽으려면 18일이 걸립니다.

채점 기준

나눗셈식을 바르게 계산한 경우	50 %
과학책을 모두 다 읽으려면 며칠이 걸리는지 바르게 구한 경우	50 %

18 $994\div13=76\cdots6$이므로 $14\times\square$는 76보다 작아야 합니다. $14\times5=70$, $14\times6=84$이므로 1부터 9까지의 자연수 중에서 □ 안에 들어갈 수 있는 수는 1, 2, 3, 4, 5로 5개입니다.

19 예 음료수의 값은 모두 $630\times28=17640$(원)입니다.
20000원을 냈으므로 거스름돈으로 받아야 하는 돈은 $20000-17640=2360$(원)입니다.

채점 기준

음료수의 값은 모두 얼마인지 바르게 구한 경우	50 %
거스름돈으로 받아야 하는 돈은 얼마인지 바르게 구한 경우	50 %

20 1시간은 60분이므로 315분을 60으로 나누어 봅니다.
$315\div60=5\cdots15$이므로 315분은 5시간 15분입니다.

3단원 서술형·논술형 평가 32~33쪽

01 풀이 참조, 7500회
02 풀이 참조, 10404 g
03 풀이 참조, 8도막, 7 cm
04 풀이 참조, 8개
05 풀이 참조, 6개
06 풀이 참조, 13그루
07 풀이 참조, 809
08 풀이 참조, 441
09 풀이 참조, 15번
10 풀이 참조, 35

01 예 도연이가 50일 동안 한 줄넘기의 횟수는 (도연이가 하루 동안 한 줄넘기의 횟수)×(줄넘기를 한 날수)와 같습니다.
150×50=7500이므로 도연이가 50일 동안 한 줄넘기는 7500회입니다.

채점 기준

문제에 알맞은 곱셈식을 세운 경우	30 %
식을 바르게 계산한 경우	40 %
줄넘기를 한 횟수를 바르게 구한 경우	30 %

02 예 배 17개의 무게는 (배 1개의 무게)×(배의 수)와 같습니다.
612×17=10404이므로 어머니께서 사 오신 배의 무게는 모두 10404 g입니다.

채점 기준

문제에 알맞은 곱셈식을 세운 경우	30 %
식을 바르게 계산한 경우	40 %
배 17개의 무게를 바르게 구한 경우	30 %

03 예 길이가 407 cm인 철사를 한 도막이 50 cm가 되도록 잘라야 하므로 407÷50=8…7입니다.
따라서 50 cm짜리 철사는 8도막까지 만들 수 있고, 남은 철사는 7 cm입니다.

채점 기준

문제에 알맞은 나눗셈식을 세운 경우	30 %
식을 바르게 계산한 경우	40 %
만들 수 있는 철사 도막의 수와 남은 철사의 길이를 바르게 구한 경우	30 %

04 예 달걀 88개를 10개씩 상자에 담아 포장하므로 88÷10=8…8입니다.
따라서 10개씩 8상자를 포장할 수 있고, 남는 달걀은 8개입니다.

채점 기준

문제에 알맞은 나눗셈식을 세운 경우	30 %
식을 바르게 계산한 경우	40 %
남는 달걀의 개수를 바르게 구한 경우	30 %

05 예 A 제과점에서 만든 쿠키는 960÷32=30(개)이고 B 제과점에서 만든 쿠키는 960÷40=24(개)입니다. 따라서 A 제과점에서 만든 쿠키는 B 제과점에서 만든 쿠키보다 30−24=6(개) 더 많습니다.

채점 기준

각 제과점에서 만든 쿠키의 수를 바르게 구한 경우	70 %
A 제과점에서 만든 쿠키가 B 제과점에서 만든 쿠키보다 몇 개 더 많은지 바르게 구한 경우	30 %

06 예 (간격 수)=612÷51=12(군데)
길 한쪽에 처음부터 끝까지 심는 나무는 12+1=13(그루)입니다.
따라서 필요한 나무는 13그루입니다.

채점 기준

문제에 알맞은 나눗셈식을 세운 경우	30 %
식을 바르게 계산한 경우	30 %
필요한 나무의 수를 바르게 구한 경우	40 %

07 예 어떤 수를 □라고 하면 □÷26=31…3입니다.
따라서 26×31=806, 806+3=809이므로 어떤 수는 809입니다.

채점 기준

어떤 수를 구하는 식을 바르게 세운 경우	50 %
어떤 수를 바르게 구한 경우	50 %

08 예 62로 나누어떨어지는 수는 62×1=62, 62×2=124, 62×3=186, 62×4=248, 62×5=310, 62×6=372, 62×7=434, 62×8=496……이므로
62로 나누었을 때 나머지가 7인 수는 62+7=69, 124+7=131, 186+7=193, 248+7=255, 310+7=317, 372+7=379, 434+7=441, 496+7=503……입니다.
따라서 400보다 크고 500보다 작은 수 중에서 62로 나누었을 때 나머지가 7인 수는 441입니다.

채점 기준

62로 나누어떨어지는 수를 바르게 구한 경우	30 %
62로 나누었을 때 나머지가 7인 수를 바르게 구한 경우	40 %
400보다 크고 500보다 작은 수 중에서 62로 나누었을 때 나머지가 7인 수를 바르게 구한 경우	30 %

09 예 엘리베이터의 운행 횟수는 (4학년 학생 수)÷(한 번에 엘리베이터에 탈 수 있는 학생 수)이므로 175÷12=14…7이고, 모든 학생이 엘리베이터를 타야 하므로 14번을 운행하고 나서도 타지 못한 나머지 7명을 위해 엘리베이터는 한 번 더 운행해야 합니다. 따라서 엘리베이터는 적어도 15번 운행해야 합니다.

채점 기준

문제에 알맞은 나눗셈식을 세운 경우	30 %
식을 바르게 계산한 경우	30 %
엘리베이터의 운행 횟수를 바르게 구한 경우	40 %

10 예 923×54=49842이므로 ㉠=8입니다.
507÷31=16…11이므로 ㉡=16, ㉢=11입니다.
따라서 ㉠+㉡+㉢=8+16+11=35입니다.

채점 기준

923×54를 바르게 계산한 경우	40 %
507÷31을 바르게 계산한 경우	40 %
㉠+㉡+㉢을 바르게 구한 경우	20 %

4단원 쪽지 시험

35쪽

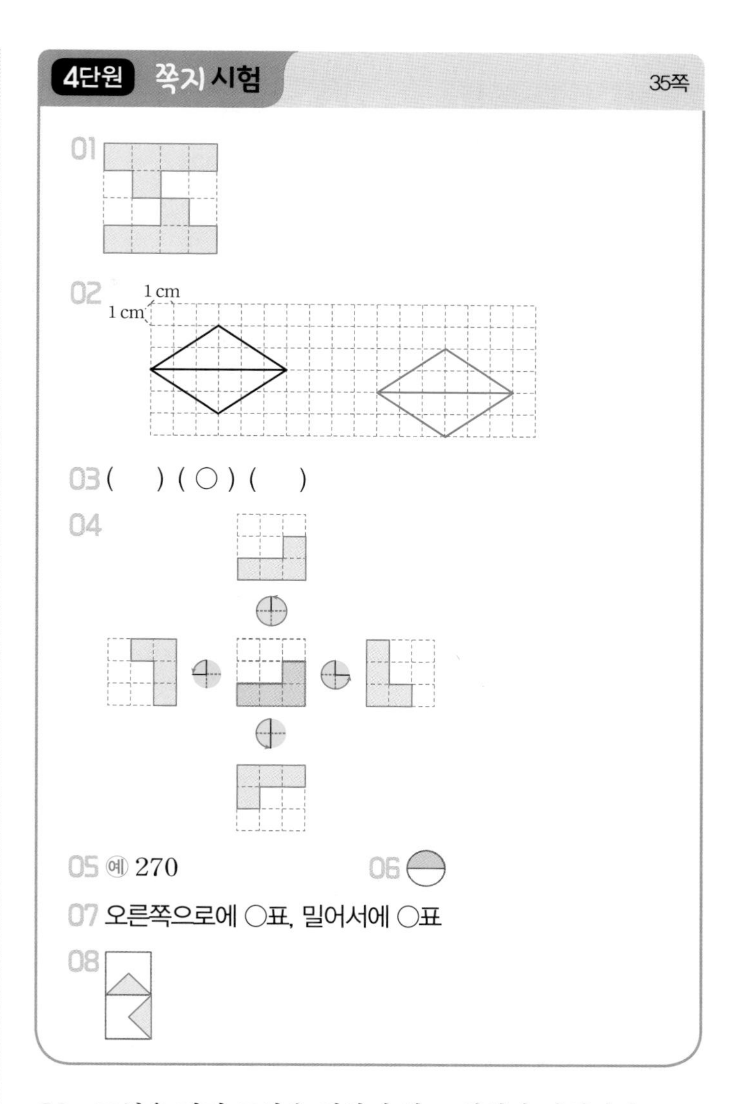

01 도형을 밀면 모양은 변하지 않고 위치만 바뀝니다.

03 도형을 오른쪽으로 뒤집으면 도형의 오른쪽과 왼쪽이 서로 바뀝니다.

05 ㉯ 도형의 위쪽 부분과 ㉮ 도형의 왼쪽 부분 모양이 같으므로 ㉯ 도형을 시계 방향으로 270°만큼 돌리면 ㉮ 도형이 됩니다.

06 주어진 도형을 시계 방향으로 90°만큼 돌리면 (도형)이 되고 이 도형을 아래쪽으로 뒤집으면 (도형)이됩니다.

08 (도형) 모양을 시계 방향으로 90°만큼 돌리는 것을 반복해서 모양을 만들고 그 모양을 오른쪽과 아래쪽으로 밀어서 무늬를 만들었습니다.

학교 시험 만점왕 ①회 4. 평면도형의 이동

01 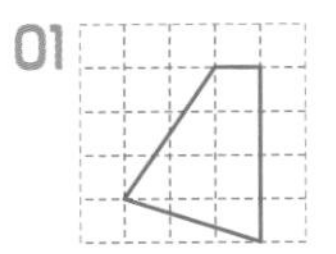

02 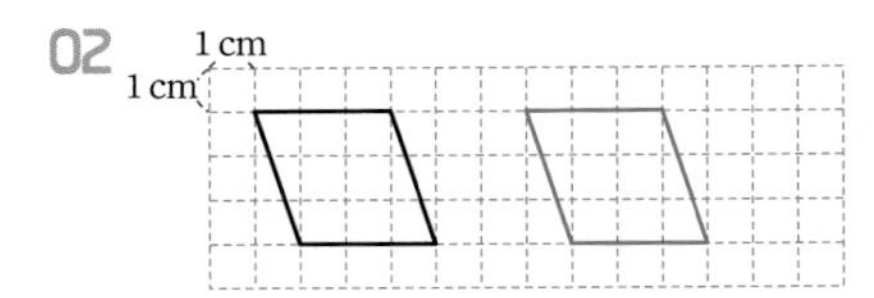

03 (○) ( ) ( )

04 (1) (2) 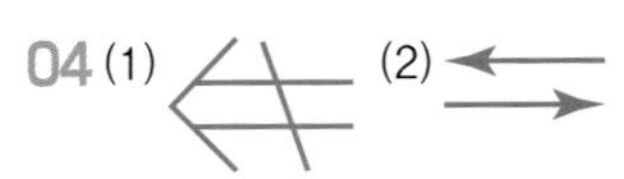

05 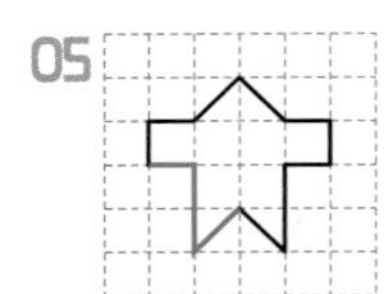

06 ①, ⑤

07 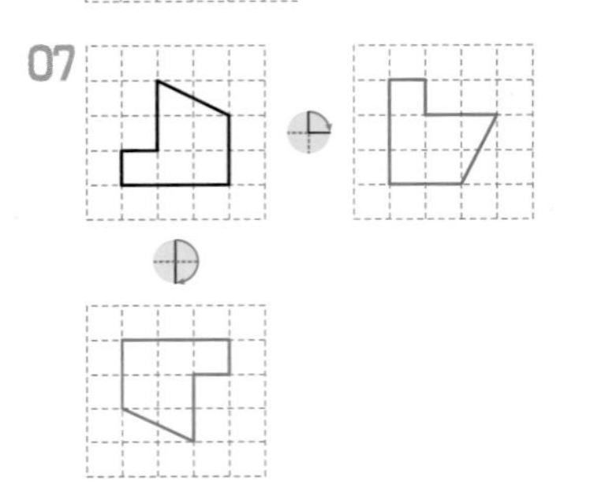

08 방법 1 예 ㉮ 도형을 왼쪽으로 뒤집고 시계 방향으로 90° 만큼 돌립니다.

방법 2 예 ㉮ 도형을 위쪽으로 뒤집고 시계 반대 방향으로 90°만큼 돌립니다.

09 ①, ③, ④

10 180, 180

11 6개

12 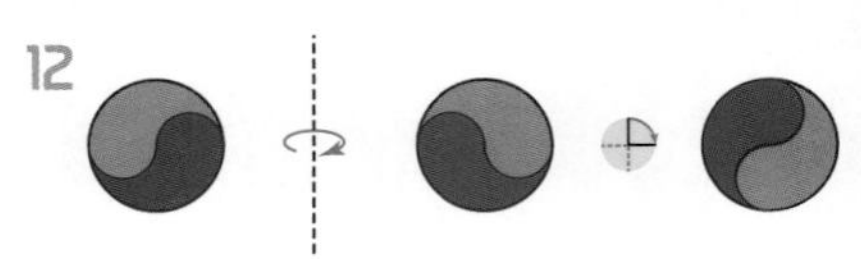

13 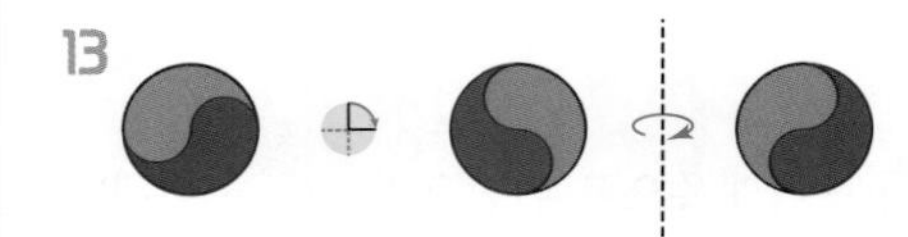

14 예 같다고 할 수 없습니다

15 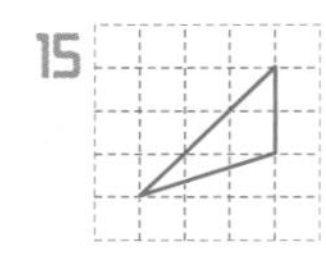

16 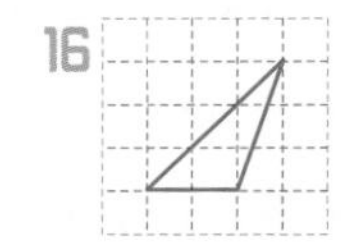

17 (1) 예 왼쪽으로 뒤집은 다음 밀었습니다.

(2) 예 시계 방향으로 90°만큼 돌린 다음 왼쪽으로 뒤집고 밀었습니다.

18 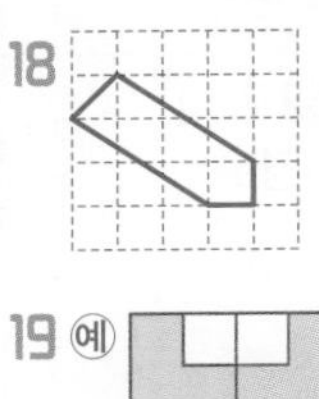

19 예 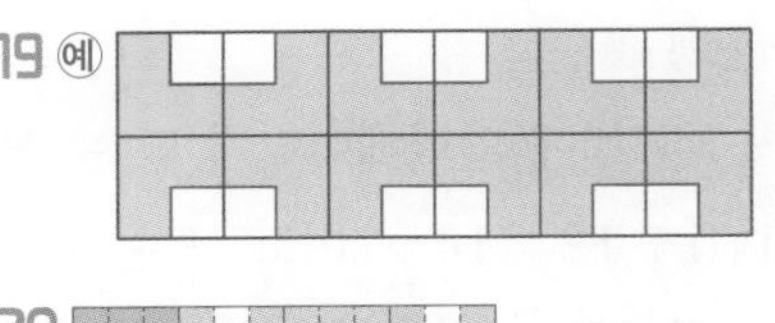

20 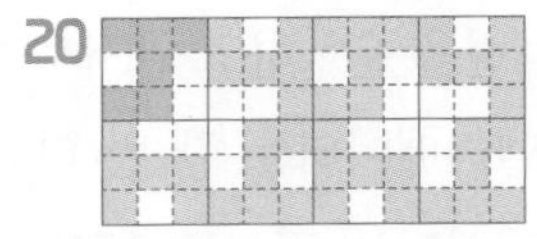

04 도형을 오른쪽이나 왼쪽으로 뒤집으면 도형의 오른쪽과 왼쪽이 서로 바뀝니다.

05 오른쪽으로 뒤집었을 때 처음 도형과 같아지려면 도형의 왼쪽과 오른쪽의 모양이 서로 같아야 합니다.

06 ② ㉮ 도형을 오른쪽으로 2번 뒤집으면 처음으로 돌아오므로 다시 ㉮ 도형이 됩니다.

③ ㉮ 도형을 왼쪽으로 밀어도 모양은 변하지 않으므로 ㉮ 도형과 같습니다.

④ ㉰ 도형은 위쪽과 아래쪽의 모양이 같으므로 시계 반대 방향으로 180°만큼 돌려도 처음과 같습니다.

08 채점 기준

방법1을 바르게 찾은 경우	50 %
방법2를 바르게 찾은 경우	50 %

11 시계 방향으로 360°만큼 돌리면 모든 글자가 제자리로 돌아오므로 처음과 같습니다.

15 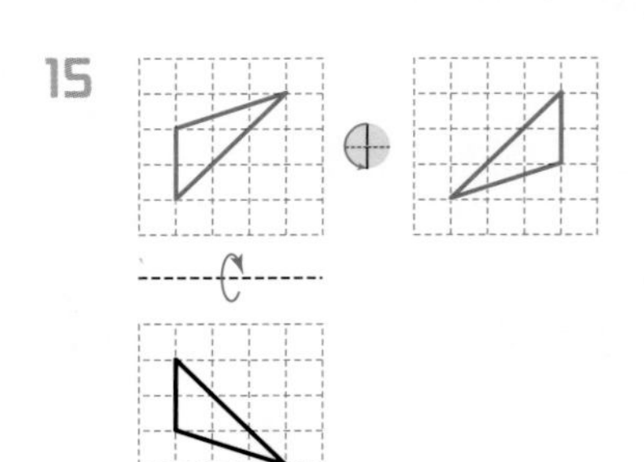

16 시계 반대 방향으로 90°만큼 5번 돌렸을 때의 도형은

시계 반대 방향으로 90°만큼 1번 돌렸을 때의 도형과 같습니다.

17 채점 기준

의 이동 방법을 바르게 설명한 경우	50 %
의 이동 방법을 바르게 설명한 경우	50 %

18 ① ➡ ② ➡ ③의 순서로 도형을 움직인 모양을 각각 그리면 다음과 같습니다.

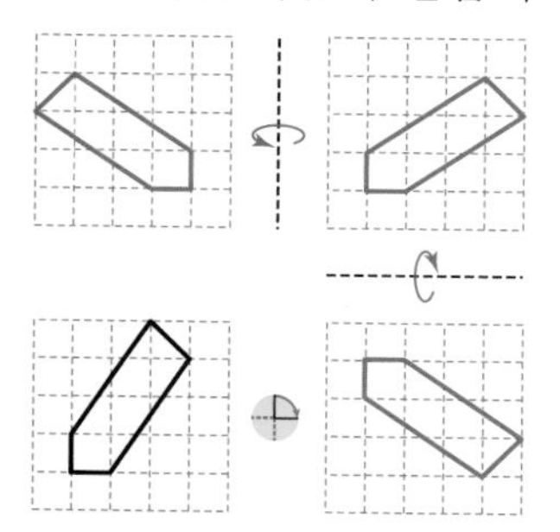

39~41쪽

학교 시험 만점왕 ❷회 4. 평면도형의 이동

01 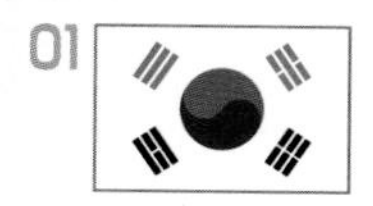

02 아래, 8

03 (1) ○ (2) × (3) ○ (4) ×

04 풀이 참조, 4개

05 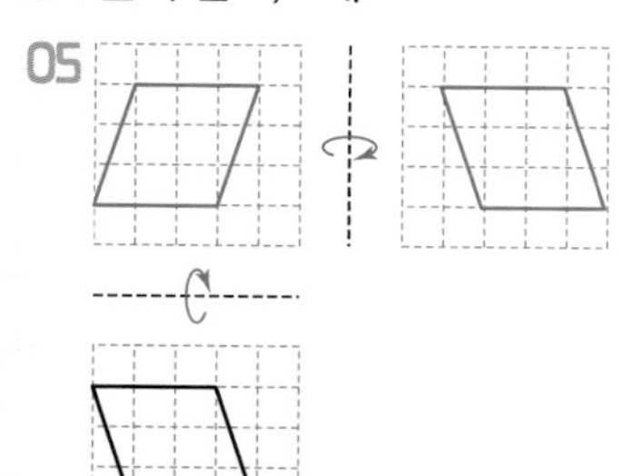

06 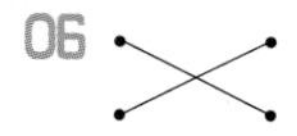

07 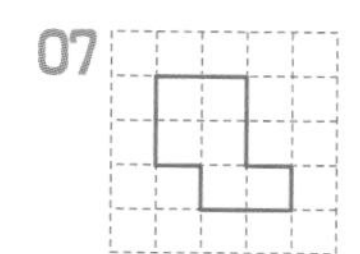

08 (1) 180°에 ○표 (2) 90°에 ○표

09 (1) 270 (2) 180

10 (○) (○) ( ) ( )

11 ㉢

12 ㉣

13 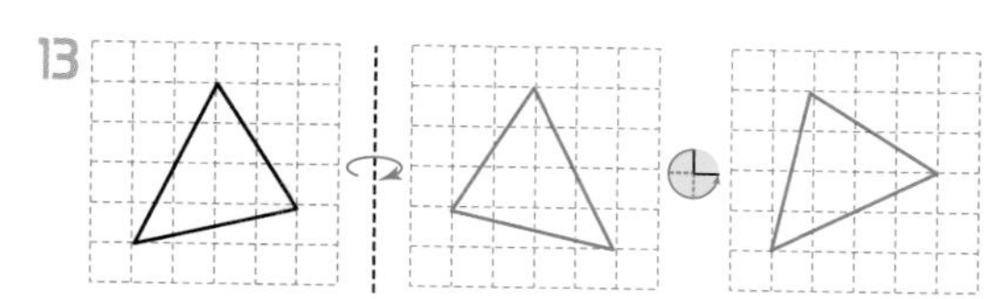

14 예 A는 왼쪽 도형을 시계 반대 방향으로 90°만큼(또는 시계 방향으로 270°만큼) 돌리기이고 B는 가운데 도형을 위쪽(또는 아래쪽)으로 뒤집기입니다.

15 ㉠

16 임

17 ( )
(○)

18 예 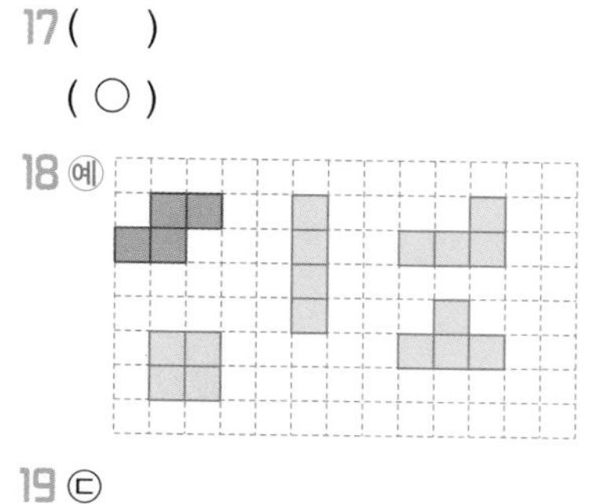

19 ㉢

20 예 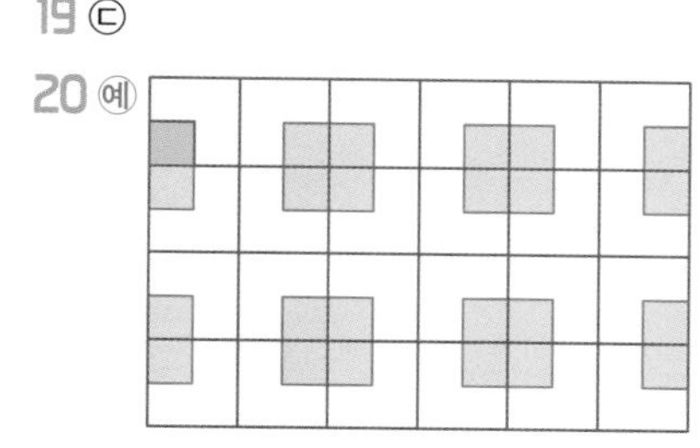

03 (2) S를 위쪽으로 뒤집으면 S이 되므로 처음과 다릅니다.
(3) 모든 도형, 문자 등은 오른쪽으로 뒤집은 것과 왼쪽으로 뒤집은 것이 같습니다.
(4) E를 위쪽으로 3번 뒤집으면 처음과 같고, 이를 다시 오른쪽으로 1번 뒤집으면 ョ이 되므로 처음과 다릅니다.

04 예 글자를 위쪽으로 뒤집으면 글자의 위쪽과 아래쪽이 서로 바뀝니다. ㅗ, ㅛ, ㅜ, ㅠ는 위쪽과 아래쪽의 모양이 다르므로 위쪽으로 뒤집었을 때 처음과 달라집니다. 따라서 위쪽으로 뒤집었을 때 처음과 다른 글자는 모두 4개입니다.

채점 기준

위쪽으로 뒤집었을 때 처음과 달라지는 이유를 적은 경우	30 %
위쪽으로 뒤집었을 때 처음과 다른 글자 수를 바르게 구한 경우	70 %

10 와 는 시계 방향으로 90°만큼 돌리면 다음과 같습니다.

11

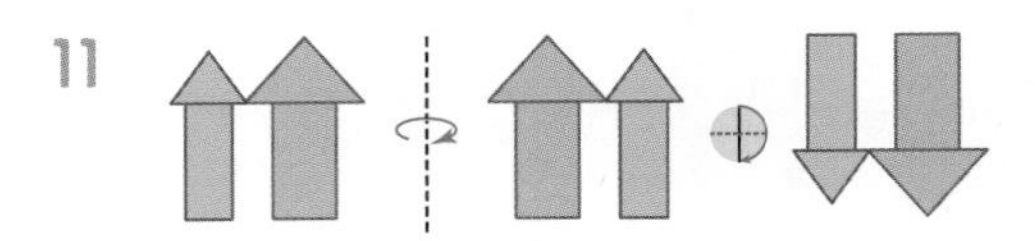

12 시계 방향으로 180°만큼 3번 돌린 것은 시계 방향으로 180°만큼 1번 돌린 것과 같습니다.

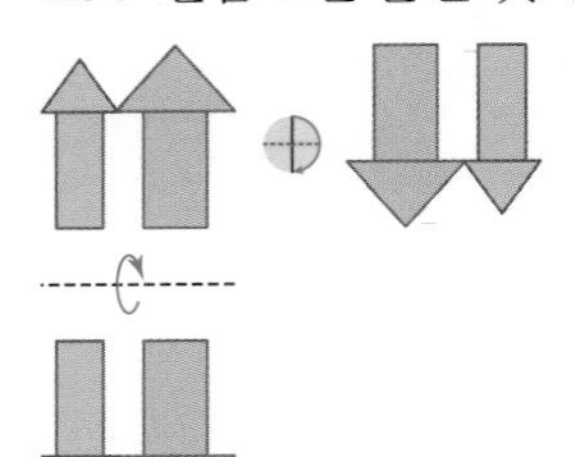

14 **채점 기준**

A의 이동 방법을 바르게 설명한 경우	50 %
B의 이동 방법을 바르게 설명한 경우	50 %

15 조각 ㉠을 왼쪽으로 뒤집고(또는 오른쪽으로 뒤집고) 시계 반대 방향으로 90°만큼(또는 시계 방향으로 270°만큼) 돌려서 주어진 모양의 아래에 밀면 직사각형을 만들 수 있습니다.

19 모양을 시계 방향으로 90°만큼 돌리는 것을 반복하여 모양을 만들고, 그 모양을 오른쪽과 아래쪽으로 밀어서 무늬를 만들었습니다.

4단원 서술형·논술형 평가 42~43쪽

01 풀이 참조
02 풀이 참조
03 풀이 참조
04 풀이 참조, ㉢
05 예 • 위쪽(아래쪽)으로 뒤집었습니다.
06 풀이 참조, 이탈리아, 핀란드 국기
07 방법 1 예 ㉮ 도형을 시계 방향으로 180°만큼 돌리면 ㉯ 도형이 됩니다.
방법 2 예 ㉮ 도형을 시계 반대 방향으로 180°만큼 돌리면 ㉯ 도형이 됩니다.
08 풀이 참조, 91
09 풀이 참조, ㉮
10 풀이 참조

01 예 • ㉮ 도형은 ㉯ 도형을 왼쪽으로 8 cm 밀고 위쪽으로 2 cm 밀어서 이동한 도형입니다.
• ㉮ 도형은 ㉯ 도형을 위쪽으로 2 cm 밀고 왼쪽으로 8 cm 밀어서 이동한 도형입니다. 등

채점 기준

어느 방향으로 민 것인지 바르게 설명한 경우	50 %
몇 cm만큼 이동한 것인지 설명한 경우	50 %

02 예 준서야, 사각형 사이의 거리를 보는 게 아니라 꼭짓점이나 변이 몇 cm만큼 이동했는지를 봐야 해. 한 꼭짓점을 기준으로 생각하면 7칸 이동했으니까 오른쪽으로 7 cm 민 거야.

채점 기준

꼭짓점이나 변을 기준으로 이동해야 함을 설명한 경우	40 %
몇 cm만큼 이동한 것인지 바르게 구한 경우	60 %

03 예 도형을 위쪽이나 아래쪽으로 뒤집으면 도형의 위쪽과 아래쪽이 서로 바뀝니다.
도형을 오른쪽이나 왼쪽으로 뒤집으면 도형의 오른쪽과 왼쪽이 서로 바뀝니다.

채점 기준

모양과 방향이 어떻게 바뀌는지 바르게 설명한 경우	100 %

04 예 도형을 시계 방향으로 360°만큼 돌리면 처음과 같습니다. 그리고 위쪽으로 2번 뒤집어도 처음과 같으므로 위쪽으로 1번 뒤집은 도형을 찾아 기호를 쓰면 ㉢입니다.

채점 기준

도형을 360°만큼 돌리면 처음과 같아짐을 설명한 경우	30 %
도형을 위쪽으로 2번 뒤집으면 처음과 같아짐을 설명한 경우	30 %
도형을 위쪽으로 1번 뒤집은 도형을 찾아 기호를 바르게 쓴 경우	40 %

05 **채점 기준**

뒤집은 방법을 바르게 설명한 경우	100 %

06 예 아래쪽으로 뒤집으면 위쪽과 아래쪽이 서로 바뀌므로 위쪽과 아래쪽의 모양과 색깔이 같아야 합니다. 조건을 만족하는 국기는 이탈리아, 핀란드 국기입니다.

채점 기준

위쪽과 아래쪽의 모양이 같으면 아래쪽으로 뒤집었을 때 처음과 모양이 같아짐을 설명한 경우	50 %
아래쪽으로 뒤집었을 때 처음과 모양이 같아지는 국기를 바르게 찾은 경우	50 %

07 **채점 기준**

방법1을 바르게 찾은 경우	50 %
방법2를 바르게 찾은 경우	50 %

08 예 90°만큼 6번 돌린 것은 180°만큼 1번 돌린 것과 같습니다. 29가 적힌 카드를 시계 반대 방향으로 180°만큼 1번 돌리면 [62] 가 되므로 두 수의 합은 $62+29=91$입니다.

채점 기준

90°만큼 6번 돌렸다는 것의 의미를 바르게 설명한 경우	40 %
만들어지는 수를 바르게 구한 경우	40 %
합을 바르게 구한 경우	20 %

09 예 순서를 거꾸로 하여 처음으로 돌아가면 되므로 왼쪽 조각을 위쪽으로 뒤집으면 [도형]이 됩니다.
이 모양을 다시 시계 반대 방향으로 90°만큼 돌리면 ㉮가 됩니다.

채점 기준

순서를 거꾸로 하여 처음 조각의 모양을 찾는 것을 이해한 경우	20 %
왼쪽 조각을 위쪽으로 뒤집은 모양을 바르게 찾은 경우	40 %
위에서 찾은 모양 조각을 시계 반대 방향으로 90°만큼 돌려서 처음 모양 조각을 바르게 찾은 경우	40 %

10 예 [도형] 모양을 오른쪽으로 미는 것(또는 뒤집는 것)을 반복하여 모양을 만들고 그 모양을 아래쪽으로 뒤집어서 무늬를 만들었습니다.

채점 기준

무늬를 만든 규칙을 바르게 설명한 경우	100 %

5단원 쪽지 시험

45쪽

01 반려동물, 학생 수

02 기르고 싶은 반려동물별 학생 수

03 2배　04 강아지

05 표

06 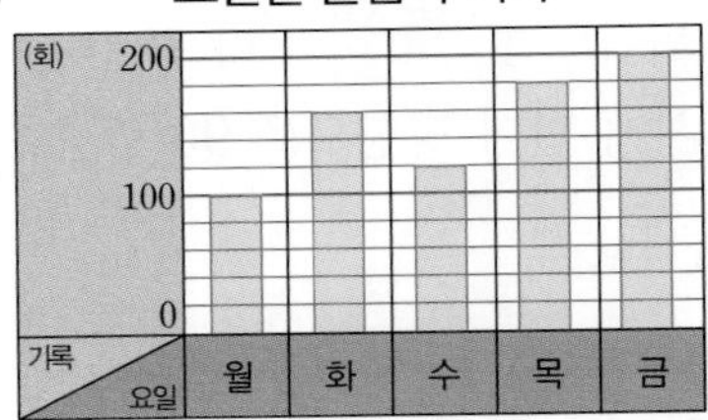

07 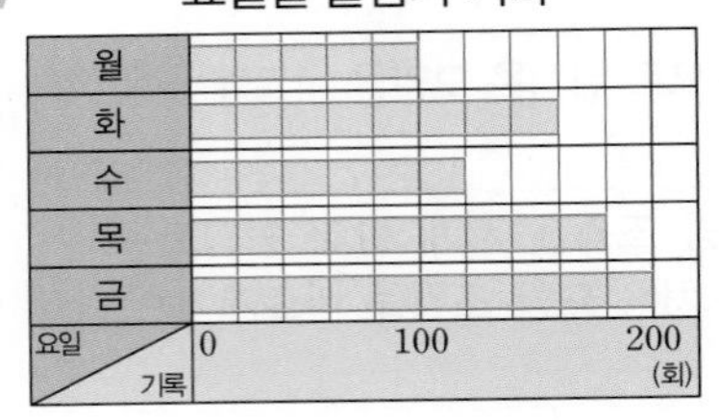

08 금요일, 목요일, 화요일, 수요일, 월요일

09 목요일　10 2배

03 앵무새를 기르고 싶은 학생은 4명이고, 고슴도치를 기르고 싶은 학생은 2명입니다. 따라서 앵무새를 기르고 싶은 학생 수는 고슴도치를 기르고 싶은 학생 수의 2배입니다.

04 막대의 길이가 가장 긴 동물은 강아지입니다.

05 전체 학생 수를 알아보기 쉬운 것은 표입니다.

08 막대의 길이가 긴 것부터 차례대로 쓰면 됩니다.

09 막대의 길이가 두 번째로 긴 것은 목요일입니다.

10 금요일에는 200회, 월요일에는 100회 줄넘기를 했으므로 금요일의 줄넘기 기록은 월요일의 줄넘기 기록의 2배입니다.

46~48쪽

학교 시험 만점왕 ①회 5. 막대그래프

01 (1) (○) (　) (2) (　) (○)

02 2개　03 24칸

04 78개　05 3반

06 3반　07 ㉠, ㉢

08 12, 44, 100 / 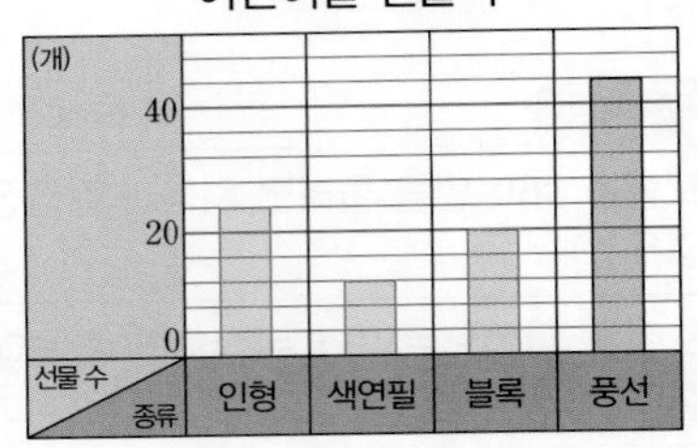

09 4개

10 예 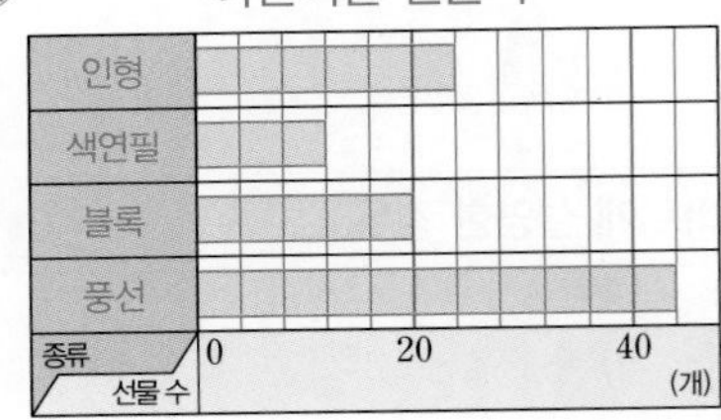

11 60 kg

12 예 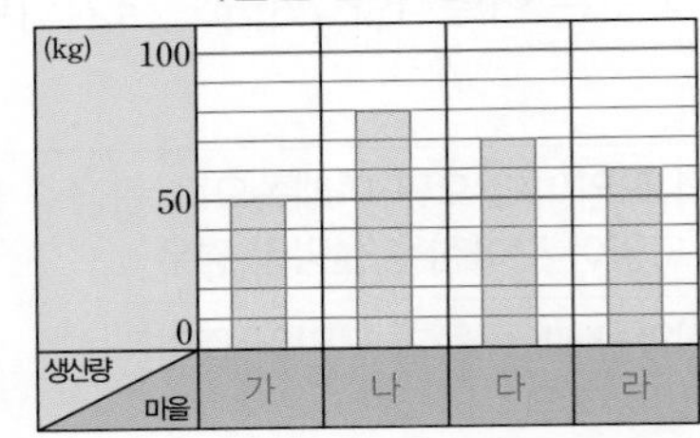

13 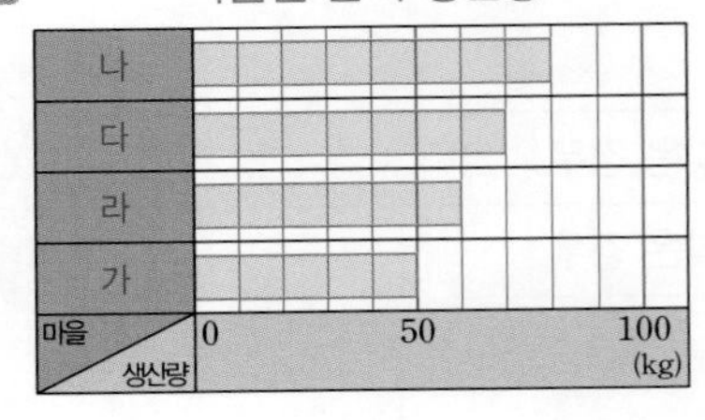

14 예 ① 딸기 생산량이 가장 많은 마을은 나 마을입니다.
② 딸기 생산량이 가장 적은 마을은 가 마을입니다.

15 4번　16 횟수

17 ㉡

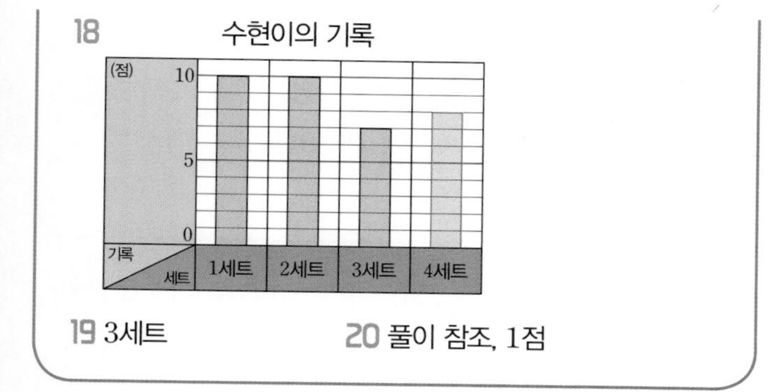

19 3세트　　20 풀이 참조, 1점

02 세로 눈금 5칸이 10개를 나타내므로
세로 눈금 한 칸은 $10 \div 5 = 2$(개)를 나타냅니다.

03 승환이가 모은 구슬은 24개이므로 세로 눈금 1칸이 1개인 막대그래프로 나타내려면 24칸으로 나타내어야 합니다.

04 $16+10+18+10+24=78$(개)

05 핸드폰을 사용하는 남학생 수와 여학생 수를 모두 합해 보면
1반: $8+7=15$(명), 2반: $6+11=17$(명),
3반: $10+10=20$(명), 4반: $7+11=18$(명)
따라서 핸드폰을 사용하는 학생 수가 가장 많은 반은 3반입니다.

06 3반은 핸드폰을 사용하는 남학생과 여학생이 모두 10명으로 같습니다.

07 ㉡ 핸드폰을 사용하는 남학생 수와 여학생 수의 차를 구해봅니다.
1반: $8-7=1$(명), 2반: $11-6=5$(명),
3반: $10-10=0$(명), 4반: $11-7=4$(명)
따라서 핸드폰을 사용하는 남학생 수와 여학생 수의 차가 가장 큰 반은 2반입니다.
㉢ 핸드폰을 사용하는 여학생을 반별로 모두 더해 보면 $7+11+10+11=39$(명)입니다.

08 준비한 인형 수는 색연필 수의 2배이므로 색연필 수는 인형 수의 절반인 12개입니다.

09 세로 눈금 5칸이 20개를 나타내므로
세로 눈금 한 칸은 $20 \div 5 = 4$(개)를 나타냅니다.

11 $50+80+70+$(라 마을의 딸기 생산량)$=260$,
(라 마을의 딸기 생산량)
$=260-50-80-70=60$(kg)

13 딸기 생산량이 많은 마을부터 차례로 쓰면 나, 다, 라, 가 마을입니다.

14 **채점 기준**

막대그래프를 보고 알 수 있는 내용을 한 가지 쓴 경우	50 %
막대그래프를 보고 알 수 있는 내용을 한 가지 더 쓴 경우	50 %

15 가장 많이 나온 눈의 수는 4이고, 7번 나왔습니다.
가장 적게 나온 눈의 수는 5이고, 3번 나왔습니다.
따라서 차를 구하면 $7-3=4$(번)입니다.

16 주사위 눈이 4가 나온 횟수는 7번, 2가 나온 횟수는 6번이므로 4가 나온 횟수가 더 많습니다.

17 ㉠ $4+6=10$(번)　㉡ $5+7=12$(번)
㉢ $3+5=8$(번)
따라서 계산 결과가 가장 큰 것은 ㉡입니다.

18 현빈이의 기록 중 두 번째로 낮은 점수는 2세트 점수인 8점입니다. 따라서 수현이의 4세트 기록은 8점입니다.

19 1세트: $10-9=1$(점), 2세트: $10-8=2$(점),
3세트: $10-7=3$(점), 4세트: $8-7=1$(점)
따라서 점수 차가 가장 큰 세트는 3세트입니다.

20 ㉮ 현빈이가 얻은 점수는 $9+8+10+7=34$(점)입니다.
수현이가 얻은 점수는 $10+10+7+8=35$(점)입니다.
따라서 현빈이와 수현이의 점수 차는
$35-34=1$(점)입니다.

채점 기준

현빈이의 점수를 바르게 구한 경우	40 %
수현이의 점수를 바르게 구한 경우	40 %
현빈이와 수현이의 점수 차를 바르게 구한 경우	20 %

49~51쪽

학교 시험 만점왕 ②회 5. 막대그래프

01 막대그래프　　02 4개

03 12개　　04 6칸

05 25/

(명) 10 5 0
학생 수 / 악기
피아노 리코더 오카리나 바이올린

06 악기, 학생 수

07 막대그래프

08 ㉢

09

혈액형별 남학생 수

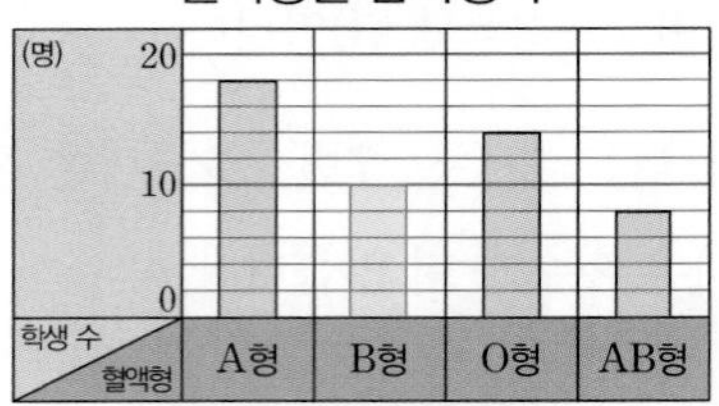

혈액형별 여학생 수

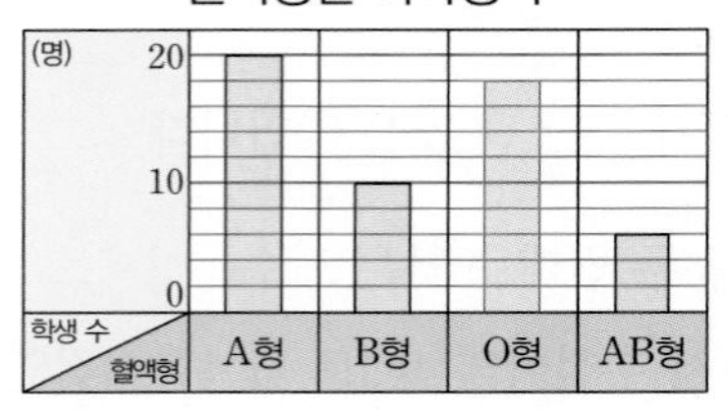

10 풀이 참조, 12명

11

혈액형별 학생 수

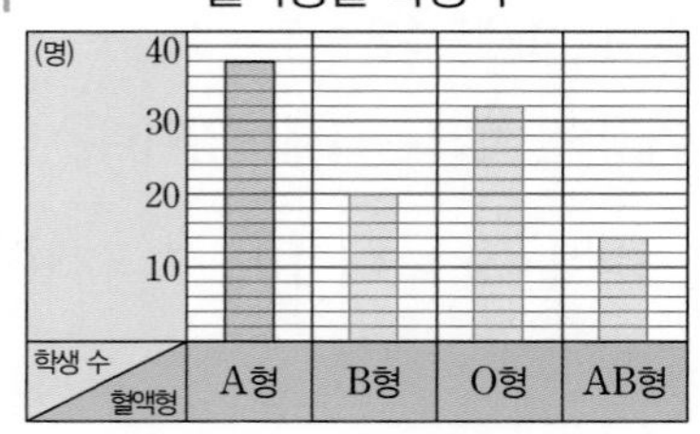

12 8칸　　13 60

14

모둠별로 모은 빈 병의 수

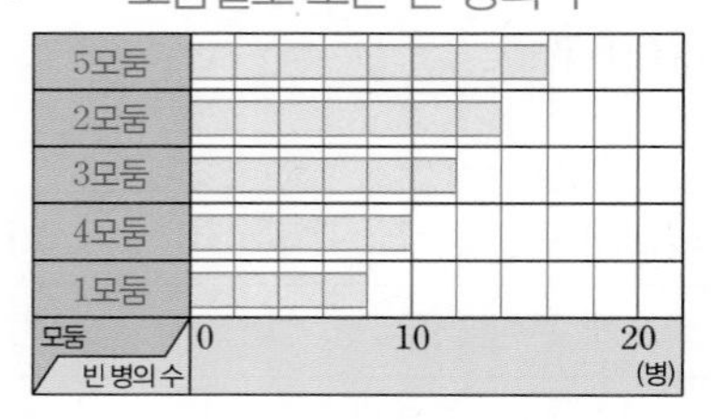

15 ㉢, ㉠, ㉣, ㉡, ㉥, ㉤(또는 ㉤, ㉢, ㉠, ㉣, ㉡, ㉥)

16 중국, 베트남　　17 220명

18 예 중국　　19 2019년

20 풀이 참조

02 (라 마을의 학교 수)$=40-8-10-6-12=4$(개)

03 막대가 가장 긴 마을은 마 마을입니다. 마 마을의 학교 수는 12개입니다.

04 마을별 학교 수 중에서 가장 큰 수까지 나타낼 수 있어야 합니다.
마 마을의 학교 수가 12개로 가장 큽니다. 세로 눈금 한 칸이 2개를 나타내므로 12개는 6칸으로 나타낼 수 있습니다. 따라서 세로 눈금은 적어도 6칸까지 그려야 합니다.

07 표는 전체 학생 수를 알아보기 편리합니다.

08 ㉢ 학예회에서 연주할 학생 수가 가장 많은 악기는 리코더이고, 가장 적은 악기는 바이올린입니다. 따라서 이 리코더를 연주할 학생 수와 바이올린을 연주할 학생 수의 차는 $10-3=7$(명)입니다.

09 (B형 남학생 수)$=50-18-14-8=10$(명)
(O형 여학생 수)$=54-20-10-6=18$(명)

10 예 A형 남학생은 18명이고, AB형 여학생은 6명입니다. 따라서 A형 남학생 수와 AB형 여학생 수의 차는 $18-6=12$(명)입니다.

채점 기준

A형 남학생 수를 바르게 구한 경우	40 %
AB형 여학생 수를 바르게 구한 경우	40 %
A형 남학생 수와 AB형 여학생 수의 차를 바르게 구한 경우	20 %

11 혈액형별로 남학생 수와 여학생 수를 합하여 나타냅니다.

12 5모둠은 3모둠보다 4병 더 모았으므로
$12+4=16$(병)을 모았습니다.
세로 눈금 한 칸이 2병을 나타내므로 5모둠이 모은 빈 병의 수는 8칸으로 나타내어야 합니다.

13 $8+14+12+10+16=60$(병)

15 그래프에 알맞은 제목을 붙이는 것은 맨 처음이나 맨 나중에 합니다.

16 막대의 길이가 가장 긴 나라는 중국이고, 가장 짧은 나라는 베트남입니다.

17 세로 눈금 15칸이 300명을 나타내므로 세로 눈금 한 칸은 $300\div15=20$(명)을 나타냅니다. 일본인 관광객의 막대 칸 수가 11개이므로 일본인 관광객은 220명입니다.

18 중국인 관광객이 가장 많이 방문했으므로 중국어로 된 가이드북을 가장 많이 준비하는 것이 좋을 것 같습니다.

19 2019년의 막대 길이가 가장 깁니다.

20 예상 예 2020년의 서울시 자동차 등록 수는 2019년보다 많을 것입니다.

이유 예 1995년부터 시작하여 자동차 등록 수가 계속 늘어나고 있습니다. 따라서 2020년의 서울시 자동차 등록 수는 2019년보다 많을 것입니다.

채점 기준

2020년의 서울시 자동차 등록 수를 바르게 예상한 경우	50 %
예상한 이유가 타당한 경우	50 %

5단원 서술형·논술형 평가 52~53쪽

01 풀이 참조, 25명　02 풀이 참조, 5명
03 풀이 참조, 18000원　04 풀이 참조, 송하
05 풀이 참조, 14칸　06 풀이 참조, 116개
07 풀이 참조, 28개
08 예 ① 한 달 동안 운동을 가장 많이 한 사람은 성윤이입니다. ② 한 달 동안 운동을 가장 적게 한 사람은 다연이입니다.
09 풀이 참조, 2배　10 풀이 참조, 3명

01 예 각 종목을 좋아하는 학생 수는 쇼트트랙 9명, 스키점프 4명, 피겨 스케이팅 7명, 컬링 5명입니다. 따라서 우주네 반 학생은 모두 $9+4+7+5=25$(명)입니다.

채점 기준

각 종목별 학생 수를 바르게 구한 경우	50 %
우주네 반 학생 수를 바르게 구한 경우	50 %

02 예 가장 많은 학생들이 좋아하는 동계 올림픽 종목은 쇼트트랙이고, 가장 적은 학생들이 좋아하는 동계 올림픽 종목은 스키점프입니다. 따라서 가장 많은 학생들이 좋아하는 종목과 가장 적은 학생들이 좋아하는 종목의 학생 수의 차는 $9-4=5$(명)입니다.

채점 기준

가장 많은 학생들이 좋아하는 종목의 학생 수를 바르게 구한 경우	40 %
가장 적은 학생들이 좋아하는 종목의 학생 수를 바르게 구한 경우	40 %
두 종목의 학생 수의 차를 바르게 구한 경우	20 %

03 예 세로 눈금 5칸이 10000원을 나타내므로 세로 눈금 한 칸은 2000원을 나타냅니다.
송하의 저축액은 24000원이므로 민하의 저축액은 $24000-6000=18000$(원)입니다.

채점 기준

송하의 저축액을 바르게 구한 경우	50 %
민하의 저축액을 바르게 구한 경우	50 %

04 예 민하의 저축액은 18000원이고, 연석이의 저축액은 32000원입니다. 따라서 저축액이 민하보다 많고, 연석이보다 적은 친구는 24000원을 저축한 송하입니다.

채점 기준

민하의 저축액을 바르게 구한 경우	40 %
연석이의 저축액을 바르게 구한 경우	40 %
저축액이 민하보다 많고, 연석이보다 적은 사람을 바르게 구한 경우	20 %

05 예 정석이의 저축액은 14000원입니다. 세로 눈금 한 칸이 1000원인 막대그래프로 나타내려면 14칸으로 나타내어야 합니다.

채점 기준

정석이의 저축액을 바르게 구한 경우	50 %
정석이 저축액의 막대 칸 수를 바르게 구한 경우	50 %

06 예 세로 눈금 5칸이 20개를 나타내므로
세로 눈금 한 칸은 $20 \div 5 = 4$(개)를 나타냅니다.
크림빵 32개, 머핀 44개, 스콘 24개, 단팥빵 16개를 판매했으므로 어제 하루 동안 판매한 빵은 모두
$32 + 44 + 24 + 16 = 116$(개)입니다.

채점 기준

빵 종류별 판매량을 각각 바르게 구한 경우	50 %
전체 빵 판매량을 바르게 구한 경우	50 %

07 예 머핀은 44개를 판매했고, 단팥빵은 16개를 판매했습니다. 따라서 단팥빵을 머핀과 같은 수만큼 판매하려면 $44 - 16 = 28$(개) 더 팔아야 합니다.

채점 기준

단팥빵의 판매량을 바르게 구한 경우	40 %
머핀의 판매량을 바르게 구한 경우	40 %
머핀과 단팥빵의 판매량 차를 바르게 구한 경우	20 %

08 **채점 기준**

막대그래프를 보고 알 수 있는 내용을 한 가지 쓴 경우	50 %
막대그래프를 보고 알 수 있는 내용을 한 가지 더 쓴 경우	50 %

09 예 세로 눈금 5칸이 10일을 나타내므로 세로 눈금 한 칸은 2일을 나타냅니다. 성윤이는 28일 동안, 건우는 14일 동안 운동했습니다. 따라서 성윤이가 운동한 날수는 건우가 운동한 날수의 $28 \div 14 = 2$(배)입니다.

채점 기준

성윤이가 한 달 동안 운동한 날수를 바르게 구한 경우	40 %
건우가 한 달 동안 운동한 날수를 바르게 구한 경우	40 %
성윤이가 건우보다 몇 배만큼 운동했는지 바르게 구한 경우	20 %

10 예 6월은 30일까지 있으므로 15일보다 더 많이 운동한 사람을 찾으면 됩니다. 성윤이는 28일, 소은이는 20일, 해나는 24일 운동했으므로 성윤, 소은, 해나 3명입니다.

채점 기준

한 달 중 절반보다 더 많은 날이 며칠인지 바르게 구한 경우	40 %
절반보다 더 많은 날에 운동한 사람을 모두 바르게 구한 경우	40 %
절반보다 더 많은 날에 운동한 사람이 몇 명인지 바르게 구한 경우	20 %

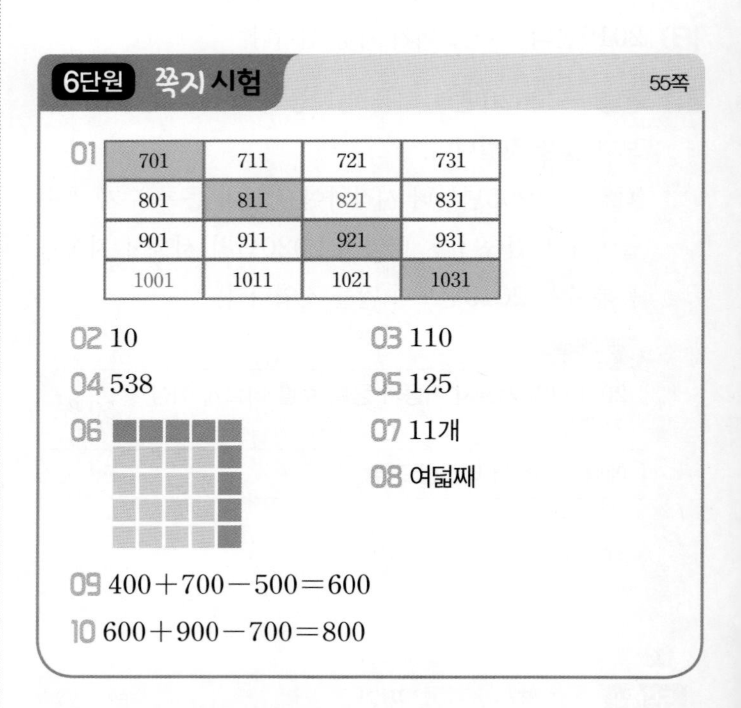

6단원 쪽지 시험 55쪽

01

701	711	721	731
801	811	821	831
901	911	921	931
1001	1011	1021	1031

02 10　**03** 110
04 538　**05** 125
06　**07** 11개
08 여덟째
09 $400 + 700 - 500 = 600$
10 $600 + 900 - 700 = 800$

02 711은 701보다 10 큰 수입니다.

03 811은 701보다 110 큰 수입니다.

04 532부터 오른쪽으로 2씩 커지므로 빈칸에 알맞은 수는 536보다 2 큰 수인 538입니다.

05 5부터 시작하여 오른쪽으로 5씩 곱하는 규칙이 있으므로 빈칸에 알맞은 수는 $25 \times 5 = 125$입니다.

06 왼쪽과 아래쪽으로 파란색 사각형이 각각 1개씩 늘어나는 규칙입니다.

07 파란색 사각형의 수를 수의 배열로 나타내면 $1-3-5-7-9$입니다. 2씩 늘어나므로 여섯째에 알맞은 도형의 파란색 사각형의 수는 $9+2=11$(개)입니다.

08 파란색 사각형의 수가 2씩 늘어나므로 일곱째에 알맞은 도형의 파란색 사각형의 수는 $11+2=13$(개), 여덟째에 알맞은 도형의 파란색 사각형의 수는 $13+2=15$(개)입니다. 따라서 파란색 사각형의 수가 15개인 것은 여덟째 도형입니다.

09 더해지는 수, 더하는 수, 빼는 수가 각각 100씩 늘어나면 계산 결과도 100씩 늘어납니다.

10 넷째 식에서 더해지는 수, 더하는 수, 빼는 수가 각각 100씩 늘어나면 계산 결과도 100이 늘어납니다.

56~58쪽

학교 시험 만점왕 ①회 6. 규칙 찾기

01 5, 커집니다

02

600	605	610	615	620
700	705	㉠	715	720
800	805	810	㉡	820
900	905	910	915	920

03 105 **04** (위에서부터) 40, 16

05 세은

06 예 두 수의 곱셈의 결과에서 일의 자리 숫자를 씁니다.

07 2, 0

08

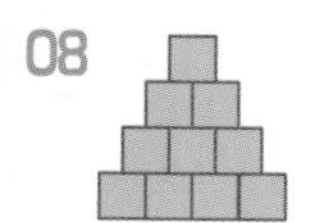

09 45개

10

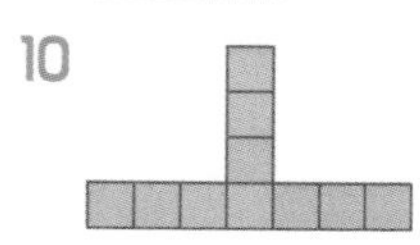

11 4, 7, 10

12 여덟째

13 ㉠ **14** ㉡

15 풀이 참조, 여덟째 **16** $599994 \div 6 = 99999$

17 (1)—㉡ (2)—㉢ **18** 풀이 참조, 열째

19 24

20 예 ① $9+17=16+10$ / ② $10+11+12=11 \times 3$

02 아래쪽으로 100씩 커지고 가장 큰 수는 900이므로 첫째 세로줄입니다.

03 ㉠ 710, ㉡ 815이므로
두 수의 차는 ㉡－㉠$=815-710=105$입니다.

04 32부터 시작하여 2로 나눈 수가 오른쪽에 있고, 200부터 시작하여 5로 나눈 수가 아래쪽에 있는 규칙입니다.

05 2부터 시작하여 2씩 곱한 수가 왼쪽에 있습니다.

06 $501 \times 21 = 10521$, $502 \times 21 = 10542$,
$503 \times 21 = 10563$인데 1, 2, 3을 썼으므로 두 수의 곱셈의 결과에서 일의 자리 숫자만 쓴 것입니다.

07 ●는 504×23에서 일의 자리 숫자를 써야 하고, ◆는 505×24에서 일의 자리 숫자를 써야 합니다.
$504 \times 23 = 11592$, $505 \times 24 = 12120$이므로
●$=2$, ◆$=0$입니다.

08 사각형의 수가 1개에서 시작하여 2개, 3개, 4개……씩 늘어나는 규칙입니다.

09 사각형의 수는 1, $1+2$, $1+2+3$……으로 늘어나는 규칙이므로 아홉째에 알맞은 도형에서 사각형의 수는 $1+2+3+4+5+6+7+8+9=45$(개)입니다.

10 사각형의 수가 1개에서 시작하여 3개씩 늘어나는 규칙입니다.

12 사각형의 수가 3개씩 늘어나므로
사각형의 수는 다섯째 13개, 여섯째 16개, 일곱째 19개, 여덟째 22개, 아홉째 25개입니다. 따라서 모양 큐브 22개로 여덟째 모양을 만들 수 있습니다.

14 ㉠의 다음에 올 계산식은 $5215+950=6165$이고, ㉡의 다음에 올 계산식은 $2700-1000=1700$입니다.

15 예 100씩 커지는 수에서 1000을 빼면 계산 결과도 100씩 커집니다.
따라서 계산 결과가 2000이 되는 계산식은 여덟째입니다.

채점 기준

빼지는 수, 빼는 수, 계산 결과가 어떻게 변화하는지 바르게 찾은 경우	50 %
계산 결과가 2000이 되는 것이 여덟째 계산식임을 바르게 구한 경우	50 %

16 단계가 올라갈수록 나누어지는 수에서 5와 4 사이의 9가 1개씩 늘어납니다. 나누는 수는 모두 6이고, 계산 결과에 있는 9의 개수는 나누어지는 수에 있는 9의 개수보다 1개 더 많습니다. 따라서 다섯째에 알맞은 나눗셈식은 $599994 \div 6 = 99999$입니다.

17 계산 결과의 9의 개수는 나눗셈식의 순서와 같으므로 일곱째 나눗셈식의 결과는 9가 7개, 여덟째 나눗셈식의 결과는 9가 8개 있습니다.

18 예 나누어지는 수의 5와 4 사이의 9의 개수는 나눗셈식의 순서보다 1개 적습니다. 따라서 나누어지는 수가 59999999994가 되는 나눗셈식은 9의 개수인 9개보다 1 큰 열째 나눗셈식입니다.

채점 기준

나누어지는 수가 어떻게 변화하는지 바르게 찾은 경우	50 %
나누어지는 수가 59999999994인 계산식은 열째 나눗셈식임을 바르게 구한 경우	50 %

19 ㉠=2, ㉡=13, ㉢=9
따라서 ㉠+㉡+㉢=$2+13+9=24$입니다.

학교 시험 만점왕 ②회 6. 규칙 찾기

01 예 1020부터 아래쪽으로 1000씩 커집니다.
02 ㉠ 03 5100
04 E8, B11 05 아라
06 370 07 590, 460, 330, 200, 70
08 ( ) (○)
09 (위에서부터) $3+3+3$, 9 / $3+3+3+3$, 12
10 풀이 참조, 30개 11 9개
12 10개, 9개 13 1개
14 $1000009 \times 3 = 3000027$
15 열째 16 999
17 $9+99999 \times 9 = 900000$
18 풀이 참조, 아홉째 19 210, 620
20 ㉢

02 ㉡ 1080부터 시작하여 980씩 커지고 있습니다.

03 ↘ 방향으로 1020씩 커지는 규칙입니다.
따라서 ●$=4080+1020=5100$입니다.

04 공연장 좌석표는 알파벳과 수의 두 가지 규칙이 섞여 있습니다. 세로 규칙은 알파벳이 순서대로 바뀌고, 수는 그대로입니다. 가로 규칙은 알파벳이 그대로이고, 수가 1씩 커집니다. 따라서 수지의 좌석은 E8이고, 아라의 좌석은 B11입니다.

05 가로줄은 알파벳이 그대로이고, 수가 1씩 커지므로 규칙을 잘못 말한 사람은 아라입니다.

06 760부터 시작하여 오른쪽으로 130씩 작아집니다.
따라서 $500-130=370$입니다.

07 06과 같은 규칙이고, 590이 가장 왼쪽에 있는 수이므로 590부터 시작하여 오른쪽으로 130씩 작아집니다.

08 바둑돌의 수가 3개에서 시작하여 6개, 9개, 12개……로 3개씩 늘어나는 규칙입니다.

09 3부터 시작하여 둘째는 3을 두 번 더하고 셋째는 3을

세 번 더하는 규칙이 있습니다. 따라서 넷째는 3을 네 번 더하여 나타냅니다.

10 ㊕ 3을 각 단계의 순서만큼 더하는 규칙이므로 열째 모양을 만들기 위해서 3을 열 번 더하면 됩니다. 따라서 열째 모양을 만드는 데 필요한 바둑돌은 모두 $3+3+3+3+3+3+3+3+3+3=30$(개)입니다.

채점 기준

단계가 늘어날 때마다 바둑돌이 몇 개씩 늘어나는지 규칙을 바르게 찾은 경우	50 %
열째 모양을 만드는 데 필요한 바둑돌의 수를 바르게 구한 경우	50 %

11 다섯째에 알맞은 도형에서 노란색 사각형의 수는 5개이고, 파란색 사각형의 수는 4개입니다. 따라서 노란색 사각형 수와 파란색 사각형 수의 합은 $5+4=9$(개)입니다.

12 노란색 사각형의 수는 각 단계의 순서와 같고, 파란색 사각형의 수는 각 단계의 수보다 1 작은 수입니다. 따라서 열째에 알맞은 도형에서 노란색 사각형의 수는 10개이고, 파란색 사각형의 수는 이보다 1 작은 9개입니다.

13 각 단계마다 노란색 사각형의 수가 파란색 사각형의 수보다 항상 1개 더 많습니다. 따라서 스무째에 알맞은 도형에서도 노란색 사각형 수와 파란색 사각형 수의 차는 1개입니다.

14 곱해지는 수의 1과 9 사이 0의 개수는 곱셈식의 순서와 같으므로 5개, 계산 결과의 2 앞의 0의 개수는 곱셈식의 순서보다 1개 더 적으므로 4개입니다. 따라서 다섯째에 알맞은 곱셈식은 $1000009\times3=3000027$입니다.

15 계산 결과의 2 앞의 0의 개수는 9개이므로 곱셈식의 순서는 이보다 1 큰 열째입니다.

16 곱해지는 수는 9가 계산식의 순서만큼 있으므로 셋째 계산식에는 999가 와야 합니다.

17 더하는 수와 곱하는 수는 모두 9로 같고, 곱해지는 수는 9가 계산식의 순서만큼 있습니다. 계산 결과는 자리 수가 한 자리씩 늘어납니다.

18 ㊕ 계산 결과는 계산식의 순서보다 자리 수가 한 개 더 많습니다. 따라서 계산 결과인 9000000000이 열 자리 수이므로 아홉째 계산식입니다.

채점 기준

계산 결과가 어떻게 변화하는지 바르게 찾은 경우	50 %
계산 결과가 9000000000인 계산식은 아홉째 계산식임을 바르게 구한 경우	50 %

20 ㉢ $7+3=5\times2$

6단원 서술형·논술형 평가 62~63쪽

01 풀이 참조, 7405
02 풀이 참조, 3500
03 풀이 참조, 9배
04 풀이 참조, 16개
05 풀이 참조, 11개
06 풀이 참조, ◯
07 풀이 참조, 5개
08 풀이 참조, 일곱째
09 풀이 참조, $1008+546-507=1047$
10 풀이 참조, 여덟째

01 ㊕ 7005부터 오른쪽으로 200씩 커집니다. 따라서 빈칸에 알맞은 수는 $7205+200=7405$입니다.

채점 기준

수 배열의 규칙을 바르게 찾은 경우	50 %
빈칸에 알맞은 수를 바르게 구한 경우	50 %

02 ㊕ 500에서 시작하여 오른쪽으로 갈수록 300, 600, 900씩 커졌습니다. 따라서 그다음 수는 1200만큼 커져야 합니다.
$2300+1200=3500$이므로 빈칸에 알맞은 수는 3500입니다.

채점 기준

수가 300, 600, 900씩 커짐을 알고 그다음 수는 1200만큼 커져야 함을 바르게 구한 경우	50 %
빈칸에 알맞은 수를 바르게 구한 경우	50 %

03 ⓔ 3에서 시작하여 3을 곱한 수가 왼쪽에 오는 규칙입니다. 따라서 ★의 3배가 243이고, 243의 3배가 ♥이므로 ♥는 ★의 $3 \times 3 = 9$(배)입니다.

채점 기준

3씩 곱한 수가 왼쪽에 놓이는 수 배열의 규칙을 바르게 구한 경우	50 %
♥에 알맞은 수는 ★에 알맞은 수의 몇 배인지 바르게 구한 경우	50 %

04 ⓔ 다섯째 도형에서 하늘색 사각형은 안쪽에 있는 정사각형 모양입니다.
안쪽에 있는 사각형의 수는 $4 \times 4 = 16$(개)입니다.

채점 기준

다섯째 도형에서 하늘색 사각형의 위치와 모양을 바르게 쓴 경우	50 %
하늘색 사각형의 수를 바르게 구한 경우	50 %

05 ⓔ 여섯째 도형에서 안쪽에 있는 정사각형은 노란색입니다. 하늘색 사각형은 전체 사각형의 수에서 노란색 사각형의 수를 빼면 됩니다.
노란색 사각형의 수는 $5 \times 5 = 25$(개)이고, 전체 사각형의 수는 $6 \times 6 = 36$(개)입니다.
따라서 하늘색 사각형은 $36 - 25 = 11$(개)입니다.

채점 기준

전체 사각형의 수와 노란색 사각형의 수를 바르게 구한 경우	50 %
하늘색 사각형의 수를 바르게 구한 경우	50 %

06 ⓔ 모양은 원, 삼각형, 별 모양이 반복되고, 색깔은 연두색, 분홍색이 반복됩니다.
따라서 다음에 올 도형의 모양은 원이고, 색깔은 연두색입니다.

채점 기준

모양과 색깔이 어떠한 규칙으로 반복되는지 바르게 구한 경우	50 %
다음에 올 도형의 모양과 색깔을 바르게 구한 경우	50 %

07 ⓔ 곱셈식의 계산 결과는 0 앞의 1의 개수가 곱셈식의 순서만큼 있고, 4 앞의 2의 개수도 곱셈식의 순서만큼 있습니다.
따라서 다섯째에 알맞은 곱셈식의 계산 결과는 111110222224이므로 1의 개수는 5개입니다.

채점 기준

계산 결과가 어떻게 변하는지 규칙을 바르게 찾은 경우	50 %
다섯째 계산 결과에서 1의 개수를 바르게 구한 경우	50 %

08 ⓔ 곱셈식의 계산 결과는 0 앞의 1의 개수가 곱셈식의 순서만큼 있고, 4 앞의 2의 개수도 곱셈식의 순서만큼 있습니다.
따라서 계산 결과가 111111102222224가 되는 곱셈식은 일곱째 곱셈식입니다.

채점 기준

계산 결과가 어떻게 변하는지 규칙을 바르게 찾은 경우	50 %
계산 결과를 보고 일곱째 계산식임을 바르게 구한 경우	50 %

09 ⓔ 더해지는 수는 208부터 시작하여 200씩 커지고, 더하는 수는 146부터 시작하여 100씩 커집니다. 빼는 수는 107부터 시작하여 100씩 커지고, 계산 결과는 247부터 시작하여 200씩 커집니다.
따라서 다섯째에 알맞은 계산식은
$1008 + 546 - 507 = 1047$입니다.

채점 기준

더해지는 수, 더하는 수, 빼는 수가 어떻게 변하는지 규칙을 바르게 찾은 경우	50 %
다섯째 계산식을 바르게 구한 경우	50 %

10 ⓔ 계산 결과가 200씩 커지므로 계산 결과가 1647이 되는 계산식은 여덟째 계산식입니다.

채점 기준

계산 결과가 어떻게 변하는지 규칙을 바르게 찾은 경우	50 %
여덟째 계산식임을 바르게 구한 경우	50 %

Book 1 개념책

1단원 큰 수

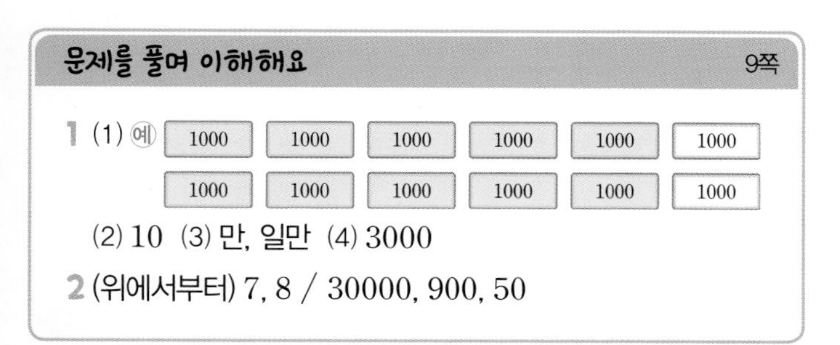

문제를 풀며 이해해요 9쪽

1 (1) 예 1000 1000 1000 1000 1000 1000
1000 1000 1000 1000 1000 1000
(2) 10 (3) 만, 일만 (4) 3000

2 (위에서부터) 7, 8 / 30000, 900, 50

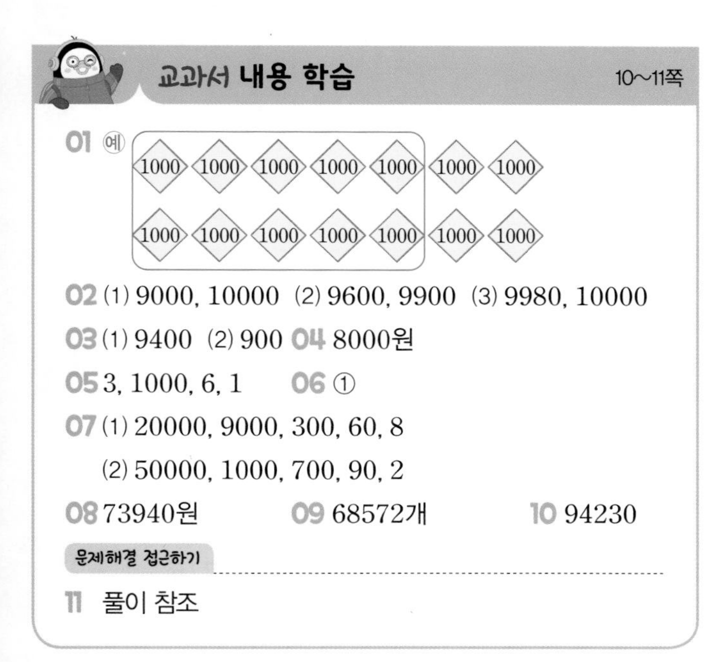

교과서 내용 학습 10~11쪽

01 예 1000 1000 1000 1000 1000 1000 1000
1000 1000 1000 1000 1000 1000 1000

02 (1) 9000, 10000 (2) 9600, 9900 (3) 9980, 10000

03 (1) 9400 (2) 900 04 8000원

05 3, 1000, 6, 1 06 ①

07 (1) 20000, 9000, 300, 60, 8
(2) 50000, 1000, 700, 90, 2

08 73940원 09 68572개 10 94230

문제해결 접근하기

11 풀이 참조

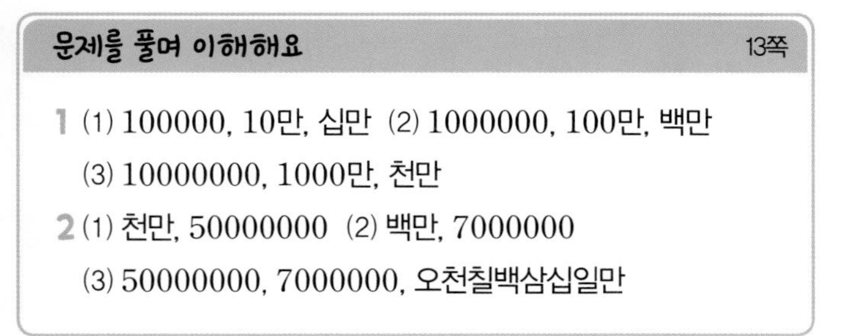

문제를 풀며 이해해요 13쪽

1 (1) 100000, 10만, 십만 (2) 1000000, 100만, 백만
(3) 10000000, 1000만, 천만

2 (1) 천만, 50000000 (2) 백만, 7000000
(3) 50000000, 7000000, 오천칠백삼십일만

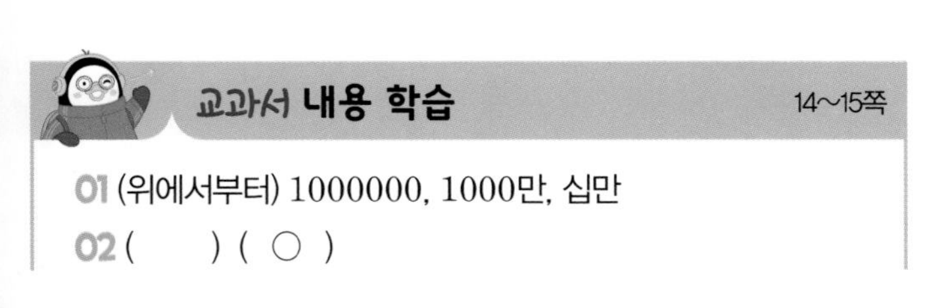

교과서 내용 학습 14~15쪽

01 (위에서부터) 1000000, 1000만, 십만

02 (   ) (○)

03 5079, 4218 읽기 오천칠십구만 사천이백십팔

04 ③, ④ 05 3427, 5896 06 ㉠

07 20000000(또는 2000만), 2000000(또는 200만),
20000(또는 2만), 200000(또는 20만)

08 26590000원 (또는 2659만 원)

09 ㉣ 10 예 13467890, 90876431

문제해결 접근하기

11 풀이 참조

문제를 풀며 이해해요 17쪽

1 (1) 100만 (2) 2000만 (3) 10 (4) 1억

2 (1) 5, 1, 6, 3 (2) 300000000(또는 3억)

3 (1) 9, 2, 7, 4 (2) 구천이백칠십사조
(3) 200000000000000, 70000000000000

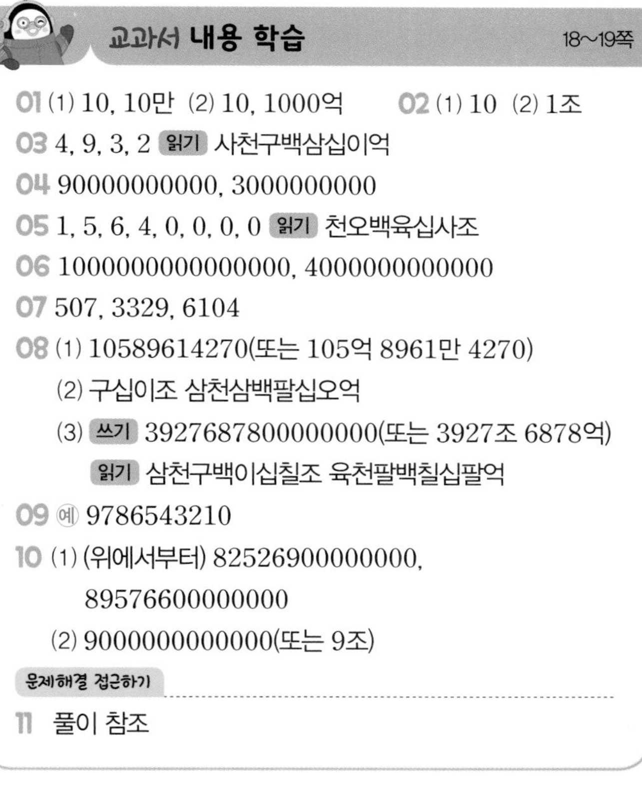

교과서 내용 학습 18~19쪽

01 (1) 10, 10만 (2) 10, 1000억 02 (1) 10 (2) 1조

03 4, 9, 3, 2 읽기 사천구백삼십이억

04 90000000000, 3000000000

05 1, 5, 6, 4, 0, 0, 0, 0 읽기 천오백육십사조

06 1000000000000000, 4000000000000

07 507, 3329, 6104

08 (1) 10589614270(또는 105억 8961만 4270)
(2) 구십이조 삼천삼백팔십오억
(3) 쓰기 3927687800000000(또는 3927조 6878억)
읽기 삼천구백이십칠조 육천팔백칠십팔억

09 예 9786543210

10 (1) (위에서부터) 82526900000000,
89576600000000
(2) 9000000000000(또는 9조)

문제해결 접근하기

11 풀이 참조

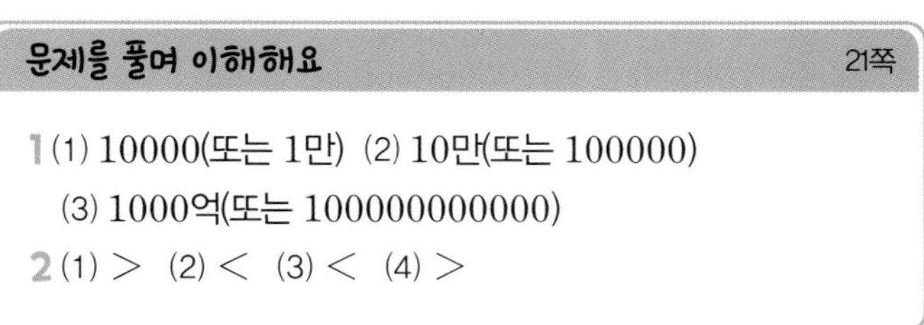

문제를 풀며 이해해요 21쪽

1 (1) 10000(또는 1만) (2) 10만(또는 100000)
(3) 1000억(또는 100000000000)

2 (1) > (2) < (3) < (4) >

교과서 내용 학습 22~23쪽

01 (왼쪽에서부터) 2230000, 4230000
02 (위에서부터) 300억 7691만, 350억 7691만
03 지훈
04 53480000 / 10000000(또는 1000만)
05 10
06 (1) $<$ (2) $>$ (3) $<$
07 ① 같습니다에 ○표 ② 백만에 ○표 ③ 큽니다에 ○표
08 (1) 2720만(또는 27200000) (2) $<$
09 ㉡, ㉠, ㉢
10 678590000

문제해결 접근하기

11 풀이 참조

단원 확인 평가 24~27쪽

01 10000
02 1000, 100, 10, 1
03 (1) 4000, 10000 (2) 9000, 9500
04 50000, 2000, 600, 80, 4
05 (1) 48213 (2) 60307 (3) 52378 (4) 90152
06 52463
07 (위에서부터) 50380000, 육천구백이만
08 (1) 3000000 (2) 30000000
09 59670000(또는 5967만)
10 ④
11 (1) 100 (2) 10
12 ③
13 ㉡
14 (1) 십억, 6000000000(또는 60억)
(2) 백만, 6000000(또는 600만) (3) 1000 / 1000배
15 (1) (위에서부터) 1540000, 9540000
(2) (위에서부터) 칠천억, 조(또는 일조)
16 3040억 7740만 / 10억(또는 1000000000)
17 3조 4700억(또는 3470000000000)
18 26억, 구천만 사천팔백삼십, 33829761
19 (1) 9(또는 아홉) (2) 억, 천만, 백만 (3) 1, 2, 2 / 2
20 서우, 채빈

수학으로 세상보기 28~29쪽

1 쓰기 82000000(또는 8200만) 읽기 팔천이백만
쓰기 1348000000(또는 13억 4800만)
읽기 십삼억 사천팔백만
2 150000000
3 100000, 100000000000000

2단원 각도

문제를 풀며 이해해요 33쪽

1 (1) 나, 나 (2) 가, 가
2 (1) 40 (2) 75 (3) 120 (4) 135

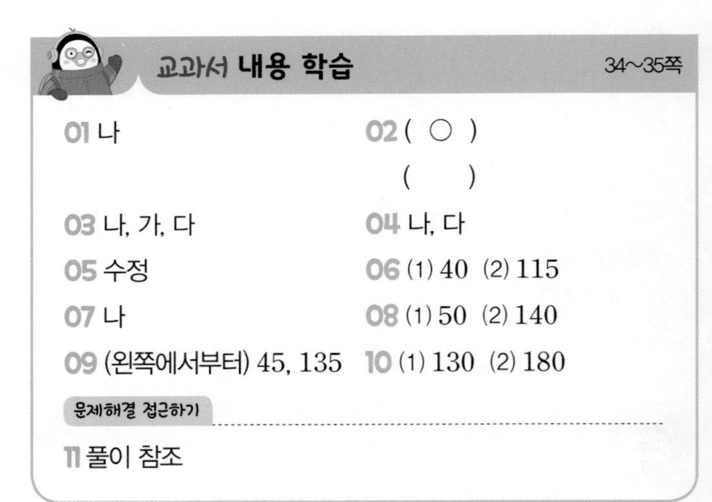

교과서 내용 학습 34~35쪽

01 나
02 (○)
( )
03 나, 가, 다
04 나, 다
05 수정
06 (1) 40 (2) 115
07 나
08 (1) 50 (2) 140
09 (왼쪽에서부터) 45, 135
10 (1) 130 (2) 180

문제해결 접근하기

11 풀이 참조

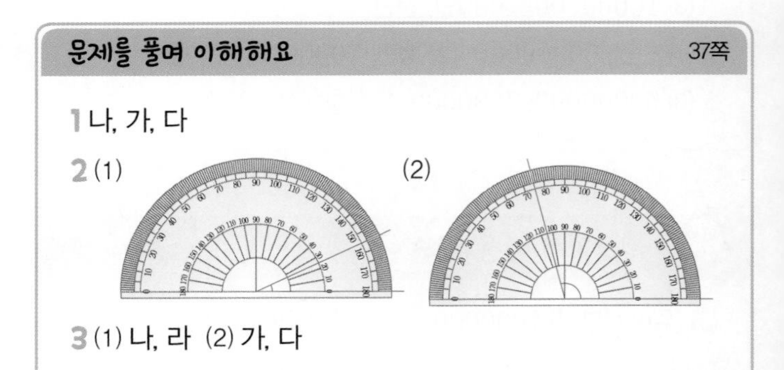

문제를 풀며 이해해요 37쪽

1 나, 가, 다
2 (1) (2)
3 (1) 나, 라 (2) 가, 다

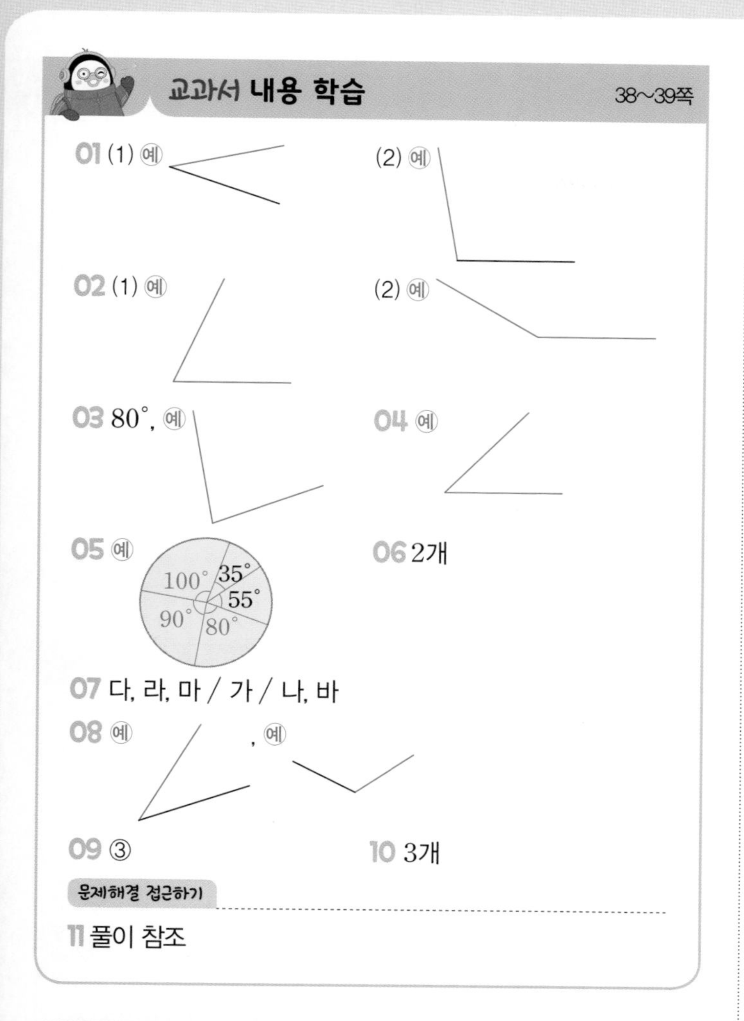

교과서 내용 학습 38~39쪽

01 (1) 예 (2) 예

02 (1) 예 (2) 예

03 80°, 예 04 예

05 예 06 2개

07 다, 라, 마 / 가 / 나, 바

08 예 , 예

09 ③ 10 3개

문제해결 접근하기

11 풀이 참조

문제를 풀어 이해해요 41쪽

1 (1) 예 30 / 20 (2) 예 50 / 40
(3) 예 120 / 120

2 130, 30

교과서 내용 학습 42~43쪽

01 예 60

02 (1) 예 80 / 90 (2) 예 150 / 170

03 예 20 / 25 04 예 70 / 75

05 병훈 06 110, 20, 130

07 135°, 45° 08 ②

09 15° 10 10°

문제해결 접근하기

11 풀이 참조

문제를 풀어 이해해요 45쪽

1 (1) 80, 60, 40, 80, 60, 180
(2) 100, 50, 30, 100, 50, 180

2 (1) 90, 50, 130, 90, 90, 50, 130, 360
(2) 115, 80, 120, 45, 115, 80, 120, 360

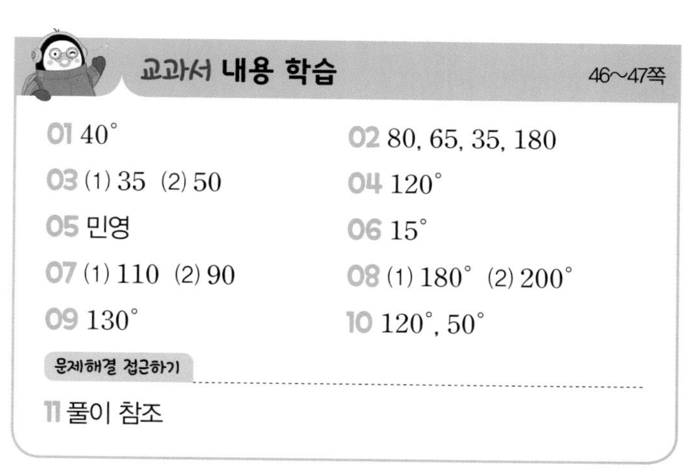

교과서 내용 학습 46~47쪽

01 40° 02 80, 65, 35, 180

03 (1) 35 (2) 50 04 120°

05 민영 06 15°

07 (1) 110 (2) 90 08 (1) 180° (2) 200°

09 130° 10 120°, 50°

문제해결 접근하기

11 풀이 참조

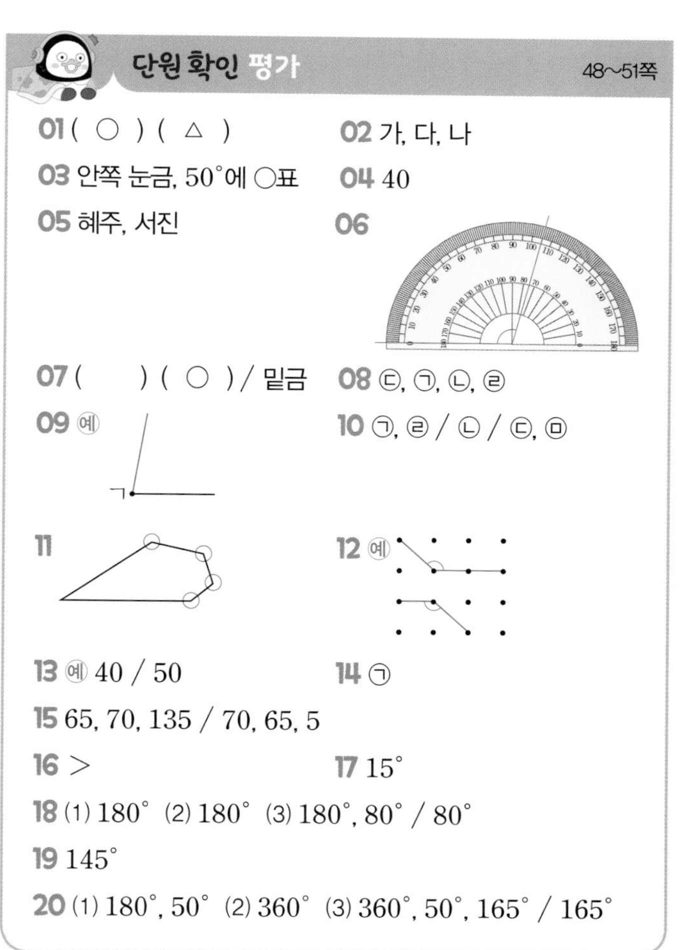

단원 확인 평가 48~51쪽

01 (○) (△) 02 가, 다, 나

03 안쪽 눈금, 50°에 ○표 04 40

05 혜주, 서진 06

07 ( ) (○) / 밑금 08 ㉢, ㉠, ㉡, ㉣

09 예 10 ㉠, ㉣ / ㉡ / ㉢, ㉤

11 12 예

13 예 40 / 50 14 ㉠

15 65, 70, 135 / 70, 65, 5

16 > 17 15°

18 (1) 180° (2) 180° (3) 180°, 80° / 80°

19 145°

20 (1) 180°, 50° (2) 360° (3) 360°, 50°, 165° / 165°

3 단원 곱셈과 나눗셈

문제를 풀며 이해해요 57쪽

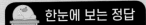

1 (1) 풀이 참조, 6900 (2) 풀이 참조, 7410

2 (왼쪽에서부터) 2212, 10, 22120

3 (1) 16980 (2) 63000

교과서 내용 학습 58~59쪽

01 (왼쪽에서부터) 840, 8400 / 8400

02 (1) 20880 (2) 32680

03 50720

04 46000

05 (1) ㉢ (2) ㉠ (3) ㉡

06 혜선

07 (○) ( )

08 ㉢, ㉠, ㉡, ㉣

09 4140회

10 7220 g

문제해결 접근하기

11 풀이 참조

문제를 풀며 이해해요 61쪽

1 (위에서부터) 7240, 1448 / 7240, 1448, 8688

2 (왼쪽에서부터) 16110, 3222 / 3222, 16110, 19332

3 (1)

$$\begin{array}{r} 464 \\ \times \ \ 25 \\ \hline 2320 \\ 9280 \\ \hline 11600 \end{array} \quad \begin{array}{l} \\ \leftarrow 20+5 \\ \leftarrow 464\times5 \\ \leftarrow 464\times20 \\ \\ \end{array}$$

(2)

$$\begin{array}{r} 675 \\ \times \ \ 19 \\ \hline 6075 \\ 6750 \\ \hline 12825 \end{array} \quad \begin{array}{l} \\ \leftarrow 10+9 \\ \leftarrow 675\times9 \\ \leftarrow 675\times10 \\ \\ \end{array}$$

교과서 내용 학습 62~63쪽

01 (왼쪽에서부터) 7770, 518/ 518, 7770, 8288

02 (위에서부터) 13120, 328, 13448 / 328, 13120, 13448

03 (1) 55610 (2) 53885

04

$$\begin{array}{r} 385 \\ \times \ \ 42 \\ \hline 770 \\ 1540\ \ \\ \hline 16170 \end{array}$$

05 39748

06 ㉡,

$$\begin{array}{r} 439 \\ \times \ \ 56 \\ \hline 2634 \\ 2195\ \ \\ \hline 24584 \end{array}$$

07 ( ) (○) ( )

08 38180

09 700, 20, 14000

10 345, 76, 345, 76, 26220

문제해결 접근하기

11 풀이 참조

문제를 풀며 이해해요 65쪽

1 (1) 7 (2) 5

2 (1) (위에서부터) 4, 120, 15 / 4, 15

(2) (위에서부터) 7, 280, 17 / 7, 17

교과서 내용 학습 66~67쪽

01 270, 360, 450 / 3

02 (1) 풀이 참조 (2) 풀이 참조

03 ⑤

04 (위에서부터) 5, 200, 21 / 5, 21

05 (1)－㉡ (2)－㉠

06 (1)－㉠ (2)－㉡

07 (위에서부터) 7, 23 / 7, 490, 490, 23, 513

08 6, 27

09 4개

10 6묶음, 8자루

문제해결 접근하기

11 풀이 참조

문제를 풀며 이해해요 69쪽

1 (1) (위에서부터) 26, 13, 39, 0 / 풀이 참조

(2) 68, 15 / 풀이 참조

2 (1) 풀이 참조 / 7, 322, 322, 23, 345

(2) 풀이 참조 / 8, 496, 496, 41, 537

교과서 내용 학습 70~71쪽

01

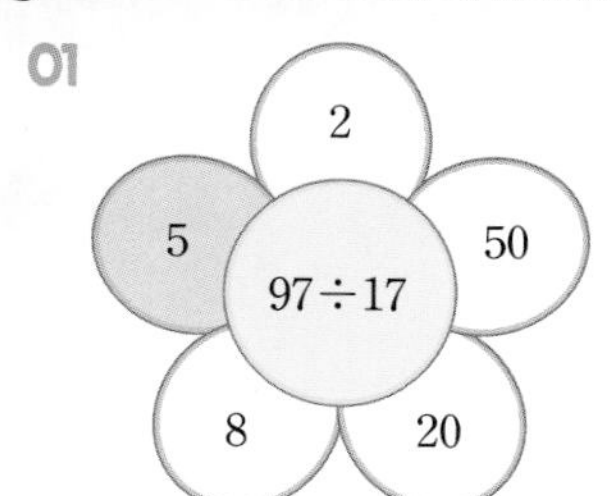

02 6

03
```
      5
12 ) 6 1
     6 0
     ---
       1
```

04 (1) 3, 69, 6 (2) 8, 144, 5

05 ①

06 (1) 6, 36 (2) 5, 37

07 ㉠

08 (○) ( ) ( ) /
```
        5
54 ) 3 0 7
     2 7 0
     -----
       3 7
```

09 지호

10 8상자

문제해결 접근하기

11 풀이 참조

문제를 풀며 이해해요 73쪽

1 (1) 10, 20 (2) 360, 540, 720, 900 / 20, 30

2 (1)
```
       3 1
24 ) 7 4 4
     7 2 0 ← 24×30
     -----
       2 4 ← 744−720
       2 4 ← 24×1
     -----
         0 ← 24−24
```

(2)
```
       2 1
32 ) 6 7 2
     6 4 0 ← 32×20
     -----
       3 2 ← 672−640
       3 2 ← 32×1
     -----
         0 ← 32−32
```

교과서 내용 학습 74~75쪽

01 20, 30

02 ④

03 (1) 풀이 참조 (2) 풀이 참조

04 3개

05 17

06 지수

07 (위에서부터) 31×10, $527-310$, 31×7

08 36개

09 2, 18

10 21

문제해결 접근하기

11 풀이 참조

문제를 풀며 이해해요 77쪽

1 (1) 32, 6 (2) 16, 14

2 (1)
```
       1 5
31 ) 4 8 9
     3 1
     -----
     1 7 9
     1 5 5
     -----
       2 4
```
/ (위에서부터) 15, 465, 465, 24, 489

(2)
```
       1 3
43 ) 5 7 6
     4 3
     -----
     1 4 6
     1 2 9
     -----
       1 7
```
/ (위에서부터) 13, 559, 559, 17, 576

교과서 내용 학습 78~79쪽

01 20, 26, 11

02
```
       1 4
38 ) 5 5 9
     3 8
     -----
     1 7 9 ← 559−380
     1 5 2 ← 38×4
     -----
       2 7 ← 179−152
```

03 (1) 풀이 참조 (2) 풀이 참조

04 ( ) (○)

05 재준

06 ㉣, ㉢, ㉡, ㉠

07 25

08 243

09 16개, 6 cm

10 20개

문제해결 접근하기

11 풀이 참조

문제를 풀며 이해해요 81쪽

1 (1) 예 신비가 12일 동안 뛴 거리

(2) $300\times12=3600$, 3600 m

2 (1) 예 필요한 상자의 수 (2) $876\div12=73$, 73개

3 (1) 예 그릇에 부은 밀가루의 양

(2) $185\times29=5365$, 5365 g

4 (1) 예 필요한 통의 수

(2) $504\div72=7$, 7개

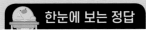

교과서 내용 학습 82~83쪽

01 (1) 500, 13, 6500 (2) 800, 20, 16000
02 $796 \times 15 = 11940$, 11940원
03 $412 \times 20 = 8240$, 8240 kg
04 3262원 05 5670원
06 2408원 07 $640 \div 80 = 8$, 8개
08 $728 \div 26 = 28$, 28일
09 $839 \div 31 = 27 \cdots 2$, 27상자 10 16회

문제해결 접근하기

11 풀이 참조

단원 확인 평가 84~87쪽

01 2233, 22330 02 (1) 13860 (2) 63000
03 26445
04 803×49에 ○표, 286×97에 △표
05 30100원
06 (1) 431 (2) 56 (3) 431, 56, 24136 / 24136
07 2개 08 3
09 (1)-ⓛ (2)-ⓒ (3)-㉠
10 (1) 풀이 참조 (2) 풀이 참조
11 ② 12 풀이 참조 13 <
14 (위에서부터) 10, 470, 3, 141
15 (1) 270, 450, 540 (2) 292, 472, 562 (3) 562 / 562
16 ③ 17 75, 9
18 32일 19 14봉지, 28개
20 (1) 525, 14, 511 (2) 511, 36, 7 (3) 36, 7 / 36, 7

수학으로 세상보기 88~89쪽

1 (1) (위에서부터) 136, 272 / 68, 136, 272, 476
(2) (위에서부터) 8 / 52, 416 / 52, 104, 416, 572
2 (1) 8초 (2) 8 (3) $455 \div 8 = 56 \cdots 7$, 보라색

4 단원 평면도형의 이동

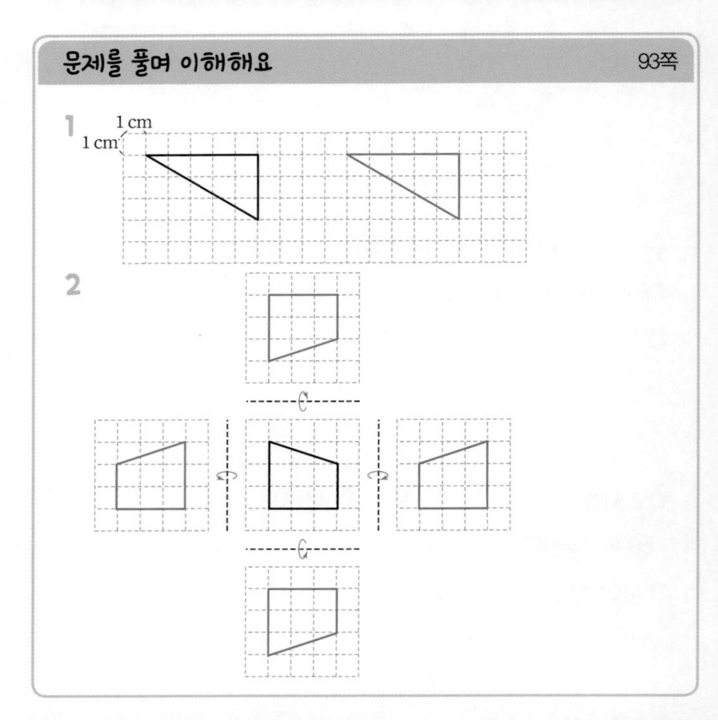

문제를 풀며 이해해요 93쪽

1

2

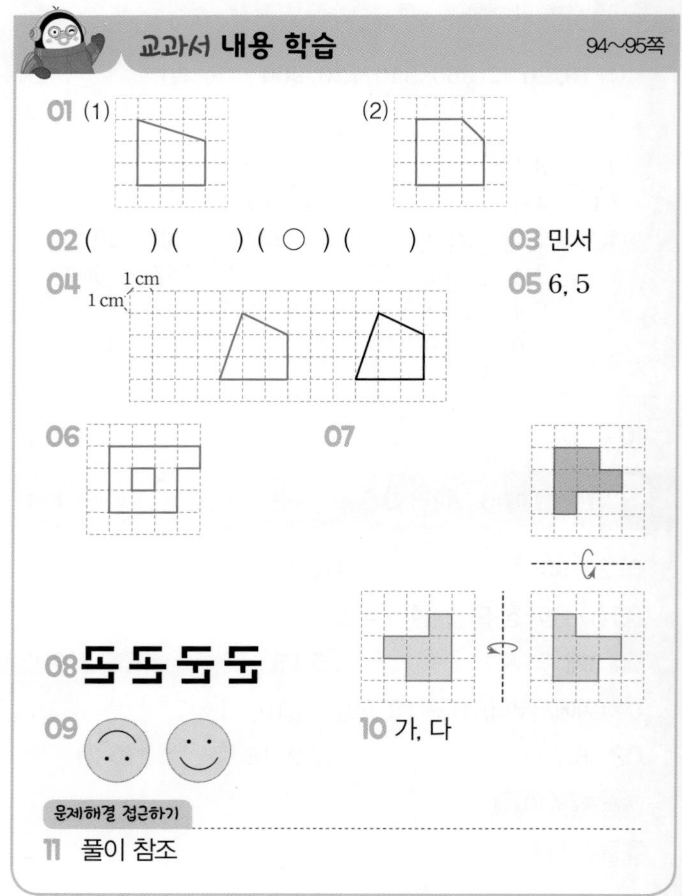

교과서 내용 학습 94~95쪽

01 (1) (2)
02 ( ) ( ) (○) ( ) 03 민서
04

05 6, 5
06 07
08
09 10 가, 다

문제해결 접근하기

11 풀이 참조

문제를 풀며 이해해요 97쪽

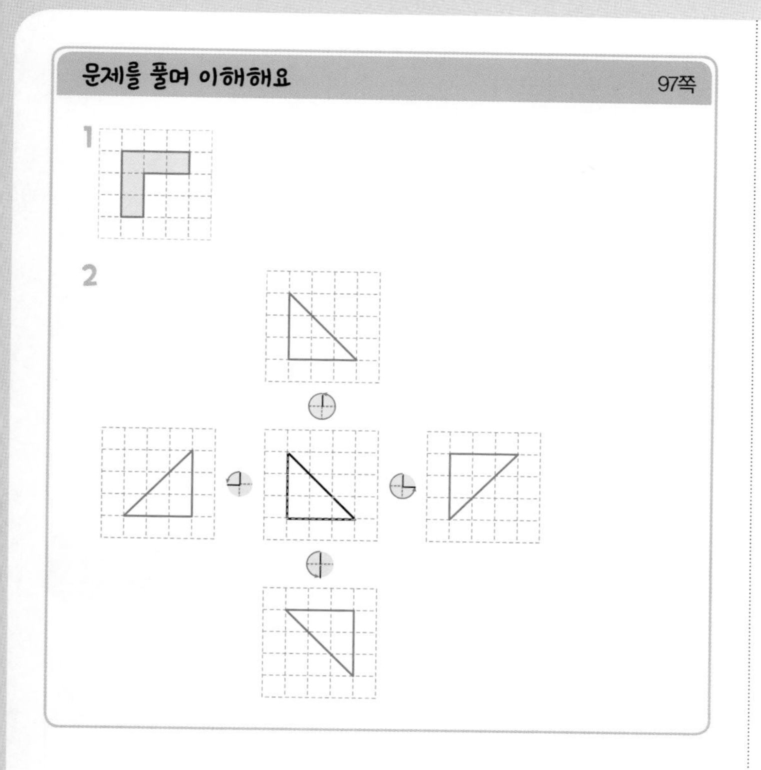

1

2

교과서 내용 학습 98~99쪽

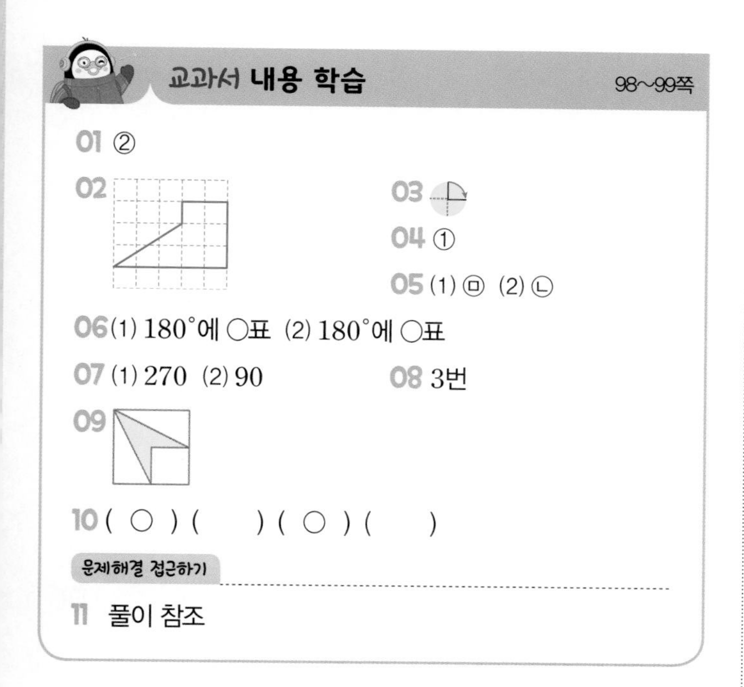

01 ②

02

03

04 ①

05 (1) ㉤ (2) ㉡

06 (1) 180°에 ○표 (2) 180°에 ○표

07 (1) 270 (2) 90

08 3번

09

10 (○) (   ) (○) (   )

문제해결 접근하기

11 풀이 참조

문제를 풀며 이해해요 101쪽

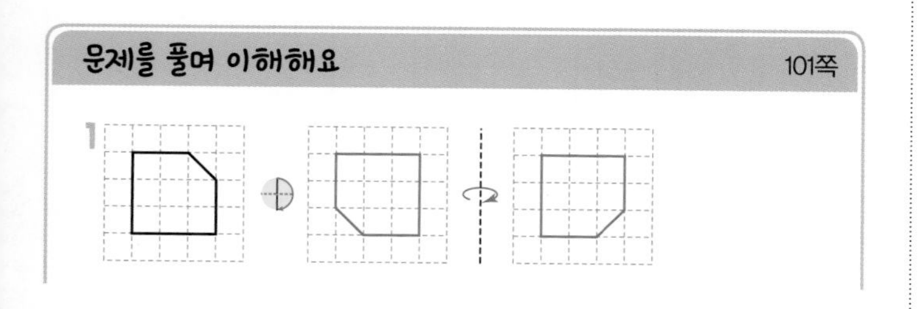

1

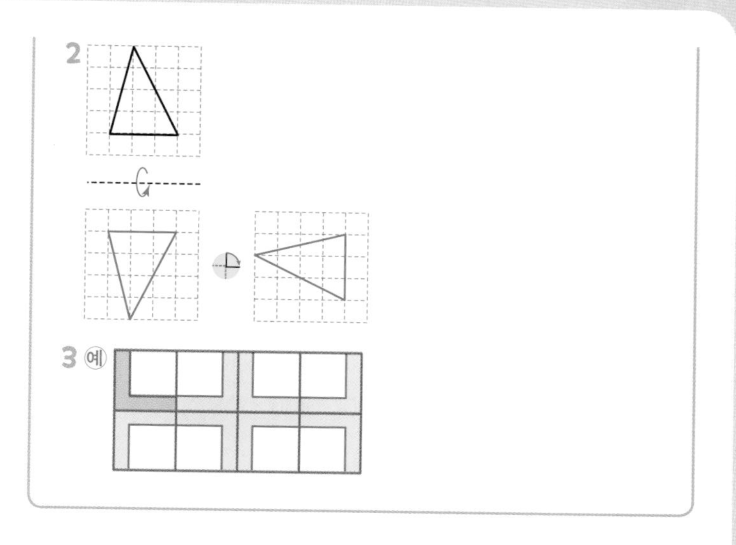

2

3 예

교과서 내용 학습 102~103쪽

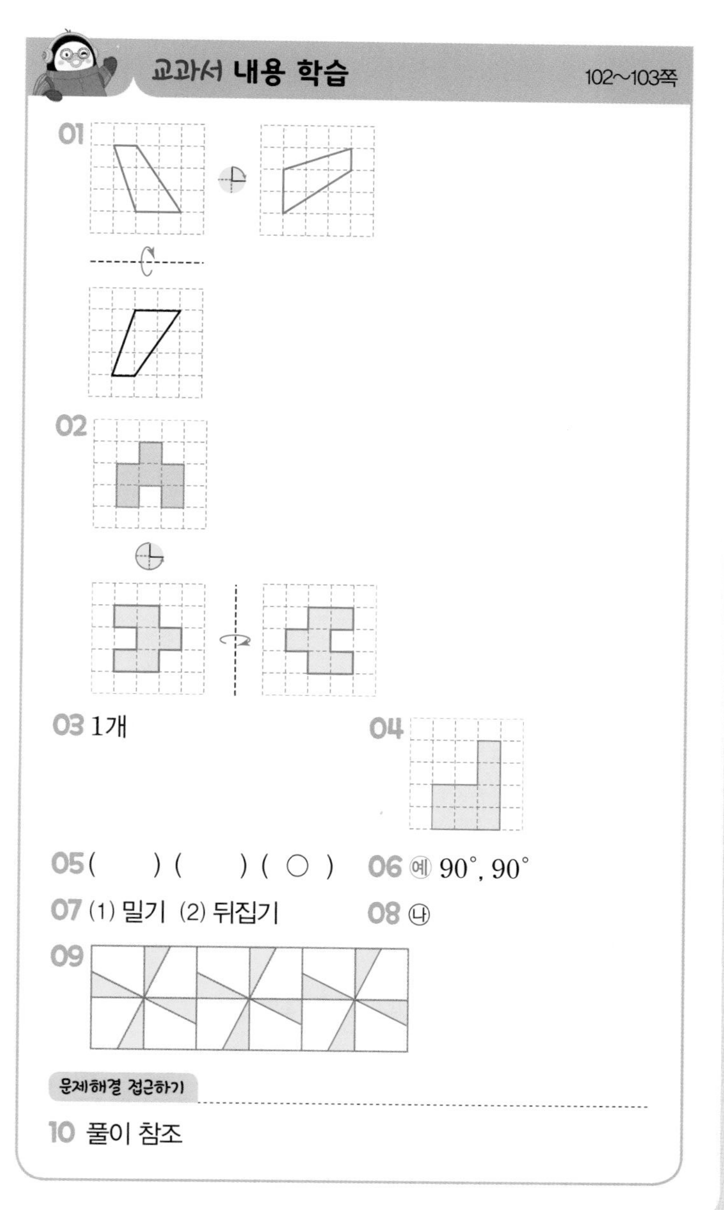

01

02

03 1개

04

05 (   ) (   ) (○)

06 예 90°, 90°

07 (1) 밀기 (2) 뒤집기

08 ㉯

09

문제해결 접근하기

10 풀이 참조

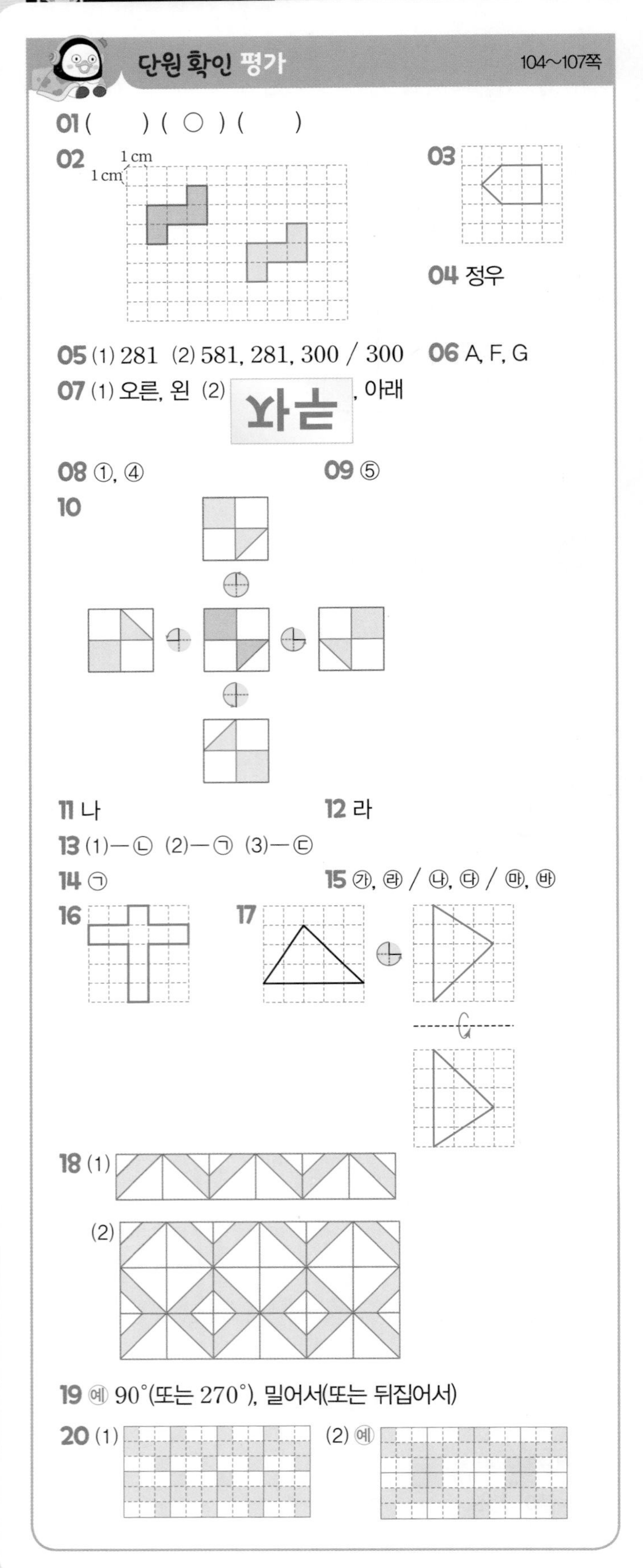

단원 확인 평가 104~107쪽

01 ( ) (○) ( )

02 1 cm 1 cm

03

04 정우

05 (1) 281 (2) 581, 281, 300 / 300

06 A, F, G

07 (1) 오른, 왼 (2) ㅈ하 , 아래

08 ①, ④

09 ⑤

10

11 나

12 라

13 (1)—㉡ (2)—㉠ (3)—㉢

14 ㉠

15 ㉮, ㉱ / ㉯, ㉰ / ㉲, ㉳

16

17

18 (1)

(2)

19 ⓔ 90°(또는 270°), 밀어서(또는 뒤집어서)

20 (1)

(2) ⓔ

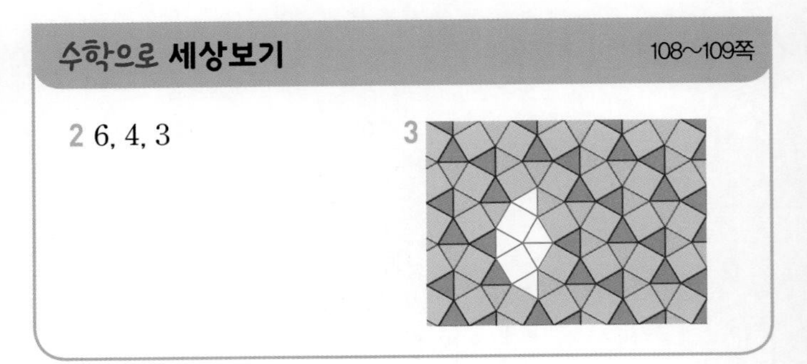

수학으로 세상보기 108~109쪽

2 6, 4, 3

3

5 단원 막대그래프

문제를 풀어 이해해요 113쪽

1 (1) 막대그래프 (2) 1명 (3) 수박 (4) 표 (5) 막대그래프

교과서 내용 학습 114~115쪽

01 색깔, 학생 수

02 좋아하는 색깔별 학생 수

03 1명

04 3명

05 2반, 1반, 5반, 3반, 4반

06 33명

07 5반

08 민수, 서윤

09 37명, 37명

10 7명

문제해결 접근하기

11 풀이 참조

문제를 풀어 이해해요 117쪽

1 (1) 22 (2) 책의 수 (3) 6 (4) 채은

2 ⓔ

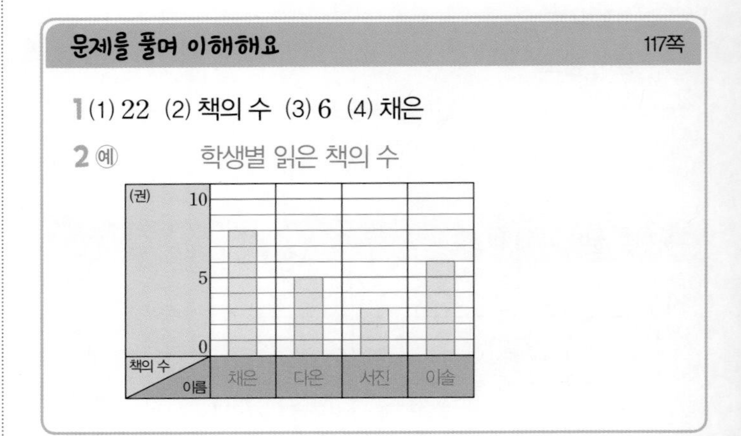

교과서 내용 학습 118~119쪽

01 학생 수

02 여름방학 때 가고 싶은 장소별 학생 수

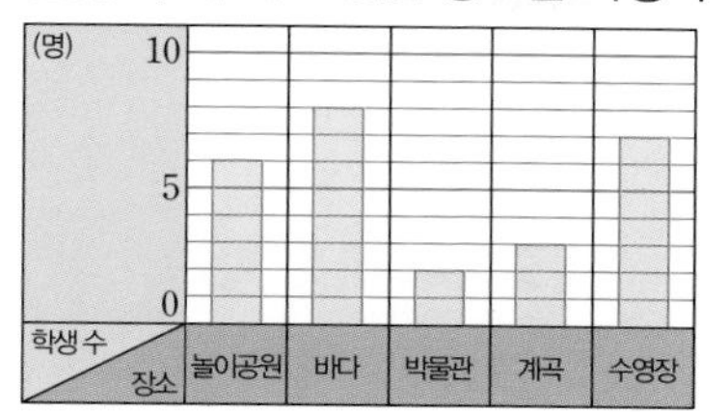

03 예 여름방학 때 가고 싶은 장소별 학생 수

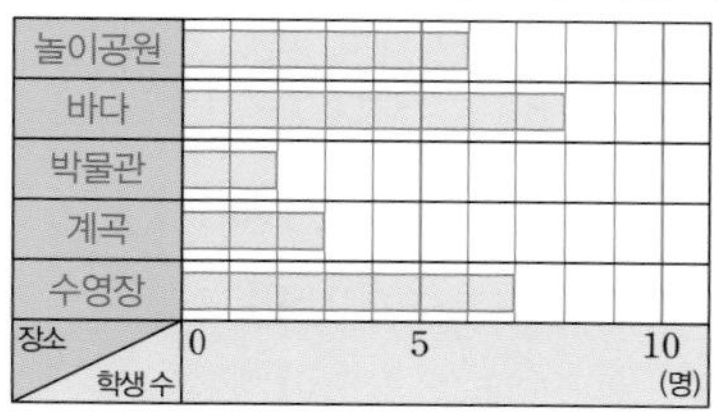

04 6, 4, 8, 2, 20

05 예 좋아하는 간식별 학생 수

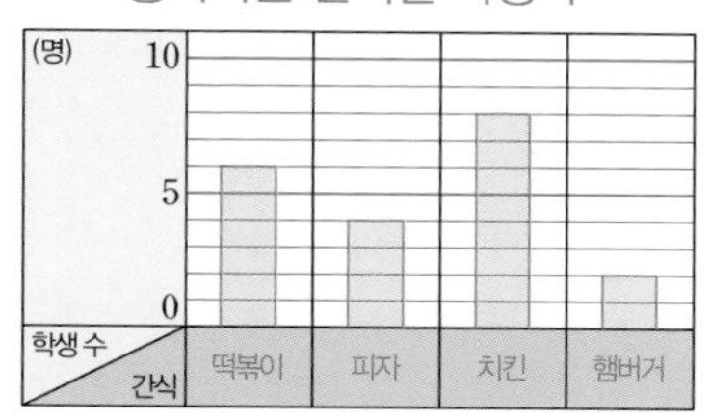

06 치킨　　07 3칸　　08 3개

09 나라별 획득한 금메달 수

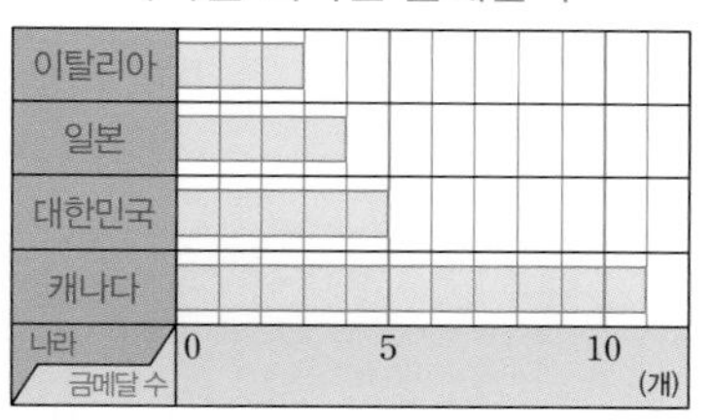

10 대한민국

문제해결 접근하기

11 풀이 참조

문제를 풀며 이해해요 121쪽

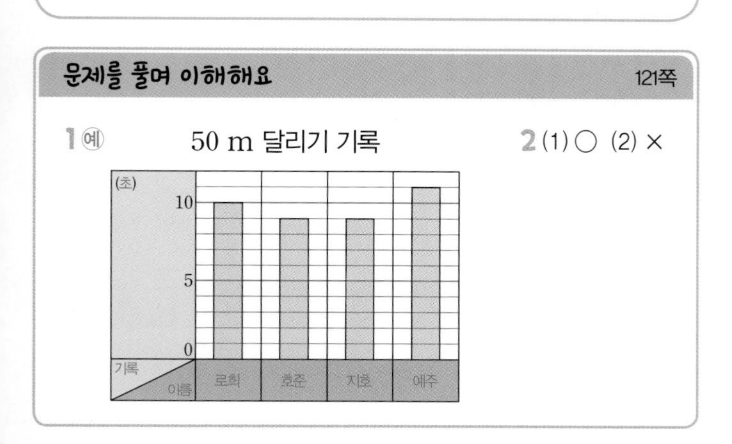

1 예 50 m 달리기 기록

2 (1) ○ (2) ×

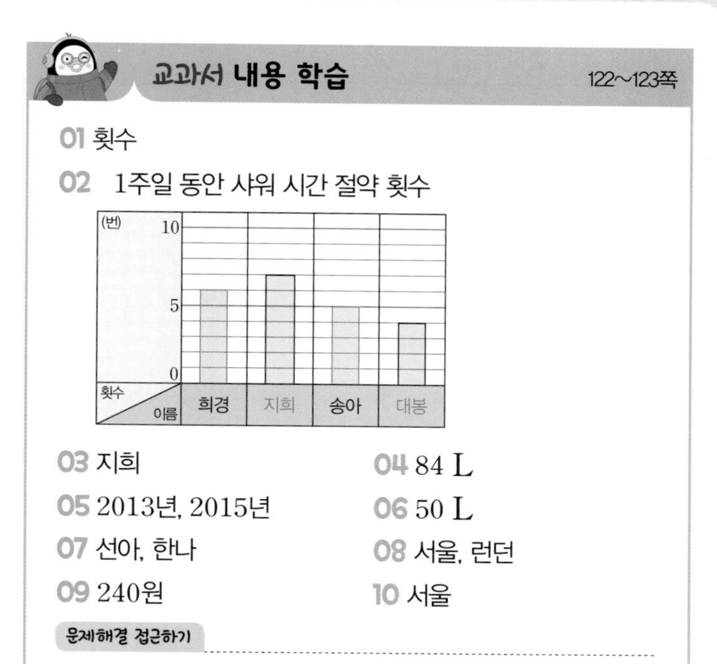

교과서 내용 학습 122~123쪽

01 횟수

02 1주일 동안 샤워 시간 절약 횟수

03 지희　　04 84 L

05 2013년, 2015년　　06 50 L

07 선아, 한나　　08 서울, 런던

09 240원　　10 서울

문제해결 접근하기

11 풀이 참조

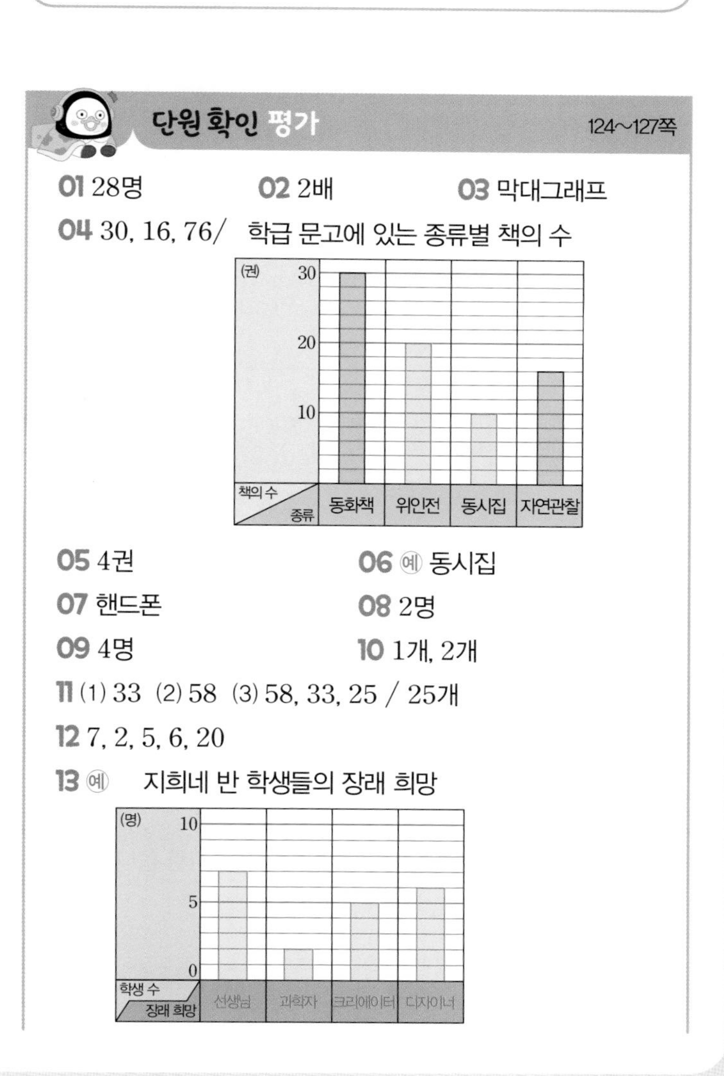

단원 확인 평가 124~127쪽

01 28명　　02 2배　　03 막대그래프

04 30, 16, 76/ 학급 문고에 있는 종류별 책의 수

05 4권　　06 예 동시집

07 핸드폰　　08 2명

09 4명　　10 1개, 2개

11 (1) 33 (2) 58 (3) 58, 33, 25 / 25개

12 7, 2, 5, 6, 20

13 예 지희네 반 학생들의 장래 희망

14 예 월별 비가 오지 않은 날수

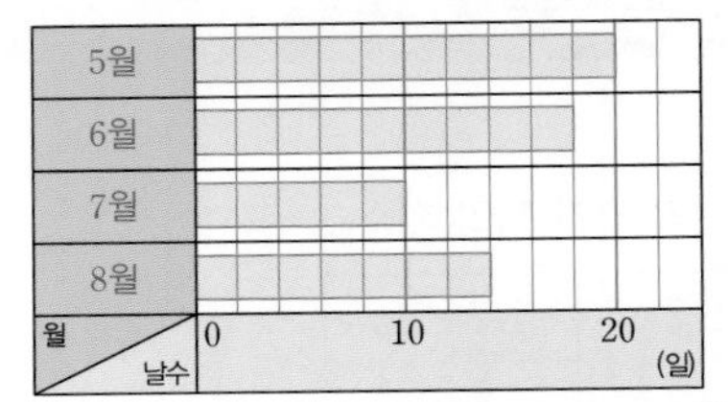

15 14칸　**16** 예 5월　**17** 11칸

18 모둠별로 모은 우유갑의 무게

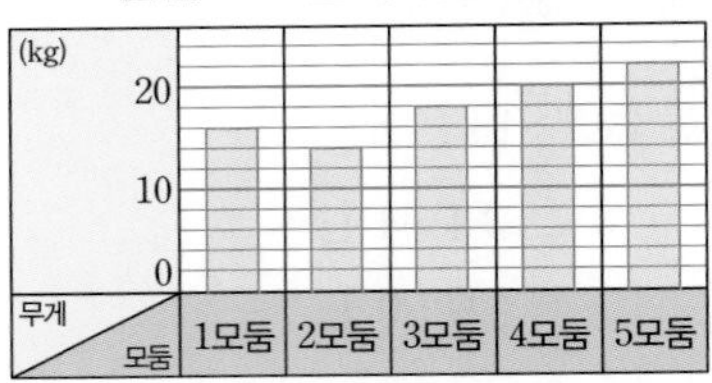

19 20대, 40대　**20** (1) 150, 15, 10 (2) 14, 140 / 140분

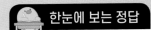

6 단원 규칙 찾기

문제를 풀여 이해해요 133쪽

1 (1) 1 (2) 100 (3) 99, 작아집니다에 ○표
(4) 101, 커집니다에 ○표

2 560

교과서 내용 학습 134~135쪽

01 채이　**02** 989
03 9045　**04** 1705
05 C4
06

10010	10110	10210	10310
30010	30110	30210	30310
50010	●	50210	50310
70010	70110	70210	70310

07 50110
08 예 두 수의 곱셈의 결과에서 일의 자리 숫자를 씁니다.
09 (1)—㉠ (2)—㉡　**10** 64

문제해결 접근하기

11 풀이 참조

문제를 풀여 이해해요 137쪽

1 (1) (○) ( ) (2) 5개 (3) 10개

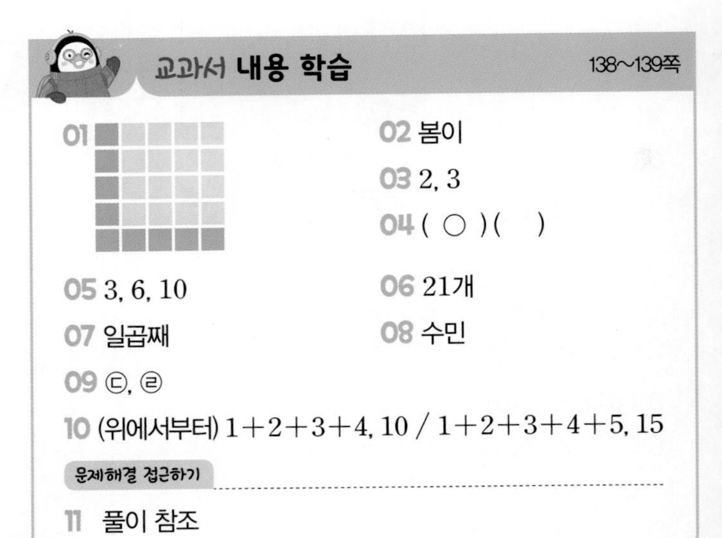

교과서 내용 학습 138~139쪽

01　**02** 봄이
03 2, 3
04 (○)( )
05 3, 6, 10　**06** 21개
07 일곱째　**08** 수민
09 ㉢, ㉣
10 (위에서부터) 1+2+3+4, 10 / 1+2+3+4+5, 15

문제해결 접근하기

11 풀이 참조

문제를 풀여 이해해요 141쪽

1 ㉡　2 ㉢　3 ㉠

교과서 내용 학습 142~143쪽

01 110　**02** 550+220=770
03 유진　**04** 60+500−70=490
05 90+800−100=790　**06** 열째
07 (1) ○ (2) ×　**08** 100003×5=500015
09 11개　**10** 여덟째

문제해결 접근하기

11 풀이 참조

문제를 풀여 이해해요 145쪽

1 306, 310　2 312+313　3 3

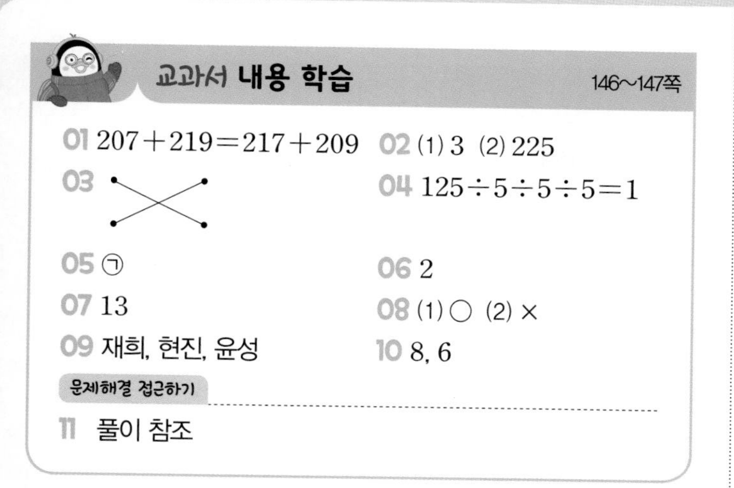

교과서 내용 학습 146~147쪽

01 $207+219=217+209$　02 (1) 3　(2) 225

03 (선 잇기)　04 $125\div5\div5\div5=1$

05 ㉠　06 2

07 13　08 (1) ○　(2) ×

09 재희, 현진, 윤성　10 8, 6

문제해결 접근하기

11 풀이 참조

단원 확인 평가 148~151쪽

01 (위에서부터) 3400, 4600, 5200

02 예 10550부터 오른쪽으로 50씩 커집니다.

03 10050, 커집니다　04 30600, 40750

05 3, 4　06 48

07 3, 6, 10　08 여섯째

09 □□□□□　10 ①

11 7654

12 (1) 1111, 1111, 1111

(2) $5432-4321=1111$ / $5432-4321=1111$

13 예 $693\div7=99$, $6993\div7=999$, $69993\div7=9999$

14 $55500\div15=3700$

15 (1) 여덟　(2) 8, 88800, 3700

(3) $88800\div24=3700$ / $88800\div24=3700$

16 예 $77700\div21=3700$

17 ②　18 315, 316

19 8층　20 ㉢

수학으로 세상보기 152쪽

(1) 1, 3, 9, 27, 81

(2) 예 1에서 시작하여 3씩 곱한 수가 오른쪽에 있습니다.

(3) 243개

Book 2 실전책

1단원 쪽지 시험 5쪽

01 예

02 300　03 67394, 읽기 육만 칠천삼백구십사

04 90000, 200, 70

05 (1) 100000(또는 10만)　(2) 1000000(또는 100만)

(3) 10000000(또는 1000만)

06 100000000, 1억, 억, 일억

07 1000억, 100억, 10억, 1억

08 백조, 400000000000000

09 332억 5000만, 932억 5000만

10 (1) >　(2) <

학교 시험 만점왕 ❶회 1. 큰 수 6~8쪽

01 10000　02 9600, 10000

03 쓰기 56139, 읽기 오만 육천백삼십구

04 ③　05 70000, 900, 20

06 100000, 1000000, 10000000

07 8360000원(또는 836만 원)

08 50714836

09 70000(또는 7만), 70000000(또는 7000만)

10 ㉡　11 1억, 1조

12 4083, 6297, 5128　13 풀이 참조, ㉢

14 십조, 80000000000000(또는 80조)

15 삼천조, 육천조　16 1000만(또는 10000000)

17 풀이 참조, 4　18 >

19 에어컨　20 ㉢, ㉡, ㉠

학교 시험 만점왕 ❷회 1. 큰 수 9~11쪽

01 10, 1, 10, 100, 1000　02 6000원

03 53670원　04 (위에서부터) 삼만 천이백구십팔, 64753

05 80372

06 쓰기 53070000(또는 5307만) 읽기 오천삼백칠만

07 60000000＋9000000＋100000＋30000
08 100배
09 1억(또는 100000000)
10 2
11 인성
12 ①
13 37, 4508, 2317
14 1340조에 ○표, 5813427000000에 △표
15 20조 130억, 22조 130억, 24조 130억
16 ㉡
17 풀이 참조, 79억 6780만
18 (1) $<$ (2) $>$
19 풀이 참조, 6개
20 958764321

1단원 서술형·논술형 평가

12~13쪽

01 풀이 참조, 86310
02 풀이 참조, 28장
03 풀이 참조, 3620000개
04 풀이 참조, 645312
05 풀이 참조, 7개
06 풀이 참조, 100배
07 풀이 참조, 5억 7000만 원
08 풀이 참조, 413억 4900만
09 풀이 참조, A 나라
10 풀이 참조, 8, 9

2단원 쪽지 시험

15쪽

01 (○) ( )
02 100
03 70
04
05 도영
06 다
07 예 40 / 50
08 145°, 45°
09 45, 70, 65, 180
10 360°

16~18쪽

학교 시험 만점왕 ①회 2. 각도

01 가
02 (○) ( )
03 인영
04 중심, 밑금
05 80°
06

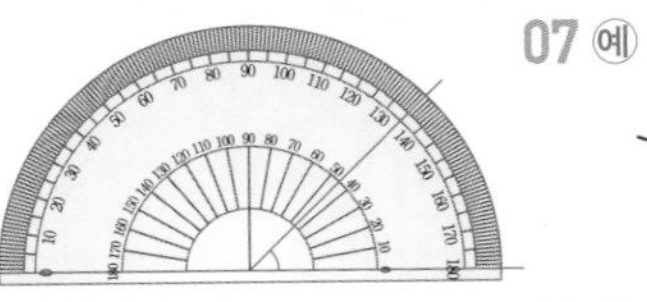

07 예
08 (1) 둔 (2) 예
09 2개
10 (1)-㉡ (2)-㉠
11 예 60°
12 예 130° / 120°
13 25, 80, 105
14 (1) 143 (2) 37
15 풀이 참조, 75°
16 ㉠
17 70
18 55, 105, 80, 120, 360
19 230°
20 풀이 참조, 80

19~21쪽

학교 시험 만점왕 ②회 2. 각도

01 (△) (○) ( )
02 3, 2, 1
03 ②
04 85°
05 105°
06 ②
07 50, 예
08 예
09 3개
10 예각
11 예 15° / 20°
12 30°, 준수
13 125°
14 ㉡
15 (1)-㉡ (2)-㉠ (3)-㉢
16 25°
17 85°
18 풀이 참조, 30
19 130
20 풀이 참조, 135°

2단원 서술형·논술형 평가

22~23쪽

01 풀이 참조, ㉡
02 풀이 참조, 현민
03 예 정미는 각도기의 밑금과 각의 한 변을 맞추지 않았습니다. / 예 각도기의 밑금을 각의 한 변에 맞춥니다.
04 풀이 참조, 둔각
05 풀이 참조, ㉠
06 예 약 120°, 직각 삼각자의 각인 60°의 두 배쯤 되는 것 같아서 약 120°라고 어림하였습니다. 직각인 90°보다 조금 더 큰 것 같아서 약 120°라고 어림하였습니다. 등
07 풀이 참조, ㉠
08 풀이 참조, 75°
09 풀이 참조, 135°
10 풀이 참조, 140°

3단원 쪽지 시험

25쪽

01 33040
02 56000
03 60, 9420, 1413, 10833
04 (1) (위에서부터) 4, 320, 0 (2) (위에서부터) 6, 360, 0
05 (위에서부터) 6, 84, 5 / 6, 84, 84, 89
06 (위에서부터) 8, 184, 0 / 8, 184
07 (위에서부터) 24, 72, 144, 144, 0
08 (위에서부터) 18, 32, 260, 256, 4 / 18, 576, 576, 580
09 (○) ( )
10 ( ) (○)

26~28쪽

학교 시험 만점왕 ❶회 3. 곱셈과 나눗셈

01 (왼쪽부터) 4480, 44800 / 44800
02 (1)-㉡ (2)-㉠
03 ( ) (○)
04 19053
05 21576 g
06 (왼쪽에서부터) 6 / 6, 240, 0
07 8
08 (1)-㉠ (2)-㉡
09 6
10 풀이 참조
11 5, 6
12 2, 3, 1
13 풀이 참조 / $19 \times 43 = 817$
14 (○) (○) (△)
15 풀이 참조 / $43 \times 14 = 602$, $602 + 6 = 608$
16 27
17 29784원
18 17860
19 풀이 참조, 25, 3
20 풀이 참조, 34봉지

29~31쪽

학교 시험 만점왕 ❷회 3. 곱셈과 나눗셈

01 5580
02 70
03 12640, 2844, 15484
04 (위에서부터) 7, 2, 0, 4, 1
05 5
06 ( ) (○)
07 (1) 풀이 참조 (2) 풀이 참조
08 (1)-㉡ (2)-㉠
09 ②
10 (1) 풀이 참조 (2) 풀이 참조
11 6개
12 소정
13 풀이 참조 / $32 \times 23 = 736$
14 ( ) (○) ( )
15 (위에서부터) 19, 25, 10, 6
16 ⑤
17 풀이 참조, 18일
18 5개
19 풀이 참조, 2360원
20 5시간 15분

3단원 서술형·논술형 평가

32~33쪽

01 풀이 참조, 7500회
02 풀이 참조, 10404 g
03 풀이 참조, 8도막, 7 cm
04 풀이 참조, 8개
05 풀이 참조, 6개
06 풀이 참조, 13그루
07 풀이 참조, 809
08 풀이 참조, 441
09 풀이 참조, 15번
10 풀이 참조, 35

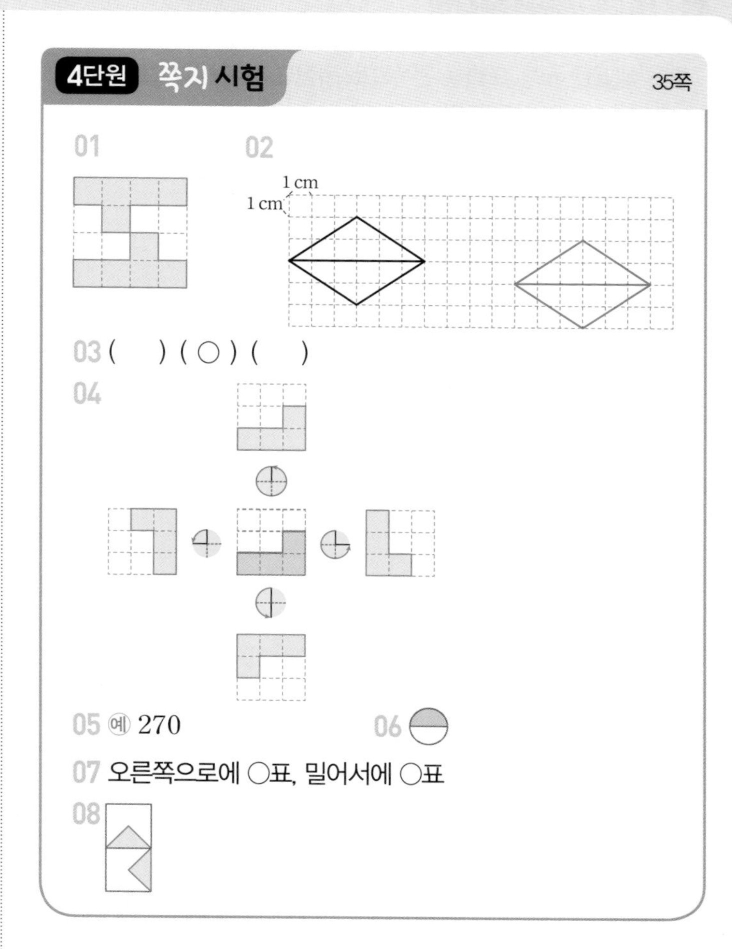

4단원 쪽지 시험
35쪽
01
02
1 cm
1 cm
03 ( ) (○) ( )
04
05 예 270
06
07 오른쪽으로에 ○표, 밀어서에 ○표
08

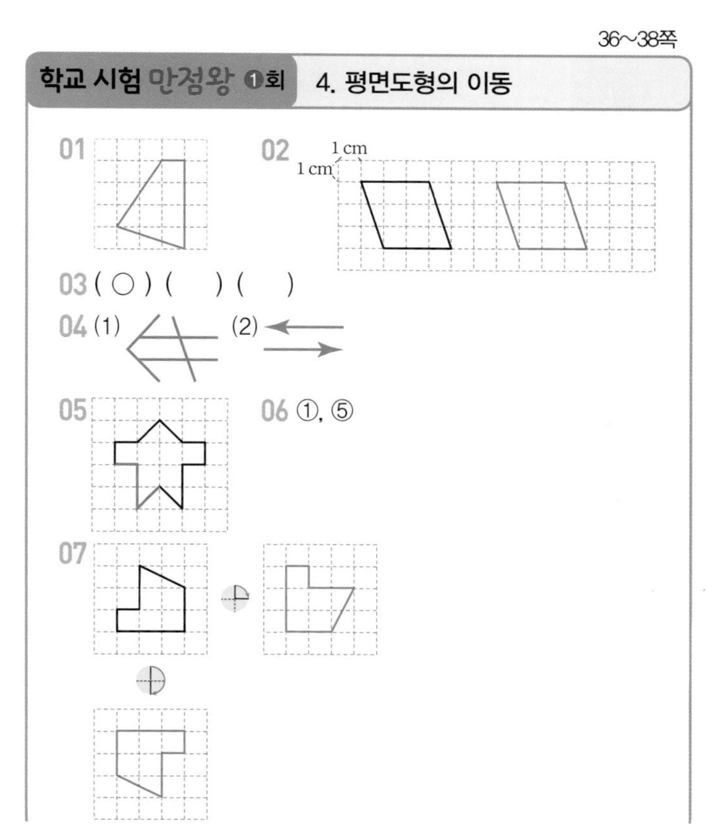

08 방법 1 예 ㉮ 도형을 왼쪽으로 뒤집고 시계 방향으로 90° 만큼 돌립니다.
방법 2 예 ㉮ 도형을 위쪽으로 뒤집고 시계 반대 방향으로 90°만큼 돌립니다.

09 ①, ③, ④

10 180, 180

11 6개

12 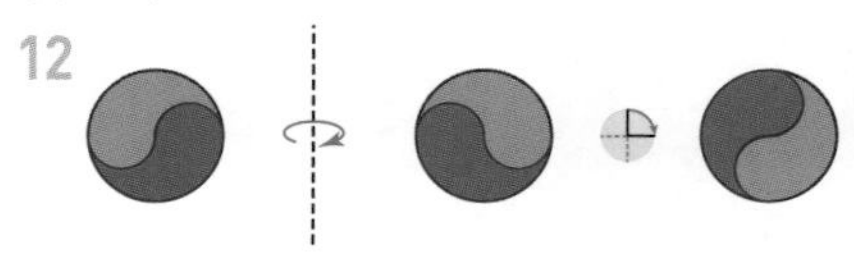

13 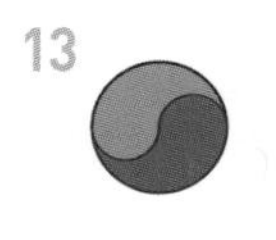 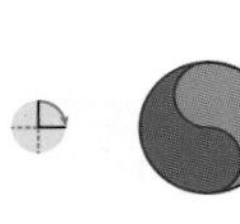 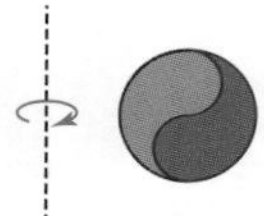

14 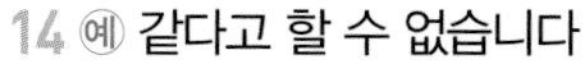 예 같다고 할 수 없습니다

15 

16 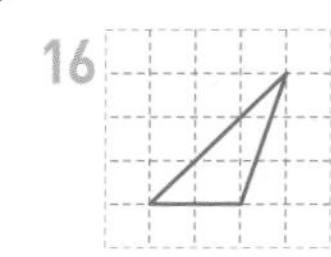

17 (1) 예 왼쪽으로 뒤집은 다음 밀었습니다.
(2) 예 시계 방향으로 90°만큼 돌린 다음 왼쪽으로 뒤집고 밀었습니다.

18 

19  예 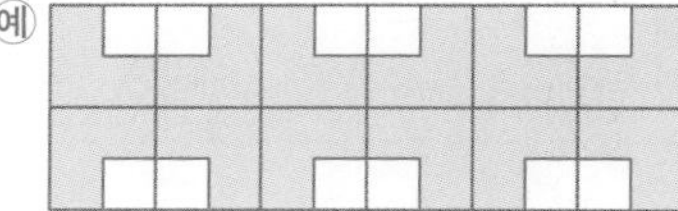

20 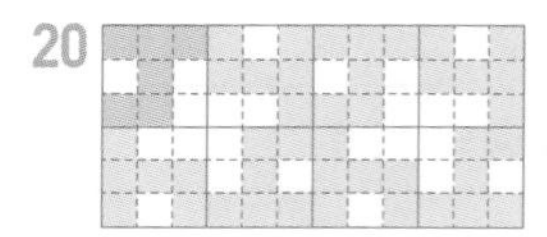

39~41쪽

학교 시험 만점왕 ❷회 4. 평면도형의 이동

01 

02 아래, 8

03 (1) ○ (2) × (3) ○ (4) ×

04 풀이 참조, 4개

05 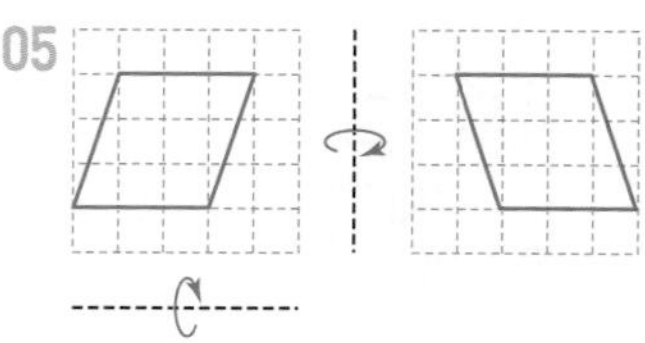 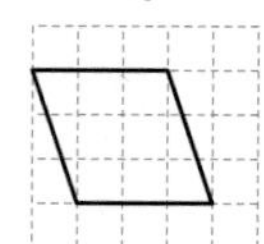

06

07 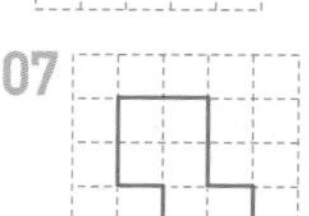

08 (1) 180°에 ○표 (2) 90°에 ○표

09 (1) 270 (2) 180

10 (○) (○) (   ) (   )

11 ㉰

12 ㉱

13 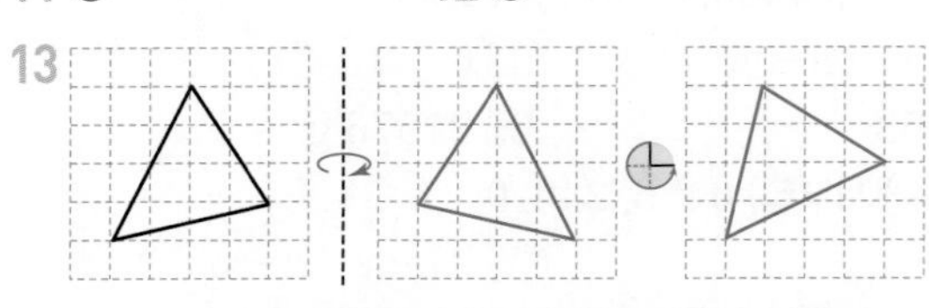

14 예 A는 왼쪽 도형을 시계 반대 방향으로 90°만큼(또는 시계 방향으로 270°만큼) 돌리기이고 B는 가운데 도형을 위쪽(또는 아래쪽)으로 뒤집기입니다.

15 ㉠

16 

17 (   )
(○)

18 예 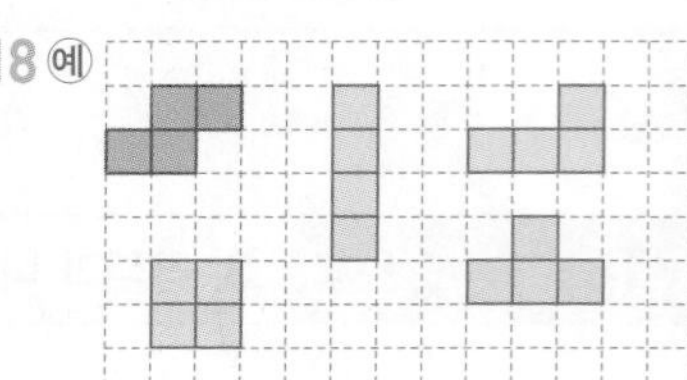

19 ㉢

20 예 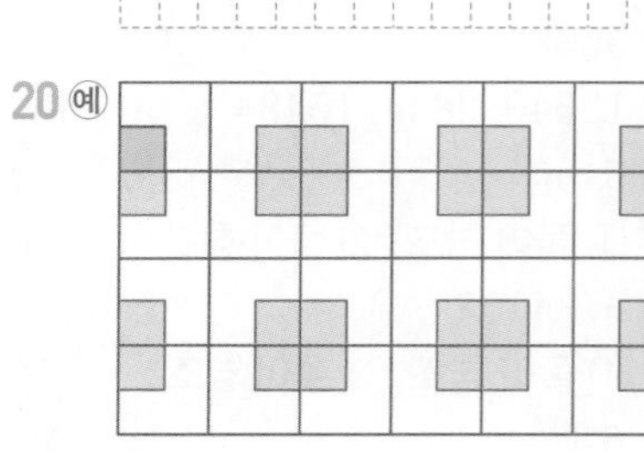

4단원 서술형·논술형 평가

42~43쪽

01 풀이 참조

02 풀이 참조

03 풀이 참조

04 풀이 참조, ㉢

05 예 위쪽(또는 아래쪽)으로 뒤집었습니다.

06 풀이 참조, 이탈리아, 핀란드 국기

07 방법 1 예 ㉮ 도형을 시계 방향으로 180°만큼 돌리면 ㉯ 도형이 됩니다.
방법 2 예 ㉮ 도형을 시계 반대 방향으로 180°만큼 돌리면 ㉯ 도형이 됩니다.

08 풀이 참조, 91

09 풀이 참조, ㉮

10 풀이 참조

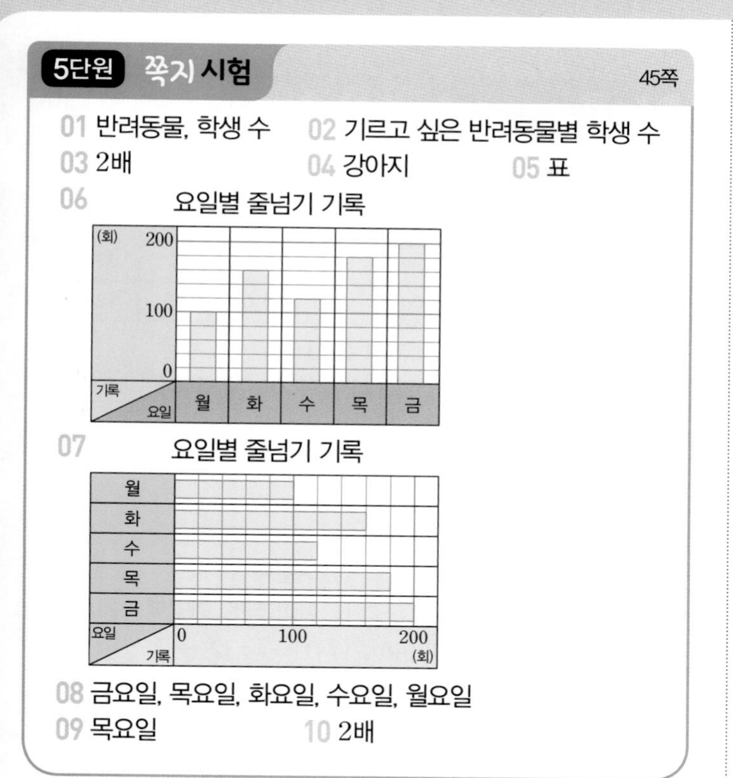

46~48쪽

학교 시험 만점왕 ❶회 5. 막대그래프

01 (1) (○) (　) (2) (　) (○)
02 2개
03 24칸
04 78개
05 3반
06 3반
07 ㉠, ㉢
08 12, 44, 100 / 어린이날 선물 수

(개) 40, 20, 0 / 선물 수, 종류 / 인형, 색연필, 블록, 풍선

09 4개
10 예 어린이날 선물 수

인형, 색연필, 블록, 풍선 / 종류, 선물 수 / 0, 20, 40 (개)

11 60 kg
12 예 마을별 딸기 생산량

(kg) 100, 50, 0 / 생산량, 마을 / 가, 나, 다, 라

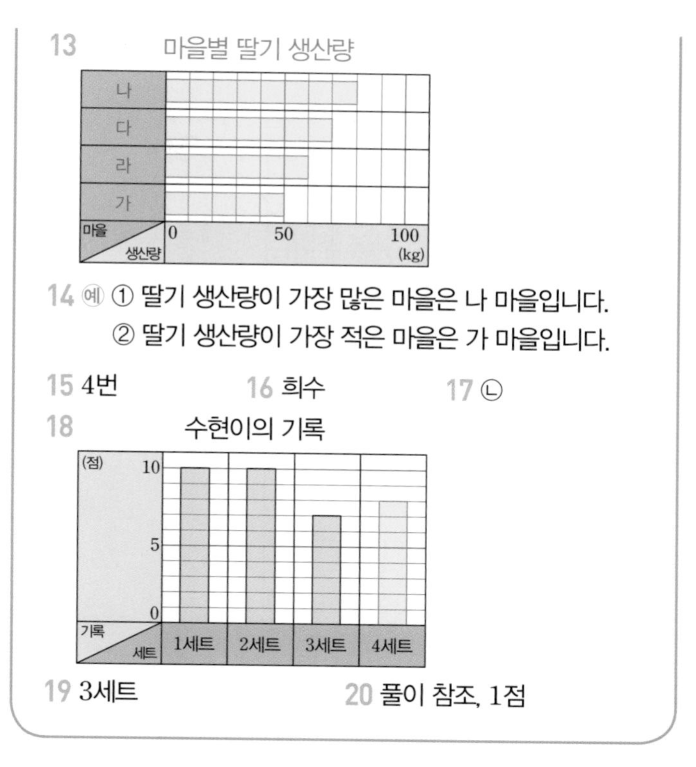

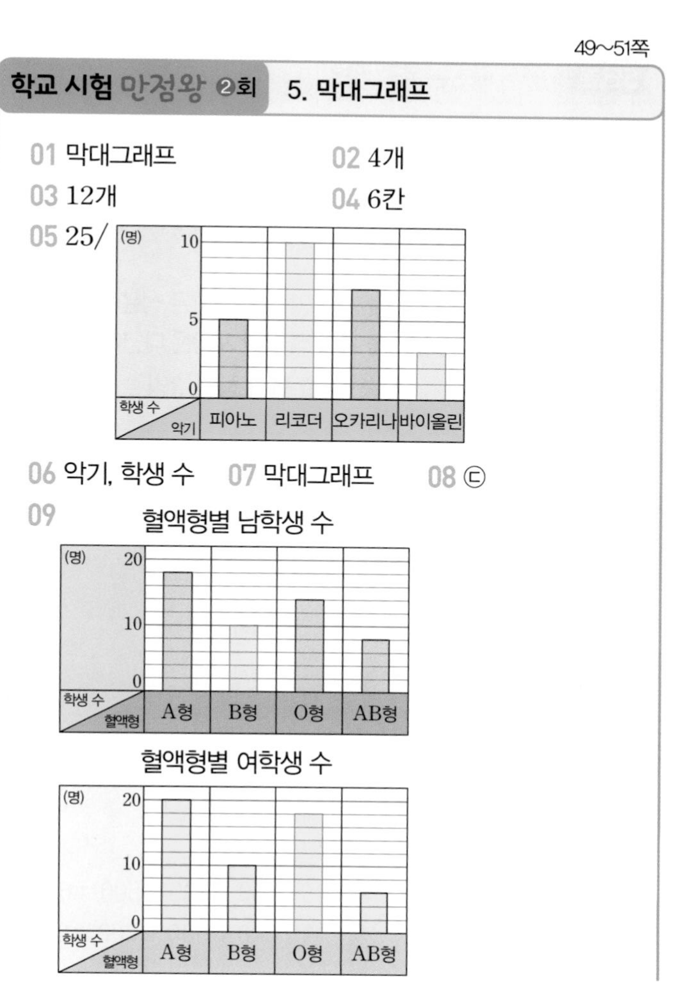

10 풀이 참조, 12명

11

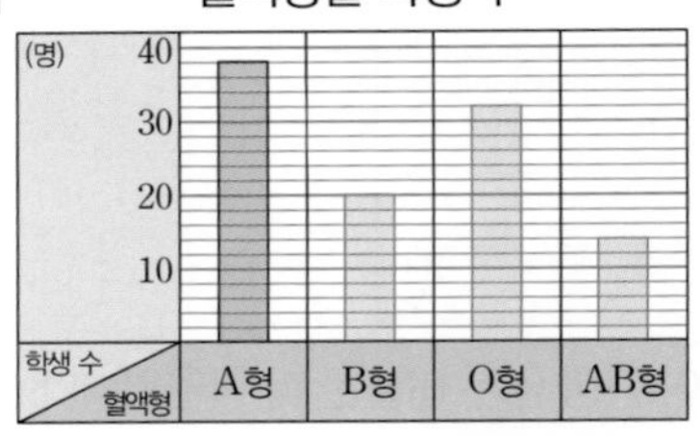

12 8칸 13 60

14 모둠별로 모은 빈 병의 수

5모둠
2모둠
3모둠
4모둠
1모둠
모둠
빈 병의 수
0
10
20
(병)

15 ㉢, ㉠, ㉣, ㉡, ㉥, ㉤(또는 ㉤, ㉢, ㉠, ㉣, ㉡, ㉥)

16 중국, 베트남 17 220명 18 ㉔ 중국

19 2019년 20 풀이 참조

5단원 서술형·논술형 평가

52~53쪽

01 풀이 참조, 25명 02 풀이 참조, 5명

03 풀이 참조, 18000원 04 풀이 참조, 송하

05 풀이 참조, 14칸 06 풀이 참조, 116개

07 풀이 참조, 28개

08 ㉔ ① 한 달 동안 운동을 가장 많이 한 사람은 성윤이입니다.
② 한 달 동안 운동을 가장 적게 한 사람은 다연이입니다.

09 풀이 참조, 2배 10 풀이 참조, 3명

6단원 쪽지 시험

55쪽

01

701	711	721	731
801	811	821	831
901	911	921	931
1001	1011	1021	1031

02 10 03 110 04 538

05 125 06

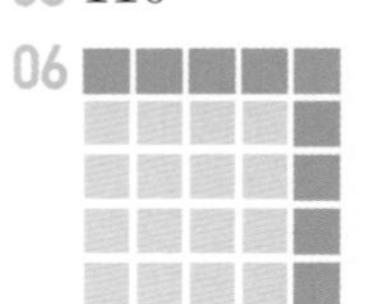

07 11개

08 여덟째

09 $400+700-500=600$

10 $600+900-700=800$

56~58쪽

학교 시험 만점왕 ❶회 6. 규칙 찾기

01 5, 커집니다 02

600	605	610	615	620
700	705	㉠	715	720
800	805	810	㉡	820
900	905	910	915	920

03 105 04 (위에서부터) 40, 16 05 세은

06 ㉔ 두 수의 곱셈의 결과에서 일의 자리 숫자를 씁니다.

07 2, 0

08 09 45개 10

11 4, 7, 10 12 여덟째 13 ㉠

14 ㉡ 15 풀이 참조, 여덟째

16 $599994 \div 6 = 99999$ 17 (1)—㉡ (2)—㉢

18 풀이 참조, 열째 19 24

20 ㉔ ① $9+17=16+10$ / ② $10+11+12=11\times3$

59~61쪽

학교 시험 만점왕 ❷회 6. 규칙 찾기

01 ㉔ 1020부터 아래쪽으로 1000씩 커집니다.

02 ㉠ 03 5100 04 E8, B11

05 아라 06 370

07 590, 460, 330, 200, 70 08 ( ) (○)

09 (위에서부터) $3+3+3$, 9 / $3+3+3+3$, 12

10 풀이 참조, 30개 11 9개

12 10개, 9개 13 1개

14 $1000009\times3=3000027$ 15 열째

16 999 17 $9+99999\times9=900000$

18 풀이 참조, 아홉째 19 210, 620

20 ㉢

6단원 서술형·논술형 평가

62~63쪽

01 풀이 참조, 7405 02 풀이 참조, 3500

03 풀이 참조, 9배 04 풀이 참조, 16개

05 풀이 참조, 11개 06 풀이 참조, 

07 풀이 참조, 5개 08 풀이 참조, 일곱째

09 풀이 참조, $1008+546-507=1047$

10 풀이 참조, 여덟째